유방 미용재건성형술

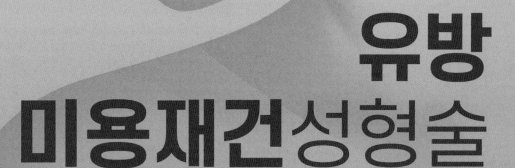

Reconstruction
and Aesthetic **Breast Surgery**

유방성형연구회

유방미용재건성형술

첫째판 1쇄 인쇄 | 2023년 3월 15일
첫째판 1쇄 발행 | 2023년 4월 10일

지 은 이   유방성형연구회
발 행 인   장주연
출 판 기 획   최준호
책 임 편 집   이다영
표지디자인   김재욱
편집디자인   강미란
일 러 스 트   유학영, 신윤지
발 행 처   군자출판사(주)
　　　　　등록 제4-139호(1991. 6. 24)
　　　　　본사(10881) **파주출판단지** 경기도 파주시 회동길 338(서패동 474-1)
　　　　　전화(031) 943-1888 팩스(031) 955-9545
　　　　　홈페이지 | www.koonja.co.kr

ISBN 979-11-5955-993-8
정가 240,000원

집필진

강상규	순천향대학교 서울병원 성형외과	윤상엽	실루엣 성형외과
강신혁	중앙대학교병원 성형외과	윤원준	미고성형외과
김도곤	칠곡경북대학교병원 성형외과	윤을식	고려대학교 안암병원 성형외과
김영석	연세대학교 강남세브란스병원 성형외과	이동원	연세대학교 세브란스병원 성형외과
김재우	더 성형외과	이영대	물방울 성형외과
남수봉	양산부산대학교병원 성형외과	이준석	칠곡경북대학교병원 성형외과
노태석	연세대학교 강남세브란스병원 성형외과	이준호	영남대학교병원 성형외과
문구현	성균관대학교 삼성서울병원 성형외과	이중호	가톨릭대학교 부천성모병원 성형외과
박민석	가톨릭대학교 부천성모병원 성형외과	이형철	고려대학교 안암병원 성형외과
박성수	봉봉 성형외과	임중혁	이을 성형외과
박진석	박진석성형외과	장재훈	BS더바디 성형외과
변재경	성균관대학교 삼성서울병원 성형외과	장 학	서울대학교병원 성형외과
서보미	가톨릭대학교 의정부성모병원 성형외과	전병준	성균관대학교 삼성서울병원 성형외과
설철환	JW정원 성형외과	정복기	연세대학교 용인세브란스병원 성형외과
송우진	순천향대학교 서울병원 성형외과	진웅식	서울대학교병원 성형외과
심형보	BIO성형외과	차한규	순천향대학교 부천병원 성형외과
양정덕	칠곡경북대학교병원 성형외과	최규진	이룸 성형외과
어필선	칠곡경북대학교병원 성형외과	최문섭	그레이스오앤영 성형외과
엄진섭	울산대학교 서울아산병원 성형외과	하정현	서울대학교병원 성형외과
오득영	가톨릭대학교 서울성모병원 성형외과	한승범	바탕 성형외과
옥재진	더 성형외과	한현호	울산대학교 서울아산병원 성형외과
우경제	이화여자대학교 목동병원 성형외과	허찬영	분당서울대학교병원 성형외과
유효경	서울대학교병원 성형외과	황동연	나나 성형외과

유방성형연구회는 유방성형 및 재건에 관해 공부하고 경험과 지식을 나누는 대한성형외과학회 산하 연구회입니다. 유방성형과 재건에 관한 학술적 수요가 증가하면서 연구회의 학술활동도 계속 확장하고 있습니다. 연 4회 정기 심포지엄을 열어 빠르게 변화하는 유방성형과 재건술에 관한 최신 정보를 회원들에게 제공하고, 국제 행사로 Seoul Breast Meeting을 개최하여 한국 유방성형의 독보적인 기술과 노하우를 전세계에 알리고 있습니다. 10여년 간 지속된 학술활동으로 회원들의 지식과 경험이 세계적인 수준으로 올랐고, 다른 어디에서도 들어 볼 수 없는 독창적인 내용을 가지고 있는 회원들이 많습니다. 아시아를 넘어 유럽이나 미주에서도 우리 회원들의 강의를 요청하고 있습니다. 이러한 보물 같은 지식과 업적을 발표의 형식으로만 듣기에는 너무 아쉬워서 유방성형연구회가 발행하는 출판물로 남기기로 했습니다.

이 연구회 책은 교과서의 형식을 취하고 있지만, 저자에게 재량권을 많이 주어 좀 더 자유로운 형식으로 저술하게 하였습니다. 이미 유방성형과 재건에 관한 책이 많이 나와있어서, 기본적인 내용을 공부할 수 있는 기존 자료는 충분히 있습니다. 이번 책은 모든 관련 내용을 빠짐없이 싣는 것 보다는 각 챕터의 저자가 독자에게 전달하고 싶은 포인트들을 중심으로 구성하고자 하였습니다. 원리 원칙을 기본으로 하되, 수술에 직접적으로 도움이 되는 내용, 독자가 질문하고 싶은 내용들을 최대한 많이 포함하려고 노력하였고, 이 책으로 독자의 유방성형수술 레벨이 몇 단계 더 올라가는 것을 목표로 하였습니다.

바쁘신 와중에 기꺼이 참여해 주신 저자분들께 감사드립니다. 수년 간의 노력과 거듭된 실패를 통해 얻은 소중한 지식과 노하우를 아낌 없이 풀어내기가 쉽지만은 않을 것입니다. 하지만, 연구회 활동을 통해 지식과 경험을 나누면서 자기 자신이 더 발전했다는 것을 알기에 가능했을 것으로 생각합니다. 기획을 위해 애써 주신 편찬위원님들께도 감사드리며, 마지막으로 항상 성형외과 분야의 좋은 책을 만들기 위해 도움을 주신 군자 출판사 직원분들께도 감사드립니다.

처음 발간한 책이라 세련되지 못한 부분이 있더라도 넓은 아량으로 이해해 주시고, 이 책이 독자분들의 연구와 진료에 많은 도움이 되기를 바랍니다.

2023년 3월 7일
대한성형외과학회 유방성형연구회 8대 회장 **엄진섭**

Breast
Reconstruction

SECTION 3
>> Implant based reconstruction

SECTION 4
>> Other reconstruction

Breast : Aesthetic Surgery

SECTION **6**
>> Reduction mammoplasty & mastopexy

PART **I**

Breast
Reconstruction

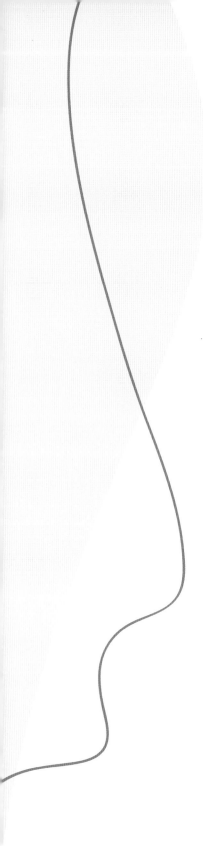

Reconstruction and Aesthetic
Breast Surgery

국내 유방재건술의 현황 및 통계

Current status of breast reconstruction in Korea

순천향대학교 서울병원 성형외과 **송우진**

1. 배경

1) 국내 유방암 및 유방전절제술의 증가

2019년도 국가암등록통계에 따르면 우리나라의 암 발생자수는 총 254,718명으로, 그중 유방암은 여자 발생자수 120,538명 중 20.6%에 해당하여 여성에게 가장 흔한 악성 종양이다. 유방암의 발병률 증가의 원인은 아직 명확하지 않지만, 식습관의 서구화, 비만, 늦은 결혼, 낮은 출산율, 모유 수유 감소, 조기 초경 및 늦은 폐경에 따른 총 에스트로겐 노출 기간의 증가와 관련이 깊다. 최근 5년 생존율은 93.6% 정도로 보고되고 있어 사망률이 다른 암에 비해 상대적으로 낮은데, 이는 국가유방암검진의 조기 발견 때문으로 추정된다.

부분유방절제술은 꾸준히 증가하여 2006년 유방전절제술을 넘어서 2012년 67%를 차지하였으나 2013년부터 감소 추세이다. 반면 유방전절제술은 2014년 34%에서 2016년 37%로 증가하였다. 진행성유방암은 유방전절제술이 필요하며, 이는 MRI 등 영상기법의 발달로 진행성유방암에 대한 조기 진단이 늘어났기 때문으로 추정된다. 유방암에 대한 유방전절제술 후 유방재건술은 높은 생존율과 재건된 유방의 미적 우수성으로 인해 많이 선호되고 있다.

2) 유방전절제술 후 유방재건술의 건강 보험 적용

유방재건술은 심미적, 심리적 이점을 제공하고 삶의 질을 향상시킨다. 이러한 이점이 존재하고 최근 유방재건 선호도가 증가했음에도 불구하고, 높은 수술 비용과 보험 적용이 되지 않는 걸림돌로 인해 유방재건술은 활발히 이루어지지 않았다. 미국에서는 모든 유방절제술 이후 유방재건에 대한 보험 적용이 1999년 1월부터 시행되었다. 전세계적으로 유방암의 유병률 증가와 유방절제술 등 수술 건수의 증가 그리고 유방암 치료에 대한 정부 지원의 확대의 영향으로, 국내의 경우 2015년 4월부터 국민건강보험공단에서 유방전절제술 후 유방재건술에 대해 건강 보험 적용을 시행했다. 본 통계 및 현황은 건강보험심사평가원 빅데이터 허브에 저장된 데이터를 분석하여 2015년 4월 건강 보험 적용 이후 유방재건술의 현황과 추세를 살펴본 것이며, 이를 바탕으로 국내 유방재건술에 대한 표준화된 데이터 프로파일을 구축하였다.

2. 통계 및 현황

1) 유방절제술 및 유방재건술의 분류

유방전절제술 후 유방재건술 시행율에 대해 알아보기 위해 유방전절제술에 해당하는 진료행위 코드를 분석하였다. 유방재건술은 자가조직유방재건과 보형물유방재건으로 나누어 분석을 진행했다. 자가조직유방재건은 세 그룹 LD, PTRAM 또는 FTRAM으로 분류하였다. LD그룹에는 광배근피판, 광배근보존피판, 확장광배근 피판이 포함되었고, PTRAM 그룹에는 유경횡복직근피판, 양측유경횡복직근피판, FTRAM 그룹에는 유리횡복직근피판, 유리횡복직근보존피판 그리고 심하복벽천공지유리피판이 포함되었다. 보형물유방재건은 조직확장기(TE, 2단계 유방재건 중 1단계) 또는 영구 보형물 삽입(DTI)으로 분류하였다. 본 통계 및 현황에 포함되는 진료 행위 코드는 다음과 같다(표 1-1-1). 남성 및 유두-유륜복합재건술, 조직확장기 제거 후 영구보형물 삽입(2단계 유방재건 중 2단계), 그리고 양성종양의 경우 분석에서 제외하였다.

2) 국내 유방전절제술 후 유방재건술 시행률

유방전절제술 후 유방재건술 시행률은 2015년 19.4%에서 2020년 54.5%로 꾸준히 증가하고 있다. 유방재건술 시행 건수는 2018년 이후 매년 5천 건 이상 시행되고 있다(그림 1-1-1).

3) 국내 유방재건술의 통계 및 현황(수술방법)

유방재건에 대한 건강 보험 적용 직후인 2015년에 보형물유방재건은 1,366건(60.1%), 자가조직유방재건은 905건(39.8%)으로 확인되었다. 이 비율은 2020년에 각각 3,753건(73.8%), 1,329건(26.2%)으로 확인되었으며, 보형물유방재건의 비율은 자가조직유방재건보다 더 높아졌다(그림 1-1-2). 2015년 총 905건의 자가조직유방재건 사례 중 298 건(32.9%)은 LD 피판, 198건(21.9%)은 PTRAM 피판, 409건(45.2%)은 FTRAM 또는 DIEP 피판으로 확인되었다. 2020년에는 1,329건 중 LD은 339건(25.5%), PTRAM은 202건(15.2%), FTRAM 또는 DIEP은 788건(59.3%)이었다(그림 1-1-3). 2015년부터 2020년까지 자가조직유방재건 중에서는 FTRAM 또는

표 1-1-1. 유방절제술 및 유방재건술의 진료 행위 코드 및 분류

코드	진료 행위	분류
N7130	유방절제술–근치절제술 [변형근치유방절제술 및 근치유방보존술 포함]–ALND 미포함	
N7135	유방절제술–근치절제술 [변형근치유방절제술 및 근치유방보존술 포함]	
N7136	유방절제술–악성–부분절제–ALND 포함	
N7137	유방절제술–악성–부분절제–ALND 미포함	
N7138	유방절제술–악성–전절제–ALND 포함	
N7139	유방절제술–악성–전절제–ALND 미포함	
N7140	유방재건–자가조직을 이용한 경우–광배근–광배근피판 (LD)	LD
N7141	유방재건–자가조직을 이용한 경우–광배근–광배근보존피판 (TDAP)	LD
N7142	유방재건–자가조직을 이용한 경우–광배근–확장광배근피판 (extended LD)	LD
N7143	유방재건–자가조직을 이용한 경우–횡복직근–유경 횡복직근 피판	PTRAM
N7144	유방재건–자가조직을 이용한 경우–횡복직근–양측유경 횡복직근 피판	PTRAM
N7145	유방재건–자가조직을 이용한 경우–횡복직근–유리 횡복직근 피판	FTRAM
N7146	유방재건–자가조직을 이용한 경우–횡복직근–유리 횡복직근보존피판	FTRAM
N7147	유방재건–자가조직을 이용한 경우–심하복벽천공지유리피판 (DIEP)	FTRAM
N7148	유방재건–보형물을 이용한 경우–유방확장기 삽입 및 확장 (2단계 재건 중 1단계)	TE
N7149	유방재건–보형물을 이용한 경우–영구보형물 삽입–유방절제와 동시 실시한 경우	DTI

ALND, axillary lymph node dissection; LD, latissimus dorsi; TDAP, thoracodorsal artery perforator; TRAM, transverse rectus abdominis musculocutaneous; PTRAM, single–pedicled TRAM flap and bipedicled TRAM flap; FTRAM, free TRAM flap, muscle–sparing TRAM flap, and DIEP free flap; DIEP, deep inferior epigastric artery perforator; TE, tissue expander; DTI, direct–to–implant.

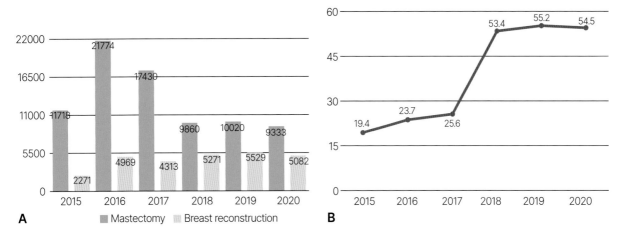

그림 1-1-1. (A) 국내 유방전절제술 후 유방재건술 시행 건수, (B) 국내 유방전절제술 후 유방재건술 시행률에 대한 연도별 변화

DIEP가 선호되었다. 2015년 총 1,366건의 보형물유방재건 중 777건(56.9%)이 DTI 재건이었고, 589건(43.1%)이 TE 재건(1단계)이었다. 2020년에는 각각 2,393건(63.8%)과 1,360건(36.2%)이었다(그림 1-1-4). DTI 재건이 2단계 재건보다 점점 증가하는 추세이다.

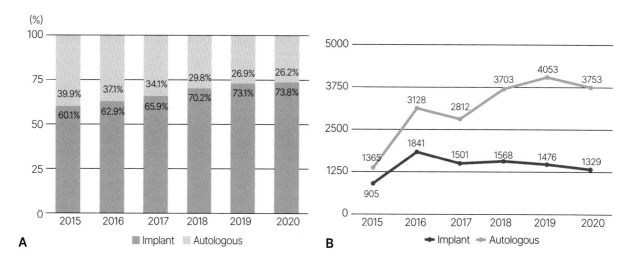

그림 1-1-2. **(A)** 국내 유방재건술 타입(보형물/자가조직) 시행 건수, **(B)** 국내 유방재건술 타입(보형물/자가조직) 비율에 대한 연도별 변화

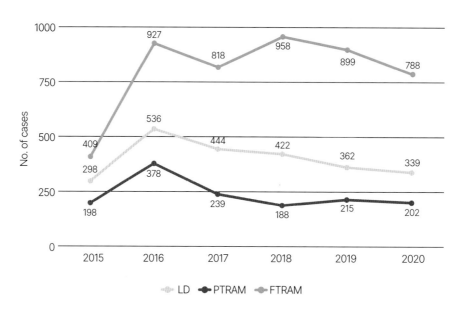

그림 1-1-3. 국내 자가조직유방재건 트렌드 변화(수술 방법, 시행 건수)

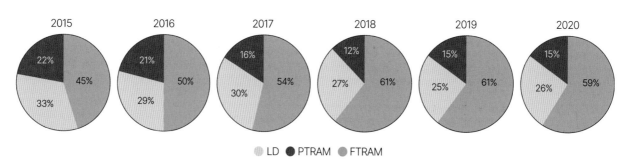

그림 1-1-4. 국내 자가조직유방재건 트렌드 변화(수술 방법, %)

4) 국내 유방재건술의 통계 및 현황(연령)

2015년과 2020년 사이에 유방재건술을 받은 환자의 주요 연령 그룹은 40−49세(48%)였으며 연령별 분포(표 1-1-2)는 시간이 지남에 따라 크게 변하지 않았다. 2018년에는 젊은 환자(30−39세)가 보형물유방재건을 선호했고(보형물 78.9%, 자가조직 22.1%), 고령층 환자(60−69세)에서는 자가조직유방재건이 젊은 환자보다 비교적 많이 시행되었다(보형물 69.6%, 자가조직 30.4%). 하지만 2020년 기준, 젊은 환자(30−39세) 및 고령층 환자(60−69세) 모두 보형물유방재건의 비중이 75% 이상으로 자가조직유방재건보다 높았으며 연령별 차이는 크게 나타나지 않았다(그림 1-1-5).

표 1-1-2. 연령별 유방재건술 시행건수 및 시행률의 변화

	30−39세	40−49세	50−59세	60−69세
2015년	335 (15%)	1,011 (47%)	700 (32%)	126 (6%)
2016년	812 (17%)	2,352 (48%)	1,386 (29%)	291 (6%)
2017년	690 (17%)	2,025 (49%)	1,230 (30%)	181 (4%)
2018년	852 (16%)	2,414 (47%)	1,510 (29%)	392 (8%)
2019년	850 (16%)	2,530 (47%)	1,587 (29%)	442 (8%)
2020년	768 (16%)	2,307 (46%)	1,461 (29%)	432 (9%)

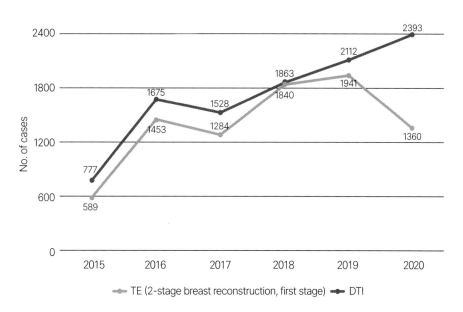

그림 1-1-5. 국내 보형물유방재건 트렌드 변화(수술 방법, 시행 건수)

5) 국내 유방재건술의 통계 및 현황(요양기관 별)

　　2020년도 요양기관 별 유방재건술의 통계 및 현황은 다음과 같다(그림 1-1-6, 그림 1-1-7). 상급종합병원에서는 총 4,212건으로 전체 유방재건술의 78%를, 종합병원에서는 총 928건으로 17% 가량을 시행하였다. 자가조직유방재건의 경우 상급종합병원에서 28%, 종합병원의 경우 17%, 병원급의 경우 6%로 요양기관의 규모가 줄어들수록 점점 감소하였으며, 보형물 유방재건의 경우 상급종합병원에서 72%, 종합병원 83%, 병원급의 경우 94%로 요양기관의 규모가 줄어들수록 점점 증가하였다.

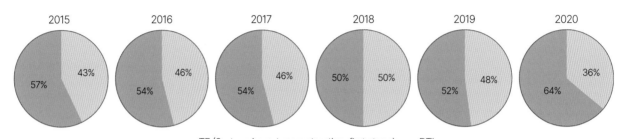

　　　● TE (2-stage breast reconstruction, first stage)　　●　DTI

그림 1-1-6. 국내 보형물유방재건 트렌드 변화(수술 방법, %)

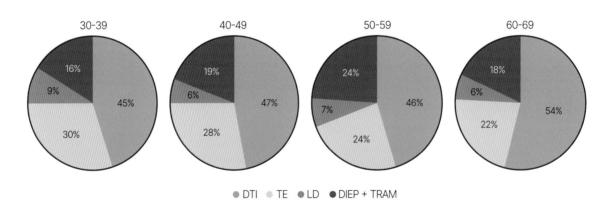

　　　● DTI　　● TE　　● LD　　● DIEP + TRAM

그림 1-1-7. 2020년도 연령별 유방재건술 현황(수술 방법, %)

3. 유방재건술 트렌드의 분석

　　미국성형외과학회(American Society of Plastic Surgeons)에서 발행한 성형외과 통계 보고서(Plastic Surgery Statistics Report, 2018)에 따르면 2000년, 2017년 및 2018년에 미국 유방재건술 시행건수는 각각 78,832건, 106,295건, 101,657건으로 29% 증가했다. 최근 미국의 유방절제술 후 유방재건술 시행률은 대략 40%로 보고된다. 국내의 경우 유방절제술 후 유방재건술 시행건수는 2015년 4월 유방재건술에 대한 건강보험 적용 이후 2,271건에서 2020년 5,082건으로 약 124% 증가했다. 국내 유방재건술 시행률은 2020년 기준 54.5%로 유방절제술 환자 중 절반 이상이 유방재건술을 받고 있다.

전세계적으로 보형물유방재건의 비중이 많은 편인데, 그 이유는 보형물이 발달하고 수술시간 및 회복시간이 짧으며 공여부 흉터가 없고 미용적 만족도가 크기 때문이다. 미적 기준에 대한 사회적 관점 변화와 더불어, 여성들은 이제 자연스러워 보이는 자가조직유방재건보다 non-ptotic한 보형물을 더 선호하는 추세이다. 유방절제술 후 방사선 치료시에도 만족할 만한 결과를 얻을 수 있고, 종양학적 관점에서도 최근 반대측 예방적 유방절제술이 선호되기 때문에 보형물유방재건 필요성이 커지고 있다. 반면에 지연재건의 경우 자가조직재건이 많은 비중을 차지하는데, 이는 과거 연조직 절제 범위가 더 넓고 유방절제술 후 방사선 치료, 흉터로 인한 구축이 연조직 확장을 방해해서 보형물유방재건으로 좋은 결과를 얻기 힘들기 때문이다.

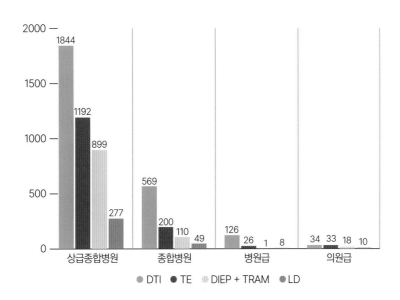

그림 1-1-8. 2020년도 요양기관 별 유방재건술 현황(수술 방법, 시행 건수)

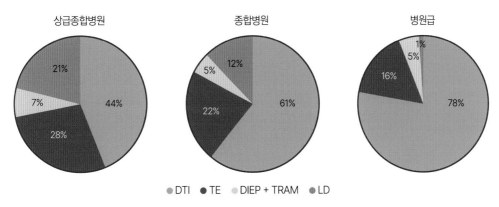

그림 1-1-9. 2020년도 요양기관 별 유방재건술 현황(수술 방법, %)

유방암 발병률은 40–49세 여성에서 가장 높으며 이는 폐경과 관련이 있다. 이전에는 폐경 전 여성의 유방암 비율이 더 높았으나, 2015년 기준 폐경 후 여성의 유방암 유병률이 53.5%로 더 높아졌다. 따라서 유방재건술도 40–49세 여성에게서 제일 많이 시행되었다. 환자가 젊을수록 자가조직유방재건을 덜 선호하는데, 이는 공여부 지방조직이 부족하거나 긴 회복시간, 공여부 이환율 및 흉터 때문인 것으로 밝혀졌다.

4. 정리

국내 유방재건술의 트렌드는 다음과 같이 요약할 수 있다.

1) 2020년도 기준 유방재건술은 54.5% 시행되고 있으며 해마다 증가하는 추세이다.

2) 보형물유방재건은 73.8%, 자가조직유방재건은 26.2%를 차지한다.

3) 보형물유방재건은 DTI가 가장 많이 시행되며, 자가조직유방재건은 FTRAM, DIEP가 가장 많이 시행되고 있다.

4) 유방재건술을 받는 주요 연령은 40–49세이다.

5) 상대적으로 상급종합병원일수록 자가조직유방재건, 병원급일수록 보형물유방재건의 비중이 높았다.

☑ 참고문헌

1. American Society of Plastic Surgeons (ASPS). 2018 Plastic Surgery Statistics Report.

2. Fung KW, Lau Y, Fielding R, et al. The impact of mastecto- my, breast-conserving treatment and immediate breast re- construction on the quality of life of Chinese women. ANZ J Surg 2001;71:202-6.

3. Gopie JP, Hilhorst MT, Kleijne A, et al. Women's motives to opt for either implant or DIEP-flap breast reconstruction. J Plast Reconstr Aesthet Surg 2011;64:1062-7.

4. Ho A, Cordeiro P, Disa J, et al. Long-term outcomes in breast cancer patients undergoing immediate 2-stage expander/im- plant reconstruction and postmastectomy radiation. Cancer 2012;118:2552-9.

5. Hong KY, Son Y, Chang H, et al. Trends in breast reconstruction: Implications for the National Health Insurance Service. Arch Plast Surg 2018;45:239-45.

6. Hu ES, Pusic AL, Waljee JF, et al. Patient-reported aesthetic satisfaction with breast reconstruction during the long-term survivorship period. Plast Reconstr Surg 2009;124:1-8.

7. Jung KW, Won YJ, Kong HJ, et al. Prediction of cancer inci- dence and mortality in Korea, 2019. Cancer Res Treat 2019; 51:431-7.

8. Kim JW, Lee JH, Kim TG, Kim YH, Chung KJ. Breast reconstruction statistics in Korea from the Big Data Hub of the Health Insurance Review and Assessment Service. Arch Plast Surg 2018;45(5):441-8.

9. King TA, Sakr R, Patil S, et al. Clinical management factors contribute to the decision for contralateral prophylactic mas- tectomy. J Clin Oncol 2011;29:2158-64.

10. Korean Breast Cancer Society. Breast cancer facts & figures 2018. Seoul: Korean Breast Cancer Society; 2018.

11. National Health Insurance Service (HNIS). National Health Insurance Program in Korea [Internet]. Wonju: NHIS; c2010 [cited 2018 Sep 6]. Available from: https://www.nhis.or.kr/static/html/wbd/g/a/wbdga0401.html.

12. Song WJ, Kang SG, Kim EK, Song SY, Lee JS, Lee JH, Jin US. Current status of and trends in post-mastectomy breast reconstruction in Korea. Arch Plast Surg. 2020 Mar;47(2):118-125. doi: 10.5999/aps.2019.01676. Epub 2020 Mar 15.

13. Stevens LA, McGrath MH, Druss RG, et al. The psychological impact of immediate breast reconstruction for women with early breast cancer. Plast Reconstr Surg 1984;73:619-28.

14. Yueh JH, Slavin SA, Adesiyun T, et al. Patient satisfaction in postmastectomy breast reconstruction: a comparative evalu- ation of DIEP, TRAM, latissimus flap, and implant techniques. Plast Reconstr Surg 2010;125:1585-95.

CHAPTER 2

유방재건술의 계획

Planning of breast reconstruction
(estimation of breast volume and flap)

이화여자대학교 목동병원 성형외과 **우경제**

1. 유방과 피판의 부피 예측

심하복벽천공지피판(Deep inferior epigastric artery perforator, DIEP flap)은 천공지 피판 수술의 발전으로 자가조직을 이용한 유방재건에서 가장 많이 사용하는 방법으로 선호되고 있다. 미세수술의 발전으로 심하복벽천공지 피판을 이용한 유방재건에서 피판 생존율이 98-99% 정도로 높아지면서, 대칭적이고 미용적인 재건이 피판의 생존 여부보다 중요한 목표가 되고 있다. 일측성 유방재건에 있어서 중요한 목표 중의 하나는 대칭적인 결과를 한 번의 수술로 얻는 것이라 할 수 있다. 이를 위해서 유방의 부피와 피판의 부피에 대한 수술 전 평가를 바탕으로 계획하는 것이 필요하다. Mun GH 외 저자들은 유방과 피판의 부피에 기반한 수술 계획은 지방괴사 등 피판혈류 관련 합병증을 줄일 수 있다고 보고한 바 있다. 이번 챕터에서는 유방의 부피와 심하복벽천공지 피판의 부피를 수술 전에 예측하는 방법들을 소개하고 수술의 계획에 있어서 고려할 점에 대해 논의하고자 한다.

1) 유방의 부피 측정 및 예측

(1) 유방절제조직의 무게

유방절제조직의 무게를 측정해 유방의 부피를 예측하는 방법은 가장 간단한 방법이라 할 수 있고 많은 술자들이 사용하는 방법이다. 이는 외과의가 유방전절제술을 시행하면 검체의 무게를 측정해 그램(g) 수치를 참고해 수술 전 유방의 부피를 예측하는 방법이다. 이 방법은 절제 수술이 시행된 이후에만 측정이 가능하기 때문에 예측하는 방법은 아니라고 할 수 있다. 유방절제검체의 무게를 이용해 유방의 부피를 예측하는 방법은 두 가지 면에서 오차가 있을 수 있다. 첫째, 양측 유방의 비대칭을 고려할 수 없다는 점이다. Woo 외 저자들은 유방재건수술을 시행하는 환자를 대상으로 3-D 카메라를 통해 수술 전 양측 유방의 부피를 측정해 본 결과, 평균 15%의 부피 차이를 가지고 있는 것을 확인할 수 있었다 (그림 1-2-1). 따라서 절제된 유방조직의 무게로 반대측 유방의 부피를 예측하는 경우, 양측 유방의 비대칭 정도가 심한 경우 오차가 커질 수 있어 주의가 필요하다. 둘째, 유방조직의 치밀정도가 환자마다 다르기 때문에, 유방절제조직의 무게로 부피를 예측하는 경우 오차의 원인이 될 수 있다. 유방조직의 밀도는 0.8-1.2 mL/g으로 알려져 있는데, 이는 유방에서 차지하는 유방실질과 지방조직의 비율에 따라 달라지게 된다. Lee JH 등은 유방실질의 치밀정도를 유방(방사선)촬영에서 평가해 각각의 치밀정도에 따라 무게의 부피 변환 시 다른 밀도를 적용해야 한다고 발표한 바 있다.

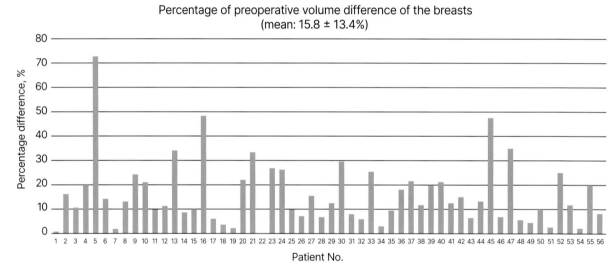

그림 1-2-1. 유방재건 환자의 양측 유방부피의 차이를 비율로 나타낸 그래프(출처: Kim J-H, Park J-W, Woo K-J. Prediction of the Ideal Implant Size Using 3-Dimensional Healthy Breast Volume in Unilateral Direct-to-Implant Breast Reconstruction. Medicina 2020;56.)

(2) CT 혈관조영술 영상을 이용한 부피 측정(CT volumetry)

해당 방법은 수술 전 유방 검사를 위해 촬영한 CT 혈관조영술이나 MRI 영상의 수평단면(horizontal)에서 이미지 뷰어 프로그램을 이용해 측정하고자 하는 영역의 면적을 측정한 후, 이들을 합산하여 부피를 측정하는 방법이다. CT 혈관조영술의 경우 수평 이미지 간격이 1 mm 또는 2 mm로 촘촘하기 때문에 비교적 오차가 적게 측정이 가능하다. 수평 이미지가 2 mm 간격이라면, 5장의 이미지마다 면적을 측정해 합하여 1 cm 간격으로 적분을 하는 원리로 부피를 구할 수 있다. 단면 이미지 상에서 유방실질이 보이는 부분의 최상방부터 주로 측정하게 되고(첫 번째 또는 두 번째 늑골), 하방에서 실질이 없어지는 부분까지 측정해 주로 12-14 cm 수직 높이를 측정한다. 이 방법은 몇 번만 해보면 비교적 쉽고 빠르게 시행할 수 있고, 정상측 유방의 부피를 측정하기 때문에 유방 크기의 비대칭이 있는 경우에도 영향을 받지 않는다는 장점이 있다. 다만 면적을 측정하는 범위를 측정자가 정하기 때문에 완전히 객관적인 측정은 아니라고 할 수 있으며, 외과의에 따라 유방절제 범위가 다르기 때문에 이를 고려하여 측정해야 한다는 단점이 있다. 수술 전 CT volumetry를 이용해 양측 유방의 부피를 측정하면 비대칭 정도도 파악이 가능하며, 수술 중 유방절제조직의 무게를 함께 고려하는 방법을 사용하면 이러한 오차를 좀 더 줄일 수 있다.

(3) 3-D 카메라를 이용한 유방부피의 측정

최근 3-D 촬영 카메라의 발전으로 이를 이용한 유방 부피 측정이 가능해지게 되었다. 유방 부피 측정에서 3-D 촬영 카메라를 이용하는 경우 비교적 쉽고 간단하게 측정이 가능하며, 특히 양측 유방부피의 비대칭 정도를 파악하는데 용이하다. 반면에 유방 표면을 스캔하여 측정하기 때문에 흉벽의 모양을 고려할 수는 없고, 이로 인한 오차가 발생할 수 있다는 한계가 있다.

2) 피판의 부피 예측

(1) CT 혈관영상을 이용한 측정(CT volumetry)

CT 혈관영상을 이용한 피판의 부피 측정은 유방 부피 측정과 같은 방법으로 이루어진다. 단면영상에서 배꼽 상방 몇 cm부터 피판의 수직길이를 몇 cm로 할지, 피판의 수평 길이를 몇 cm로 할지를 대략 정하면, 이에 맞게 단면적을 1 cm 수직 간격으로 측정해 합하는 방법이다(그림 1-2-2).

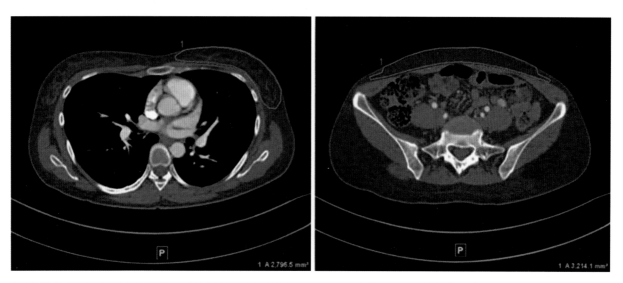

그림 1-2-2. CT 혈관조영술의 수평단면에서 유방부피 및 복부피판의 부피 예측을 위해 단면을 측정하는 모습(출처: Lee KT, Mun GH. Volumetric Planning Using Computed Tomographic Angiography Improves Clinical Outcomes in DIEP Flap Breast Reconstruction. Plast Reconstr Surg 2016;137:771e-80e)

(2) 복부 피판의 두께, 가로 세로 길이를 이용한 예측 방법(DIEP-W)

CT volumetry의 경우 비교적 정확히 피판의 부피를 측정할 수 있지만, 측정자에 따라서 측정 범위가 달라지면 부피 측정치가 달라질 수 있다는 한계가 있다. Woo KJ 외 저자들은 배꼽 좌, 우, 아래 5 cm 지점에서의 복부 피판의 두께와 환자의 체질량 지수(body mass index, kg/㎡), 피판의 수직 길이, 피판의 수평 길이에 따라 피판의 무게를 예측하는 모델을 발표하였다(DIPE-W, Google Play Store). 이 방법으로 피판의 무게를 예측하는 경우 측정자에 따른 오차가 없고, 피판의 크기에 따른 무게 변화를 예측할 수 있다는 점에서 수술 전 계획에 쉽게 사용할 수 있다. 환자에 따라 복부 피부의 이완정도(laxity)가 다르고 복부의 폭도 차이가 있어서, 필요한 피판의 양을 고려하여 수술전 피판의 크기를 결정해 디자인하는데 있어서 도움이 될 수 있다. 다만 피판의 가운데 부분의 피판 두께 정보를 바탕으로 예측하는 방법이기 피판의 가장자리가 중심에 비해 지나치게 두꺼운 경우 예측치보다 크게 나올 수 있으며, 가장자리가 지나치게 얇아지는 경우 예측치보다 작게 나올 수 있다는 점에서 오차가 발생할 수 있다.

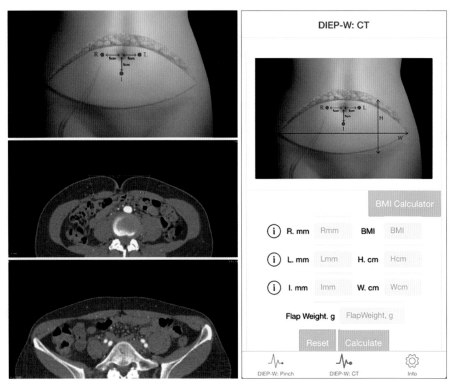

그림 1-2-3. 배꼽 주변의 피판 두께를 이용한 피판의 무게 예측 방법(출처: Woo KJ, Kim EJ, Lee KT, Mun GH. A Novel Method to Estimate the Weight of the DIEP Flap in Breast Reconstruction: DIEP-W, a Simple Calculation Formula Using Paraumbilical Flap Thickness. J Reconstr Microsurg 2016;32:520-7., Woo KJ, Mun GH. Estimation of DIEP flap weight for breast reconstruction by the pinch test. Microsurgery 2017;37:786-92)

복부피판의 밀도는 1.12 mL/g으로 알려져 있어서 피판의 무게를 예측한 후 예측된 피판의 무게에 1.12를 곱하면 부피(mL)로 환산을 할 수 있어 예측 유방부피와 비교할 수 있다.

2. 유방과 피판의부피를 비교한 수술의 계획
(Volumetric planning)

수술 전 유방의 부피와 피판의 부피를 예측하면 피판의 몇 %가 유방재건에 필요한 지를 예측할 수 있으며 이를 이식비율(inset ratio)이라고 한다. 이식비율이 일반적으로 75% 이상이라면 양측 DIEP 피판(bilateral or bi-pedicled DIEP flap)을 계획하는 것이 안전하다고 할 수 있다. 심하복벽천공지 피판의 경우 천공지의 크기, 위치, 개수에 따라 관류영역(perfusion zone)이 다양하게 나타날 수 있어서 수술 전 CT 혈관조영술을 통해 이를 면밀히 평가하는 과정이 필요하다. 일반적으로 큰 천공지(dominant perforator)를 피판에 포함하게 되는데, 내측열(medial row) 천공지의 경우 천공지 반대측 피판 영역의 혈류가 외측열(lateral row)에 비해 좋다고 알려져 있다. 예측되는 inset rate가 50% 미만의 경우라면 천공지의 위치와 상관없이 일측 천공지 피판으로 계획이 가능하다. 필요한 피판의 inset rate가 50–75% 정도일 경우가 임상적으로 가장 많고, 이 경우가 천공지 선택에 있어서 고려할 점이 가장 많다고 할 수 있다. 심하복벽천공지 피판을 계획할 때는 천공지의 수평적인 위치뿐 아니라 수직적인(vertical) 위치 또한 고려해야 한다. 저자들이 인도시아닌그린 혈관조영술(Indocyanine green, ICG angiography)을 이용해 측정한 결과에 의하면 내측열의 천공지라도 배꼽 옆이나 상방에(superior) 천공지가 위치한 경우에는 피판 반대측의 혈류가 유의하게 적었다. 이는 천공지가 피판의 가장자리에 위치하는 점 그리고 배꼽에 의해 혈류가 막히는 점 때문이라 생각된다. 총 67개의 피판에서 단일 천공지에 의해 관류되는 피판영역을 정량적으로 측정해 보았을 때, 배꼽 아래에 위치한 경우 전체 피판 면적의 평균 70%였지만 배꼽 옆이나 위에 위치한 천공지의 경우 평균 56%로 유의하게 작았다($p < 0.001$). 그러나 이런 경우 아래쪽(caudal) 천공지를 추가적으로 피판에 포함시키게 되면 평균 관류영역(perfusion area)이 평균 73% 까지 증가하는 것을 확인하였다. 따라서 Inset rate 70% 가까이 또는 그 이상이 필요한 경우에는 배꼽 아래에 위치한 큰 천공지를 사용하던지 혹은 두 개 이상의 천공지를 포함하는 것이 지방 괴사를 줄일 수 있는 방법이다.

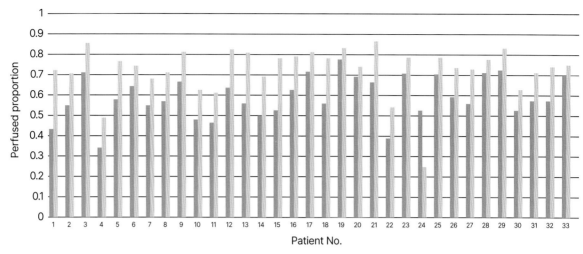

그림 1-2-4. 단일 천공지와 추가적인 천공지 포함 시 심하복벽천공지피판의 관류면적 비율(출처: Park JW, Lee MK, Woo KJ. Influence of vertical location and spacing of perforators on perfusion in deep inferior epigastric artery perforator flap breast reconstruction: quantitative analysis using indocyanine green angiography. Gland Surg 2022;11(12):1851-63)

계획된 천공지를 박리한 후, 수술 중 인도시아닌그린 혈관조영술(Indocyanine green, ICG angiography)을 이용하면 천공지를 통한 피판 혈행을 확인할 수 있고 혈류가 좋은 부분을 이식에 사용함으로써 수술 후 지방 괴사의 발생을 줄일 수 있다. 그러나 수술 전 inset rate를 고려해 피판에 포함할 천공지의 위치와 개수를 미리 계획하면 수술 과정이 좀 더 빨라질 수 있고, 안전하게 피판을 거상할 수 있다.

3. 수술 후 재건유방 부피의 변화

1) 수술 후 피판의 부피 변화

광배근 피판(latissimuss dorsi myocutaneous flap)이나 횡복직근피판(Transverse rectus abdominis myocutaneous, TRAM flap)의 경우 수술 후 피판에 포함된 근육의 위축이 일어나 일반적으로 부피가 감소한다고 알려져 있다. 그러나 근육이 포함되지 않은 심하복벽천공지 피판은 수술 후 부피가 감소한다는 증거가 없다. 실제로 저자들이 74명의 심하복벽천공지 피판으로 일측성 유방재건을 받은 환자들을 대상으로 수술 후 1년까지 3-D 카메라를 이용해 양측 유방의 크기를 측정해 본 결과, 재건유방의 크기가 감소하지 않는 것을 확인할 수 있었다(unpublished data). 즉시재건의 경우 평균 466 g의 유방절제 후 440 g의 피판을 이식하였고, 수술 후 1개월째 재건 쪽 유방의 부피는 정상 측의 106%였고, 12개월째에도 107%로 유지되었으며 시간에 따른 변화는 없음을 확인하였다($p = 0.401$).

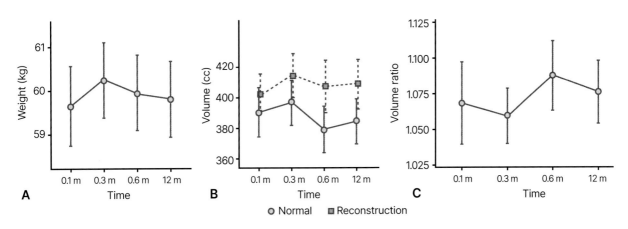

그림 1-2-5. **(A)** 수술 후 1년 동안 환자의 체중 변화, **(B)** 수술 후 정상측 및 재건측 유방의 부피변화는 체중변화와 양의 상관관계를 보임, **(C)** 재건유방의 정상유방대비 부피 비율의 부피 비율의 변화는 체중과 상관 없이 유의한 변화가 없음(출처: Lee MK, Park HY, Park JW, Mun GH, Woo KJ. Three-dimensional Volume Changes of the Reconstructed Breast Following DIEP Flap Breast Reconstruction. J Reconstr Microsurg 2022;10.1055/a-1947-8116)

2) 수술 후 방사선 치료가 피판 부피 변화에 미치는 영향

수술 후 방사선치료는 피판의 부피를 감소시킨다는 보고가 있지만, 심하복벽천공지피판의 경우 방사선 치료 후에 부피 변화가 없다는 보고도 있다. Myung 외 저자들은 2018년에 복부 유리피판(TRAM 피판 포함)을 이용한 유방재건에서 술후 방사선 치료를 하는 경우 피판의 부피가 12.3% 감소한다고 발표한 바 있다. 반면에 Craig 외 저자들은 심하복벽천공지 피판을 이용해 양측 유방재건을 받고 한 쪽 유방에만 방사선 치료를 받은 11명의 환자들을 분석해 본 결과, 방사선 치료를 받은 쪽의 부피 감소가 없음을 보고하였다. 저자의 경험에서도 방사선 치료 후 지방괴사가 없는 경우에는 부피가 감소하지 않는 것을 관찰할 수 있었다. 따라서 수술 후 방사선 치료가 예상되는 경우 피판을 정상쪽보다 크게 이식하는 것이 바람직한 것인지 여부는 아직 확실하지 않다고 할 수 있다.

3) 이식된 피판의 모양 변화

이식된 피판은 정상 유방과 다르게 피판과 흉벽이 고정되어 있지 않고 중력의 영향을 지속적으로 받기 때문에 수술 후 모양이 변한다고 알려져 있다. 저자들의 분석에 결과에 따르면 유두를 기준으로 위쪽(upper inner, upper outer)의 부피는 시간에 따라 유의하게 감소하며, 아래 가쪽(lower outer)의 부피는 유의하게 증가하는 것을 확인할 수 있었다. 이러한 결과를 피판에 이용해 유방의 모양을 만들 때 정상 측에 비해 유방상부의 부피를 크게, 아래 가쪽의 부피를 작게 만들어 주는 것이 필요하다고 할 수 있다.

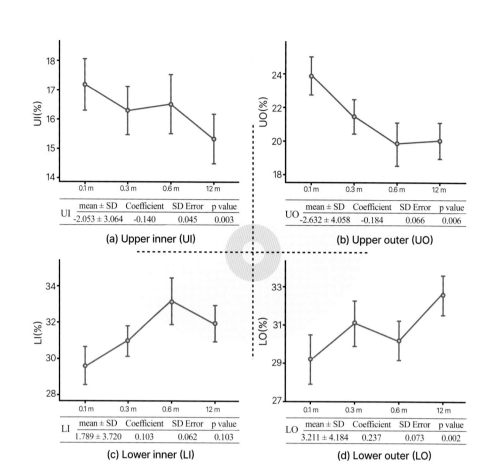

UI	mean ± SD	Coefficient	SD Error	p value
	-2.053 ± 3.064	-0.140	0.045	0.003

(a) Upper inner (UI)

UO	mean ± SD	Coefficient	SD Error	p value
	-2.632 ± 4.058	-0.184	0.066	0.006

(b) Upper outer (UO)

LI	mean ± SD	Coefficient	SD Error	p value
	1.789 ± 3.720	0.103	0.062	0.103

(c) Lower inner (LI)

LO	mean ± SD	Coefficient	SD Error	p value
	3.211 ± 4.184	0.237	0.073	0.002

(d) Lower outer (LO)

그림 1-2-6. 심하복벽천공지 피판 유방재건 후 1년 동안 각 4분면의 상대적인 부피 변화 양상(출처: Lee MK, Park HY, Park JW, Mun GH, Woo KJ. Three-dimensional Volume Changes of the Reconstructed Breast Following DIEP Flap Breast Reconstruction. J Reconstr Microsurg 2022;10.1055/a-1947-8116)

✅ 참고문헌

1. Chatterjee JS, Lee A, Anderson W, Baker L, Stevenson JH, Dewar JA, Thompson AM. Effect of postoperative radiotherapy on autologous deep inferior epigastric perforator flap volume after immediate breast reconstruction. Br J Surg 2009;96:1135-40.

2. Craig ES, Lentz R, Srinivasa D, Chuang C, Walker ME, Higgins SA, Salomon J, Fusi S. Threedimensional Analysis of How Radiation Affects Deep Inferior Epigastric Perforator (DIEP) Flap Volume, Projection, and Position in Breast Cancer Reconstruction. Ann Plast Surg 2018;81:235-9.

3. Han HH, Kang MK, Song SY, Lee HC, Kim EK, Eom JS. Volume change in the rectus abdominis muscle after deep inferior epigastric perforator flap harvest. J Plast Reconstr Aesthet Surg 2018;71:1310-16.

4. Kim J-H, Park J-W, Woo K-J. Prediction of the Ideal Implant Size Using 3-Dimensional Healthy Breast Volume in Unilateral Direct-to-Implant Breast Reconstruction. Medicina 2020;56.

5. Lee JH, Yeo CH, Kim T, Chung KJ, Lee SJ, Kang SH, Choi JE. Conversion from weight to volume of mastectomy specimen: Convenient equations. J Plast Reconstr Aesthet Surg 2017;70:792-4.

6. Lee KT, Mun GH. Volumetric Planning Using Computed Tomographic Angiography Improves Clinical Outcomes in DIEP Flap Breast Reconstruction. Plast Reconstr Surg 2016;137:771e-80e.

7. Lee MK, Park HY, Park JW, Mun GH, Woo KJ. Three-dimensional Volume Changes of the Reconstructed Breast Following DIEP Flap Breast Reconstruction. J Reconstr Microsurg 2022;10.1055/a-1947-8116.

8. Myung Y, Son Y, Nam TH, Kang E, Kim EK, Kim IA, Eom KY, Heo CY, Jeong JH. Objective assessment of flap volume changes and aesthetic results after adjuvant radiation therapy in patients undergoing immediate autologous breast reconstruction. PLoS One 2018;13:e0197615.

9. Park JW, Lee MK, Woo KJ. Influence of vertical location and spacing of perforators on perfusion in deep inferior epigastric artery perforator flap breast reconstruction: quantitative analysis using indocyanine green angiography. Gland Surg 2022;11(12):1851-63.

10. Park SU, Shim JS (2012) Assessment of breast volume change after transverse rectus abdominis myocutaneous flap. Arch Plast Surg 2012;39:631-5.

11. Park TS, Seo JY, Razzokov AS, Choi JS, Kim MW, Lee JW, Kim HY, Jung YJ, Choo KS, Song KH, Nam SB. Volumetric change of the latissimus dorsi muscle after postoperative radiotherapy in immediate breast reconstruction with an extended latissimus dorsi musculocutaneous flap. Arch Plast Surg 2020;47:135-9.

12. Van der Pot WJ, Kreulen M, Melis P, Hage JJ. Specific volume of female subcutaneous abdominal tissue as a reference in autologous breast reconstruction 2010; doi: 10.1055/s-0029-1243301.

13. Wesselius TS, Verhulst AC, Vreeken RD, Xi T, Maal TJJ, Ulrich DJO. Accuracy of Three Software Applications for Breast Volume Calculations from Three-Dimensional Surface Images. Plast Reconstr Surg 2018;142:858-65.

14. Wong C, Saint-Cyr M, Mojallal A, Schaub T, Bailey SH, Myers S, Brown S, Rohrich RJ. Perforasomes of the DIEP flap: vascular anatomy of the lateral versus medial row perforators and clinical implications. Plast Reconstr Surg 2010;125:772-82.

15. Woo KJ, Kim EJ, Lee KT, Mun GH. A Novel Method to Estimate the Weight of the DIEP Flap in Breast Reconstruction: DIEP-W, a Simple Calculation Formula Using Paraumbilical Flap Thickness. J Reconstr Microsurg 2016;32:520-7.

16. Woo KJ, Mun GH. Estimation of DIEP flap weight for breast reconstruction by the pinch test. Microsurgery 2017;37:786-92.

복부 조직:
횡복직근피판, 심부하복벽천공지피판

Tissue from Abdomen : TRAM, DIEP

서울대학교병원 성형외과 **장학, 유효경**
가톨릭대학교 서울성모병원 성형외과 **오득영**
성균관대학교 삼성서울병원 성형외과 **문구현**
울산대학교 서울아산병원 성형외과 **엄진섭**
서울대학교병원 성형외과 **진웅식, 하정현**

1. 수술해부와 하복부 생리학 유경횡복직근피판
(Surgical anatomy & physiology of lower abdomen, pedicled TRAM)

서울대학교병원 성형외과 **장학, 유효경**

1) 하복부의 수술해부(Surgical anatomy of lower abdomen)

(1) 기초 과학(Basic science)

복부는 유방재건에 사용하기에 충분한 지방 조직 양을 가지고 있으며, 복부성형술과 유사한 미적 효과를 낼 수 있는 등 다양한 이유로 가장 흔한 자가유방재건 공여부로 알려져 있다. 복직근(rectus abdominis muscle)은 Mathes and Nahai type 3 근육으로, 상복벽동맥(superior epigastric artery)과 심부하복벽동맥(deep inferior epigastric artery)에 의해 관류된다(그림 2-1-1). 유리 횡복직근피판(free transverse rectus abdominis musculocutaneous flap, free TRAM flap)의 경우 심부하복벽혈관에 의해 혈류를 공급받으며, 그로부터 기시하는 천공기들은 전복직근막(anterior rectus sheath)을 뚫고 올라와 지방과 피부 조직을 공급한다. 심부하복벽동맥의 복직근 내 주행은 매우 복잡하며, 우세한 가지 패턴에 의해 type 1, 2, 3으로 나뉘기도 한다.

늑간운동신경들(intercostal motor nerves)은 통상적으로 복직근의 하부면을 따라 흐르며 근육의 신경을 지배하는데, 각 레벨의 신경들은 복직근 기능의 유지를 위해 보존하는 것이 중요하다. 이러한 신경들은 복직근 내에서 주요혈관과 겹치는 주행을 보이기도 한다. 감각신경의 경우, 전복직근막 위를 따라 발견되며, 피하조직을 따라

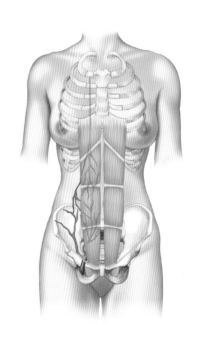

그림 2-1-1. **복직근의 혈관 해부학**

피부로 주행한다.

(2) 동맥 해부학(Arterial anatomy)

① 동맥계의 수술해부학(Surgical anatomy of arterial system)

유리 횡복직근피판에 혈류를 공급하는 일차적인 혈관은 심부하복벽동맥이며, 배꼽 하방의 복직근 직상부를 덮고 있는 피부는 심하복벽동맥과 천하복벽동맥(superficial inferior epigastric artery)의 관통분지를 통해 혈류를 공급받는다. 도안된 타원형의 횡복직근피판의 양쪽 가장자리의 피부는 천하복벽동맥과 천회선장골동맥(superficial circumflex iliac artery)으로부터 혈류를 공급받는다.

한편, 상방에 기저를 둔 유경 횡복직근피판(pedicled transverse rectus abdominis musculo-cutaneous flap, TRAM flap)의 혈관경은 상복벽동맥이며, 쇄골하동맥(subclavian artery)에서 기시한 내흉동맥(internal mammary artery)의 종말분지이다. 상복벽동맥은 늑골궁연(costal margin) 근처에서 늑골궁연에 평행하게 다양한 굵기의 늑골궁연동맥(costomarginal artery)을 분지한다. 상복벽동맥경은 처음에는 복직근 후면에 있다가 상부 복직근 내로 들어간 다음 하행하여 배꼽 수준에서 하복벽동맥의 종말 분지와 연결된다. 복직근 내에서 수직으로 달리고 있는 상복벽혈관계는 대동맥에서 분지하는 늑간동맥(intercostal artery)의 종말분지로부터도 혈액을 받는다. 늑간동맥의 종말분지들은 정맥, 신경과 더불어 외복사근(external oblique muscle)의 깊은 곳을 달려 복직근초(rectus sheath)로 들어간다.

심하복벽동맥이 외장골동맥(external iliac artery)에서 기시 후 상내측으로 주행하여 복직근 부착부에서 7 cm 떨어진 외측 경계부위를 통해 복직근 내로 들어간 후 대부분의 경우 2개의 내외측 큰 분지를 내며 20% 정도에서는 3개의 분지를 낸다(그림 2-1-2).

복직근 내를 수직으로 주행하고 있는 상복벽동맥에서 분지한 수많은 관통분지들은 전복직근초를 뚫고 나와 전복벽 피부에 혈액을 공급한다. 이 천공분지들은 배꼽 수준에 특히 집중적으로 많고, 궁상선 하방에는 의미있는 천공분지가 적다. 또한 이 관통분지들은 축성혈관계(axial vascular system)와도 연결되어 있음은 물론이고, 반대편 관통분지들과도 연결되어 있어서 풍부한 진피하혈관총을 형성하고 있다. 이로 인해 한쪽 복직근경에 붙어있는 횡복직근피판을 도입해도 반대편 피부에 혈액이 공급될 수 있다.

피판의 동맥혈 관류를 원활하게 하기 위해서는 더 많은 천공기를 가져가는 것이 가장 확실한 방법으로 알려져 있다. 또한 수술 전 정확한 계획을 통해 피판 삽입율이 클 것으로 예측되는 경우, 양쪽줄기피판(bipedicled flap)의 방법을 이용하여 관류 및 피판 괴사 문제를 예방할 수 있다.

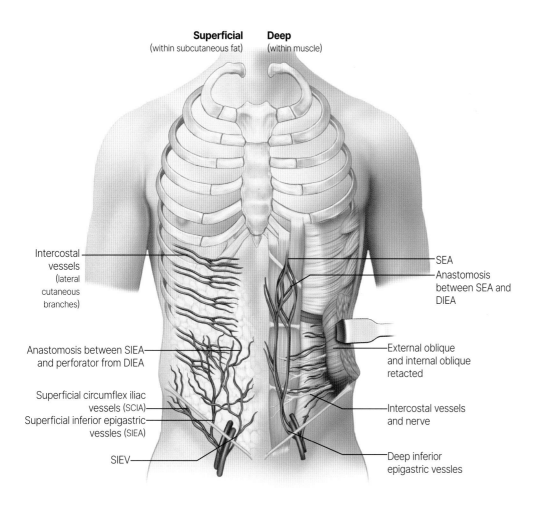

Superficial
(within subcutaneous fat)

Deep
(within muscle)

Intercostal
vessels
(lateral
cutaneous
branches)

Anastomosis between SIEA
and perforator from DIEA

Superficial circumflex iliac
vessels (SCIA)
Superficial inferior epigastric
vessles (SIEA)

SIEV

SEA
Anastomosis
between SEA and
DIEA

External oblique
and internal oblique
retacted

Intercostal vessels
and nerve

Deep inferior
epigastric vessles

그림 2-1-2. 하복부의 혈관 해부학

② 횡복직근피판의 구역(TRAM flap zone)

횡복직근피판은 비교적 넓은 면적을 가지는 피판으로, 그 부분별 혈류를 정량화하기 위한 노력들이 계속되어왔다. 1990년 Hartrampf 외는 피판의 피부 표면을 횡으로 4부위로 나눈 후, 혈류가 좋은 곳 순으로 번호를 부여했다. 구역 1은 심부하복벽동맥 천공기가 기시하는 복직근의 바로 위쪽, 구역 2는 반대측 복직근의 바로 위쪽, 구역 3은 동측 근육의 가쪽, 구역 4는 반대측 복직근의 가쪽 구역으로 지칭하였다(그림 2-1-3). 그러나 2006년 Holm 외는 indocyanine green 형광기법을 통해 새로운 동맥 혈류의 흐름을 주장하였다. 본래 구역 1에 이어서 두번째로 동맥혈 관류가 우수하다고 여겨졌던 반대측 복직근 부위의 구역 2보다, 구역 1의 가쪽 부위인 구역 3의 관류가 더 우수하다는 것이 밝혀졌기 때문이다. 보다 더 자세한 구역의 분류들도 차례로 보고가 되었지만, 현재는 Holm의 분류법이 가장 널리 받아들여지고 있다. 피판의 부분적 괴사를 예방하기 위해서는 가장 혈류가 좋지 않은 구역 4를 제외한 부위를 재건에 사용하는 것이 일반적이다.

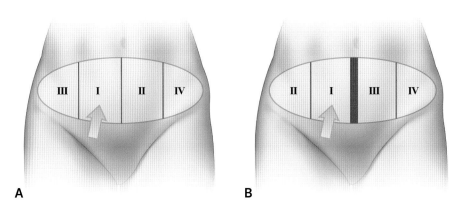

그림 2-1-3. **(A)** Hartrampf 구역, **(B)** Holm 구역

한편, Saint-Cyr 외 연구에서는 CT angiography를 통해 심부하복벽동맥의 내측과 외측 천공기에 따른 피판 혈류 양상을 조사했고, 내측 천공기의 경우 Hartrampf 구역 2가 구역 3 보다, 외측 천공기의 경우 Hartrampf 구역 3이 구역 2보다 동맥혈 관류가 더 좋은 것을 알 수 있었다. 이들은 내측 천공기가 더 넓은 혈류 공급 면적을 가지기 때문에 큰 유방의 재건에 유리하며, 기존의 Hartrampf 구역 분류에 부합한다고 하였다. 반면, 외측 천공기는 혈류 공급 부위가 외측으로 제한되어 있어 작거나 중간 크기의 유방재건에 적합하며, Holm의 구역 분류 기준에 부합한다고 하였다.

그러나 이러한 해부학적 연구 결과와 상이한 임상 연구들도 다수 보고되었다. Losken 외는 indocyanine green 형광 기법을 통해 피판의 동맥혈 관류를 분석해 본 결과, 구역 2와 구역 3에서는 내측과 외측 천공기를 기저로 하는 피판들 간에 혈류의 유의한 차이를 보이지 않았다. 또 다른 Rahmanian-Schwarz 외의 연구에서도 피판 거상 후 내측과 외측 천공기를 각각 클램핑(clamping)해보며 피판의 산소포화도 및 혈류를 비교해본 결과, 구역 2, 3에서 천공기에 따른 유의한 차이는 관찰되지 않았다. 추가로 Lee 외가 시행한 내측 천공기에서 기저하는 심부하복벽천공기피판(deep inferior epigastric artery perforator flap, DIEP flap) 분석 연구에서도 Holm 구역 3이 구역 2보다 오히려 지방 괴사 확률이 높다는 것이 알려졌고, 특히 피판 삽입 비율(inset rate)이 높을 경우 정중선을 넘어선 부분에서 이러한 현상은 더욱더 두드러졌다. 2016년 같은 그룹에 의해 발표된 메타분석 연구에 따르면, Hartrampf 구역 3이 구역 2에 비해서 내측과 외측 천공기 기저 피판 모두에서 더 높은 관류를 가진다고 밝혀져, 어떠한 복부피판이라도 정중선을 넘는 부위의 동맥혈 관류는 취약할 수 있다는 점을 시사하였다.

(3) 정맥 해부학(Venous anatomy)

① **정맥계의 수술해부학**(Surgical anatomy of venous system)

하복부의 정맥들은 대부분 동맥을 동반하는 대정맥(vena comitans)들이다. 늑간(intercostal vein) 및 늑골하정맥(subcostal vein)에서 배액되는 혈류는 기정맥(azygos vein) 및 반기정맥(hemizygos vein)을 통하여 상부대정맥(superior vena cava)으로, 상복벽정맥(superior epigastric vein)의 혈액은 내부흉부정맥(internal thoracic vein) 및 완두정맥(brachiocephalic vein)을 통해 배출된다. 하대정맥(inferior vena cave)은 대퇴정맥(femoral vein)의 지류인 요추(lumbar), 하상복부(inferior epigastric) 및 천회선장골정맥(superficial circumflex iliac vein)으로부터 혈액을 받는다. 한편 피하 조직에는 동맥이 동반되지 않는 흉복벽정맥(thoracoepigastric vein)이 있는데, 겨드랑이정맥(axillary vein)의 지류와 문합하는 대퇴정맥의 지류이다. 천하복벽정맥(superficial inferior epigastric vein) 하복부의 정맥 배액에 매우 중요한 역할을 한다.

② 정맥 울혈에 대한 고찰(Venous congestion)

유리 횡복직근피판 또는 심부하복벽천공기피판의 흔한 합병증 중 하나로 정맥 울혈(venous congestion)이 있으며, 정맥 문합부의 기능이 원활하더라도 약 10%의 경우에서까지 발견된다는 보고가 있다.

가. 반대편 천하복벽정맥을 통한 슈퍼드레인(Superdrain)

이러한 정맥 울혈을 예방하기 위한 가장 좋은 방법으로 알려진 것이 반대편 천하복벽정맥을 통하여 슈퍼드레인하는 것이다. 2013년 Rothenberger 외 그룹은 19명의 심부하복벽관통지피판을 시행한 환자들을 대상으로 반대편 천하복벽정맥을 clamping했을 때와 declamping 했을 때의 각 구역에서의 상대적 헤모글로빈 농도(relative hemoglobin concentration, rHb)를 측정하여 피판의 정맥 유출량을 유추했다. 그 결과 declamping했을 때 Hartrampf 구역 2,4에서 RHb가 유의미하게 감소하는 것을 확인했다. 즉, 천하복벽정맥을 통해서 정중선을 넘은 구역들의 정맥혈 배출이 원활해진다는 것이다(그림 2-1-4). 비교적 최근에 진행된 한 메타분석에서도 반대측 천하복벽정맥을 통해 슈퍼드레인한 경우에 통계적으로 정맥 울혈 발생률이 적은 것으로 밝혀졌다.

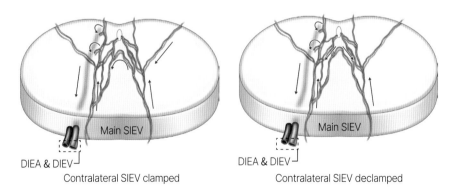

그림 2-1-4. 반대편 천하복벽정맥을 clamping 했을 때와 declamping했을 때 심부하복벽관통지피판 내부 혈류의 흐름

2000년 Blondeel 외는 사체 연구를 통한 하복부 정맥 해부 구조에 대해 발표하였는데, 18%에서는 정중선을 교차하는 커다란 천하복벽정맥의 지류들이 있었고, 45%에서는 좀 더 깊은 네트워크들을 통해서 간접 교차가 이루어지고 있었다. 반면, 36%의 사체에서는 반대편과의 교차가 전혀 관찰되지 않았다. Schaverien 외가 발표한 CT venogram 연구에서도 정중선을 교차하는 정맥이 관찰되지 않는 경우들이 보고되었다. 즉, 복부피판을 거상하면 본래 가장 주요한 정맥 유출로였던 천하복벽정맥으로 정맥혈이 배액되지 못하고 오로지 천공기 혈관경의 상대정맥에 의존하게 되는데, 이때 정중선을 교차하는 정맥이 부재한다는 경우에는 반대편의 울혈이 필연적일 수밖에 없다(그림 2-1-5).

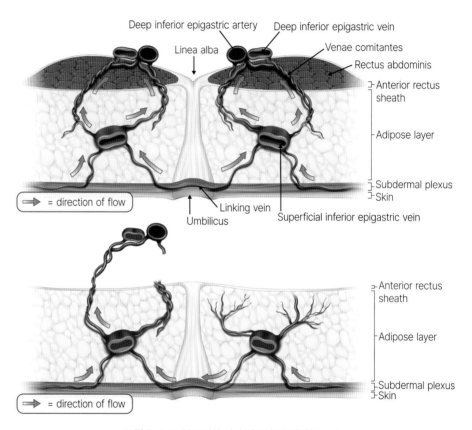

그림 2-1-5. 복부피판 거상 전과 후의 정맥혈 흐름

2009년 Taylor 외 그룹은 사체 연구를 통하여 16 구 중 15 구에서 정중선을 교차하는 정맥이 존재하며 모두 궁상선(arcuate line) 부위에서 관찰되는 것을 밝혔다. 나머지 1 케이스에서는 배꼽 바로 위아래에서 관찰되었다. 2014년 같은 그룹에서 후행 연구를 발표하였고, 정중선 교차 정맥이 크게 두 곳에서 나타나는데, 배꼽과 검상 돌기(xyphoid process) 사이 공간에서 반원형태로, 배꼽에서 2–4 cm 아래 부위에서 inverted V 형태로 나타난다고 하였다 (그림 2-1-6).

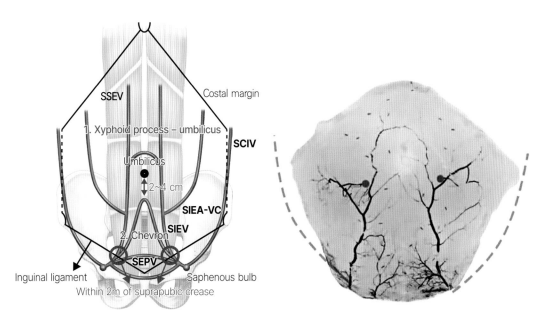

그림 2-1-6. 복부 피판의 정중선 교차 정맥 구조

나. 천부정맥계와 심부정맥계(Superficial and deep venous system)

하복부 정맥혈 배액에서 중요한 또다른 논제는 천부와 심부정맥계 사이의 연결성이다. 2003년 Imanishi 외는 배꼽 주변의 정맥 해부학 연구를 통하여 천하복벽정맥의 지류들이 천공기 상대정맥과 다각형의 네트워크를 이루는 경우가 대부분이며(6/8 케이스), 천하복벽정맥의 주요줄기가 천공기 상대정맥과 직접 맞닿아 있는 경우가 상대적으로 드물다(2/8 케이스)는 것을 밝혔다(그림 2-1-7). 동일 그룹에서 2010년 심부하복벽관통지피판을 시행한 환자들의 MRA 영상을 분석한 결과, 천하복벽정맥과 천공기 상대정맥이 직접적인 연결이 있는 경우는 피판의 정맥 울혈이 나타난 케이스가 없는 반면 직접적이 연결이 없는 경우에는 7/8 케이스에서 정맥울혈이 관찰되었다. 또한 이러한 천부와 심부정맥계의 직접적인 연결은 대다수가 배꼽 근처에 밀집되어 있었다.

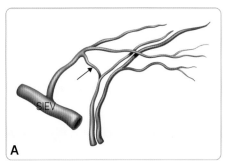
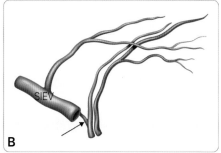

그림 2-1-7. 배꼽 주변 정맥 해부 구조의 두 가지 유형. (A) 천하복벽정맥의 지류들과 천공기 상대정맥이 다각형의 네트워크를 이룬다. (B) SIEV의 주요줄기와 천공기 상대정맥이 직접 연결된다.

따라서 지금까지의 연구 결과들을 종합해보면, 배꼽 근처의 천공기를 가능하면 피판에 많이 포함시켜서 천하복벽정맥과 직접적인 연결을 가질 가능성을 높이고, 배꼽의 아래나 윗부분의 정중선 교차 정맥들을 피판에 포함시키는 것이 중요하다.

2) 유경횡복직근피판(Pedicled TRAM)

(1) 역사(History)

유방재건에 하복부가 공여부로 사용된 것은 1976년 Millard가 근치유방절제술 후 발생한 결손부를 튜브(tube) 형태의 유경 복부피판으로 재건한 보고가 시초이다. 이후 1979년, Homlstrom은 하복벽혈관을 기반으로 하는 유리 복부 피판을 시행하였고, Robbins는 상복벽혈관을 기반으로 하는 유경 수직복직근피판(pedicled vertical rectus abdominis myocutaneous flap)을 발표하였다. 1982년 Hartrampf 외는 유경 횡복직근피판(pedicled transverse rectus abdominis myocutaneous flap)을 발표하여 널리 쓰이게 되었다.

(2) 해부학(Anatomy)

횡복직근피판은 상복벽동맥의 말단 가지인 배꼽 주위 천공기에 의해 공급되는 피부와 지방, 근육으로 구성된다. 상복벽혈관은 내부흉부동맥과 정맥에서 기시하여 복직근의 깊은 부위를 따라 진행하면서, 반월상선의 내측 및 배꼽 주변에서 후방으로부터 근육을 뚫고 올라오는 천공기들을 내게 된다. 배꼽 주위의 복직근 내연과 외연 약 1/3 지점에서 종으로 4–5개의 천공기가 복직근막을 뚫고 올라오고, 통상적으로 2 mm 이상 되는 천공기를 피판에 포함시켜 거상하게 된다. 상복벽혈관은 더 하부로 진행하면, 유리 횡복직근피판과 심부하복벽관통지피판이 기반으로 하는 심부하복벽동맥과 연결된다. 또한 흉부대동맥과 대정맥에 의해 공급되는 늑간동맥과 대정맥을 포함하는 여러 개의 부 혈관경들도 복직근의 관류에 기여하므로, 피판 거상 시에 보존되는 것이 좋다.

(3) 환자 선택과 적응증(Patient selection and indication)

① 환자 선택

가. 환자의 전신적 상태

환자의 나이, 체형, 피부 긴장도, 향후 임신 및 출산 계획, 수유 계획 등 신체변화 사항을 다각도로 고려한다. 고도비만, 흡연, 당뇨, 고혈압, 심장 및 폐 질환이 있는 경우 전신 및 국소 합병증의 가능성이 높아지고, 복부 수술의 기왕력이 있는 경우 피판과 공여부 합병증이 증가할 수 있어 피판술을 선택할 때 주의가 필요하며 상태에 따라 상대적 금기가 될 수 있다.

나. 유방의 평가

유방암의 병기, 유방절제술 방식, 방사선 치료 여부에 따른 변수를 감안하여 수술 방법을 선택하는 것이 좋다. 유방절제술(mastectomy) 후 발생한 유선지방조직 검체를 면밀히 살펴보고 그 크기와 형태 등을 평가하여 재건할 결손 부위의 양상을 파악한다. 재건할 부위의 유방절제 반흔 위치와 방향, 길이, 비후성 반흔이나 구축이 있는지를 살펴보고, 가슴 피부상태, 방사선 치료 여부와 궤양, 피부착색 여부, 남아있는 피하지방 조직의 정도 등을 고려한다. 또한 재건하지 않는 반대편 유방의 형태를 면밀히 고려하여 재건 시 참조하며, 반대편 유방의 확대, 축소, 하수교정 등의 추가적 수술이 필요한지, 동시에 시행할 것인지 또는 이차로 따로 교정할 것인지를 결정한다.

다. 공여부 상태

환자의 복부 지방 두께가 재건에 적합한지, 이전 수술력으로 인해 하복부에 수직 혹은 횡으로 흉터가 있어 조직의 상당량을 재건에 사용할 수 없는지 확인하는 것이 중요하다. 여러 차례의 과다한 지방흡입력, 외상이나 제왕절개술 등의 여러 반흔이 복부조직 손상을 유발하거나 심하복부 혈관 손상을 주지는 않았는지도 주의 깊게 살펴보아야 한다. 또한 술전 CT angiography를 시행하여 상복벽동맥의 주행을 살펴보고 복부 조직으로의 관류 상태가 양호한지 반드시 확인하는 것이 좋다.

② 적응증(Indication)

유경 피판술은 유방이 비교적 작거나 중간 정도 크기일 때 한쪽의 복부조직으로만 재건하면 피부 및 지방괴사가 없으며, 양측 유방을 좌우 복부 조직으로 각각 재건 시 유리 피판술에 비해 수술 시간이 단축되어 유용할 수 있다(그림 2-1-8). 심부하복벽동맥을 통해 혈류공급을 받는 유리 피판술에 비해 초기 동맥혈 유입이 불안정하거나 정맥울혈이 발생할 가

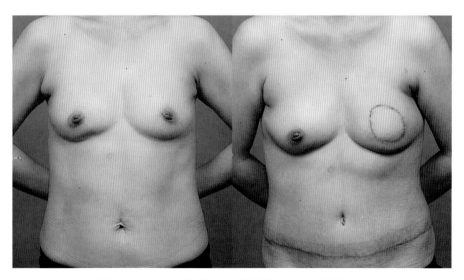

그림 2-1-8. 작은 유방에서 유경 횡복직근피판술을 시행한 사례

능성이 비교적 높고 근육 손실이 상대적으로 큰 단점이 있는 반면, 미세혈관 문합 과정이 생략되기 때문에 외과의의 숙련도와 상관없이 비교적 안전하게 시행할 수 있다.

(4) 수술방법

① 디자인(Design)

유방재건 부위와 동측 하복부피판을 거상할 것인지 반대측 피판을 선택할 것인지는 술자의 선호에 따라 결정할 수 있다. 동측 피판의 경우, 피판 관류가 우수한 구역 1, 2를 유방 상부에 위치시킬 수 있어 지방 괴사 발생의 확률이 낮고, 유방하주름 및 유방의 형태를 유지하기에 유리한 장점이 있다. 그러나 동측 복부에 이전 수술 흉터가 있는 경우에는 반대측 하복부피판을 사용하게 된다.

피판의 상연은 배꼽 바로 위 또는 더 많은 배꼽 주변 혈관을 포함시키고자 하면 1–2 cm 위로 두고 디자인하며, 하연은 재건할 유방의 크기, 하복부 피부 여유 등을 고려하여 결정하는데 피판의 수직 높이가 13–15 cm 정도 되는 것이 통상적이다. 수술 전 CT angiography를 시행하여 혈관경의 주행 및 천공기의 위치를 파악하며, 디자인 시에 도플러를 사용하여 천공기의 위치를 직접 파악하고 피판을 거상하면 좀 더 안전하게 수술할 수 있다.

② 피판 거상(Flap harvest)

피판의 상연 절개 및 박리 시 피하지방조직 층에서 비스듬히 상부로 향해 복직근막 층까지 도달하여 배꼽 상부의 천공기들을 가능한 많이 피판에 포함하도록 한다. 하연 절개는 가급적 수직으로 근막층까지 도달하며 양 옆구리에서 상연 절개와 만나게 한다. 먼저 혈관경이 포함되지 않는 쪽 피판을 근막 위로부터 박리하고 근막을 뚫고 올라오는 천공기들을 모두 결찰한다. 반대쪽 천공기들의 위치를 참고하여 혈관경이 위치하는 쪽 피판을 천공기들을 최대한 보존하며 복직근막으로부터 안전하게 거상한다. 천공기의 위치는 배꼽 주위의 복직근 내연과 외연 1/3에 종으로 각기 4–5개의 천공기가 복직근막을 뚫고 올라오므로 이중 2 mm 이상 되는 천공기를 포함한 피판을 거상한다. 이때 배꼽에 타원형 절개를 넣어 피판으로부터 완전히 분리하면 배꼽 주변의 천공기들을 보다 쉽게 발견할 수 있다. 피판의 천공기들을 확인하면서 복직근막을 약 1–2 cm 폭으로 근육 중앙에 남기고 좌우로 복직근에서 근막을 분리해내다(그림 2-1-9). 이때 측면의 혈관과 신경 가지들을 결찰하고 복직근을 들어 올리면, 복직근 하부로 주행하는 상하복벽혈관을 확인할 수 있다. 상복벽혈관이 내흉동맥에서 안전하게 기시하는 것을 확인한 후, 궁상선 근처에서 심하복벽동정맥을 결찰하고 복직근을 자름으로써 피판을 완전히 거상한다.

필요시, 상복벽혈관 기시부 레벨에서 혈관경 주변 1–2 cm 정도의 근육 조각(muscle strip)을 제외한 나머지 부분의 복직근을 횡절단하여, 혈관경 주행을 따라 발생하는 상복부 팽륜 및 유방하주름의 붕괴를 다소 예방할 수 있게 한다(그림 2-1-10). 남아있는 근육 조각은 추후 피판이 터널을 통해 통과할 때 혈관경을 보호하는 역할을 하게 된다. 또한, 거상한 피판의 복직근을 피판의 피하지방조직 기저에 몇군데 고정하여 피판이 터널로 빠져나갈 때 천공기들이 당겨져 손상되지 않도록 하는 것이 좋다.

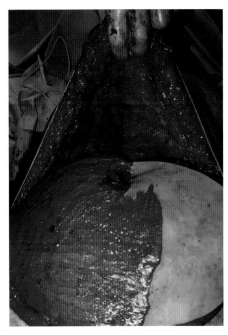

그림 2-1-9. 거상한 유경 횡복직근피판과 2 cm 너비로 남긴 복직근막, 피하지방 터널의 모습

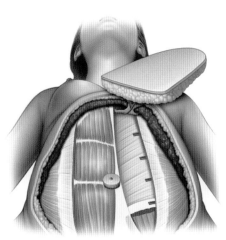

그림 2-1-10. 상복벽혈관경 주위 1-2 cm 폭의 복직근만 남겨 거상한 섬형 유경 횡복직근피판(Island-type pedicled TRAM flap)

③ 터널 지나기(Tunneling) 및 피판 삽입(Inset)

피판의 절개된 상연으로부터 흉부 쪽을 향해 상복부 피부와 피하지방조직을 들고 복직근막으로부터 박리하여, 중앙은 검상돌기까지 양 옆은 제 7-10늑연골까지 올라간다. 피판이 지나갈 터널은 유방하주름의 5-7시 방향에 만들며, 특히 유방 내측 주름을 손상시키지 않고 보존하도록 유의한다. 피판을 들어 수여부인 가슴 쪽으로 터널을 통과시켜 빼낸다. 이후 넓어진 유방하주름을 혈관경이 눌리지 않을 정도만 남기고 재고정하며, 가슴의 피판을 유방에 잘 맞도록 크기와 돌출 정도, 유두 유륜 위치를 조절하여 배치한다. 양측 유방의 대칭성을 확인하며 수술을 마무리한다.

④ 복부 봉합(Abdominal wound closure)

하부의 복직근은 궁상선위 후복직근막에 고정하여 하부 복벽 약화와 탈장을 예방하도록 하며 복직근막을 비흡수 봉합사로 단단히 재봉합한다. 복직근막의 결손부가 비교적 넓은 경우에는 무세포동종진피(acellular dermal matrix)나 합성폴리프로필렌 그물망(polypropylene mesh) 등으로 복벽을 보강하는 것이 무리하게 닫는 것보다 탈장 예방에 도움이 될 수 있다(그림 2-1-11). 복부 Scarpa근막, 피하 조직, 피부를 봉합하여 마무리한다.

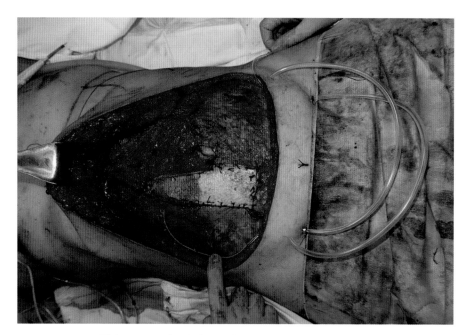

그림 2-1-11. 복직근막 결손 부위를 무세포동종진피로 보강한 모습

(5) 수술 후 관리(Postoperative care)

수술 후 환자의 자세는 반쯤 일으켜 앉고 다리는 다소 올려서 무릎을 굽혀 배가 당기지 않는 자세를 유지한다. 특히 수술 후 착용한 복대에 의해 혈관경 위치가 압박되지 않도록 환자 및 보호자에게 각별히 안내하고, 배액관 기능 및 피판 혈류 상태를 모니터링 한다. 수술 3일 후부터 거동이 가능하며, 일주일에서 열흘간 배액되는 양을 보아 음압 배액관을 제거한다.

(6) 합병증(Complication)

① 수여부 합병증

수여부 합병증으로 가장 흔한 것은 유방절제술 후 남겨진 유방 피부의 괴사이다. 이는 술중 Indocyanine green imaging을 시행하여 생존 가능한 피부의 범위를 미리 파악하고, 관류가 좋지 않은 곳을 예방적으로 절제함으로써 상당부분 방지할 수 있다. 부분적 피판 괴사의 경우 필요하면 유두-유륜복합체(Nipple-areolar complex, NAC) 재건술 시 절제할 수 있다. 매우 드물지만, 광범위한 피판의 괴사가 발생한 경우에는 광배근피판(Lastissimus dorsi mycocutaneous flap) 등 다른 피판에 의한 이차 유방재건이 필요할 수 있다. 또한, 유경 횡복직근피판 시행 후 일시적으로 혈관경의 주행을 따라 유방하주름 쪽에 근육의 볼록한 부분이 발생하였다가 대부분 시간이 지나면 위축되어 사라지나, 시간이 지나도 잔여하는 경우에는 지방흡입술을 고려할 수 있다.

② 공여부 합병증

복부 절개부 벌어짐, 감염, 견이(dog-ear) 등 비교적 사소한 창상 문제가 가장 흔하다. 탈장(hernia)은 드물게 발생할 수 있으며, 양측 유방의 재건으로 양측 복직근막 봉합이 긴장도가 높거나 복벽의 약화가 우려되면, 합성폴리프로필렌 그물망이나 무세포동종진피로 복벽을 보강해주는 것이 좋다.

☑ 참고문헌

1. Baumann DP, Lin HY, Chevray PM. Perforator Number Predicts Fat Necrosis in a Prospective Analysis of Breast Reconstruction with Free TRAM, DIEP, and SIEA Flaps. Plastic and Reconstructive Surgery 2010;125(5):1335-41.

2. Blondeel PN. One hundred free DIEP flap breast reconstructions: a personal experience. Br J Plast Surg 1999;52(2):104-11.

3. Blondeel PN, Arnstein M, Verstraete K, Depuydt K, Van Landuyt KH, Monstrey SJ, Kroll SS. Venous congestion and blood flow in free transverse rectus abdominis myocutaneous and deep inferior epigastric perforator flaps. Plastic and Reconstructive Surgery 2000;106(6):1295-9.

4. Davis CR, Jones L, Tillett RL, Richards H, Wilson SM. Predicting venous congestion before DIEP breast reconstruction by identifying atypical venous connections on preoperative CTA imaging. Microsurgery 2019 Jan;39(1):24-31.

5. Elizabeth J., Hall-Findlay GRDE. Aesthetic and Reconstructive Surgery of the Breast. Elsevier 2010.

6. Eom JS, Kim DY, Kim EK, Lee TJ. The Low DIEP Flap: An Enhancement to the Abdominal Donor Site. Plastic and Reconstructive Surgery 2016;137(1):7e-13e.

7. Hartrampf CR, Scheflan M, Black PW. Breast reconstruction with a transverse abdominal island flap. Plast Reconstr Surg 1982;69:216-24.

8. Holm C, Mayr M, H fter E, Ninkovic M: Perfusion Zones of the DIEP Flap Revisited: A Clinical Study. Plast. Reconstr. Surg 2006;117(1):37-43.

9. Imanishi N, Nakajima H, Minabe T, Chang H, Aiso S. Anatomical relationship between arteries and veins in the paraumbilical region. British Journal of Plastic Surgery 2003;56(6):552-6.

10. Kim EK, Lee TJ, Eom JS. Comparison of fat necrosis between zone II and zone III in pedicled transverse rectus abdominis musculocutaneous flaps: a prospective study of 400 consecutive cases. Ann Plast Surg 2007;59:256-9.

11. Lee KT, Mun GH. Benefits of superdrainage using SIEV in DIEP flap breast reconstruction: A systematic review and meta-analysis. Microsurgery 2017;37(1):75-83.

12. Lee KT, Lee JE, Nam SJ, Han BK, Mun GH. Is Holm Zone III safe from fat necrosis in medial row perforator-based deep inferior epigastric perforator flaps? Microsurgery 2014;35(4):272-8.

13. Lee KT, Mun GH. Perfusion of the diep flaps: A systematic review with meta-analysis. Microsurgery 2016.

14. Lee KT, Mun GH. Volumetric Planning Using Computed Tomographic Angiography Improves Clinical Outcomes in DIEP Flap Breast Reconstruction. Plast Reconstr Surg 2016;137(5):771e-80e.

15. Lie KH, Taylor GI, Ashton MW. Hydrogen peroxide priming of the venous architecture: a new technique that reveals the underlying anatomical basis for venous complications of DIEP, TRAM, and other abdominal flaps. Plastic and Reconstructive Surgery 2014;133(6):790e-804e.

16. Losken A, Zenn MR, Hammel JA, Walsh MW, Carlson GW. Assessment of Zonal Perfusion Using Intraoperative Angiography during Abdominal Flap Breast Reconstruction. Plastic and Reconstructive Surgery 2012;129(4):618e-24e.

17. Mathes SJ, Nahai F. Reconstructive surgery: Principles, anatomy and technique. Churchill Livingstone and Quality Medical Publishing Inc. New York 1997.

18. Millard DR Jr. Breast reconstruction after a radical mastectomy. Plast Reconstr Surg 1976;58:283-91.

19. Moon HK, Taylor GI. The vascular anatomy of rectus abdominis musculocutaneous flaps based on the deep superior epigastric system. Plast Reconstr Surg 1988;82:815-31.

20. Moscona RA, Holander L, Or D, Fodor L. Patient satisfaction and aesthetic results after pedicled transverse rectus abdominis muscle flap for breast reconstruction. Ann Surg Oncol 2006;13:1739-46.

21. Petit JY, Rietjens M, Garusi C, et al. Abdominal complications and sequelae after breast reconstruction with pedicled TRAM flap: is there still an indication for pedicled TRAM in the year 2003? Plast Reconstr Surg 2003;112:1063-5.

22. Rahmanian-Schwarz A, Rothenberger J, Hirt B, Luz O, Schaller H-E. A Combined Anatomical and Clinical Study for Quantitative Analysis of the Microcirculation in the Classic Perfusion Zones of the Deep Inferior Epigastric Artery Perforator Flap. Plastic and Reconstructive Surgery 2011;127(2):505-13.

23. Rothenberger J, Amr A, Schiefer J, Schaller HE, Rahmanian-Schwarz A. A quantitative analysis of the venous outflow of the deep inferior epigastric flap (DIEP) based on the perforator veins and the efficiency of superficial inferior epigastric vein (SIEV) supercharging. J Plast Reconstr Aesthet Surg 2013;66(1):67-72.

24. Rozen WM, Pan WR, Le Roux CM, Taylor GI, Ashton MW. The Venous Anatomy of the Anterior Abdominal Wall: An Anatomical and Clinical Study. Plastic and Reconstructive Surgery 2009;124(3):848-53.

25. Schaverien M, Saint-Cyr M, Arbique G, Brown SA. Arterial and Venous Anatomies of the Deep Inferior Epigastric Perforator and Superficial Inferior Epigastric Artery Flaps. Plastic and Reconstructive Surgery 2008;121(6):1909-19.

26. Schaverien MV, Ludman CN, Neil-Dwyer J, Perks AGB, Raurell A, Rasheed T, McCulley SJ. Relationship between Venous Congestion and Intraflap Venous Anatomy in DIEP Flaps Using Contrast-Enhanced Magnetic Resonance Angiography. Plastic and Reconstructive Surgery 2010;126(2):385-92.

27. Serletti JM. Breast reconstruction with the TRAM flap: pedicled and free. J Surg Oncol. 2006;94:532-7.

28. Spear SL. Surgery of the Breast - Principles and Art. Vol. 1, 3rd ed. Philadelphia. Lippincott Williams & Wilkins; 2011.

29. Williams EH, Rosenberg LZ, Kolm P, et al. Immediate nipple reconstruction on a free TRAM flap breast reconstruction. Plast Reconstr Surg 2007;120(5): 1115-24.

30. Wong C, Saint-Cyr M, Mojallal A, Schaub T, Bailey SH, Myers S, Brown S, Rohrich RJ. Perforasomes of the DIEP Flap: Vascular Anatomy of the Lateral versus Medial Row Perforators and Clinical Implications. Plastic and Reconstructive Surgery 2010;125(3):772-82.

31. Yoon JS, Oh J, Chung MS, Ahn HC. The island-type pedicled TRAM flap: Improvement of the aesthetic outcomes of breast reconstruction. J Plast Reconstr Aesthet Surg 2020 Jun;73(6):1060-7.

2. 술전 고려, 계획, 디자인, Free TRAM피판 거상

가톨릭대학교 서울성모병원 성형외과 **오득영**

1) 술전 고려

(1) 수술방법의 선택과 상담

유방전절제술후에 재건방법을 환자 상담을 통하여 결정하는데 이때 환자의 선호, 의학적 상태 및 유방전절제술의 방법이 가장 큰 영향을 미친다고 볼 수 있다. 환자가 하복부나 등에 흉터가 남는 것이 싫은 경우에는 보형물을 삽입하는 방법을, 보형물에 대한 거부감이 있는 경우에는 체형에 맞는 자가조직을 이용한 재건방법을 먼저 고려하여 환자의 체형, 다른 의학적 상태 등을 종합적으로 고려하여 상담을 진행한다.

일반적으로 단순 유방전절제술(simple or total mastectomy)과 피부보존 유방전절제술(skin-sparing mastectomy)은 유두유륜복합체와 피부조직이 함께 보충될 수 있는 자가조직을 이용하는 재건방법이 원래의 유방형태 복원하는데 유리하다(그림 2-1-12, 그림 2-1-13). 하지만 환자가 장시간 수술이나 흉터를 꺼리면 확장기와 보형물을 이용하는 방법으로 수술을 시행할 수도 있다. 유방조직만 제거되는 유두보존 유방전절제술(nipple-sparing mastectomy)은 제거되는 피부 안쪽의 조직만 보충하면 되기 때문에 환자의 선택에 보다 더 귀를 기울일 수 있다. 환자의 의학적 상태, 나이, 체형, 유방의 형태와 크기 등을 고려해 상담을 진행한다(그림 2-1-14). 최근에는 술후 항암치료나 방사선치료 여부가 재건방법 선택에 미치는 영향은 감소 추세이며, 유방전절제술을 시행하는 유방외과의가 남기는 조직의 양과 범위가 차이가 있을 수 있으므로 이를 예상하여 재건방법을 선택하는 것이 도움이 된다.

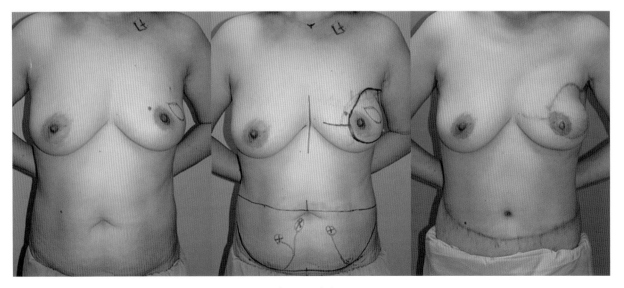

그림 2-1-12. 단순 유방전절제술(simple or total mastectomy) 후 DIEP 재건

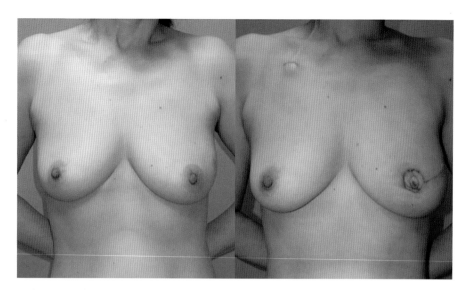

그림 2-1-13. 피부보존 유방전절제술(skin-sparing mastectomy) 후 DIEP 재건

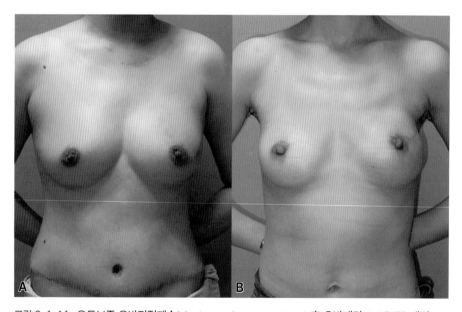

그림 2-1-14. 유두보존 유방전절제술(nipple-sparing mastectomy) 후 유방재건. **(A)** DIEP 재건, **(B)** Direct-to-implant 재건

　　최근 국내의 자가조직을 이용한 재건술이 30% 정도로 감소 추세에 있다. 이는 유두보존 유방전절제술이 증가한 것으로 인해 피부의 보충없이 볼륨(volume)만 보충해도 되어, 보형물 삽입만으로 추가적인 흉터 없이 더 짧은 수술 및 회복 시간으로 좋은 결과를 얻을 수 있기 때문이라 생각된다. 하지만 하복부 조직을 이용을 포함하여 자가조직을 이용한 재건방법이 더 좋은 선택일 수밖에 없는 경우나 환자가 보형물을 거부하는 경우를 임상에서 자주 접하고 있어 이에 대한 중요성은 계속 있을 것으로 예상된다. 다음 **그림 2-1-15, 16, 17**에서 다양한 상황에서의 하복부 자가조직을 이용한 유방재건의 예들을 볼 수 있다.

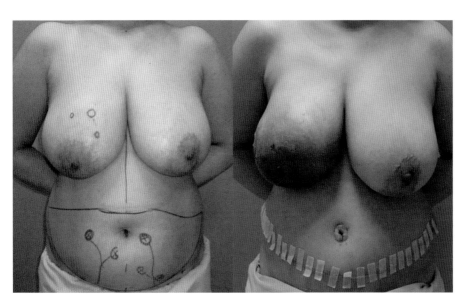

그림 2-1-15. 거대유방의 재건

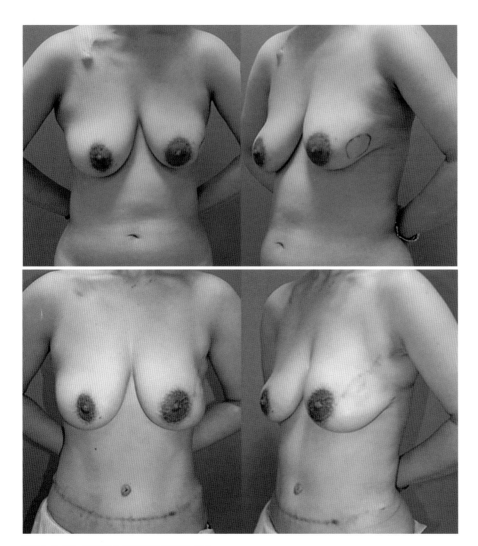

그림 2-1-16. 유방하수와 비대칭유방의 재건

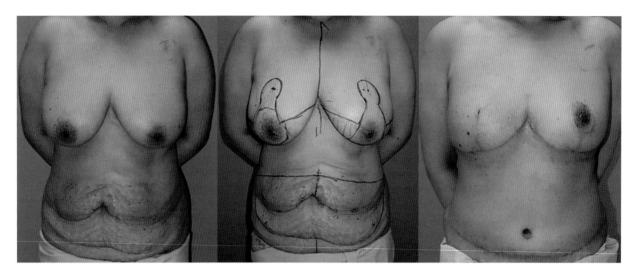

그림 2-1-17. 하복부 성형과 좌측 유방축소술 동시 시행

2) 계획

(1) Two team approach

하복부 조직을 이용한 유방재건의 가장 큰 단점은 긴 수술시간과 복부의 긴 반흔으로 꼽을 수 있다. 이중 긴 수술시간을 가장 효과적으로 줄일 수 있는 방법은 유방전절제술을 진행할 때 하복부 피판 거상을 동시에 진행하는 것이다. 이 방법만으로도 전체 수술시간을 90분에서 120분 정도 절약할 수 있다. 해당 방법은 유방외과와 충분한 사전협의를 거쳐 아래와 같은 위치로 진행하면 된다(그림 2-1-18).

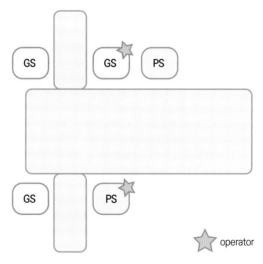

그림 2-1-18. 수술의들의 위치

(2) Simultaneous nipple reconstruction

　피부보존 유방전절제술(skin-sparing mastectomy)가 예상되는 경우, 심한 유방하수가 있거나 술전 위치의 비대칭이 있는 경우가 아니라면, 유두의 위치는 크게 변하지 않는다. 그러므로 동시재건 시와 같이 만들어도 괜찮은 경우가 많다. 충분한 피부를 피판의 추가적인 변형 없이 사용 가능하여 유두를 크게 만들 수 있어 술후 크기 위축을 예방할 수 있으며, 이차수술이 없으므로 경제적, 시간적으로 유익할 수 있다(그림 2-1-19).

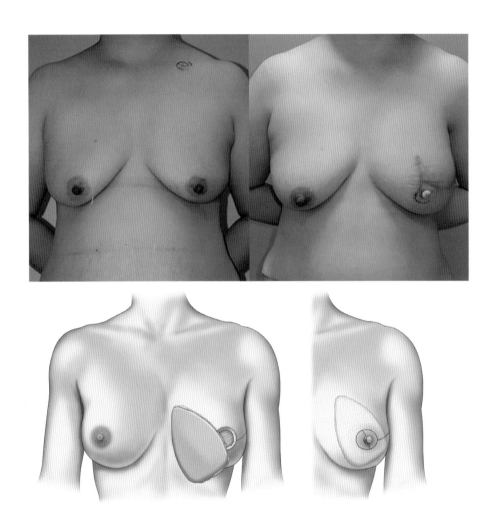

그림 2-1-19. 피부보존 유방전절제술(skin-sparing mastectomy) 후 동시 유두재건

(3) Lower abdominal midline vertical Scar

과거 수술 등에 의해서 배꼽 아래 정중앙에 vertical scar가 있는 경우 사용할 수 있는 조직의 양이 부족할 경우가 많다. 이 경우 다른 재건 방법을 권유하는데, 일부의 환자들은 수직흉터보다는 수평흉터가 더 낫다고 생각하여, 하복부를 이용한 재건술을 요구하는 경우도 있다. 이와 같은 경우 양측의 비대칭을 줄이기 위한 방법은 double flap 계획 혹은 반대편의 유방축소술이 있다(그림 2-1-20).

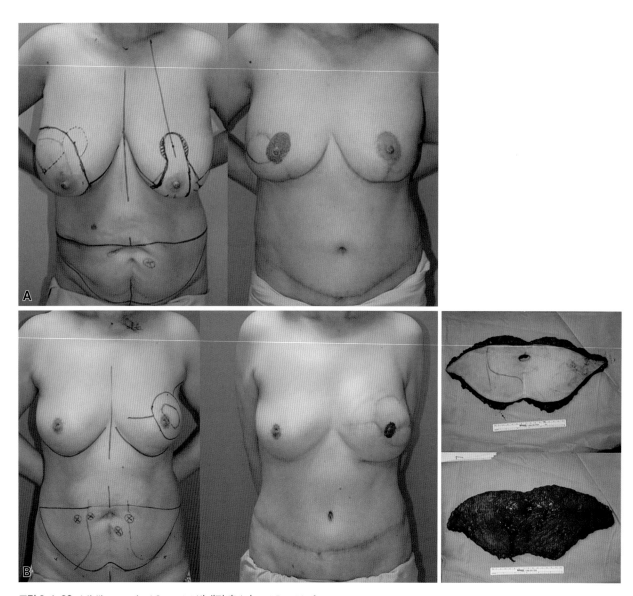

그림 2-1-20. Midline vertical Scar. **(A)** 반대편 축소술, **(B)** Double flap

(4) Double flap (turbocharged or supercharged)

과거에 피부절제를 많이 하여 일차 봉합하였던 단순 유방전절제술(simple or total mastec-tomy) 환자의 지연재건의 경우, 복부 정중앙의 반흔을 가지거나 복부 조직량보다 재건할 유방이 더 큰 유방재건의 경우 등은 양측의 DIEP을 채취한다. 그리고 양측 모두에게 혈류를 연결하여 하복부 피판 전체를 사용함으로써 보다 많은 조직을 fat necrosis 위험없이 유방재건에 이용하여 더 나은 결과를 얻고자 시도하고 있다(그림 2-1-21). 하나의 외부혈관 연결과 양측 DIEP 간 내부연결을 가지는 방법인 Turbocharged(그림 2-1-22 A)와 양측 DIEP 각각이 외부혈관을 가지는 방법인 supercharged(그림 2-1-22 B)가 있다. 후자의 경우 internal mam-mary vessel의 순행 및 역행성 혈관에 각각 연결하는 방법, thoracodorsal vessel의 branch에 각각 연결하는 방법 등이 사용되어 진다.

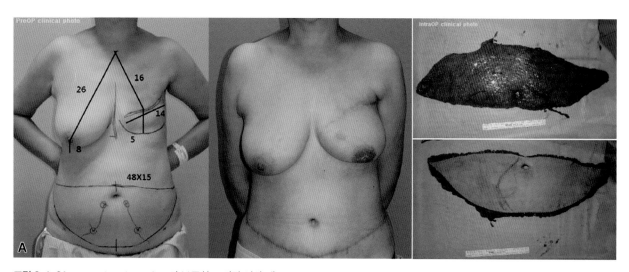

그림 2-1-21. **(A)** Unipedicled flap의 부족한 조직량 임상 예

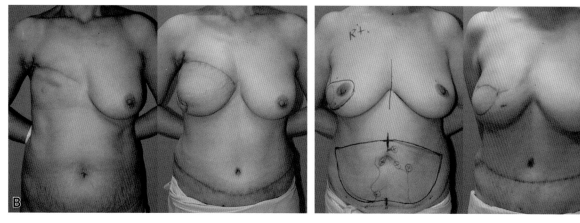

그림 2-1-21. **(B)** Double flap 임상 예

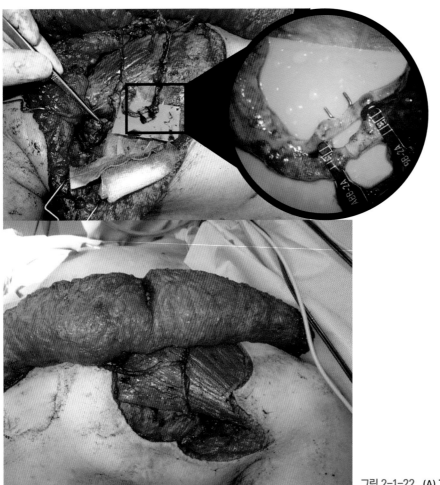

그림 2-1-22. (A) Turbocharged

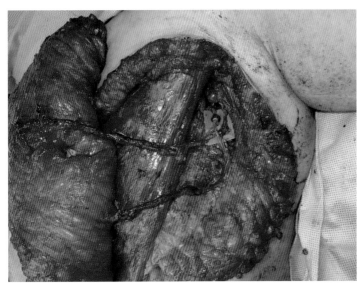

그림 2-1-22. (B) Supercharged

3) 디자인

(1) Vascularity 체크

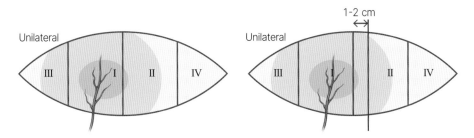

그림 2-1-23. Vascularity of abdominal flap

정중앙에서 1–2 cm 정도는 반대편을 안심하고 사용가능한 게 일반적이다.

양측 천공지를 찾고 한쪽 천공지를 vessel clamp로 혈류를 차단한 후 육안적 색조변화와 ICG (Indocyanine green)로 본 혈류는 아래와 같이 차이가 있고 이경우 ICG의 결과를 따른다.

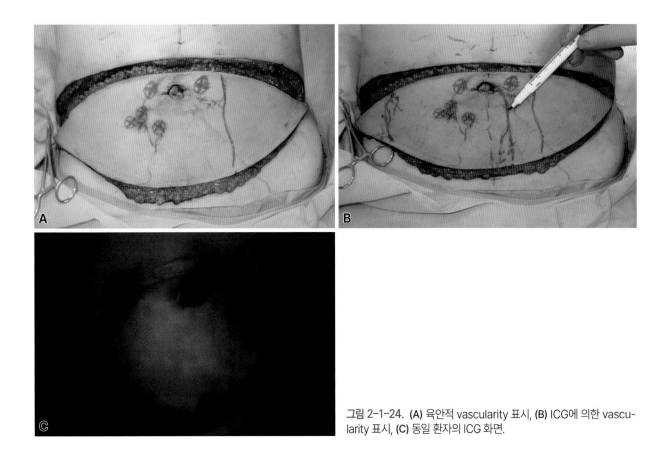

그림 2-1-24. **(A)** 육안적 vascularity 표시, **(B)** ICG에 의한 vascularity 표시, **(C)** 동일 환자의 ICG 화면.

4) Free TRAM피판 거상

(1) Free TRAM의 분류

하복부 조직을 이용하는 피판은 ① deep inferior epigastric vessel을 이용하는 free TRAM과 DIEP flap, ② superior epigastric vessel을 이용하는 pedicled TRAM, ③ superfical inferior epigastric vessel을 이용한 SIEA flap으로 분류할 수 있다. 여기서는 deep inferior epigastric vessel을 이용하는 피판들의 세분화된 분류법을 추가로 기술하고자 한다 (표 2-1-1). **표 2-1-1**에서와 같이 추가적인 세분류는 복직근의 보존 정도에 따라 MS-0, MS-1, MS-2, MS-3로 분류되며, 일반적으로는 유리 횡복직근 피판(conventional free TRAM flap, MS-0), 유리 횡복직근보존피판(muscle-sparing free TRAM flap, MS-1, 2), 심하복벽천공지유리피판 (DIEP flap, MS-3)의 용어로 사용하고 있다(그림 2-1-25).

표 2-1-1. The classification and definition of the various abdominally based free flaps

Muscle-sparing technique	definition (rectus abdominis)
MS-0	Full width, partial length
MS-1	Preservation of lateral segment
MS-2	Preservation of lateral and medial segment
MS-3 (DIEP)	Preservation of entire muscle

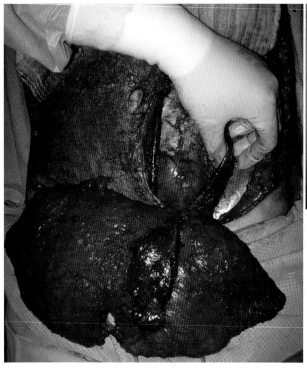
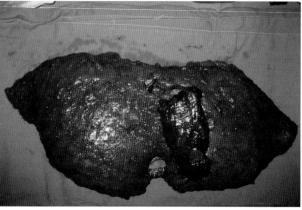

그림 2-1-25. **(A)** 유리 횡복직근보존피판(muscle-sparing free TRAM flap, MS-1, 2)

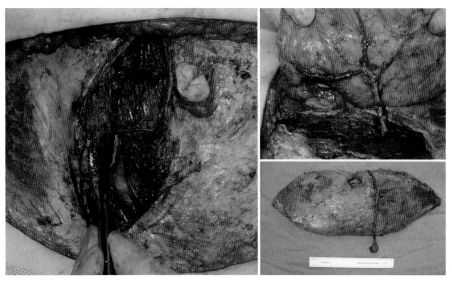

그림 2-1-25. (B) 심하복벽천공지유
리피판(DIEP flap, MS-3)

(2) 유리 횡복직근보존피판(Muscle-sparing free TRAM flap)의 거상

① 피부에 incision을 가하고 근막을 뚫고 나오는 천공지만 보존하고 피판을 거상한다.

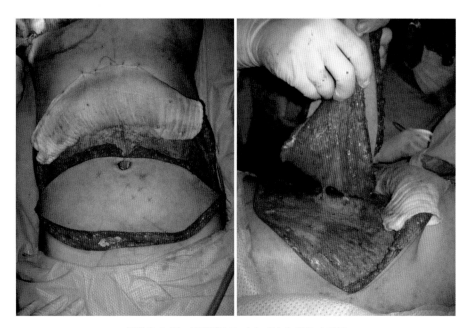

그림 2-1-26. 근막위로의 피판 거상 후 천공지 확인

② 천공지들을 잇는 zig-zag incision을 근막에 디자인하고 근막을 복직근에서 분리한
다. 이때 아래에서부터 근막하부의 천공지 주행을 주의하며 근막을 분리한다. 수술
자에 따라서는 천공지에서부터 아래로 근막을 분리해 나가기도 한다.

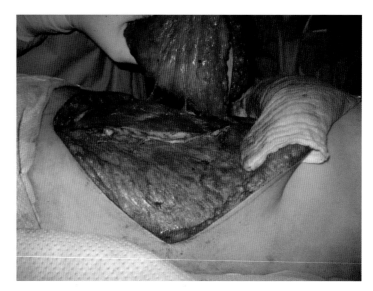

그림 2-1-27. 근막 절개후 복직근과 천공지 노출

③ 복직근의 외측을 조심스럽게 거상하여 DIEP가 하부에서 근육 안으로 들어가는 부분을 확인하고 이를 보존하여 수직으로 근육을 가른다.

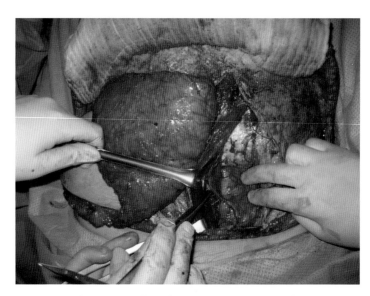

그림 2-1-28. 복직근 외측 하부로 들어가는 천공지의 확인

④ 내측에서는 가장 내측의 근육에서 피부로 가는 천공지를 보존하여 수직으로 복직근을 분리한 후 위아래에서 천공지를 포함하는 중앙의 복직근을 수평으로 절개하여 피판을 떼어낸다. 이때 피판과 채취되는 복직근은 천공지로만 연결되어 외력에 쉽게 분리될 위험이 있으므로 근육 가장자리 피판을 흡수성 봉합사로 봉합하여 보강해야한다.

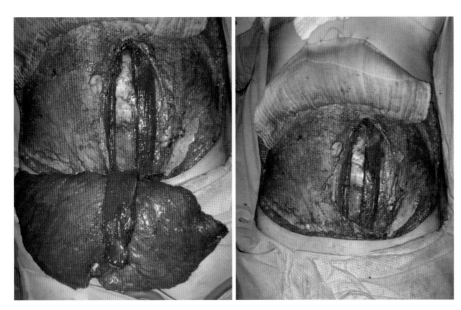

그림 2-1-29. 천공지들을 포함하는 복직근 부분 분리

⑤ 보존된 내측과 외측 복직근을 흡수성 봉합로 봉합한다.

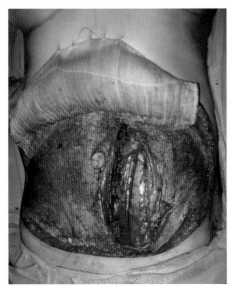
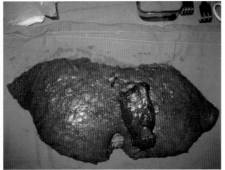

그림 2-1-30. 남은 복직근의 봉합과 횡복직근보존 피판의 결과

(3) 심하복벽천공지유리피판(DIEP flap)의 거상

Chapter 1. 복부 조직 : 횡복직근피판, 심부하복벽천공지피판, 3. 심하복벽 동맥 천공지 피판 거상, 수혜혈관 준비 및 문합 내용 참고.

☑ 참고문헌

1. Maurice Nahabedian, Peter Neligan. Plastic Surgery: volume 5, 4th edition, London : Elsevier, 2018.

3. 심하복벽 동맥 천공지 피판 거상, 수혜혈관 준비 및 문합

성균관대학교 삼성서울병원 성형외과 **문구현**

1) 심하복벽 동맥 천공지 피판 거상

환자를 앙와위(supine position)로 위치시키고 미리 도안한 절개선을 따라 에피네프린이 첨가된 국소마취제를 아래쪽 도안의 천하복벽 동맥과 정맥(SIEA, SIEV)의 예상 주행 범위를 제외하고 고르게 주입한다. 먼저 배꼽 주위로 절개를 가하여 근막까지 박리한 뒤 도안의 상연 피부를 절개한다. 도안의 상부 피부절개를 가한 뒤 전기소작기로 절개선을 깊게 하여 근막층에 도달한다. 이때 상복부 방향으로 지방층을 비스듬하게 진행하면 추가적인 지방 채취로 피판의 부피를 증가시킬 수 있으며 공여부 일차봉합시 양측 단면의 조직의 두께 차이를 줄일 수 있다. 이후 복벽의 근막 위층을 따라 검상 돌기(xiphoid process)와 양측 늑골연(costal margin) 방향으로 박리를 진행한다. 이때 박리범위는 공여부 일차 봉합이 무리없이 될 때까지 최소한으로만 시행한다.

피판의 하연 절개시에는 천하복벽 정맥(SIEV)을 피판에 붙여 채취함으로써 추가적인 정맥 문합이 필요한 경우에 사용할 수 있다. 천하복벽 정맥은 피판 중앙에서 보통 4–6 cm 떨어진 부위에서 진피하혈관얼기(subdermal plexus)와 Scarpa 근막 사이 층으로 주행하므로 처음 절개는 진피 깊이까지만 시행한 뒤 천하복벽 정맥이 손상되지 않도록 주의하여 박리를 시행한다. 천하복벽 정맥이 아주 가늘지 않다면 미측으로 정맥을 따라 수 cm 가량 박리하고 혈관클립(hemoclip)으로 결찰하여 채취한다. 이후 피판의 하연 절개는 복부의 근막까지 수직으로 박리하며, 이는 공여부 봉합 시 상복부 피판과의 두께 차이를 줄이고 층이 지거나 패여보이는 현상을 줄일 수 있다.

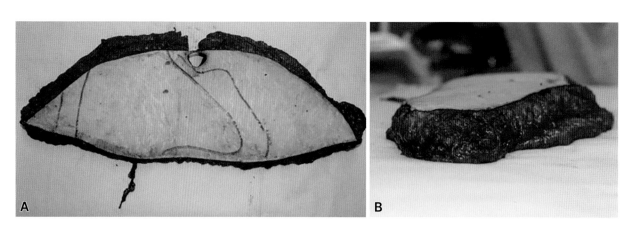

그림 2-1-32. 심하복벽 동맥 천공지 피판의 사진. **(A)** 피판의 상연을 따라 상복부 쪽으로 비스듬하게 절개하여 피하지방을 추가로 거상, **(B)** 피판을 옆에서 본 사진

피판의 상연과 하연의 절개를 마친 뒤 외측에서부터 내측 방향으로 피판을 박리한다. 외복사근(external oblique muscle) 근막 위로 박리를 진행하다 보면 전복직근초(anterior rectus sheath)의 가측 경계에 도달하게 된다. 이후 박리를 더 내측으로 진행하면 천공지가 나타날 수 있으므로 전복직근초의 가측 경계부터는 박리에 주의하여야 한다. 만약 CT혈관촬영술에서 최선의 천공지를 확인하였다면 해당 천공지를 향해 박리를 진행하고, 그렇지 않다면 여러 개의 천공지들을 찾은 후 천공지의 크기와 위치를 고려하여 가장 적절한 천공지들을 선택한다. 천공지가 근막을 뚫고 나오는 지점에서 정맥의 두께가 약 1 mm 이상이고, 촉지 가능하거나 육안으로 뚜렷한 맥동이 관찰되는 동맥이 있는 천공지를 선택하는 것이 좋다. 그리고 크기가 비교적 큰 천공지의 경우 갈라진 근막의 틈 사이로 지방이 둘러싸여 있어 박리에 도움이 될 수 있다. 천공지의 크기가 작거나 위치가 적절하지 않은 경우 천공지를 추가적으로 포함하여 피판을 거상해야 한다.

천공지를 근막에서 분리할 때 천공지 주변으로 피판과 근막의 전 방향을 박리하여 충분한 시야를 확보해야 하며 출혈이 생기면 시야가 나빠지기 때문에 지혈에 유의하여 박리를 시행한다. 천공지 주변 시야를 확보한 후에는 필요하면 위쪽으로 짧은 근막을 절개하여 두부쪽으로 향하는 혈관경을 결찰한 뒤 천공지의 미부쪽 주행 방향으로 근막을 복직근 섬유 방향과 나란하게 절개하여 혈관경 박리를 진행한다.

근육 내 박리(intramuscular dissection)는 근육을 섬유 방향과 나란한 방향으로 벌려 혈관경을 분리한다. 근육으로의 분지를 분리할 때에는 주 혈관경에서 적어도 1–2 mm 이상의 거리를 두고 조심스럽게 소작하거나 혈관클립으로 결찰한다. 분지는 혈관의 좌우뿐만 아니라 혈관경의 아래인 근육 쪽으로도 향할 수 있으므로 과한 저항을 주지 않은 상태에서 조심스럽게 확인하며 박리하여야 한다.

박리를 진행하면서 혈관경이 늑간 신경(intercostal nerve)의 분지들과 여러 차례 교차하는 지점을 지나게 된다. 이 신경들은 감각신경과 운동신경이 혼합되어 있으며 복직근초의 가측 가장자리에서 복직근 폭의 약 1/3 내측 위치의 후면에서 근육을 뚫고 올라와 감각신경은 천공지를 따라 올라가고, 운동신경은 천공지의 위를 타고 넘어 내측으로 진행한다. 따라서 혈관경의 가측으로 신경과 함께 주행하는 혈관 분지는 조심스럽게 결찰하여 절단하고, 신경은 조심스럽게 박리하여 피판으로 향하는 감각신경은 절단해도 무방하나, 운동신경은 천공지 박리를 위해 불가피한 경우를 제외하고 가능한 보존하도록 한다. 만약 신경을 절단하였다면 봉합 여부는 논란의 여지가 있으며 공여부 봉합 전 신경외막봉합(epineural repair)를 시행하거나 절단된 신경이 인접한 근육으로 신경화될 수 있도록 잘 정리해 주어야 한다.

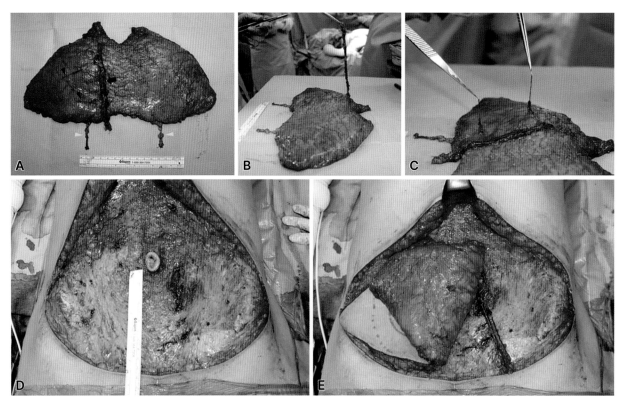

그림 2-1-33. 심하복벽 동맥 천공지 피판의 거상. (A) 거상된 피판의 사진. 심하복벽 동맥 천공지(검은색 화살표), T11, T12 늑간신경(검은색 삼각형), 천하복벽 정맥(노란색 화살표). 거상 후 심하복벽 동맥 천공지의 길이는 12.5 cm 이다. (B) 심하복벽 동맥 천공지의 사진. (C) T11, T12 늑간신경의 사진. (D), (E). 거상 후 공여부의 사진. 5 cm의 최소 근막절개를 시행하였다.

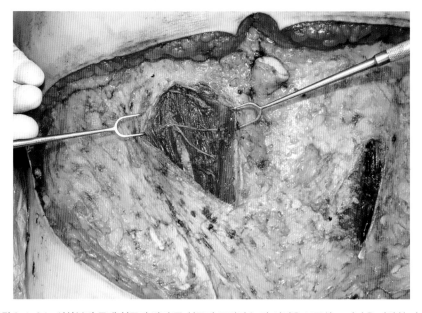

그림 2-1-34. 심하복벽 동맥 천공지 박리 중 천공지 주변의 늑간 신경을 보존하고 피판을 거상한 사진. 근육 내 혈관경 박리는 근육의 섬유 방향을 따라 시행하여 근육 손상을 최소화하였다.

혈관경의 박리가 근위부로 진행되면, 그 깊이가 더 깊어지면서 복직근 내부를 지나 복직근과 후복직근초(posterior rectus sheath) 또는 복직근과 복횡근근막(transversalis fascia) 사이의 층에서 혈관경이 기시부인 외장골 혈관(external iliac vessel)을 향해 가쪽 방향으로 주행하게 된다. 박리하는 혈관경의 길이는 예상되는 피판의 위치, 혈관 문합 부위와의 관계, 혈관경의 당김 정도를 고려하여 결정하게 된다. 외장골 혈관 인접부까지 박리한 뒤 혈관을 결찰하면 큰 지름의 혈관을 얻을 수 있어 문합에 유리하며, 10 cm 이상 길이의 혈관경을 얻을 수 있으므로 피판을 위치시키고 유방의 모양을 만드는데 어려움이 없다. 이중 혈관경 피판내 교차문합(bipedicled intraflap crossover anastomosis) 천공지 피판을 거상할 때에는 문합을 시행할 수 있도록 주 혈관경으로부터 1 cm 이상의 길이 여유를 확보한 분지를 채취해야 하며, 반대측 2차 혈관경은 주 혈관경의 분지까지 닿을 수 있도록 충분한 길이로 채취해야 한다.

 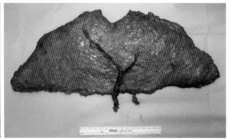

그림 2-1-35. 이중 혈관경 피판내 교차문합 천공지 피판을 거상한 사진

T11 또는 T12 늑간신경이 신경화 심하복벽 동맥 천공지 피판의 공여 신경으로 사용될 수 있다. 이 늑간신경들은 내복사근과 복횡근 사이를 지나며 복직근막 후면에서 복직근으로 들어간 뒤 피부로 이어지며, 아래쪽 측면 천공지(inferior lateral perforator vessels)와 함께 주행한다. 가측에서 내측으로 피판을 박리하다 보면 복직근 가측 가장자리로부터 내측으로 1/3 지점 부근에서 혈관들과 함께 복직근 근막을 관통하여 피부로 향하는 신경혈관다발을 확인할 수 있다. 신경혈관다발 주위로 복직근 근막을 최소 절개하여 시야를 확보한 뒤 신경과 혈관을 복직근으로부터 박리한다. 출혈에 주의하며 혈관을 혈관클립으로 결찰하고, 3-9 cm 길이의 신경을 얻을 수 있으며, 혈관 문합 위치와 피판 고정 방향을 고려하여 그 길이를 결정한다.

혈관경을 결찰하기 전에 인도시아닌그린(indocyanine green, ICG)을 정맥 주입한 뒤 근적외선 카메라로 피판의 관류를 확인하여 혈류가 확실하게 공급되는 부위를 표시해 두어 피판 고정 후 여분의 피판을 잘라낼 때 혈류가 충분하게 공급되지 않는 부위를 우선적으로 잘라낼 수 있도록 한다. 이러한 수술 중 피판의 혈류평가는 수술 후 지방괴사의 발생 빈도를 줄일 수 있다고 알려져 있다.

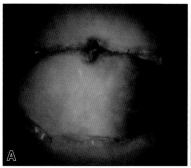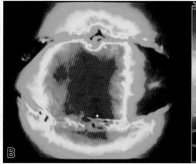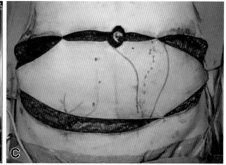

그림 2-1-36. 혈관경을 결찰하기 전 인도시아닌그린을 정맥 주입하고 혈류를 평가한 사진. (A), (B). 근적외선 카메라로 촬영한 사진. (C). 근적외선 카메라 사진을 참고하여 피판에 혈류가 충분하지 못한 부분을 표시한 사진.

2) 천하복벽 동맥 피판 거상

심하복벽 동맥 피판 거상과 마찬가지로 배꼽과 상연을 먼저 박리한 뒤 피판의 하연에 절개를 가한다. 천부장골회선 정맥(superficial circumflex iliac vein)은 가능한 박리에 포함하여 정맥 유출을 개선할 수 있다. 천하복벽 정맥은 중심에서 약 4–6 cm 떨어진 지점에서 발견할 수 있으며 천하복벽 동맥은 천하복벽 정맥의 외측으로 2–3 cm 떨어진 위치에서 확인할 수 있으며 때때로 동반정맥(vena comitantes)과 함께 주행한다. 만약 동반정맥의 직경이 충분히 크다면 문합에 사용할 수 있다. 피판과 서혜부 지방층을 두부쪽으로 약하게 당긴 상태에서 미부 내측으로 향하는 천하복벽 혈관을 따라서 박리한다. 혈관경이 사상근막(cribriform fascia)에 도달하면 혈관경 주위로 근막에 조심스럽게 절개를 가하여 혈관경을 최대한 노출시켜 혈관경의 길이를 연장할수 있다. 박리 중 림프절이 확인되면 장액종 생성을 줄이기 위해 림프절에 대한 박리를 최소화하고 혈관경을 혈관클립으로 결찰하여 피판을 채취한다. 천하복벽 동맥이 대퇴동맥으로부터 기시하는 지점 가까이에서 혈관을 결찰해야 최대한의 동맥 혈관경 직경을 확보할 수 있다.

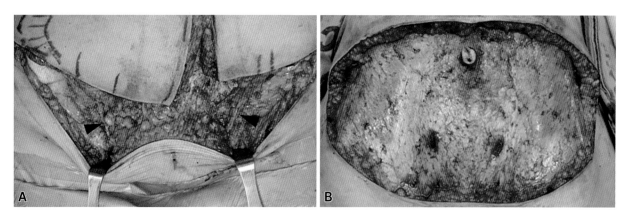

그림 2-1-37. 천하복벽 동맥 피판의 거상. (A) 양측 천하복벽 동맥(검은색 삼각형)을 박리한 후 결찰하기 전의 사진. (B) 피판을 모두 거상한 후 공여부의 사진. 근막은 신경화 피판 거상을 위해 T12 위치에서만 절개되었다.

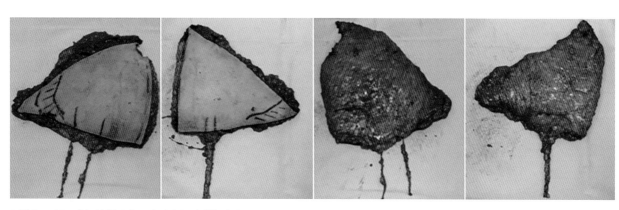

그림 2-1-38. 양측 천하복벽 동맥 피판을 거상한 사진

3) 수혜혈관 준비

(1) 내흉동맥과 정맥

수혜부 혈관으로는 2번째 또는 3번째 늑연골 사이 공간에 위치한 내흉동맥과 정맥을 주로 이용하게 된다. 4번째 늑연골 사이 공간의 혈관도 사용 가능하나 늑간공간이 상대적으로 좁기 때문에 문합 공간의 추가적인 확보를 위해 연골막(perichondrium)까지 박리한 다음 론저(rongeur)를 이용하여 내흉동맥의 손상에 주의하며 늑연골 일부를 제거해야 할 수 있다. 물론 3번째 늑연골 전체 높이를 절제하면 2번째 및 3번째 늑간 공간이 합쳐지므로 문합을 위한 매우 넓은 공간을 확보할 수 있다.

늑간 혈관의 손상을 최소화하기 위해 문합을 시행할 늑간공간의 하방에 위치한 늑연골의 상연을 따라 대흉근을 근섬유 방향으로 흉늑접합부(sternocostal junction)에서 늑골의 연골-뼈 접합부(costochondral junction)까지 약 6-7 cm 가량 박리한다. 늑간근(intercostal muscle)이 노출되면 흉골의 가장자리에서 약 3 cm 가쪽으로 떨어진 지점에서 늑간근 박리를 내측으로 시행하면 늑간근의 깊은 근막(deep fascia)과 느슨한 윤문상조직(areolar tissue)를 확인할 수 있다. 이 조직들을 조심스럽게 제거하면 내흉동맥과 정맥을 노출시킬 수 있다. 내흉림프절이 내흉혈관을 일부 덮고 있는 경우가 흔한데 이때 림프절은 절제하며 조직검사를 시행한다. 내흉동맥의 중막(tunica media)은 매우 약해서 단독으로 잡거나 봉합할 때 쉽게 찢어진다. 따라서 내흉동맥을 수혜부 혈관으로 준비할 때 외막(tunica adventitia)을 충분히 보존하고 중막과 함께 문합하여야 문합이 용이해진다.

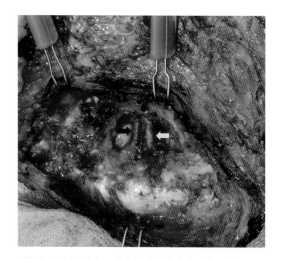

그림 2-1-39. 좌측 2번째 늑간공간에서 내흉동맥과 정맥을 박리한 사진. 정맥(검은색 화살표)이 복장뼈 쪽에 위치하고, 동맥(노란색 화살표)이 가쪽에 위치하는 것을 확인할 수 있다.

(2) 견갑하 혈관

유방 가측에 국한되어 절개선이 있어서 내흉동맥으로의 접근이 어렵거나, 겨드랑 림프절 절제술을 시행하여 견갑하 혈관계가 잘 노출되어 있는 경우 견갑하 혈관을 수혜부로 사용할 수 있다. 주로 큰 직경의 흉배동맥(thoradocorsal artery) 및 정맥이 수혜부 혈관으로 사용되나 전거근(serratus anterior muscle) 분지 혹은 근위부 견갑회선동맥(circumflex scapular artery)의 분지도 사용이 가능하다. 드물게 가측가슴동맥 및 정맥(lateral thoracic artery and vein)의 크기가 큰경우 수혜부 혈관으로 사용될 수 있다. 견갑하 혈관계에 피판을 문합하는 경우 혈관경의 길이가 충분하지 않으면 피판이 가측으로 위치하게 되기 때문에 유방 내측을 채우고 가슴골을 만드는데 어려움이 있을 수 있다. 따라서 수혜부 혈관을 10 cm 이상 길게 박리하여 피판이 충분히 내측으로 위치할 수 있게 하고, 수혜부 혈관과 피판 혈관경 간의 직경 차이를 최소화한다.

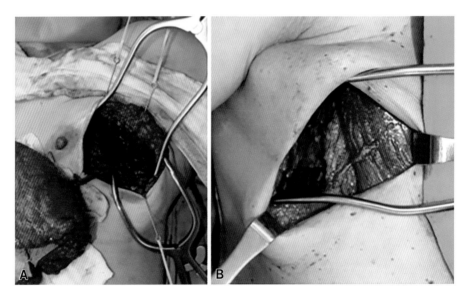

그림 2-1-40. 수혜부 혈관으로 견갑하 혈관을 박리한 사진. **(A)** 흉배동맥과 정맥에 피판을 연결한 사진, **(B)** 가측가슴신경을 수혜부 신경으로 박리한 사진

(3) 과배액(superdrainage)을 위한 추가 정맥 확보

피판의 울혈(congestion)이 관찰되는 경우 천하복벽 정맥을 이용한 과배액(superdrainage)을 고려할 수 있다. 이때 사용되는 수혜부 혈관은 피판의 방향과 천하복벽 정맥의 위치에 따라 달라지며 내흉동맥의 동반 정맥 또는 흉배 정맥, 흉건봉 정맥, 외경 정맥, 두부 정맥 등을 박리하여 채취한 피판의 천하복벽 정맥에 연결하여 추가 배액 경로로 사용할 수 있다.

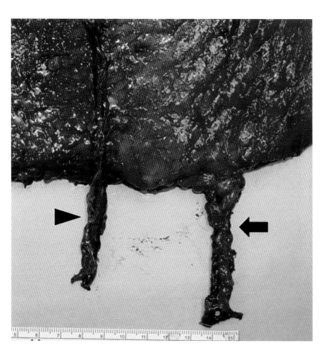

그림 2-1-41. 심하복벽 동맥 천공지(검은 삼각형) 피판 거상 시 추가 배액을 위해 천하복벽 정맥(검은 화살표)를 추가로 거상하였다.

4) 문합

(1) 수혜부 혈관과의 문합

피판의 혈관경을 결찰하여 피판을 채취한 후에는 혈관경이 꼬이지 않도록 주의하며 피판을 가슴 부위로 옮긴다. 피판을 흉벽에 올려 놓은 뒤 피판이 움직이지 않도록 스테이플러나 봉합사를 이용하여 임시 고정한다. 이후 피판을 젖은 거즈로 덮어 피판과 혈관경이 마르지 않게 한다. 문합 부위의 혈관 여유를 충분하게 얻기 위해 내흉 동맥과 정맥은 가능한 미부 쪽에서 결찰하며 일반적으로 내흉 정맥이 내흉 동맥보다 내측에 위치하므로 먼저 봉합을 시행한다. 내흉 정맥과 피판 혈관경의 정맥 크기 차이가 크지 않고, 그 크기가 충분히 큰 경우 커플러문합기를 이용하여 정맥 문합을 시행할 수 있으며, 봉합사를 사용하는 경우 9-0 나일론을 주로 사용한다. 피판 내 교차문합을 시행할 경우에는 주 혈관경을 수혜부 혈관과 먼저 문합한 뒤 주 혈관경의 분지에 2차 혈관경을 단단문합으로 연결한다. 문합이 끝난 다음 혈관겸자(vessel clamp)를 제거하고, 혈관의 문합 상태와 피판의 혈액 순환을 관찰한다.

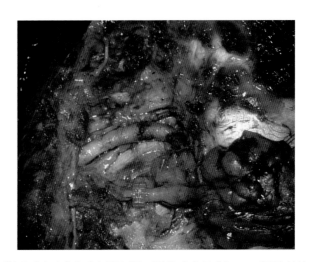

그림 2-1-42. 내흉동맥과 정맥에 피판 천공지를 연결한 사진. 동맥은 9-0 나일론 봉합사를 이용하였고 정맥은 커플러문합기를 이용하여 문합하였다.

(2) 수혜부 신경과의 문합

피판의 신경화를 위해서 2 또는 3번째 늑간신경에 피판 거상 시 함께 채취한 T11 또는 T12 신경을 문합한다. 내흉동맥 박리 시 늑연골의 하연을 따라 주행하다가 복장뼈 근처에서 늑간근의 근막을 뚫고 올라오는 늑간신경의 앞쪽 피부 분지(anterior cutaneous branch of intercostal nerve)를 쉽게 발견할 수 있다. 이 신경을 늑간근 하연을 따라 복장뼈에서 척추 방향으로 박리하여 수혜부 신경으로 사용할 수 있다. 만약 앞쪽 피부 분지를 발견하지 못했거나 수혜부 혈관으로 견갑하 혈관계의 혈관을 사용하는 경우에는 척추와 복장뼈의 중간지점에서 늑간근을 뚫고 올라오는 늑간신경의 가쪽 피부 분지(lateral cutaneous branch of intercostal nerve)를 복장뼈 방향으로 박리하여 수혜부 신경으로 사용하여 신경화된 유방재건을 시행할 수 있다.

그림 2-1-43. 2번째 늑간신경의 앞쪽 피부 분지와 심하복벽 동맥 천공지 피판의 신경을 문합한 사진

☑ 참고문헌

1. 문구현, 전병준. 심하복벽동맥천공지피판을 이용한 유방재건. In: 대한미용성형외과학회 eds. 미용성형외과학 3, 서울: 군자출판사; 2018:425-46.

2. 남수봉, 엄진섭, 안희창. 자가조직을 이용한 유방재건. In: 대한성형외과학회 eds. 표준성형외과학 2, 제 3판, 서울: 군자출판사; 2019:441-73.

3. Arnez, ZM, et al. Breast reconstruction using the free superficial inferior epigastric artery (SIEA) flap. Br J Plast Surg 1999;52:276-9.

4. Alain RG, Philip NB. Deep and Superficial Inferior Epigastric Artery Perforator Flaps. In: Wei, FC, and Samir M eds. Flaps and Reconstructive Surgery. Amsterdam: Elsevier Health Sciences 2016;501-22.

5. Jeong WS, et al. Histologic comparison between the internal mammary artery and the deep inferior epigastric artery and clinical implications for microsurgical breast reconstruction. J Plast Surg Hand Surg 2015;49:234-7.

6. Lee KT, and Mun GH. Benefits of superdrainage using SIEV in DIEP flap breast reconstruction: A systematic review and meta-analysis. Microsurgery 2017;37:75-83.

7. Li, K, et al. Application of indocyanine green in flap surgery: a systematic review. J Reconstr Microsurg 2018;34:77-86.

8. Maurice YN. Free DIEP Flap Breast Reconstruction. In: Pu, LL, and Nolan K. eds. Atlas of Reconstructive Breast Surgery. Amsterdam: Elsevier Health Sciences 2019;35-47.

9. Mohan, AT, et al. A Cadaveric Anatomical and Histological Study of Recipient Intercostal Nerve Selection for Sensory Reinnervation in Autologous Breast Reconstruction. J Reconstr Microsurg 2021;37:136-42.

10. Philip NB, Colin MM, and Robert JA. The Deep Inferior Epigastric Artery Perforator (DIEAP) Flap. In: Nahabedian, MY, and Neligan PC eds. Plastic Surgery: Volume 5: breast. London, New York; 2018;324-42.

4. DIEP flap의 inset

울산대학교 서울아산병원 성형외과 **엄진섭**

DIEP flap을 이용한 유방재건을 성공하기 위해서는 좋은 microsurgery가 필수적이다. 숙련된 기술과 집중된 노력으로 얻은 건강한 조직이 미용적 결과의 첫번째 필수 조건이다. 건강한 것이 아름답다는 성형외과의 대전제가 여기서도 적용된다. 하지만, 이런 어려운 과정은 결국 환자에게 만족스러운 유방을 만들어 주어야 그 가치가 있다. 환자들은 microsurgery를 볼 수도 없고 이해하지도 못한다. 만들어진 유방의 모양과 질감을 보고 성공어부를 판단한다. 결국 좋은 microsurgery와 미용적 노력이 결합해야 최상의 유방재건이 완성된다고 할 수 있다.

유방재건에서 좋은 미용적 결과를 얻는다는 것은 반대쪽 유방과 비슷하게 대칭을 잘 이룬다는 의미와 거의 동일하다. 재건한 유방이 매력적이고 자연스러운 형태를 가지고 있다하더라도 반대쪽 유방과 다르면 좋은 재건이라고 할 수 없다. 결국 대칭성이 유방재건의 최종적인 목표라 할 수 있는데, 단순히 반대편 유방에 대칭을 맞추려고만 하면 막연할 수 있으니, 대칭성을 몇 가지 요소로 나누어 각각을 따로 고려하는 것이 도움이 된다.

1) Symmetry

(1) Symmetry of size

흔히 환자들이 대칭이 맞지 않다고 할때 가장 많이 그리고 먼저 언급되는 요소이다. 크기의 대칭성은 flap의 volume을 mastectomy volume에 맞추어 주는 것이 가장 기본인데, volume을 수술 중에 측정하기가 어려우므로 flap의 weight를 mastectomy weight에 맞추는 것으로 대신한다. 물론 같은 무게의 복부 지방과 유선조직의 부피가 동일하다고 할 수는 없지만, 무게를 맞추는 것이 가장 쉬우면서도 효율적인 방법이라고 할 수 있다. 이때 수많은 변수가 있어 고려해야 한다.

먼저 환자의 수술 전 양쪽 유방 크기가 서로 다를 수 있다. 반대쪽 유방이 더 작거나 더 크다면, 그에 맞추어 더 작게 혹은 더 크게 재건해 주면 좋을 것이다. 수술 후 재건한 유방의 크기가 줄어든다는 주장도 있다. 대개 수술 후 2–3년 동안 5–10% 정도 부피가 감소할 수 있다고 하는데, 이는 미세한 부종의 감소가 원인일 수 있고, 또는 지방 괴사가 원인일 수 있다. 지방괴사는 정도는 다르지만, 거의 모든 경우에 발생한다고 보는 것이 맞는데, 지방괴사의 크기가 클수록 유방 크기의 감소도 더 많을 것으로 예상할 수 있다. 또한 수술 후 방사선치료도 크기에 영향을 준다. 대개는 어느 정도 부피가 감소하는데, 지방괴사가 있는 경우에는 상당한 크기의 감소가 있을 수 있다.

수술 후 정상 쪽 유방의 크기가 변하는 경우도 흔하다. 환자의 체중 변화에 따라 정상 유방의 크기도 변한다. 그런데 재건된 유방은 대부분이 복부 지방으로 이루어져 있음에도 체중의 변화에 따른 크기의 변화가 많지 않다. 따라서, 심한 체중의 변화는 크기의 비대칭을 유발할 수 있다. Tamoxifen 복용도 정상 쪽 유방의 크기를 감소시킬 수 있다.

재건한 유방과 반대편 유방의 수술 후 크기 변화에는 매우 다양한 변수가 있어서 완벽한 대칭은 얻을 수 없다. 이런 점을 환자가 이해하게 하고, 수술 후 예상되는 변수들, 예를 들면 방사선 치료의 필요 가능성, 술후 체중 변화 등을 고려하여 유방의 크기를 약간 조절하는 것이 가장 이상적이라 할 수 있다.

(2) Symmetry of contour

크기만큼이나 중요한 대칭은 모양의 대칭이라 할 수 있다. 유방은 처음 발달하기 시작할 때는 상하좌우 대칭인 반구의 형태로 만들어 졌지만, 시간이 지나면서 중력에 의해 유선 조직이 이동하여 아래쪽과 바깥쪽에 더 많은 양의 조직이 배치된다. 이 형태가 우리가 자연스럽다고 인식하는 형태이다. 따라서 우리가 복부 조직을 이용하여 유방을 만들 때는 이러한 형태로 인위적으로 만들어 주어야 한다. 자연스러운 ptotic한 모양을 만들기 위해 lower pole에 최대의 volume을 주어야 하고 upper pole에는 작은 volume을 주어야 한다. 마찬가지로 medial pole보다는 lateral pole에 좀 더 많은 volume을 배치하여야 한다. 이런 이상적인 volume의 배치를 하기 위해서는 flap의 dimension을 잘 이해하고 활용하여야 한다. DIEP flap은 기본적으로 ellipse의 형태를 가지고 있고, zone IV를 일부를 잘라내고 사용한다. 이때 각 단면의 두께가 다른데, 배꼽쪽의 두께가 골반쪽의 두께보다 두껍고, zone II의 두께가 zone III의 두께보다 두껍다(그림 2-1-44). 이런 두께의 차이를 잘 활용하면 각 위치에 적당한 volume을 배치하기 쉬워진다.

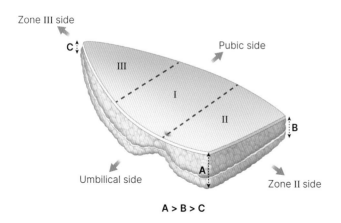

그림 2-1-44. **Geometry of DIEP flap.** Zone IV를 제거하고 난 후의 DIEP flap은 각 단면의 두께가 다르고 단축의 길이도 다르다. Zone II 쪽이 두께도 더 두껍고, 단축의 길이도 더 길고, zone III 쪽은 두께가 더 얇고, 단축의 길이도 더 짧다. 그리고 배꼽 쪽 단면이 골반 쪽 단면보다 두껍다.

모든 부위에 적절한 양을 배치해야 하지만, 만약 flap의 dimension이 모자라서 defect를 다 채워주지 못한다면 upper pole 보다는 lower pole을, lateral pole보다는 medial pole을 우선적으로 채워주는 것이 더 유방다운 모양을 만들 수 있다.

(3) Symmetry of position

유방이 대칭으로 보이려면 양쪽 유방의 mound, inframammary fold, nipple areolar complex의 위치가 같은 위치에 있어야 한다. Mound의 대칭은 flap의 배치와 고정을 통해서 얻을 수 있다. Inframammary fold는 모든 mastectomy의 경우에 손상되고 위치가 변한다고 보는 것이 좋다. Inframmary fold가 손상된 채로 그냥 두면, fold의 위치가 아래로 내려가고 blunt하게 된다. 그리고 시간이 지나면서 점점 더 내려갈 수도 있다. 따라서 모든 경우에 반드시 inframammary fold를 다시 만들어 주어야 한다. 외과의사의 성향에 따라 mastectomy를 최소로 하기도 하고 매우 광범위하게 하기도 한다. 최소한의 mastectomy 후에는 fold의 fascia 구조가 남아있어 inframammary fold를 다시 잡아주기가 쉽지만, extensive한 mastectomy 후에는 fold의 구조를 확인하기 어려워, 원래의 위치에 고정하기가 쉽지 않다. 가장 정확한 방법은 sitting position에서 대칭적인 inframammary fold의 위치를 정하고 봉합으로 고정한 뒤 확인을 반복하는 것이다.

Nipple-areola complex (NAC)의 대칭도 미용적 결과에 매우 중요한 요소이지만, 수술 중 조정하기는 매우 어렵다. 수술 전에는 대칭이었다가 mastectomy 이후 상방으로 이동하는 경우가 있을 수 있고, radial incision으로 mastectomy를 하는 경우, 술후 scar contracture 또는 axillary contracture로 인해 겨드랑이 방향, 즉 superolateral 방향으로 이동하는 경우가 있다. 이를 예방하기 위해 NAC의 바닥을 원하는 위치에 고정할 수도 있는데, 그 효과는 명확하지 않다.

2) Flap volume and dimension

유방재건을 위해 flap을 활용할 때 volume만큼 중요한 것이 dimension이다. DIEP flap이 유방재건에 가장 이상적인 flap인 이유는 다른 alternative flap에 비해 더 많은 volume을 제공할 수 있기 때문이지만, 그보다 더 중요한 충분한 dimension을 제공할 수 있기 때문이기도 하다. SGAP flap이나 PAP flap, TUG flap 등은 volume이 모자라기도 하지만, dimension이 적절하지 않아 유방모양을 만들기가 매우 어렵다. 특히 단축의 길이가 짧고 두께가 두꺼워 부드러운 유선형의 형태를 만들기에 불리하다. Dimension 중 두께는 projection을 만들어 주고, 장축 혹은 단축의 길이는 유방의 길이 또는 좌우 폭을 적절하게 만들어 주는 중요한 역할을 한다. 그리고, 두께는 길이나 폭으로 변환이 될 수 없지만, 길이는 flap을 fold 시켜서 projection으로 변환할 수 있다. 따라서, DIEP flap의 가장 큰 장점은 넓은 dimension을 가지고 있다는 점이다.

3) Orientation of flap

DIEP flap는 trimming을 한 뒤에도 상하 폭이 좁고, 가로 긴 모양을 가지고 있어, 가로로 놓을 수도 있고(horizontal orientation) 세로로 놓을 수도 있다(vertical orientation) (그림 2-1-45). 가로로 놓으면 lower pole과 medial pole에 충분한 volume과 dimension을 줄 수 있다는 장점이 있다. 하지만, lateral pole에 너무 많은 volume이 배치되어 부자연스럽거나 환자에게 불편감을 야기할 수 있다. 그리고, upper pole을 다 채울 수 있는 dimension이 모자라 depression과 stepping이 잘 생긴다. 그래서, 수술 후 reshaping을 위한 lateral pole의 liposuction과 upper pole의 fat graft가 필요한 경우가 많다. 하지만, 수술 후 revision은 매우 어려운 수술이고 그 결과가 매우 unpredictable하고 효과적이지 않다. 일차 수술 중에 최선을 다해 좋은 모양의 유방을 만드는 것이 가장 쉽고 효과적이다. Vertical inset은 lower pole에 충분한 volume을 주면서도 upper pole까지 다 채울 수 있다는 장점이 있다. 그리고, ptosis가 상당히 있는 유방의 형태도 만들 수 있어 더 자연스러운 유방을 만들 수 있다. Vertical inset의 단점은 flap의 단축 길이가 짧으면 유방이 좁아보이고 lateral pole 또

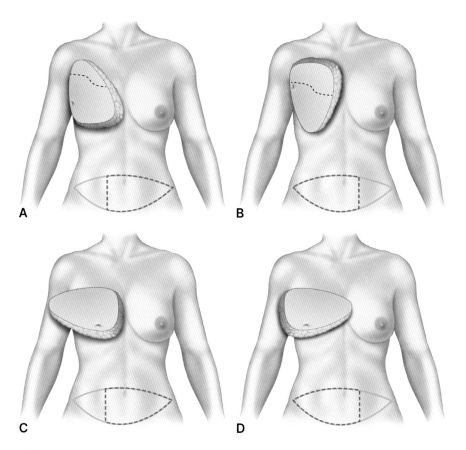

그림 2-1-45. **(A)** Vertical inset with contralateral pedicle. **(B)** Vertical inset with ipsilateral pedicle. **(C)** Horizontal inset with contralateral inset. **(D)** Horizontal inset with ipsilateral pedicle

는 breast tail 부위에 빈자리가 생길 수 있다는 점이다. 하지만, upper pole에 생기는 depression 보다는 lateral pole에 생기는 빈자리가 더 낫다. Horizontal orientation과 vertical orientation 중에 어느 것을 더 선호하는 것은 술자마다 다르며, 어느 것이 더 우수하다고 단정할 수는 없다. 하지만, 이 방법들이 만드는 결과의 차이를 인식하고 자기만의 flap orientation을 가지고 있으면 inset 과정에서 필요없는 고민을 줄이고 시간을 절약하며 일관된 결과를 얻는 데 도움이 될 것이다. 참고로 저자는 모든 환자에게 vertical inset을 적용하고 있으며 reshaping revision은 거의 하지 않고 있다.

4) Flap shaping

DIEP flap을 원하는 유방의 형태로 만들려면 각 pole에 적당한 두께와 넓이를 가지는 부위를 배치하는 것이 필요하다. Vertical inset을 한다면 ipsilateral pedicle인지 contralateral pedicle인지에 따라 상하좌우의 두께가 달라진다 (그림 2-1-44). 배꼽 쪽 단면의 두께가 골반 쪽 단면의 두께보다 두껍기 때문에 배꼽 쪽을 lateral로 가게 배치를 하면 medial과 lateral pole에 적당한 양의 조직이 배치된다. 만약 contralateral pedicle인 경우에 배꼽을 medial로 가게 배치를 하면, upper pole에 zone III가 놓이게 된다. Zone III는 두께가 상대적으로 얇아서 volume은 적당할 수 있지만, 폭이 좁아 dimension은 모자랄 수 있다. 다시 말해 upper pole의 결손부를 다 덮어주지 못해서 부분적으로 depression이 발생할 가능성이 있다. 약간 lateral 방향으로 oblique하게 놓으면 다 덮힐 수도 있지만, 만약 그게 어려우면 medial 쪽을 채워주는 것이 anastomosis site를 덮어줄 수 있고, defect를 lateral에 생기게 하는 면에서 더 유리하다고 할 수 있다. Flap이 너무 두꺼우면, Scarpa fascia 아래의 지방을 제거해서 두께를 조절할 수 있다. Lower pole에 두꺼운 zone II가 배치되므로 충분한 volume을 줄 수 있다. 하지만 fat necrosis가 잘 발생하는 위치이므로 혈류가 좋지 않은 조직은 제거하고 사용하는 것이 좋다(그림 2-1-46).

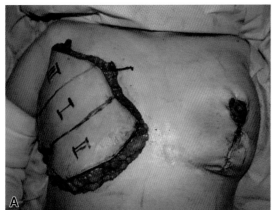
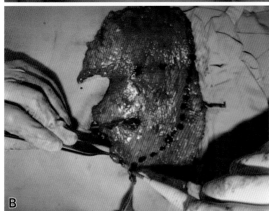
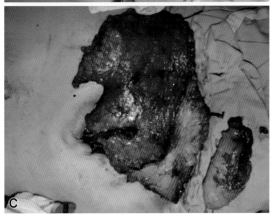

그림 2-1-46. Vertical inset of contralateral pedicled flap. Zone II 중 upper border에 가까운 부위의 fat을 제거하여 두께를 조정한다.

Ipsilateral pedicle인 경우에 배꼽을 lateral로 가게 놓으면, zone II가 upper pol로 가게 된다. Zone II는 폭이 넓어 defect를 덮어주기에 좋으나 너무 두꺼워 그냥 사용하면 어색한 모양이 된다. 따라서, defatting을 많이 해 줘야 하는데, 1차적으로 subscarpal fat을 제거하고, 그래도 두꺼우면, Scarpa fascia 자체를 제거하면 얇고 부드러운 조직을 얻을 수 있다. Lower pole은 충분한 volume을 주기위해 zone III를 안으로 말아 넣어 줄 수 있다. Ipsilateral pedicle은 upper pole에 충분한 dimension을, lower pole에 충분한 volume을 줄 수 있어 가장 자연스러운 모양을 만들 수 있지만, 많은 defatting으로 조직의 낭비가 있어 자칫 volume이 모자라게 될 수 있고, upper pole을 다 채우려다 lower pole에 volume이 모자라게 되는 매우 어색한 결과를 얻을 수도 있다. Dimension이나 volume이 모자랄 때는 lower pole이 upper pole 보다 우선이다 (그림 2-1-47, 그림 2-1-48).

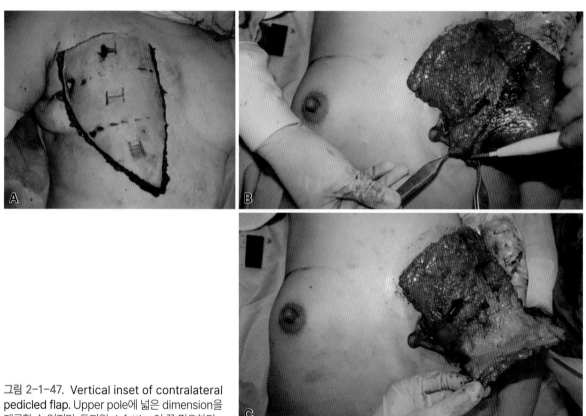

그림 2-1-47. Vertical inset of contralateral pedicled flap. Upper pole에 넓은 dimension을 제공할 수 있지만, 두꺼워 defatting이 꼭 필요하다.

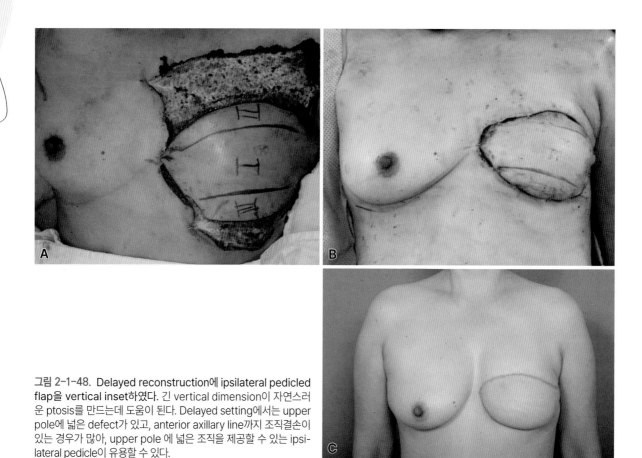

그림 2-1-48. Delayed reconstruction에 ipsilateral pedicled flap을 vertical inset하였다. 긴 vertical dimension이 자연스러운 ptosis를 만드는데 도움이 된다. Delayed setting에서는 upper pole에 넓은 defect가 있고, anterior axillary line까지 조직결손이 있는 경우가 많아, upper pole 에 넓은 조직을 제공할 수 있는 ipsilateral pedicle이 유용할 수 있다.

5) Flap fixation

Inset의 마지막은 flap의 고정으로, 꼭 필요한 과정이다. 봉합을 이용한 고정으로 upper pole과 medial pole의 빈자리를 채우고, 유방의 높이를 조절하고, flap을 extension시켜 더 좋은 모양을 만들 수 있다. 누운 상태에서 고정을 하면 너무 높게 고정되는 경향이 있으므로, 가능하면 sitting position에서 하는 것이 좋다. 고정은 vicryl 같은 부드러운 absorbable suture을 이용해서 upper border에 3–4개, medial border에 2–3개 한다. Upper border의 고정의 경우, Flap의 장축의 길이가 충분하면 defect의 upper end에 있는 muscle fascia에 고정하고, 만약 flap의 장축 길이가 짧은 경우에는 upper pole을 다 채우려고 고집하지 말고, lower pole이 충분히 채워지게 flap의 고정 부위를 좀 내려서 pectoralis muscle에 적당한 높이로 고정하는 것이 좋다. 완전한 재건이 어려울 때는 lower pole이 우선시되어야 한다. Medial border는 defect가 완전히 채워지게 고정해야 한다. Flap의 단축이의 길이가 짧아 lateral pole에 빈자리가 생겨도 medial pole이 우선이므로 단단히 고정해야 한다. Medial border의 고정시에는 flap의 dermis를 물어 봉합하면 depression이 발생할 수 있으므로 flap의 Scarpa fascia를 물어 고정하는 것이 좋다.

DIEP flap을 포함한 하복부피판은 대부분의 경우 충분한 volume과 dimension을 가진 유방재건의 가장 적합한 재료라고 할 수 있다(그림 2-1-49). 하지만, dimension이 충분하지 않을 경우가 있는데, 주어진 dimension을 최대한 활용하여 모양을 만들 수 있는 일관되고 효과적인 전략이 필요하다. 여기서 보여준 inset 방법은 하나의 예시라고 생각하면 되고, 이를 참고하여 자기만의 inset을 만들어 나가는 것이 필요하다.

동영상 2-1-1.
Inset.

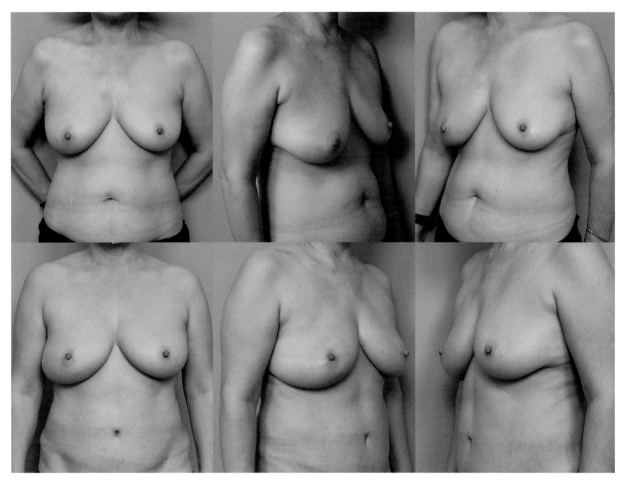

그림 2-1-49. Nipple sparing mastectomy 후 DIEP flap을 이용하여 vertical inset으로 재건한 사례이다. Vertical inset으로 upper pole과 medial pole을 다 채우고도 lower pole과 lateral pole에 충분한 volume을 줄 수 있다.

☑ 참고문헌

1. Jeong WS, Han W, Eom JS. Comparison of Aesthetic Outcomes between Vertical and Horizontal Flap Insets in Breast Reconstruction with the TRAM or DIEP Flaps. Aesthetic Plast Surg 2017;41(1):19-25.

2. Blondeel PN, Hijjawi J, Depypere H, Roche N, Van Landuyt K. Shaping the breast in aesthetic and reconstructive breast surgery: an easy three-step principle. Part II—Breast reconstruction after total mastectomy. Plast Reconstr Surg 2009;123(3):794-805.

3. Yano K, Hosokawa K, Nakai K, Kubo T, Matsuo Y. Regional differences in ultrasonic assessment of subcutaneous fat thickness in the abdomen: effects on the TRAM flap. Ann Plast Surg 2003;51(2):130-5.

4. Yun J, Jeong HH, Cho J, Kim EK, Eom JS, Han HH. Weight analysis of mastectomy specimens and abdominal flaps used for breast reconstruction in Koreans. Arch Plast Surg 2018;45(3):246-52.

5. Woo KJ, Mun GH. Estimation of DIEP flap weight for breast reconstruction by the pinch test. Microsurgery 2017;37(7):786-92.

6. Kovach SJ, Georgiade GS. The "banked" TRAM: a method to insure mastectomy skin-flap survival. Ann Plast Surg 2006;57(4):366-9.

7. Park SW, Lee TJ, Kim EK, Eom JS. Managing necrosis of the nipple-areola complex in breast reconstruction after nipple-sparing mastectomy: immediate nipple-areola complex reconstruction with banked skin. Plast Reconstr Surg 2014;133(1):73e-4e.

8. Kim MS, Sbalchiero JC, Reece GP, Miller MJ, Beahm EK, Markey MK. Assessment of Breast Aesthetics. Plast Reconstr Surg 2008;121:186e-94e.

9. Alderman AK, Wilkins EG, Lowery JC, Kim M, Davis JA. Determinants of patient satisfaction in postmastectomy breast reconstruction. Plast Reconstr Surg 2000;106:769-76.

10. Lazarus D, Hudson DA. A simple method for determining the weight of the TRAM flap intraoperatively at the time of breast reconstruction. Plast Reconstr Surg 2001;107:818-22.

11. Hidalgo DA. Aesthetic refinement in breast reconstruction: complete skin-sparing mastectomy with autogenous tissue transfer. Plast Reconstr Surg 1998;102:63-70.

12. Fitzal F, Krois W, Trischler H, Wutzel L, Riedl O, Kühbelböck U, Wintersteiner B, Cardoso MJ, Dubsky P, Gnant M, Jakesz R, Wild T. The use of a breast symmetry index for objective evaluation of breast cosmesis. Breast 2007;16:429-35.

13. Song AY, Fernstrom MH, Scott JA, Ren DX, Rubin JP, Shestak KC. Assessment of TRAM aesthetics: the importance of subunit integration. Plast Reconstr Surg 2006;117:15-24.

5. 복부피판술의 합병증

서울대학교병원 성형외과 **진웅식, 하정현**

1) 복부 피판술 이후의 합병증

복부 피판술 이후의 교정술은 교정이 필요한 부위에 따라 각각 피판 부위와, 공여부에 따라 급성기와 만성기의 교정술로 구분할 수 있다. 피판의 급성기 수술은 혈관부전이 발생하는 경우일 것이고, 만성기에는 모양이나 크기에 대한 교정을 시행할 수 있다. 공여부의 급성기 교정술로는 창상치유가 지연되는 경우이고, 만성기에는 복부의 윤곽 변형이나 탈장 등의 문제가 발생할 수 있다.

2) 급성기 피판 합병증

(1) 혈관경련수축

혈관경련수축은 미세혈관 문합술 이후 5–10% 정도 발생하며, 관류 저하나 혈전증을 유발할 수 있다. 혈관경련수축은 수술 중에 발생하는 경우가 많지만, 술후 72시간까지도 발생한다. 전신적인 원인으로는 중심부 체온이 낮거나, 혈압이 낮거나, 통증으로 인한 교감신경 활성화 등이 있으며, 국소적으로는 혈관의 손상이나 국소 출혈에 대한 근육 반응, 조직의 건조 및 혈관 질환 등이 원인이 될 수 있다. 정맥은 동맥보다 혈관경련수축이 발생하는 빈도는 낮으나, 발생하는 경우에는 해결이 더 어렵다. 혈관경련수축이 발생하는 경우에는 수 분 동안 혈관에 대한 조작을 가하지 않고 다시 혈관이 원래의 크기로 이완될 때까지 기다리는 것이 좋다. Antispasmodic 약물을 사용할 수도 있는데, papaverine이나 4% lidocaine, 혹은 calcium channel blocker (nifedipine, verapamil, nicardipine) 등이 흔히 사용된다.

(2) 혈관부전

유리 피판술을 시행하는 경우 혈관경 내 혈전으로 인한 부작용이 항상 수반된다. 혈관부전은 대게 수술 이후 첫 48시간 이내에 발생하는 경우가 흔하고, 72시간이 경과하면 확률이 10% 이하로 낮아진다. 혈관 부전은 외부에서 압박이 가해지거나, 창상 봉합시 긴장이 많이 발생한 경우, 피판의 무게로 혈관경에 과한 힘이 가해지는 경우나 혈관이 꺾이는 등의 상황에서 혈관 내 혈류가 변하면서 발생하는 경우가 많다. 혈관이 폐쇄된 경우 재수술까지의 시간이 오래 걸릴수록 실패 확률이 높다. 따라서 술후에 피부 색깔이나 온도, 피부긴장도, 모세혈관 재충전시간을 모니터링 하면서 혈관부전이 의심되는 경우 지체 없이 재수술을 통해 혈관문합부위를 확인하는 것이 좋다. 동맥부전에 비해 정맥부전이 약 3배 정도 많은 것으로 보고되는데, 이는 정맥이 보다 혈류속도가 낮아 혈류가 정체되기 쉽고, 주변에 압박되거나 뒤틀릴 가능성이 높기 때문이다. 하지만 동맥부전보다 정맥부전이 발생하는 경우 발견하기 용이하기 때문에 피판의 생존률은 더 높다. 혈관부전의 위험 요인으로는 말초혈관질환이나 혈전 발현성 장애가 있는 경우, 지연재건 등이 알려져 있다. 혈종으로 인한 혈관 압박 혹은 혈관 문합부위의 폐쇄로 인한 피판 이상이 발생한 경우에는 혈종 제거 및 혈관 재문합을 통해 해결할 수 있다. 하지만 혈관 내 혈전이 광범위하게 형성되어 문합부위를 통해 간단히 제거가 어려울 경우 다른 방법을 통해 재관류를 시켜주어야 한다. 전통적으로는 Fogarty 카테터를 이용하는 방법을 이용하여 혈전을 제거하고 재문합을 시행한다. 이 방법은 #2 혹은 #3 프렌치 크기의 Fogarty 카테터를 통과시켜 풍선을 확장시키고 혈전을 꺼내는 작업을 몇차례 반복하여 혈전을 제거하는 술식이다. 하지만 해당 방법은 카테터 말단이나 풍선으로 인해 혈관 내막이 손상되거나 천공이 생기거나 동정맥루가 발생하는 등의 혈관 손상을 초래할 수 있다. 따라서 저자들은 문합부위에서 직접 제거하기 어려운 정도의 광범위한 혈전이 형성된 경우에는 직접 혈전제거술을 통해 교정술을 시행한다. 우선 혈관벽을 관찰하여 혈전의 범위를 파악한다. 클립으로 잡아둔 혈관경의 분지가 있는 경우 혈전 제거를 위한 출구로 사용할 수 있다. 하지만 혈관경의 분지가 없거나 혹은 분지를 통한 혈전 제거가 실패한 경우에는 혈전의 원위부 근처에 짧은 횡단 절개선을 형성한다. 절개는 미세가위를 이용하여 혈류의 수직 방향으로 혈관 직경의 약 1/3 정도의 크기로 형성하며, 미세포셉으로 절개선을 통해 혈전을 꺼낸다. 모든 혈전을 제거한 후에는 다시 절개선을 9-0 혹은 10-0 나일론으로 봉합해준다. 이후 urokinase 10만 IU로 혈관 내부를 관류시키고, 헤파린을 정맥투여한다. Fogarty 카테터를 이용한 경우 직접 혈관 내부를 눈으로 관찰하기 어렵기 때문에 혈관의 손상도 확인이 어렵다. 특히 정맥의 경우에는 내부의 판막 손상도 야기할 수 있다. 이에 반해 직접 혈전제거술의 경우 눈으로 확인이 가능하기 때문에 혈관 손상 없이 혈전을 성공적으로 제거할 수 있다.

내흉동맥을 수혜부 혈관으로 사용하는 경우, 특히 혈관내막이 손상되면 해당 부위는 충분히 절제하고 문합을 시행해주는 것이 좋다. 또한 혈관내막이 상대적으로 약해보이는 경우에는 bite를 크게 문합을 시행하면 혈관전층이 분리되지 않고 성공적으로 문합하는 데 도움이 될 수 있다. 수혜부 정맥의 크기가 공여부에 비해 상대적으로 작은 경우 정맥부전의 가능성이 높다. TRAM 및 DIEP 피판에서는 공여부 정맥이 항상 2개가 존재하는데, 이 중 크기가 큰 정맥을 사용하는 것이 항상 좋은 것은 아니다. 수혜부 정맥과의 크기가 많이 차이 나지 않는 정맥을 선택하는 것이 정맥부전을 방지할 수 있다.

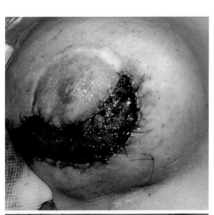

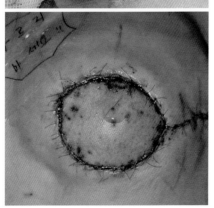

그림 2-1-44. 정맥부전 시 피부피판의 울혈된 양상

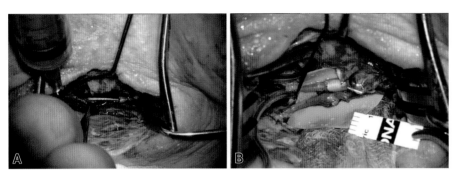

그림 2-1-45. (A) 정맥 내 혈전으로 혈전 제거, (B) 재문합 시행한 모습

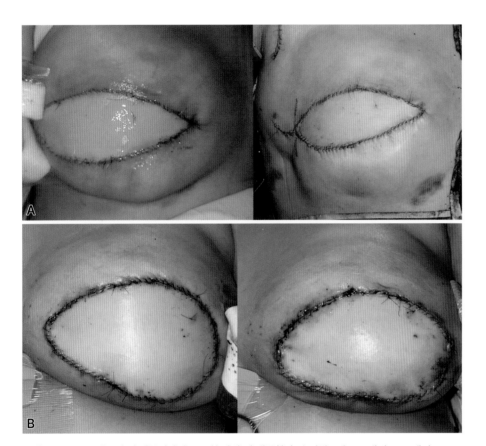

그림 2-1-46. 동맥부전 시 피부피판의 pale한 양상 및 재문합 후 호전된 모습 (A) 예시 1 (B) 예시 2

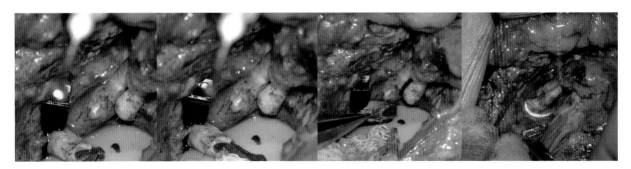

그림 2-1-47. 동맥 내 혈전으로 혈전 제거 및 재문합을 시행한 모습

3) 급성기 공여부 합병증

(1) 복부 창상 치유 지연

복부는 유방재건술에 가장 흔히 사용되는 공여부이다. 대다수의 환자에서는 문제없이 창상 치유가 잘 되고 공여부에 대한 불만을 제기하지 않는다. 하지만 중앙부위에 긴장이 심하거나 경한 허혈 상태가 되면 상처 치유가 지연될 수 있다. 부위가 좁은 경우에는 드레싱으로 이차 유합이 가능하지만, 그 범위가 크고 상처가 벌어지는 경우 변연절제 및 재봉합이 필요할 수 있다. 또한 상처가 잘 치유되더라도 심한 긴장이 있는 경우 흉터가 넓어질 수 있다. 이를 방지하기 위해 배꼽 디자인을 과도하게 절개선에 가깝지 않게 위치시키는 것이 좋다. 또한 배꼽을 위한 절개창을 형성할 때 배꼽 하방으로 피판이 너무 얇아지지 않도록 유의해야 한다.

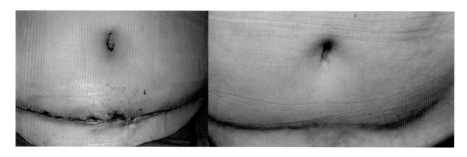

그림 2-1-48. 공여부 부분 괴사로 인한 변연절제술을 시행한 환자

(2) 배꼽 창상 치유 지연

복부 피판술 시 배꼽에 대한 부작용은 자세히 다뤄지지 않는 경우가 많다. 경한 경우에는 scab이 형성되고 유합되지만, 심한 경우에는 배꼽이 괴사되면서 비후성 반흔 및 변형을 초래할 수도 있다. 이에 대한 치료로는 대다수의 환자에서는 단순 드레싱으로 치유가 가능하지만, 광범위한 괴사 및 창상 열개시에는 음압치료 등을 요할 수도 있다.

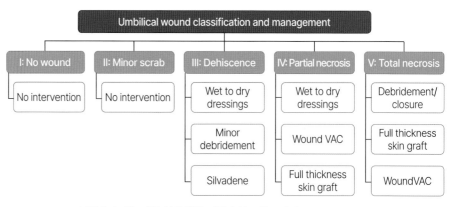

그림 2-1-49. 배꼽 창상 치유 지연시 치료 알고리즘(Cho et al., 2017)

4) 지연기 피판 교정술

(1) 교정 시점

보형물 유방재건에 비해 교정술이 필요한 경우가 적으나, 피판 재건 이후에도 모양 및 부피 등에 대한 교정이 필요할 수 있다. 환자에 따라서 어떤 환자는 보다 나은 미용적인 결과를 위한 추가 수술을 원할 수도 있다. 하지만 일부 환자는 심한 비대칭에도 더 이상의 수술을 원하지 않는 경우도 있기 때문에 환자의 말을 경청하는 것이 매우 중요하다. 피판에 대한 교정술은 유방 모양이 어느 정도 안정화된 이후에 시행해야 하며, 대게 3개월 정도가 소요된다. 방사선치료를 시행하는 환자들은 방사선치료 종료 시점부터 6개월 이상의 회복기간을 갖는 것이 좋고, 재건 시점으로부터 9개월 이상이 소요될 수도 있다.

(2) 교정 목적

① 부피

부피가 비대칭인 경우 옷을 입을 때 불편감을 초래하기 때문에 환자들의 만족도가 낮아지고 교정을 원하는 경우가 많다. 부피를 조금만 줄여도 되는 경우에는 지방흡입으로 해결이 가능하지만, 줄이고자 하는 양이 많을 경우에는 절제가 필요할 수 있다. 반대로 피판의 부피가 작아 확대를 원하는 경우에는 지방이식 혹은 보형물 삽입이 필요하다.

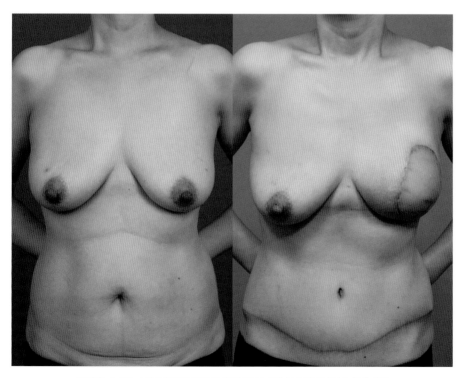

그림 2-1-50. 복부피판을 이용한 유방 동시재건 이후 발생한 부피 비대칭

② 모양

유리 피판술을 시행한 이후 모양 불균형은 흔히 발생할 수 있다. 여러 가지 원인이 있는데 많은 경우 절제된 유방 조직과 삽입한 피판이 모양 및 크기가 다르기 때문에 발생한다. 대게는 유방의 윗부분이나 겨드랑이쪽 꼬리 부분의 자연스러운 윤곽을 만들기가 쉽지 않다. 지방 괴사가 발생하는 경우 해당 부위가 꺼지거나 단단한 덩어리로 만져질 수 있기 때문에 이런 경우에도 교정이 필요하다. 또한 피판은 대게 두께가 일정하기 때문에 유방 중앙부위의 봉긋한 모양을 만들기 어렵다. 많은 경우 지방이식으로 호전이 가능하고, 중앙부위에 작은 보형물을 삽입하는 것도 자연스러운 가슴 모양을 만들어줄 수 있다. 하지만 피판술을 선택한 경우 보형물에 대한 거부감이 있을 수 있기 때문에 지방이식이 더 나은 선택이 될 수 있겠다.

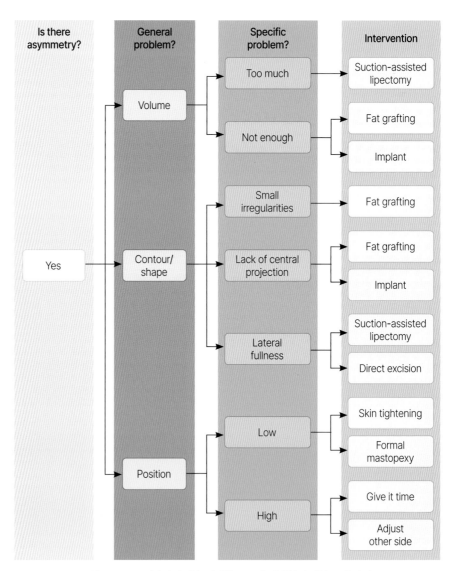

그림 2-1-51. 피판재건 이후 발생하는 유방 비대칭에 대한 교정 방법

Neligan, P. Plastic surgery, Vol 5, Chap 22 (Elsevier, London, 2018), p419.

(3) 교정 방법

① 지방이식

이식한 지방이 장기적으로 잘 생착되려면 주변 환경이 중요하다. 지방은 Coleman의 multipass 테크닉에 따라 한번에 0.5 cc 이하의 작은 단위로 이식하는 것이 좋다. 또한 결손 부위가 얇아 보이더라도 여러 층에 지방을 골고루 분포하도록 이식해주는 것이 좋다. 대흉근 은 지방이 생착하기에 매우 좋은 수혜부이기 때문에 직접 근육 내로 주입해주는 것도 좋다. 지방이식의 깊이뿐 아니라 방향도 다양하게 해주는 것이 좋은 데, 그러기 위해서는 한 군데 이상의 절개가 필요할 수 있다. 1 mm 정도의 작은 절개로도 주입이 가능하기 때문에 흉터 는 문제가 되지 않는다. 많은 양을 이식해야 하는 경우, 과한 지방이식은 생착을 저해시킬 수 있기 때문에 한 번에 완성하려고 하기보다는 여러 차례 지방이식을 계획하는 것이 좋다. 방 사선치료를 받은 경우 지방이식이 불가능한 것은 아니지만 생착률이 상대적으로 매우 낮다. 그렇기 때문에 더 많은 횟수의 지방이식이 필요할 수도 있으며 성공률도 떨어질 수 있다.

② 지방흡입 및 debulking

지방흡입은 부피를 줄여줄 수도 있지만 이행부위의 윤곽을 부드럽게 만들어줄 수도 있 다. 피판의 가장자리에서는 계단처럼 경계가 만져질 수 있다. 하지만 이는 지방흡입을 통해 개선시킬 수 있다. 피판의 가쪽부위도 지방흡입을 통해 자연스럽게 가쪽 흉곽으로 연결되 도록 해줄 수 있다. 1% 리도카인과 에피네프린 혼합용액을 사용하거나 tumescent 용액을 주입한 이후 지방흡입을 시행하게 되며, 피판에 suction-assisted lipectomy (SAL)을 시행하 는 경우 예상하는 것보다 부피가 급격히 감소할 수 있기 때문에 주의를 요한다.

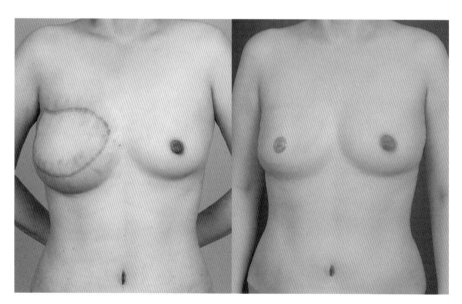

그림 2-1-52. TRAM 피판을 이용한 지연재건 이후 발생한 크기 비대칭. 유두재건을 시행하면서 지방흡 입을 통해 크기에 대한 교정을 시행함

③ 피부 피판 교정

피부에 대한 섬세한 교정술은 어렵지 않으나 추가적인 흉터를 남기지 않고 원하는 결과를 얻는 것은 어렵다. 대게는 크고 유방하수가 심한 환자들에게서 흉곽으로 이어지는 유방의 가쪽부위 피부에 교정이 필요한 경우가 많다. 흔히 발생하는 또 다른 문제는 수직방향의 피부 절제가 불충분한 경우에 발생한다. 통상적으로 유방축소술 혹은 유방거상술을 시행할 때에는 수직방향 피부 절제 시 과교정을 하게 된다. 유방전절제 시의 과도한 피부절제는 피부 피판 혈류의 저해를 초래할 수 있기 때문에, 이를 방지하기 위해 피부 절재를 보존적으로 시행하게 된다. 따라서 안정화 이후 추가적인 피부 절제가 필요할 수 있다.

④ 보형물 삽입

유방재건의 방법 중 피판술을 원하는 환자들은 보형물에 대한 거부감이 있는 경우가 종종 있다. 하지만 피판술 이후 보형물 삽입은 전체적인 부피를 증가시켜줄 뿐 아니라 가슴 중앙부의 모양 및 전반적인 윤곽을 개선시킬 수 있다. 특히 마른 체형의 환자들에서 보다 자연스러운 유방 모양을 만드는 데에 도움이 될 수 있다. 대게는 보형물의 경계가 만져지지 않거나 눈에 띄지 않도록 250 cc 이하의 보형물을 선택하는 것이 적절하다. 전반적인 부피 차이를 개선하고자 하는 경우에는 낮은 profile의 폭이 넓은 보형물을 선택하는 것이 좋다. 또한 중앙부 projection을 개선하고자 하는 경우 높은 profile의 폭이 좁은 보형물을 선택하는 것이 좋겠다. 보형물 위치는 근육하에 삽입하는 것이 혈관경이 분리되는 것을 방지할 수 있다는 장점이 있다.

⑤ 지방괴사

지방괴사는 피판술 이후 발생하는 양성 염증 반응으로 인한 결과물로, 피판 유방재건 환자의 약 11.3% 정도에서 발생한다. 대게는 피판의 말초부위 등 혈류가 떨어지는 일부 영역에서 발생한다. Ibrahim 외 저술한 체계적 문헌고찰 문헌에 의하면 복부 피판 중에서는 DIEP 피판(14.4%)이 그 비율이 가장 높았고, 유경 TRAM 피판(12.3%), SIEA 피판(8.1%) 순서로 낮아지며 유리 TRAM 피판이 6.9%로 비율이 가장 낮았다. 지방괴사의 위험요인으로는 비만, 재건 이전 방사선 치료력 및 재건 이후 방사선 조사, 흡연, 과거 복부 수술력 등이 있으며, supercharging은 유의하게 지방괴사를 예방할 수 있다고 언급되어 있다. 지방괴사는 대게 영상 소견상 석회화된 결절로 확인되지만, 그 모양이 전형적이지 않을 경우에는 악성과의 감별을 위한 조직학적 확인이 필요하다. 지방괴사는 피판술 이후 발생하는 합병증 중에 경한 축에 속하지만, 통증이나 불편감을 유발하는 경우도 있고 유방암 재발에 대한 우려를 줄 수도 있다. 대게 지방괴사의 범위는 2년이 경과하면 크기가 절반정도로 감소하며, 10년이 경과한 후에는 약 60%에서 완전히 호전되는 경과를 보인다. 따라서 많은 경우에 단순 경과관찰로 호전될 수 있다. 하지만 증상이 있거나 영상상 재발이 의심된다면 수술적인 치료가 필요하다. 지방괴사의 범위가 작다면 절제를 통해 간단하게 해결될 수 있다. 하지만 범위가 넓거나 윗부분에 위치하는 경우에는 절제술 이후 해당 부위가 심하게 꺼지면서 모양 변형을 초래할 수 있다. 꺼진 부위에 대해서는 수차례의 지방이식으로 교정해볼 수 있겠다. 지방괴사 범위가 작지 않은 경우에 다른 방법으로는 작은 캐뉼라로 여러 방향에서 구멍을 형성하여 지방흡입을 시도해볼 수 있다. 이렇게 하면 장기간에 걸쳐 단단한 부위가 부드러워지거나 조직이 자라 들어가도록 유도하기도 한다.

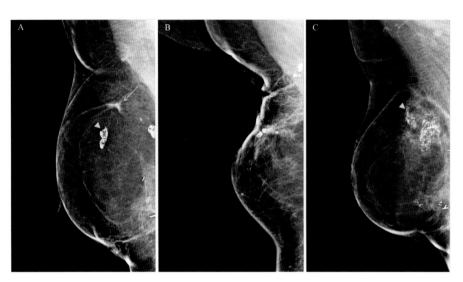

그림 2-1-53. 피판재건 이후 지방괴사의 영상학적 소견

하지만 지방괴사의 범위가 매우 크고 지속적으로 문제를 야기하는 경우에는 광범위하게 절제한 후에 광배근 근피부피판 등의 추가 피판술을 통해 재건하는 것이 좋다.

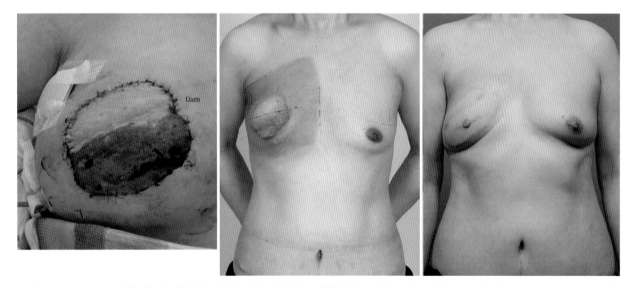

그림 2-1-54. TRAM 피판 이후 발생한 광범위 지방괴사로 절제술을 시행. 술후 10년째 동일 부위 창상 문제가 발생하여 광범위하게 절제한 후 광배근 근피부피판을 통해 재건을 시행.

(3) 교정술 후 관리

피판 교정술 시에는 특별한 술후 관리가 필요하지는 않다. 지나치게 조이지 않는 정도의 유방을 지지해줄 수 있는 속옷을 수주간 착용하는 것이 도움이 될 수 있다. 하지만 유두 재건술이 같이 시행된 경우에는 유두 재건부위가 압박되지 않도록 유지하는 것이 중요하다. 대부분의 교정술은 입원이 필요하지 않은 간단한 술식으로 1주 이내에 일상생활이 가능하다. 피판에 대한 교정술은 많은 경우에 감각이 회복되기 이전에 시행되기 때문에 술후 통증도 심하지 않다. 지방이식 혹은 지방흡입을 시행한 경우에는 최소한 3개월의 경과관찰 이후에 추가 수술을 결정하는 것이 좋다.

5) 지연기 공여부 교정술

복부 피판을 거상한 이후에는 복벽이 약해지면서 탈장이 발생하는 것이 가장 큰 공여부 합병증이라고 할 수 있다. 탈은 심하지 않더라고 약해진 부위에 국소적으로 bulging이 발생하는 경우도 있다.

유방재건에 이용 가능한 복부 피판은 TRAM 피판, DIEP 피판, 그리고 이보다는 드물게 사용되는 SIEA 피판이 있다. 최근에는 공여부 합병증을 감소시키기 위해 TRAM 피판보다는 가능하면 복직근을 손상시키지 않는 DIEP 피판을 많이 사용하는 추세이다. Egeberg 외에 의해 발표된 meta-analysis 문헌에 의하면 MS-TRAM 피판에 비해 DIEP 피판의 경우 복부 bulging이 약 20% 감소하였다. 이중 의사의 검진을 통해 bulging을 확인한 문헌에서는 DIEP 피판에서 MS-TRAM 피판의 약 1/3에서만 bulging이 발생하였으나, 환자의 설문조사르 통해 확인한 문헌에서는 DIEP와 MS-TRAM 피판 이후 발생하는 bulging 빈도의 유의한 차이가 없었다. 복부 탈장은 DIEP 피판에서 MS-TRAM 피판의 약 절반 정도 비율로 발생하였다.

(1) Dog-ear 변형

Dog-ear 변형도 드물지 않은 부작용 중 하나이다. 처음 디자인 시부터 dog-ear 변형이 발생하지 않도록 유의하는 것이 좋지만, 피판 거상시에 가쪽까지 충분히 접근하기 어려울 수 있다. Dog-ear 변형이 심한 경우에는 이에 대한 절제와 옆구리 부위의 지방흡입을 통해 윤곽을 개선시킬 수 있다. 공여부의 교정은 피판 부위에 대한 교정 혹은 유두재건 시행 시 같이 시행할 수 있다.

(2) 탈장

공여부에 탈장이 발생하는 경우에는 교정하기가 쉽지 않을 수 있다. 피판 거상시 활골선 상방에서는 후방 복직근막이 손상되지 않는 경우가 대부분이기 때문에 탈장 위험이 적다. 따라서 탈장은 활골선 하방에서 발생하는 경우가 많다. 활골선 하방에서는 강도를 유지할 수 있는 모든 복벽 근막이 복직근 앞쪽에 위치하기 때문에 복부피판을 거상하는 과정에

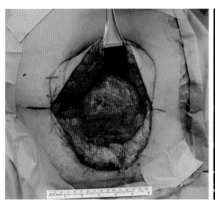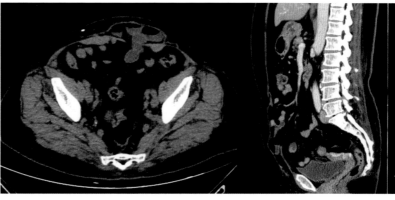

그림 2-1-55. 복부 피판을 이용한
유방재건술 후 2년째 발생한 탈장

그림 2-1-56. 복부 피판을 이용한
유방재건술 후 발생한 탈장에 대해
ADM을 이용한 교정술

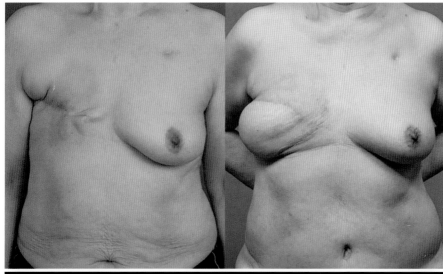

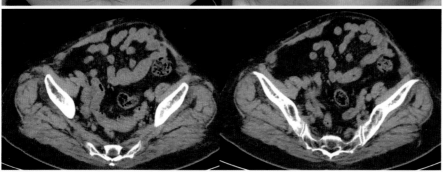

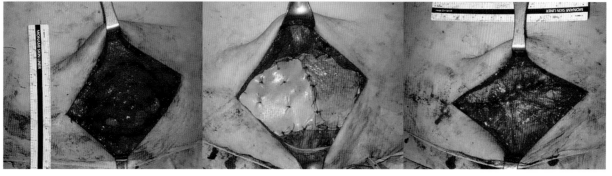

서 모두 손상될 수밖에 없다. 탈장이 발생하는 경우 근막이 전반적으로 약화되어 있기 때문에 단순 봉합으로는 충분히 교정되기 어려운 경우가 많고, mesh를 사용하는 것이 좋다. 탈장낭은 기존의 피부절개선을 통해 접근이 용이한 경우가 대다수이다. 탈장낭을 따라 박리하다보면 복막전 공간으로 연결되며, 이는 복직근 위 또는 아래에 도달하게 되는데 해당 위치에 mesh를 봉합해주고 근막 역시 봉합해주면 이중으로 강도를 높일 수 있다.

✅ 참고문헌

1. Chang, E.I., et al. Comprehensive Evaluation of Risk Factors and Management of Impending Flap Loss in 2138 Breast Free Flaps. Ann Plast Surg 2016;77:67-71.

2. Chen, K.T., et al. Timing of presentation of the first signs of vascular compromise dictates the salvage outcome of free flap transfers. Plast Reconstr Surg 2007;120:187-95.

3. Cho, M.J., Teotia, S.S. & Haddock, N.T. Predictors, Classification, and Management of Umbilical Complications in DIEP Flap Breast Reconstruction. Plast Reconstr Surg 2017;140:11-18.

4. Egeberg A., Rasmussen M.K., Sorensen J.A. Comparing the donor-site morbidity using DIEP, SIEA or MS-TRAM flaps for breast reconstructive surgery: A meta-analysis, J Plast Reconstr Aesthet Surg 2012;65:1474e-80e.

5. Foster JH, Carter JW, Edwards WH, Graham CP Jr. Arterial injuries secondary to the use of the Fogarty catheter. Ann Surg 1970;171:971-978.

6. Hong KY, Chang LS, Chang H, Minn KW, Jin US. Direct thrombectomy as a salvage technique in free flap breast reconstruction. Microsurgery 2017;37:402-5.

7. Khansa I, et al. Fat necrosis in autologous abdomen-based breast reconstruction: a systematic review. Plast Reconstr Surg 2013;131:443-52.

8. Lee J, et al. Natural course of fat necrosis after breast reconstruction: a 10-year follow-up study. BMC Cancer 2021;21:166.

9. Mehrara BJ, et al. Complications after microvascular breast reconstruction: experience with 1195 flaps. Plast Reconstr Surg 2006;118:1100-9.

10. Neligan P. Plastic surgery, Vol 1, Chap 24. London: Elsevier; 2018.

11. Neligan P. Plastic surgery, Vol 5, Chap 22. London: Elsevier; 2018.

12. Trombetta, M., Valakh, V., Julian, T.B., Werts, E.D. & Parda, D. Mammary fat necrosis following radiotherapy in the conservative management of localized breast cancer: does it matter? Radiother Oncol 2010;97:92-4.

CHAPTER 2

등쪽 조직: LD, eLD, mini LD

Tissue from Back : LD, eLD, mini LD

양산부산대학교병원 성형외과 **남수봉**
순천향대학교 서울병원 성형외과 **강상규, 송우진**

1. 확장광배근 근피피판(보형물 동시사용)
[Extended latissimus dorsi (eLD) flap with Implant]

양산부산대학교병원 성형외과 **남수봉**

1) 서론

유방재건에서 사용되는 자가조직 피판으로서 광배근 피판(latissimus dorsi flap, LD flap)은 가장 먼저 유방재건 방법으로 도입되었고, 지금까지 널리 사용되는 방법이다. 광배근 피판을 이용한 유방재건은 유방암으로 인한 유방 조직의 절제량과 범위에 따라서 광배근 피판을 다양한 형태로 사용할 수 있다. 유방 보존 술식(breast conserving surgery, oncoplastic surgery)의 일환으로는, 유방의 부분 절제 시 절제량과 절제 범위가 작은 경우 광배근만 사용(muscle flap)해서 유방재건을 할 수 있다. 하지만 광배근 주위 지방조직이나 피부 피판을 동시에 사용해서 재건하는 경우가 많다. 특히 유방 절제 시 피부나 유륜유두 복합체가 제거된 경우 광배근 근피피판(musculocutaneous flap, myocutaneous flap) 형태로 피부 피판을 동시에 사용해서 유방을 재건할 수 있으며, 유방의 지연재건(delayed breast reconstruction)을 위해 넓은 피부 피판을 동시에 사용할 수도 있다.

1983년 Hokin 등에 의한 확장 광배근 근피피판(extended LD flap, eLD flap)이 알려지면서 유방이 작은 경우 유방 전절제 후 확장 광배근 근피피판으로만 유방재건이 가능하다. 하지만 수술 후 방사선 치료까지 예정되어 있거나 유방의 크기가 중등도 이상인 경우에서는 무리한 확장 광배근 근피피판을 채취해서 사용하기 보다는 보형물을 동시에 사용하게 되는 경우가 대부분이다. 광배근으로 유입되는 운동신경에 대한 절단 여부는 술자마다 다르다. 광배근 이상 운동(synkinetic movement) 등으로 수술받은 유방 주의의 불편함, 통증 등이 발생하여 해결되지 못하는 경우가 종종 있어, 이 경우 광배근으로 유입되는 운동신경을 절단하는 것이 좋다고 한다. 하지만 저자의 연구 결과에 따르면 광배근의 부피가 50% 이상 감소되는 영향으로 유방의 형태, 특히 upper fullness가 감소되어 보형물의 윤곽이 표나는 경우가 생길 수 있는 단점도 있다. 보형물을 사용할 경우 대흉근(pectoralis major)의 아래로 보형물을 삽입하거나 이중평면(dual plane) 방법을 이용할 수 있고, 대흉근과 광배근 피판 사이(prepectoral plane)에 삽입할 수 있다. 이중평면 방법은 upper fullness를 유지하거나 술후 감염증의 병발을 줄일 수 있는 등의 장점이 있지만, breast animation deformity가 발생될 경우 해결이 힘들고, 보형물이 어깨 관절 방향으로 편위되는 등의 문제점이 발생되는 경우가 있다. 이러한 문제점을 고려하고 다양한 ADM (artificial dermal matrix)의 사용이 가능해지면서 이중평면 방법보다는 대흉근과 광배근 피판 사이에 보형물을 삽입하는 경우가 많아지고 있다. 최근에는 공여부 합병증 및 반흔을 줄이기 위해 내시경이나 로봇을 이용하여 LD 피판을 채취하기도 한다. 여기서는 저자가 주로 사용하는 eLD 피판을 중심으로 보형물을 동시에 사용하는 방법을 기술하였다.

2) eLD 피판의 적용과 수술 전 고려 사항

유방 전절제(nipple or skin sparing mastectomy)가 예정된 환자에게 수술 전 유방재건 방법을 설명할 때, 자가조직을 이용한 방법과 보형물을 이용한 유방재건(2 stage breast reconstruction, Direct-to-implant) 방법의 장점과 단점에 대해서 충분히 이해할 수 있도록 해야 추후 공여부 합병증이나 보형물에 의한 합병증 등이 발생될 경우 환자와 의사의 관계가 잘 유지될 수 있다. 보형물을 이용한 유방재건 방법보다 자가조직을 이용한 유방재건을 원하는 경우 복부 피판을 우선 고려할 수 있다. 그러나 임신 가능성이 있거나 복부 조직이 충분하지 않은 경우, 이전에 복부 지방흡입술을 시행 받은 경우, 고도 비만, 고령, 이전에 복부에 수술을 받은 경우, 전신 상태가 불량한 경우, 복부에 긴 반흔을 원하지 않는 경우 등에서는 복부 피판보다 eLD 피판(±보형물)을 이용한 유방재건을 고려할 수 있다. eLD 피판은 유방재건 수술 전 유방 주위로 방사선 치료를 받은 경우나 유방 절제 후 지연재건 방법으로도 사용될 수 있고, 보형물이나 복부 피판을 이용한 유방재건 후 피부괴사 등의 합병증이 발생되거나 유방의 이차 변형, 선천적 변형에 대한 교정에도 유용하게 사용될 수 있다. 그러나 이전 흉부 수술로 LD가 손상되었거나 겨드랑이 부위 혈관경의 손상이 의심되는 경우에서는 사용할 수 없다.

유방 전절제 후 eLD 피판의 경계가 유방의 내측 하방까지 원활하게 도달하게 하고, 피부 피판(skin paddle)의 위치를 비교적 자유롭게 결정하기 위해서는 LD를 근위부에서 완전히 분리해야 한다. LD의 근위부를 다듬어서 얇게 만들고 혈관경을 세심하게 박리하여 충분한 길이의 혈관경을 얻을 수 있으면, 큰 피부 피판이 필요하지 않을 경우, 수혜부의 결손 위치에 따른 공여부 피부 피판의 위치와 방향을 달리할 필요가 없어 잔존 반흔이 환자의 브라 라인에 감춰질 수 있다.

eLD 피판은 저자와 같이 LD로의 운동 신경을 절단하여 이상운동을 예방하고자 할 경우 수술 후 LD의 부피 감소를 예상해서 피판을 채취하고 보형물을 선택해야 한다. 수술 후 항암치료나 방사선 치료가 예상될 경우 LD의 부피 감소는 60–70%, 수술 후 항암치료나 방사선 치료가 없을 경우에는 55% 정도임을 감안해서 보형물을 선택하고, 보형물의 윤곽이 덜 표나도록 이중평면 방법이나 ADM을 적절히 사용하는 것을 고려해야 한다. eLD 피판 채취 시 피판 전체 부피에서 LD가 차지하는 비율이 높다는 것이나, LD가 발달된 환자에서는 LD의 부피 감소로 유방 크기 및 형태가 더 많이 변할 수 있음을 예상해야 한다. 중등도 미만의 유방 크기에서는 eLD 피판 만으로 유방재건이 가능하지만, eLD 피판 채취 후 공여부에 흔히 발생될 수 있는 장액종과 함께 공여부의 외형적 변형, 지속적인 공여부 부위 통증, 어깨 운동력 저하 등의 문제점을 고려해서 무리하게 넓은 피판을 채취하는 것은 좋지 않다. 따라서 보형물을 동시에 사용할 것을 예상하면, 공여부 합병증을 줄일 수 있는 적당한 범위 내에서 피판을 채취하는 것이 좋겠다.

보형물의 크기는 절제된 pocket의 base와 eLD 피판의 부피를 참고해서 선택한다. 보형물의 base가 너무 작거나 projection이 높은 보형물은 수술 후 2–3년이 경과되면 보형물의 윤곽이 두드러져 asymmetry한 결과를 보이는 경우가 종종 있다. 따라서 반대편 유방의 형태와 보형물의 삽입 위치, eLD 피판의 두께 등을 고려해서 보형물을 신중히 선택해야 한다. 저자는 수술 중 유방 절제량과 채취한 eLD 피판의 무게를 측정하고, 수술 후 항암이나 방사선 치료의 여부를 예상해서 LD의 부피 감소를 50–60%라 가정하여, 절제량에서 채취한 피판의 무게 50–60% 제한 부피를 기준으로 보형물의 크기를 정한다. 예를 들어 절제량이 400 g이고 채취한 피판의 무게가 250 g이면 400 − (250×0.5 or 0.6) = 275 or 250 cc 정도의 유방보형물을 선택한다. LD가 두꺼운 경우나 방사선 치료가 예정된 경우, 반대편 유방 크기와 형태를 감안해서 이보다 약간 크거나 작은 보형물을 사용한다. 비교적 유방이 작은 환자에서는 이러한 계산과 맞지 않는 경우가 종종 발생될 수 있어 최근에는 보형물의 base와 projection을 감안하여 보형물 주위로 ADM을 같이 사용하는 경우가 많아졌다. 표면이 거친 보형물은 여러 가지 문제점의 발생으로 최근에는 표면이 매끈한 형태를 사용하고 있다. 대흉근이 발달한 환자나 팔을 많이 사용하는 직업을 가진 경우, activity가 높은 환자에서는 대흉근 아래 혹은 이중평면 방법으로 보형물을 삽입하는 것보다 eLD 피판과 대흉근 사이에 삽입하는 것이 animation deformity 발생이나 보형물의 상부 외측 편위를 줄일 수 있다. ADM의 사용으로 구형 구축 변형의 발생을 줄일 수 있고, 보형물의 윤곽이 덜 표나도록 재건할 수도 있다. 유방재건 후 경과 관찰 중 유방의 크기가 반대편에 비해서 약간 작거나 일부 함몰 변형 등이 확인되면 1–2회 정도 지방이식술을 통해 교정할 수 있다. 유방이 크거나 처진 경우에는 대칭적으로 자연스러운 유방 형태를 얻기 위해 반대편 유방을 동시에 교정 (balancing procedure)하는 것도 고려해야 한다.

eLD 피판을 이용한 유방재건 후 피판의 안전성과 공여부 장액종을 줄이기 위한 운동 제한 및 공여 부위의 광범위한 반흔 형성으로 인해 어깨 운동과 등 운동이 잘되지 않는다 고 호소하는 경우가 많다. 또한 광배근의 소실로 운동력이 일시적으로 저하될 수 있다. 최 근 연구에서는 큰원근(teres major) 등의 보상 작용으로 어깨의 운동력은 대부분 회복되거나 소실된 정도가 적다고 알려져 있다. 하지만 어깨 운동의 가동 범위는 회복되나 팔을 올리는 동작 등에서 피로도가 빨리 생기는 경향은 있다고 한다. 따라서 수술 후 재활 치료에 대해 서도 충분히 설명을 하여 공여부 이환율을 줄이기 위한 노력이 필요하다.

3) 광배근의 해부학 및 해부학적으로 고려할 내용

(1) 해부학

광배근은 우리 몸에서 가장 큰 근육으로, 근육의 기시는 제 7–12번째 척추 돌기, 장골 능선(iliac crest)의 후방, 요배막(lumbar fascia), 아래 3개의 늑골(10–12th)이며, 견갑골의 아래 끝부분(견갑골첨, scapular tip)에서 큰원근(teres major muscle)과 나란히 주행한 뒤 상완골(humerus)의 결절(tuberosity)에 부착한다. 광배근은 Nahai 분류에서 5형으로 주된 혈관경(thoracodorsal pedicle)과 여러 개의 분절 혈관경을 가지고 있는데, 각각의 혈관경을 중심으로 근 위 혹은 원위 피판(distally based flap)이 가능하다. 광배근의 주된 혈관경은 액와 동맥(axillary artery)에서 분지된 견갑하동맥(subscapular artery)이 견갑회선 분지(circumflex scapular artery) 를 내고 광배근의 아래를 따라 주행하는 흉배동맥(thoracodorsal artery)이며, 광배근으로 혈관 경이 들어가기 전에 전거근 분지(serratus anterior branch)와 큰원근 등으로 주행하는 작은 분 지들이 분리된다. 긴 혈관경이 필요한 경우 큰원근으로 주행하는 분지들을 결찰해서 분리 하면 되고, 더 긴 혈관경을 얻기 위해서는 전거근으로의 분지까지 결찰해서 분리하면 약 15 cm까지 확보할 수 있다. 광배근과 피부 사이의 지방층은 Scapa's fascia (thoracodorsal fascia) 에 의해서 천부 지방층(superficial fat layer)와 심부 지방층(deep fat layer)로 나뉘는데, eLD 피 판에서는 주로 심부 지방층을 포함하면서 척추, 견갑골, 요배막, 그리고 광배근 전연(anterior border or lateral border)을 넘어서 존재하는 지방층을 동시에 사용할 수 있다.

(2) 해부학적으로 고려할 내용

수술 전 sitting position에서 브라 라인과 나란한 절개 예정선을 표시하는데, 대개 2–3 cm 정도 폭으로 피부 피판을 동시에 채취하는 것이 적당한 두께의 피판을 얻을 수 있다. 저 자와 같이 공동운동(synkinetic movement)의 발생 가능성을 줄이기 위해 광배근으로의 운동 신경을 분리할 경우 LD의 부피 감소가 많기 때문에, eLD 피판 형태로 지방층을 포함한 피판으로 채취해서 재건할 피판의 부피를 결정하는 것이 안정된 장기적 결과를 얻기에 유리하다. 피하층까지 절개를 하면 두 개의 지방층을 분리하는 Scapa's fascia를 확인할 수 있다. 비만인 환자에서는 Scapa's fascia의 바깥면을 따라 skin flap에 1~2 cm 정도 두께를 남기고 피판을 거상할 수 있다. 하지만 대부분의 환자에서는 Scapa's fascia의 직하부를 따라 박리를 해야 봉합 후 피부괴사 등 합병증을 줄일 수 있다. Bra line보다 상부로 갈수록 Scapa's fascia가 좀 더 명확해서 박리가 쉽지만, 아래쪽으로 갈수록 불명확하여 피부 피판 두께를 확인하면서 조심스럽게 박리해야 한다. LD 하부의 얇은 지방층은 피판에 포함하지 않고 대부분 보존을 해야 장액종을 줄일 수 있으며, 견갑골첨 주위 deep fat pad는 손상시키지 않아야 한다. 그리고 광배근을 분리할 때 큰원근과 삼각근(trapezius)이 손상되지 않도록 주의해야 한다.

eLD 피판에서 주로 사용되는 scapular and parascapular fat pad는 광배근의 후연(posterior or medial border)에서 상방으로 약 10 cm까지 안전하게 사용할 수 있다. 요측 지방층 확장(lumbar expansion)은 주로 BMI가 30 이상인 비만 환자에서 시행한다. 허리에 주름이 잡히는 정도의 비만 환자에서는 skin paddle을 브라 라인보다 낮게 위치하도록 해서 가능한 허리 부위 지방층을 많이 포함될 수 있도록 하면 충분한 피판의 부피를 얻을 수 있다. 그러나 비만이 아닌 대부분의 환자들에서는 요측 지방층 확장이나 광배근의 전연(anterior or lateral border)보다 앞쪽으로 지방층을 확장해서 채취할 경우, 이에 따르는 장액종, 통증, 등의 형태 변형, 지방괴사 등 공여부 합병증이 증가하기 때문에 거의 사용하지 않는다.

액와부 절개를 통해 광배근으로의 혈관경을 확인할 때 해부학적으로 변이가 있을 수 있음을 충분히 감안해야 한다. 광배근의 전연(anterior border or lateral border) 부근에서 전거근 분지와 흉배혈관경의 주행을 확인할 수 있지만 광배근의 후연(posterior surface)을 따라 주행하거나 전연보다 앞쪽으로 떨어져서 주행하는 경우도 있다. 따라서 광배근의 하방에서 전거근 분지가 나뉘는 지점을 반드시 확인하고 혈관경을 따라 상부로 박리하는 것이 안전하다. 광배근의 부착(insertion) 부위에서 일부 근육 조직들이 대흉근(pectoralis major)과 연결되어 있는 경우도 있는데, 이때는 연결된 근육을 분리해야 혈관경 박리 등을 원활하게 진행할 수 있다. 광배근의 후연(posterior border)에서 큰원근과 광배근이 중첩되어 경계가 불분명한 경우가 많은데, 근육 사이 분리는 액와부쪽에서 시작하지 말고 등쪽에서 eLD 피판을 분리하면서 상부로 박리를 진행할 때 견갑골첨 부위에서부터 두 근육 사이를 분리하는 것이 쉽다.

4) 수술 방법

양측의 대칭적 유방 형태와 해부학적 경계, 크기, 어깨의 운동 상태, 허리의 주름 위치와 정도 등을 수술 전 standing (sitting) position에서 확인하고, 브라 라인의 위치는 개인차가 있으므로 반드시 표시를 한다. 유두 유륜의 제거 가능성에 대비해서 skin paddle의 폭과 위치를 브라 라인을 기준으로 디자인하고, 피판 채취 범위, 합병증 발생 가능성, 사용할 보형물의 크기와 형태, 삽입될 위치 등에 대해서 충분히 설명한다. 절제 범위, 절개 예정선을 외과와 상의해서 sitting position에서 디자인한다. 지연재건의 경우도 마찬가지 방법으로 준비를 하는데, 반대편 유방의 크기와 형태를 고려하여 재건 가능한 유방 형태와 크기, 반흔의 위치, 재건할 유두의 위치와 가능성 등에 대해서 환자와 의논을 하고, balancing procedure (유방 확대, 유방 축소, 유방 처짐 교정 등)의 여부를 결정한다.

(1) 피부 피판(skin paddle) 크기와 위치

피부 피판의 폭을 결정할 때 집게검사(pinch test)보다 넓게 하면 봉합 후 벌어지거나 봉합 경계 괴사, 봉합선의 함몰 변형 등의 위험이 높아지고, 등이 많이 당겨져서 어깨 및 등 운동의 불편함이 오래갈 수 있다. 유방 절제 시 유두 유륜복합체가 보존된 경우에서는 브라 라인과 나란한 선상을 기준해서 방추형(elliptical shape)으로 피부 피판의 폭을 2–3 cm, 길이 약 10–13 cm 정도가 적당하고, 유두 유륜복합체가 제거된 경우는 피부 피판의 폭을 약 4–6 cm, 길이 약 15 cm 정도로 한다. 피판 부피를 많이 얻기 위해서 사용될 수 있는 백합무늬(fleur de lis)나 광배근 장축을 따라 기울어진 형태(oblique)의 피부 피판 디자인은 공여부 반흔의 미용적인 중요성 때문에 지연재건인 경우에만 고려한다. BMI가 30 이상인 비만 환자인 경우에서는 브라 라인 보다 낮은 수준에서 주름을 포함하여 수평 디자인을 하면 수술 후 허리 형태까지 개선될 수 있지만, 공여부 비대칭 문제를 고려해야 한다.

(2) 피판의 경계 표시

광배근의 전연(anterior border or lateral border)과 견갑골첨(scapular tip), 척추 가시돌기(spinous process), 가슴우리(thoracic cage)의 경계, 장골능선(iliac crest)를 각각 표시한다. 견갑골첨에서 상방으로 5–10 cm까지 박리 범위를 표시하고, 척추 돌기보다 안쪽(피판쪽)으로 약 3 cm, 하방으로 10–12th 늑골 부위까지 박리 범위를 표시한 다음, 피부 피판의 위치를 디자인한다(그림 2-2-1).

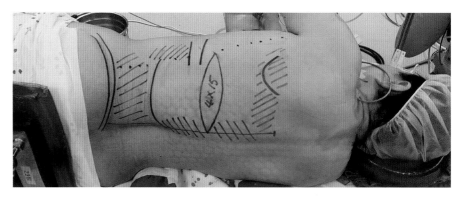

그림 2-2-1. 피판의 경계 및 피부피판의 디자인

(3) 피판의 박리

피판을 채취하기 위해 환자를 옆으로 눕히고(lateral decubitus position), 상지는 수술 중에 움직일 수 있도록 고정하지 않는다. 외과에서 시행한 액와 절개를 광배근 전연 보다 약 1.5 cm 정도 후방으로 연장한다. 절개를 연장하면 브라 라인과 수평인 작은 피부 피판 절개만으로도 두 절개 사이의 광배근 근위부 박리와 근원근과 광배근의 후연 사이 분리가 원활하고, 액와부에서 혈관경의 박리를 위한 충분한 공간이 확보되어 시야가 좋다(그림 2-2-2). 또한 광배근의 전연을 따라 후방액와주름(posterior axillary fold) 부위에서 광배근과 전거근 사이의 loose plane을 따라 박리해 놓으면 수술 시간을 절약할 수 있다. 그리고 액와부 절개창을 통해 피판을 꺼내서 광배근 근위부를 다듬는 작업도 쉽게 할 수 있어 전방액와주름(anterior axillary fold) 부위의 융기 변형(bulging deformity)을 줄일 수 있다. 외과에서 액와 박리가 충분히 된 경우 쉽게 혈관경을 확인할 수 있지만, 적게 박리된 경우에는 광배근과 전거근 사이의 loose plane을 통해 전거근 분지를 먼저 확인하고 상방으로 조심스럽게 박리를 하면서 흉배동맥의 주행을 확인해야 한다.

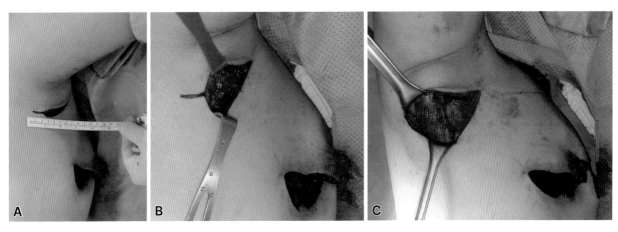

그림 2-2-2. 외과에서 시행한 액와절개를 1.5 cm 정도 후방으로 연장하여 혈관경의 박리를 위한 충분한 공간이 확보되어 시야가 좋다.

디자인된 피부 피판의 경계를 따라 절개를 가하고 천부 지방층의 하방으로 낮은 전압의 단극전기소작기(monopolar electrocautery)를 이용해서 박리하여 Scapa's fascia를 확인한다. 피부 피판의 상방으로는 Scapa's fascia가 비교적 뚜렷하게 확인되지만, 피부 피판의 하방으로는 명확하지 않은 경우가 많다. 대부분의 환자에서는 Scapa's fascia를 따라 하방의 deep fatty layer는 모두 포함되도록 박리를 하는데, BMI가 높은 사람은 fascia의 상방을 따라 박리할 수 있다. Scapa's fascia의 상방으로 박리하면 피판의 volume을 많이 얻을 수 있지만 공여부 contour deformity, seroma의 증가 등의 문제가 발생될 수 있다. 액와부 박리와 연결하여 tunnel을 형성하고 광배근의 후연을 따라 큰원근과 경계를 확인한다. 광배근의 전연은 대부분 뚜렷한 경계를 가지고 있지 않으므로, 후방늑간동맥(posterior intercostal artery)의 외측 분지(lateral branch)나 늑간 신경의 외측 분지의 손상을 피하기 위해서 근육이 보이지 않는 부분까지 박리를 하지 않고, 후방액와주름 선상에서의 근육이 얇아지는 부분에서 근육을 분리한다.

피판의 위쪽으로는 견갑골첨에서 약 5–10 cm 상방까지 Scapa's fascia의 상방으로 박리를 하고, 척추 가시돌기를 촉진하면서 이의 외측(피판 방향) 약 3 cm 정도까지 박리를 한다. 피판의 하방으로는 Scapa's fascia의 확인이 어렵기 때문에 등 피부 피판이 얇아지지 않도록 주의하면서 가슴우리(thoracic cage)의 경계 부위까지 피하 박리를 한 다음, 절제 예정 부위에서는 광배근 근막을 확인하고 표시한다. 피판의 분리는 광배근의 전연부터 시작해서 하방으로 연결되도록 하는데, 절개 부위를 따라 여러 개의 천공지들이 있으므로 피판을 분리할 때 세심한 지혈이 필요하다. 피판의 아래쪽 경계까지 분리가 끝나면 피판의 안쪽면을 따라 paraspinatus fascia, lumbar fascia에 손상을 주지 않도록 조심하면서 피판을 분리해야 한다. 피판의 안쪽면에서 항상 확인되는 후방늑간동맥의 등쪽 가지(dorsal perforator)는 직경이 크고 단독으로 안전한 천공지 피판(perforator flap)이 가능한 정도이므로 정확히 결찰을 해야만 공여부 혈종을 예방할 수 있다. 또한 광배근의 아래면을 따라 위쪽으로 박리하다 보면 견갑골첨의 아래쪽 수직 선상 주위로 후방늑간동맥의 dorsolateral perforators가 1–3개 확인되며 이 또한 정확히 결찰을 해야만 한다.

그림 2-2-3. eLD 피판의 채취 모습

광배근의 위쪽 경계 부위에서 큰원근과 겹쳐지는 부위를 확인하고 큰원근에 손상이 되지 않도록 주의하면서, 광배근의 위쪽 경계를 지나 parascapular and scapular fat layer를 포함하여 피판을 채취한다. 이때 parascapular and scapular fat fascia의 아래면의 근막과 deep fat pad, 하후거근(serratus posterior inferior)은 손상되지 않도록 주의해야 한다. 앞서 형성된 tunnel 속에서 큰원근과 광배근 사이를 액와부 가까이까지 분리를 한다. 마지막 단계로 피판의 아래면을 따라 액와부까지 loose areolar plane을 따라 박리하는데, 전거근 분지를 확인하고 큰원근으로 가는 분지가 확인될 때까지 박리를 진행하면 추후 액와부에서 피판 분리와 혈관경 정리 작업이 쉬워진다(그림 2-2-3).

(4) 광배근의 분리와 고정

광배근을 분리하지 않고 피판으로 사용할 수 있지만, 이런 경우 피판의 이동 범위가 제한적이다. 또한 전방액와주름 부위에 융기 변형이 생겨서 미용적으로 좋지 않고, 환자가 팔을 움직일 때 불편함을 호소할 수 있다. 따라서 광배근으로 들어가는 혈관경의 입구를 중심으로 주위 광배근 일부를 절제하여 가슴쪽 피하 tunnel 부위에서는 혈관경만 놓이도록 하여 융기 변형이 생기지 않도록 한다. 유방 절제 범위가 액와부 전방까지 넓어서 전방액와주름을 만들어줘야 될 경우에서는 근육을 분리한 다음 혈관경 주위 근육을 절제하지 않고 펼쳐서 전방액와주름 부위에 고정 봉합을 해 준다.

(5) 혈관경의 정리

광배근을 분리한 후 혈관경 주위를 정리하는데, 견갑회선 분지는 보존하고, 큰원근의 근막으로부터 흉배 혈관경을 조심해서 충분히 박리하면 전거근 분지나 큰원근으로의 분지를 결찰할 필요 없이 충분한 혈관경 길이를 얻을 수 있다. 또한 이러한 분지들을 결찰하지 않으면 혈관경의 꼬임(kinking)이나 신전(stretching)으로 발생될 수 있는 사고를 예방할 수 있다. 하지만 드물게 혈관경의 변이(variation)가 있거나, 아주 긴 혈관경이 필요한 경우 큰원근으로의 분지를 결찰하거나 전거근 분지까지 모두 결찰할 수 있다. 견갑회선 분지보다 원위부 혈관경에서 광배근으로의 운동 신경을 분리하여 약 1 cm 폭으로 결찰하고 제거한다. 운동 신경은 혈관보다 깊게 주행하는 경우가 많으며, 동맥과 비슷한 직경을 가진 경우 박동성과 신경외막을 확인해서 구분해야 한다. 또한 운동 신경은 광배근으로 삽입되는 입구에 가까울수록 두 가닥 이상으로 나뉘기 때문에 가능한 근위부에서 결찰하든지, 분지된 가지 모두를 각각 결찰해야 한다. 혈관경 정리와 광배근 분리 부위의 정리가 끝나면 흉곽으로 피판을 이동시키는데, 혈관경이 꼬이거나 당겨지지 않는지 여러 번 확인하고, 출혈 부위가 있는지 세심하게 살펴야 한다. 흉곽으로 피판 이동 후 환자의 position change 시 피판이 당겨질 수 있으므로 절제된 광배근의 끝부분을 흉곽 통로 입구 주위에 고정 봉합한다.

(6) 공여부 봉합

공여부에 발생되는 장액종을 줄이기 위해 Quilting suture나 fibrin glue 등을 선택적으로 사용할 수 있다. 피판의 분리 부위 근육층과 결찰한 혈관 주위를 중심으로 세심한 지혈을 시행하고 400cc suction drain을 후방 액와 주름선 주위에 설치한다. 봉합 부위의 함몰 변형 발생이나 봉합 부위 벌어짐, 봉합 경계 괴사 등을 예방하기 위해서 남겨 놓은 Scapa's fascia끼리 먼저 봉합하고, 진피와 표피 봉합을 세심하게 시행한다.

(7) 피판의 insetting과 보형물 삽입

환자를 semi-sitting position으로 위치시키고, 양측 상지는 60도 정도 외전시켜 고정한다. 유방 절제 후 형성된 pocket의 경계를 따라 전방액와주름 부위부터 내측으로 연속하여 대흉근막이나 심부 조직층에 피판을 고정 봉합하여 early sagging을 방지한다. 채취한 피판은 부위별로 두께가 다름에 유의해야 한다. 유방 상부의 절제 부위에는 주로 광배근 전연의 얇은 부분이 위치하게 되므로, 술후 근육의 부피 감소로 인한 함몰 변형이 잘 생긴다. 따라서 유방 상부의 절제 부위에서는 피판을 펼치지 않고 접혀있는 커튼처럼 접어서 고정하면 함몰 변형을 줄일 수 있다. 유방의 내측과 내측 하방 pocket 부위에서는 피판의 두꺼운 아래 부분과 등쪽 경계 부분이 고정되도록 해서 충분한 fullness가 형성되도록 한다. 유방밑주름(IMF, infamammary fold)과 외측 pocket 부위에서는 피판의 가장 두꺼운 부분인 parascapular and scapular fat layer가 놓이게 되며 pocket의 외측 부분이 자연스럽도록 고정에 유의해야 한다. 봉합 위치와 개수는 환자의 유방 크기 및 형태에 따라 결정한다.

피판과 대흉근 사이에 보형물을 삽입하고 보형물 주위로 피판을 고정한다. 보형물의 크기 선택은 앞서 설명한 것을 참조해서 시행하고 있으며, 비교적 유방이 작은 경우에서는 보형물 주위로 ADM을 사용하여 추후 보형물의 윤곽이 덜 표나도록 한다. Dual plane 방법을 이용할 경우에는 보형물을 대흉근 하방에 삽입하고, ADM으로 보형물의 아래 부분과 외측 부위를 모두 덮는다. ADM의 아래 경계는 반대편 유방 크기, 형태에 따라 IMF 부위에 고정하기도 한다. 대흉근 및 ADM 바깥면이 피판으로 완전히 감싸지도록 고정 봉합한다. Potic한 유방 형태에서는 피판의 폭이 충분해야만 IMF 부위에서 보형물 아래면으로 피판이 folding되도록 하여 자연스런 유방 형태를 만들 수 있는데, 피판의 크기가 작은 경우에는 두꺼운 ADM을 사용한다.

유두보존 유방전절제에서 피부 피판은 진피층까지 모두 없애거나 탈상피화해서 유두유륜 주위에 위치되도록 한다. 유두유륜이 제거된 경우에는 피부 피판이 절제된 유두유륜 부위에 위치되도록 하고, 추후 유두 재건을 고려해서 피부 피판을 봉합한다. 필요에 따라 피부 피판의 일부는 LD 근막으로부터 분리해서 transposition하여 사용할 수도 있다. 배액관은 보형물 하방과 피판의 하방에 각각 설치한다.

(8) Dressing 및 수술 후 관리

액와부가 눌려지지 않도록 유의해서 수술 직후 dressing은 유방 형태가 잘 보존될 수 있도록 sitting position에서 유방 전체가 감싸지도록 한다. 유방 형태가 유지되도록 surgi-bra를 착용시키고, 수술 후 3-4일째부터 복대를 착용시킨다. 어깨 운동은 수술 후 7일째부터 full range까지 시행하고, 환자의 생활 습관, 운동 능력 등을 고려해서 운동 범위를 정한다. Wire-bra는 수술 후 1년 이후에 착용을 결정하고, 과도한 상체 운동은 수술 후 6개월에서 2년까지 수술 후 방사선 치료 여부에 따라 시작 시기를 결정한다. 유방 맛사지는 수술 후 3-4주째부터 하루 1-2회 가볍게 시작하여 수술 후 1년 정도까지 고려한다. 어깨 운동이 원활하지 않을 경우 재활의학과에 의뢰하여 물리치료를 받을 수 있도록 하고, 환자가 스트레칭 등 운동을 하지 않으려는 경향이 있을 때는 적극적으로 운동을 권유해야 한다.

5) 증례

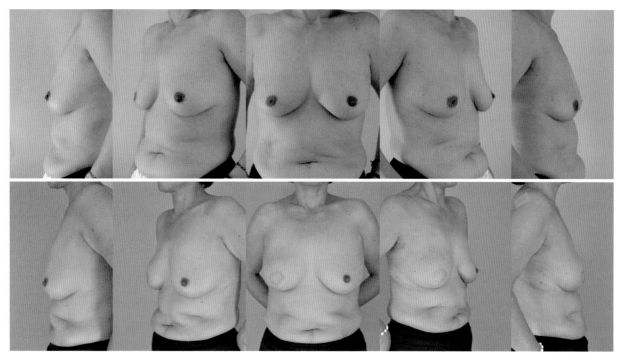

그림 2-2-4. 51세 우측 피부보존유방절제술(skin sparing mastectomy) 후 eLD + 125 cc saline implant로 재건받으신 분. 수술 전, 수술 후 2년 6개월 뒤 모습

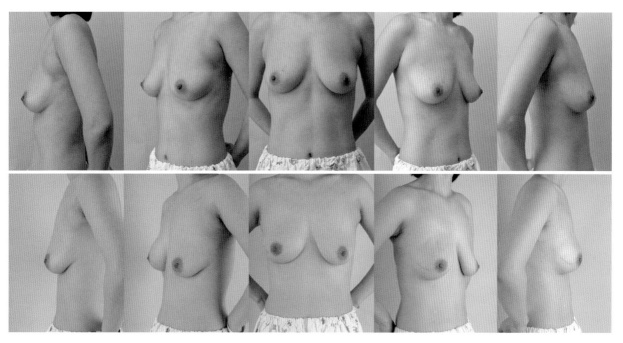

그림 2-2-5. 38세 우측 유두보존유방절제술(nipple sparing mastectomy) 후 eLD + 240 cc round implant로 재건받으신 분. 수술 전, 수술 후 4년 4개월 뒤 모습

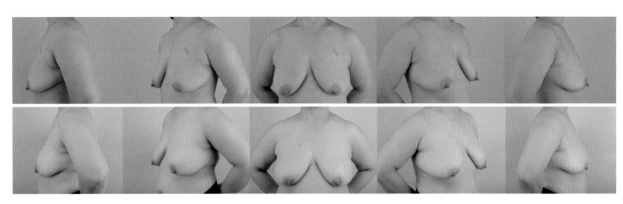

그림 2-2-6. 51세 좌측 유두보존유방절제술 후 eLD + 155 cc anatomic implant로 재건받으신 분. 수술 전, 수술 후 5년 4개월 뒤 모습

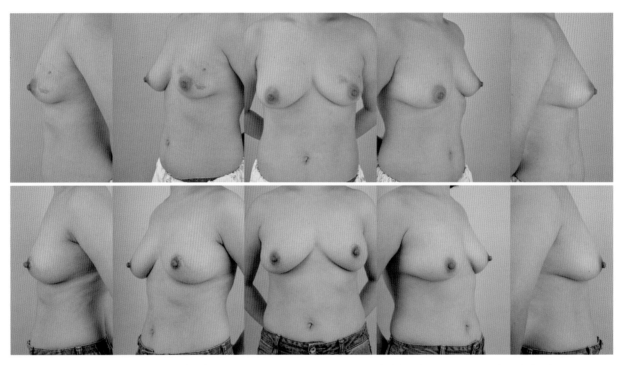

그림 2-2-7. 42세 좌측 유두보존유방절제술 후 eLD + 245 cc anatomic implant로 재건받으신 분. 수술 전, 수술 후 5년 뒤 모습

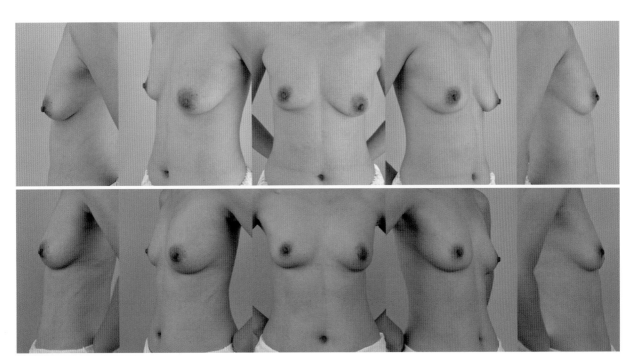

그림 2-2-8. 34세 좌측 유두보존유방절제술 후 eLD + 90 cc round implant로 재건받으신 분. 수술 전, 수술 후 2년 6개월 뒤 모습

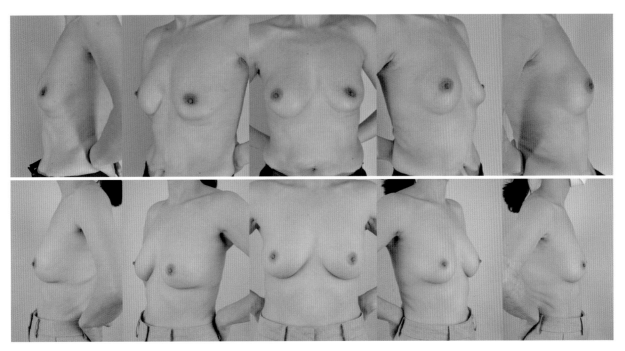

그림 2-2-9. 51세 좌측 유두보존유방절제술 후 eLD + 190 cc anatomic implant로 재건받으신 분으로 우측 유방은 balancing revisional augmentation을 받음. 수술 전, 수술 후 6년 뒤 모습.

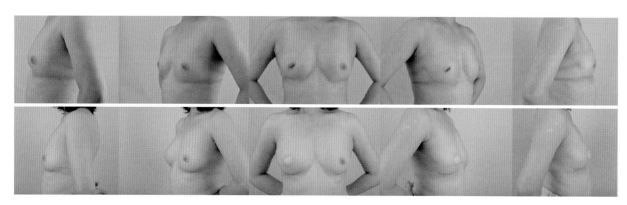

그림 2-2-10. 53세 우측 피부보존유방절제술 후 eLD + 90 cc round implant로 재건받으신 분. 수술 전, 수술 후 4년 7개월 뒤 사진.

6) 합병증

eLD 피판 후 공여부의 가장 흔한 합병증은 장액종이다. 장액종의 발병율은 다양하며, 장액종의 발생을 줄이기 위해서 quiting suture, fibrin glue 사용 등 여러 방법들이 소개되었지만, 이들로 인한 통증이나 등의 당겨짐, delayed hematoma, contour deformity 등의 합병증도 발생될 수 있어 술자마다 선호도가 다르다. 장액종을 줄이기 위해서 수술 중 세심한 지혈과 낮은 전압의 전기소작기 사용 등의 노력도 중요하며, 수술 직후 장액종이 발생되더라도 외래 통원하면서 needle aspiration을 반복하면 자연스럽게 해결될 수 있다. 다만 지연 장액종의 발생 시에는 다양한 방법들을 사용해서 치료해 보는 것이 좋겠다.

공여부 변형, 반흔, 벌어짐, 경계 괴사는 피부 피판의 폭이 넓을수록 발생 가능성이 높아지는데, pinch test보다 넓지 않게 사용하면서 Scapa's fascia 층을 따로 봉합한 후 진피층 봉합을 세심하게 하면 발생 가능성을 줄일 수 있다. 공여부의 변형은 수술 후 1–2년 동안 반흔 조직이 부드러워지고 피부가 유연해지면서 대부분 회복된다.

피판의 혈관경 손상이 발생되면 미세 술기를 이용한 salvage 방법이 필요할 수 있지만, 혈관경이 손상되거나 꼬이지 않도록 예방하는 것이 최선이다. 저자의 경우 견갑회선 분지는 결찰하지 않고 혈관경에 해부학적 변이가 있거나 아주 긴 혈관경이 필요한 경우에만 큰원근으로의 분지나 전거근 분지를 결찰한다. 여러 분지를 보존하면서 혈관경 주위를 조심해서 박리하면 대부분 필요한 혈관경 길이를 확보할 수 있고, 혈관경이 꼬이거나 긴장을 덜 받게 되어 피판을 안전하게 옮겨 사용할 수 있다. 외과에서 액와부 박리를 할 때 혈관경이 노출되어 정맥이 확장되는 있는 등의 혈관경 손상 가능성이 의심되는 경우에는, 혈관경 주위 조직을 가능한 보존하면서 전거근 분지를 보존하는 것이 안전하다.

eLD 피판의 공동운동(synkinetic movement) 발생을 줄이기 위해서는 LD로의 운동 신경을 결찰하는데, 재건한 피판의 부피가 과도하게 줄어들 수 있는 단점으로 운동 신경을 분리하지 않는 보고도 많다. 일단 공동운동이 발생되면 해결하기 힘들기 때문에 아주 난감하다.

운동 신경을 보존해서 재건한 eLD 피판의 부피 감소는 10-15%로 알려져 있는데, 운동 신경을 분리한 경우 최소 12개월 경과 관찰에서 20-25% 정도 부피가 줄었다는 보고가 있으며, 저자의 연구에서는 운동신경을 분리하여 채취한 eLD 피판에서 LD의 부피 감소 정도가 술후 항암이나 방사선 치료를 받지 않은 경우 약 55%, 술후 항암 치료만 받은 경우 약 60%, 술후 방사선 치료만 받은 경우 약 70%, 술후 항암과 방사선 치료를 모두 받은 경우는 약 65% 정도임을 감안하여 재건하고 있다. 재건된 유방의 크기, 형태에 대한 미용적인 판단은 수술 후 1년 이내 유방의 크기와 형태로 결정하면 안된다. 특히 LD로의 운동 신경을 결찰한 경우 유방의 크기가 작아지는 정도가 다르므로, 방사선 치료를 받지 않은 경우 술후 12개월 이상, 방사선 치료를 받은 경우에서는 방사선 치료 종결일로부터 18개월 이상은 경과된 후 판단해야 한다.

폭이 좁거나 돌출이 많은 보형물을 사용할 경우 수술 후 점차 보형물의 윤곽이 표는 경우가 있다. 특히 남은 유방의 피부 피판 두께가 얇거나 eLD 피판의 두께가 얇은 경우 유방 상부나 내측에 고랑 변형이 종종 생길 수 있다. 요철 변형 수준에서는 지방이식 등을 이용해서 개선이 가능하나 방사선 치료 후 구형 구축 변형처럼 보형물 윤곽이 많이 표나고 통증 등의 불편함, 양측 유방의 비대칭이 심한 경우 보형물 교체를 고려해야 한다. 이중 평면 방법을 이용하면 유방 상부의 꺼짐이 덜 생길 수 있지만 breast animation deformity 등의 합병증이 생길 수 있고, 보형물이 점차 어깨 방향으로 올라가는 경향이 있을 수 있다. 이에 대흉근을 손상시키지 않고 ADM을 사용해서 대흉근과 eLD 피판 사이에 보형물을 위치시키는 경우가 많아지고 있다. Breast animation deformity를 개선하기 위해서는 대흉근을 다시 원위치로 고정시켜야 하고, LD의 synkinetic movement가 생기거나 액와전방주름 부위에 변형이 있을 경우 LD 근육의 일부를 절제하거나 대흉근과 분리한 다음 LD와 대흉근 사이에 ADM을 끼워서 해결해볼 수 있다.

유방암 환자는 유방의 크기, 형태가 어느 정도 불만스러워도 미용수술과 달리 만족도가 높은 편이다. 유방암 환자는 유방 크기가 작아지거나 보형물의 윤곽이 보이는 경우, 피부의 요철 변형 등이 발생되어도 보형물의 교체, 지방이식 등의 이차적 교정을 권유해도 선뜻 받아들이지 않는 경우가 대부분이다. 이는 간단한 시술이라도 수술이라 여기고 거부하는 경향이 많다. 반대편 유방에 대한 balancing procedure로는 유방 확대, 유방 축소, 처진 유방의 교정 등이 있는데, 가능한 동시에 시행하는 것을 결과에 대한 만족도가 높으므로 수술 전에 환자와 충분한 상담하는 것이 좋겠다.

✅ 참고문헌

1. Branford OA, Kelemen N, Hartmann CEA, Holt R, Floyd D. Subfascial harvest of the extended latissimus dorsi myocutaneous flap in breast recontruction: a comparative analysisof two

techiques. Plast Reconstr Surg 2013;132:737.

2. Clough KB, Louis-Sylvestre C, Fitoussi A, Couturaud B, Nos C. Donor site sequelae after autologous breast reconrtuction with an extended latissimus dorsi flap. Plast Reconstr Surg 2002;109:1904.

3. Dancey AL, Cheema M, Thomas SS. A prospective randomized trial of the efficacy of marginal quilting sutures and fibrin sealant in reducing the incidence of seromas in the extended latissimus dorsi donor site. Plast Reconstr Surg 2010;125:1309.

4. Elizabeth J, Hall-Findlay GRDE. Aesthetic and Reconstructive Surgery of the Breast. London: Elsevier; 2010.

5. Germann G, Steinau HU. Breast reconstruction with the extended latissimus dorsi flap. Plast Reconstr Surg 1996;97:519.

6. Heitmann C, Pelzer M, Kuentscher M, Menke H, Germann G. The extended latissimus dorsi flap revisited. Plast Reconstr Surg 2003;111:1697.

7. Hokin JAB, Silfverskiold KL. Breast reconstruction without an implant; Result and complications using an extended latissimus dorsi flap. Plast Reconstr Surg 1987;79:58.

8. Jeon BJ, Lee TS, Lim SY, Pyon JK, Mun GH, Oh KS, Bang SI. Risk factors for donor-site seroma formation after immediate breast reconstruction with the extended latissimus dorsi flap. Ann Plast Surg 2012;69:145.

9. Kim ZS, Kang SG, Roh JH, et al. Skin-sparing mastectomy and immediate latissimus dorsi flap reconstruction: a retrospective analysis of the surgical and patient-reported outcomes. World J Surg Oncol. 2012;10:259.

10. Lin CH, Wei FC, Levin LS, Chen MC. Donor-site morbidity comparison between endoscopically assisted and traditional harvest of free latissimus dorsi muscle flap. Plast Reconstr Surg 1999;104:1070-7; quiz 1078.

11. Lee JW, Chang TW. Extended latissimus dorsi musculocutaneous flap for breast reconrtuction: experience in oriental patients. Br J Plast Surg 1999;52:365.

12. Lee JW, Seo JY, Jung YJ, Choo KS, Kim MW, Park TS, Bae YC, Nam SB, Kim HY. Volumetric changes of the latissimus dorsi muscle after postoperative chemotherapy in cases of immediate breast reconstruction with an extended latissimus dorsi musculocutaneous flap and implant. Gland Surg 2019;8(5):501-506.

13. Menke H, Erkens M, Olbrisch RR. Evolving concepts in breast reconstruction with latissimus dorsi flap: Results and follow-up of 121 consecutive patients. Ann last Surg 2001;47:107.

14. Nam SB, Oh HC, Choi JY, Bae SH, Choo KS, Kim HY, Lee SH, Lee JW. Volumetric change of the latissimus dorsi muscle after immediate breast reconstruction with an extended latissimus dorsi musculocutaneous flap. Arch Plast Surg. 2019;46:135-139.

15. Nam SB, Seo JY, Park TS, Sung JY, Kim JH, Lee JW, Kim MW, Oh HC. Investigation of the dorsolateral branch of the posterior interconstral artery for use as the pedicle of a free flap: A cadaveric study and case series. Arch Plast Surg. 2019;46:39-45.

16. Park TS, Nam SB, Choi JY, Bae SH, Lee JW, Kim HY. The efficacy of elongated axillary incision on extended latissimus dorsi flap for immediate breast reconstruction. Arch Plast Surg. 2018;45:340-4.

17. Park TS, Seo JY, Anvar SR, Choi JS, Kim MW, Lee JW, Kim HY, Jung YJ, Choo KS, Song KH, Nam SB. Volumetric change of the latissimus dorsi muscle after postoperative radiotherapy in immediate breast reconstruction with an extended latissimus dorsi musculocutaneous flap. Arch Plast Surg 2020;47:135-9.

18. Patah F. Extended latissimus dorsi flap in breast reconstruction. Oper Techn Plast Reconstr Surg 1999;6:38.

19. Russell RC, Pribaz J, Zook EG, et al. Functional evaluation of latissimus dorsi dornor site. Plast Reconstr Surg 1986;78:336.

20. Serra MP, Sinha M. Adaptation of the Hall-Findlay technique for simultaneous contralateral reduction in delayed breast reconstruction with extended latissimus dorsi flap. J Plast Reconstr Aesthet Surg 2010;63:996.

21. Song KH, Oh WS, Lee JW, Kim MW, Jeong DK, Bae SH, Kim HY, Jung YJ, Choo KS, Nam KJ, Joo JH, Yun MS, Nam SB. Volumetric change of the latissimus dorsi muscle after postoperative chemotherapy and radiotherapy in immediate breast reconstruction with an extended latissimus dorsi musculocutaneous flap: final results from serial studies. Arch Plast Surg. 2021 Nov;48(6):607-13.

22. Spear SL, Hess CL. A review of the biomechanical and functional changes in the shoulder following transfer of the latissimus dorsi muscles. Plast Reconstr Surg 2005 Jun;115(7):2070-3. doi: 10.1097/01.prs.0000163329.96736.6a. PMID: 15923857.

23. Spear SL. Surgery of the Breast - Principles and Art. Vol. 1, 3rded. Philadelphia: Lippincott; Williams & Wilkins; 2011.

24. Hokin JAB. Mastectomy reconstruction without a prosthetic implant. Plat Reconstr Surg 1983;72:810.

2. 광배근피판을 이용한 지연유방재건 보형물유방재건 후 광배근피판을 이용한 재수술

순천향대학교 서울병원 성형외과 **강상규, 송우진**

1) 서론

이상적인 유방재건술은 안전하게, 공여부 이환율이 적게, 적절한 사이즈, 모양, 크기를 제공해야 한다. 오랜 세월에 걸쳐 유방재건술 기술이 향상되어 현재의 목표는 반대측 정상 유방과 대칭되는, 미용적으로 우수한 유방을 재건하는 것이다. 크기의 대칭, 모양, 유방밑 선의 위치, 운동 시 대칭, 유두-유륜복합체, 그리고 나이와 체중변화 시의 대칭 등을 포함 한다.

지연유방재건이나 재건 후 재수술은 즉시유방재건에 비해 많은 어려움이 있다. 지연유 방재건시에는 종양 및 국소 림프절의 최종 병리학적 상태를 알 수 있으며, 재건 전에 환자가 보조 화학요법 및/또는 방사선 치료가 완료된다. 유방절제술 피부피판의 혈류가 회복되고 재건에 필요한 피부량도 정확하게 결정할 수 있다. 하지만 반흔 및 유방 피부 구축이 형성 되어 해부학적 변형이 있을 수 있고 피판을 위치시키는데에 기술적인 어려움이 따를 수 있 다. 유방 크기 및 피부량의 부족, 두가지 모두를 다루어야 한다는 점에서 자가조직피판은 지 연유방재건에 좋은 해결책이지만 흉터 및 방사선치료에 따른 영향으로 종종 수혜부 혈관이 부적절하거나, 심한 유방 비대칭을 다루기 어려울 수 있다.

복부조직량이 부족한 마른 환자나 비만, 당뇨, 고혈압, 흡연자와 같이 복부피판재건의 실패 위험이 높은 환자의 경우 또는 복부피판재건 및 보형물유방재건이 실패한 경우에는 광 배근피판 혹은 광배근피판/보형물 유방재건이 훌륭한 대안이다. 광배근피판은 적절한 연부 조직과 함께 안정적인 혈액 공급을 제공하여 유방절제술 부위의 부족한 부분을 보충하고 좋은 재건 결과를 기대할 수 있다. 또한 광배근피판에 보형물이나 지방이식을 추가한 하이 브리드 유방재건술을 통해 유방의 돌출도(projection) 및 크기를 유지하여 우수한 미용결과 를 얻을 수 있다. 광배근피판의 가장 중요한 역할은 1차 유방재건 후 방사선치료에 따른 합 병증이 발생한 경우이다. 지연유방재건 및 재수술에서의 광배근피판을 이용한 재건술의 장 단점, 적응증, 역할, 비교, 수술기법 및 임상 사례를 소개하고자 한다.

2) 지연유방재건 및 재수술에서의 광배근피판

(1) 적응증

지연유방재건에서는 정상측과 대칭을 맞추기 어려우며, 유방볼륨이 없고 피부량이 부족 한 부분을 해결해야 한다. 유방재건의 시기는 유방암 병기, 이환율, 환자 및 의사 선호도, 방사선치료 등에 따라 결정되는데 지연유방재건은 몇 주, 몇 달, 몇 년 후에 지나서 시행한다. 대부분 유방절제술후방사선치료를 하고 지연유방재건을 하게 되면 아래와 같은 상태로 수술을 시행하게 된다(그림 2-2-11).

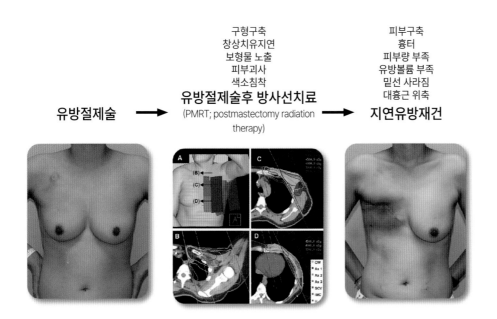

구형구축
창상치유지연
보형물 노출
피부괴사
색소침착

피부구축
흉터
피부량 부족
유방볼륨 부족
밑선 사라짐
대흉근 위축

유방절제술 ➡️ **유방절제술후 방사선치료** ➡️ **지연유방재건**
(PMRT; postmastectomy radiation therapy)

그림 2-2-11. 유방절제술후 방사선치료의 영향과 그에 따른 지연유방재건환자의 상태

정상적인 유방 모양 및 윤곽 복원 측면에서 광배건피판은 비교적 적은 합병증으로 좋은 미용 결과를 얻을 수 있다. 광배근피판 지연유방재건/재수술 시 이상적인 환자는 보형물유방재건을 원하지만 이전에 방사선치료를 받은 경우(이전 유방보존수술 후 국소 재발이 있는 여성, 방사선치료 후 기존 확장기 또는 보형물이 있는 여성, 또는 복부피판의 대상이 아닌 수술후 방사선치료를 받은 여성), 완전 자가조직유방재건을 원하지만 복부피판재건의 대상이 아닌 여성, 보형물유방재건에 실패한 여성 또는 부분유방절제술 후 심미적 결과를 개선하는 데 사용할 수 있다. 아직 방사선치료를 받지 않은 여성의 경우 구제 옵션으로 광배근을 최대한 보존해두는 것이 좋다. 또한 이전 유방확대술을 받은 경우 광배근피판/보형물재건을 함께 사용하면 대칭적으로 사이즈를 잘 맞출 수 있기 때문에 유리하다. 정리하면 환자 적응증은 다음과 같다.

① 과거에 방사선 조사된 유방 조직

② BMI 30 혹은 흡연자

③ 이전 복부 및 골반 수술 과거력

④ 감염 및 피부괴사

⑤ 보형물 노출 및 교체, 구형구축

⑥ 복부피판량 부족

⑦ 이전 유방확대술 과거력

(2) 역할

광배근 피판은 유방전절제술 혹은 부분절제술 후 1차 수술 및 재수술 시 중요한 역할을 한다. 다른 자가조직유방재건에 비해 신뢰할 수 있고 기술적으로 간단하며 단기 합병증이 적다. 보형물 또는 복부피판재건 실패 시 좋은 해결책이다. 또한 광배근피판 조직량을 임상적 상황에 맞게 확장(extended) 또는 최소(mini) 광배근피판 형태로 조절이 용이하다. 광배근피판 공여부의 합병증은 많지 않고, 주로 장액종에 그친다. 기술적으로 쉽고, 합병증이 적고, 수술 및 회복시간이 짧다는 것이 광배근피판의 장점이다.

지연유방재건에 있어서 광배근피판 혹은 광배근피판의 장단점은 다음과 같다(표 2-2-1).

표 2-2-1. 지연재건에 있어서 광배근피판의 장단점

장점	• 피판거상이 쉽다. • 다른 자가조직피판과 비교하여 합병증이 적다. • 혈관공급을 그대로 가져올 수 있기 때문에 혈류량이 풍부하다.
단점	• 볼륨의 한계로 인해 보형물/ 조직확장기/ 지방이식 등이 추가로 필요하다. • 공여부 어깨 힘과 기능의 일시적 저하가 (3개월) 온다. • 지방층이 복부피판보다 단단해서 가슴이 단단하게 느껴진다. • 공여부 흉터 및 장액종 발생 빈도가 높다.

광배근피판의 역할은 방사선 조사된 유방조직을 가진 지연재건환자에서 건강한 피부 조직을 보충하여 유방하부의 모양을 잘 만들 수 있고, 건강하고 혈류량이 풍부한 피판조직으로 보형물과 함께 사용시 보형물 노출의 위험성을 줄일 수 있다. 지연유방재건에서 액와부의 흉터가 동반되어 있을 시 유착된 흉터를 풀어주면서 통증감소효과와 액와부의 모양 개선을 기대할 수 있다. 광배근피판 조직량의 한계로 최종 볼륨이 부족할 경우 혹은 반대측 가슴의 크기가 큰 경우 이를 극복하기 위해 보형물이나 지방이식 등이 동반되기도 한다. 반대측에 보형물이 존재하는 경우에 비슷한 모양을 만들기 좋은 방법이다.

(3) 지연유방재건 및 재수술 시 광배근피판의 선택 방법

유방전절제술 유방재건 후 문제가 발생하여 재수술이 필요한 경우에 광배근 피판이 유용하다. 중간 크기의 유방을 가진 여성은 확장된 광배근피판을 사용할 수 있으며, 공여부에 충분한 지방 조직이 있는 경우 큰 유방에서도 가능하다. 하지만 박리 범위가 클수록 장액종 발생률이 증가하며 이는 더 큰 피판을 필요로 하는 비만환자에서 주로 발생할 수 있다. 유방절제술 시 상당한 피부 절제가 필요할 수 있는 환자(예: 염증성 유방암 환자)의 경우 광배근은 최대 30 × 40 cm의 큰 피부피판을 제공할 수 있다. 유방재건실패 후 재수술, 보형물유방재건 전후에 방사선치료 및 기타 문제로 보형물 감염 및 노출의 위험이 있을 경우 광배근피판으로 재건할 수 있다. 복부피판을 이용한 유방재건 후 부분괴사가 있을 때도 광배근피판을 이용하여 추가적인 조직 보충이 가능하다. 자가조직유방재건의 완전괴사가 있을 경우 광배근피판/보형물 유방재건을 통해 만족할 만한 결과를 얻을 수 있다. 부분유방절제술 유방재건 후 재수술 시 초기에는 결손부가 뚜렷하지 않을 수 있으며 공동(cavity)은 혈종 또는 장액으로 채워져 있을 가능성이 높다. 결손부 크기가 클 경우(유방 부피의 >10–20%), 시간이 지날수록, 그리고 방사선치료 후에 더욱 두드러진다. 이러한 환자의 경우 근육만 포함하는 광배근피판을 사용하여 손실된 유방 볼륨을 복원하거나, 적은양의 피부를 포함하는 광배근피판을 사용하여 재건할 수 있다. 이전 유방재건술 시행 후 실패로 인한 재수술 시 광배근피판 치료 알고리즘의 세부사항은 다음과 같다(그림 2-2-12).

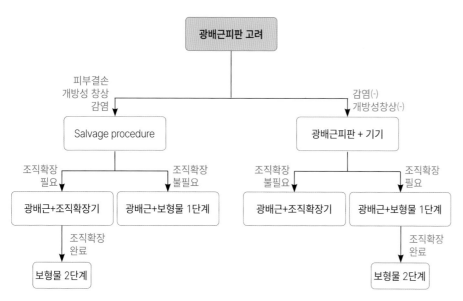

그림 2-2-12. 유방재건 후 재수술 시 광배근피판 치료 알고리즘

이전 유리피판술로 유방재건술을 한 후 실패한 경우 수혜부 혈관을 사용할 수 없기 때문에 광배근피판이 선호된다. 만성흉벽창상이 있는 경우, 보형물 감염, 방사선치료 후 조직손상 등이 있는 환자에서 광배근피판술은 변형의 정도 및 의사의 판단 그리고 주위 사용 가능한 연조직의 상태 및 조직량에 따라 1, 2단계로 걸쳐서 시행될 수 있다. 광배근피판에 대한 절개선택은 연조직량을 최대화하기 위해 피부영역의 최적방향을 결정하기 위한 pinch test를 시행한다. 각 단계는 3–6개월 간격으로 진행할 수 있으며 최종 치료 완료시까지 1년 이상 걸리는 경우도 있다. 영구보형물 삽입 시기는 광배근피판이 잘 치유되고 부드럽고 유연할 경우 시행한다. 보형물 삽입 위치는 방사선 조사된 대흉근 위와 광배근피판 아래에 위치한다. 보형물유방재건 및 자가조직유방재건 실패 후 각각의 사례들은 다음과 같다 (그림 2-2-13, 그림 2-2-14).

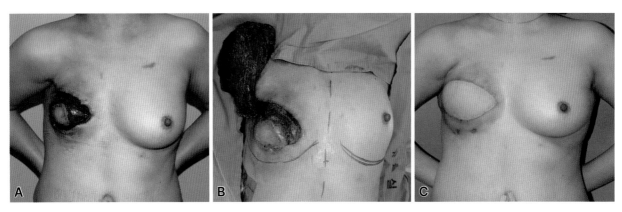

그림 2-2-13. 복부피판 실패 후 광배근피판을 이용한 재수술. (A) 수술 전, (B) 수술 중, (C) 수술 2개월 후

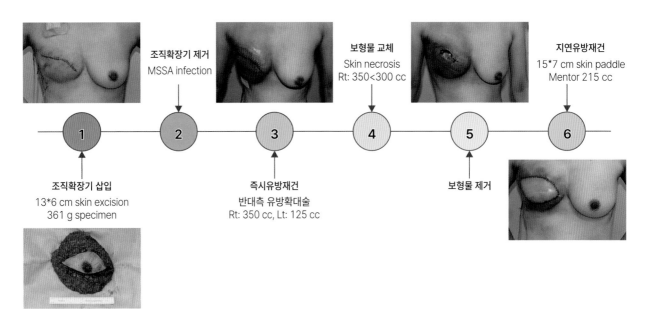

그림 2-2-14. 보형물유방재건 실패 후 광배근피판을 이용한 재수술 및 지연유방재건

(4) 수술방법

동영상 2-2-1. 지연유방재건 및 재수술 수술방법.

광배근피판 사용을 위한 수술 전략은 피판에 의해 제공되는 연조직을 최대화하면서 공여부 손상 및 합병증을 최소화해야 한다. 광배근의 기능은 서 있는 상태로 환자의 팔을 내전시킨 후 저항을 줌으로써 평가할 수 있다. 광배근의 경계가 제대로 만져질 경우 흉배신경이 온전히 있다는 것을 의미하며 혈관경이 양호함을 의미한다. 광배근 변연의 윤곽은 견갑골 끝, 후방 겨드랑이 선 및 정중선을 랜드마크로 사용하여 표시한다. 광배근피판을 위한 여러 피부 섬(Skin island) 디자인은 각각 고유한 장단점이 있다(그림 2-2-15). 환자에게 가장 적합한 패턴은 집도의와 환자 선호도, 흉터 위치, 등의 충분한 연조직 상태 등으로 결정되나 유방절제술 후 피부 및 연조직 결손부의 위치가 가장 중요하다. 광배근피판 피부 섬의 디자인은 가능한 피부이완선(relaxed skin tension line; RSTL)에 따라 배치하는 것이 흉터를 최소화할 수 있어서 좋다(그림 2-2-16). 브래지어 라인에 맞춰 평행하게 절개선을 배치시킬 경우 흉터를 숨길 수는 있지만 방향이 RSTL과 맞지 않기 때문에 비후성흉터나 견이(dog ear), 함몰되거나 불규칙한 피부 윤곽선이 발생할 수 있다.

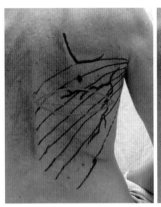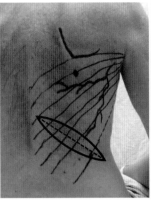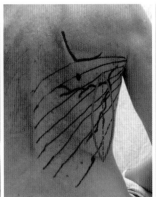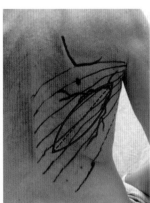

그림 2-2-15. 광배근 피판의 다양한 디자인

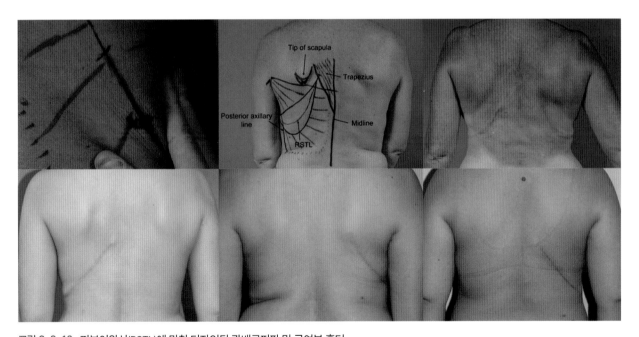

그림 2-2-16. 피부이완선(RSTL)에 맞춰 디자인된 광배근피판 및 공여부 흉터

전흉벽에는 유방절제결손부의 변연과 유방밑선의 위치를 표시한다(그림 2-2-17). 피판의 피부절개선부터 비스듬히 절개하여 피하복근막의 심부막양층(Scarpa's fascia)까지 도달한 후 이를 기준으로 조밀한 표층의 지방층(superficial fat layer)과 느슨한 깊은 지방층(deep fat layer) 사이를 쉽게 분리할 수 있다. 표층의 지방층은 최대한 공여부에 보존하여 장액종 및 모양 변형을 최소화 시킬 수 있으며 깊은 지방층 및 근육을 얼마나 포함하느냐에 따라 연조직량을 결정할 수 있다(그림 2-2-18).

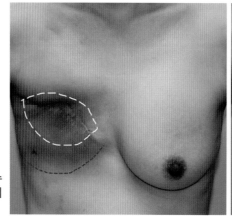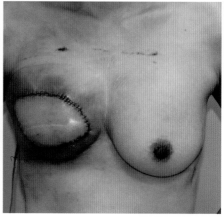

그림 2-2-17. 지연유방재건 및 재수술에서 결손부의 변연과 유방밑선의 위치 표시(수술 전 후)

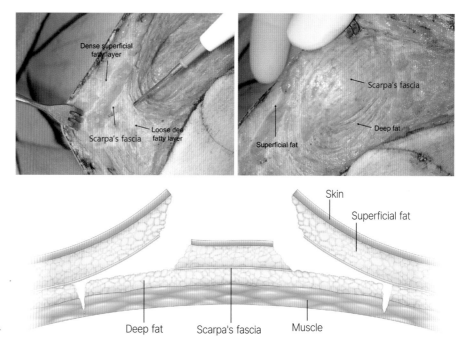

그림 2-2-18. 광배근피판의 박리층

　　액와부에 가능한 한 높게 피하 터널을 만들어 피판 공여부와 유방절제결손부 사이의 연조직을 손상시키지 않도록 한다. 피판을 터널을 통해 유방재건 부위로 이동시킨 후 배액관 삽입(등, 액와부) 및 공여부 봉합을 시행한다. 환자를 양와위 자세로 변경 후 유방절제술 부위에서 원래의 흉터를 제거하고 피판 박리를 통하여 충분한 공간을 확보한다. 옮겨진 피판은 유방절제 결손부로 삽입되어 대흉근 위로 위치시키고 이 사이에 보형물을 삽입할 경우 사이저를 삽입하고 일시적으로 상처를 봉합하여 앉은 자세로 반대쪽 정상 유방과의 대칭성을 평가한다. 추후 광배근피판 볼륨감소를 예측하여 약간 크게 재건하는 것이 좋다. 유방밑선이 사라졌거나 보형물 삽입이 필요할 경우 광배근 피판을 유방밑선 위치 피하복근막의 심부막양층(Scarpa fascia)에 Vicryl 3-0으로 5군데 정도 고정시켜 유방밑선을 재건한다. 사이저 제거 및 최종 보형물 삽입을 할 수도 있고, 부분절제술일 경우 광배근피판 단독으로도 재건 가능하다. 6개월 후 유두-유륜복합체가 재건되고 이 시기에 유방하주름 교정 및 흉터 교정, 자가지방이식술을 포함한 모든 재수술을 추가로 시행할 수 있다(그림 2-2-19).

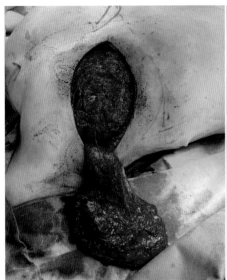
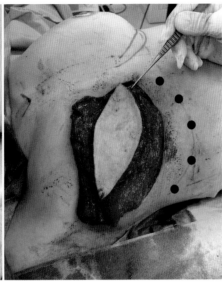

그림 2-2-19. 지연유방재건에서 광배근피판 고정위치(보형물 삽입 시). 광배근피판 단독으로 사용할 경우엔 따로 고정은 하지 않고 결손부에 위치시킨다.

광배근피판/보형물재건을 이용한 지연유방재건 및 재수술의 다양한 증례는 위 사진과 같다. 이전 유방확대술 받았던 환자에서 사이즈 조정이 쉽고, 유방축소술도 동시에 시행하여 좋은 결과를 얻을 수 있다(그림 2-2-20, 그림 2-2-21, 그림 2-2-22).

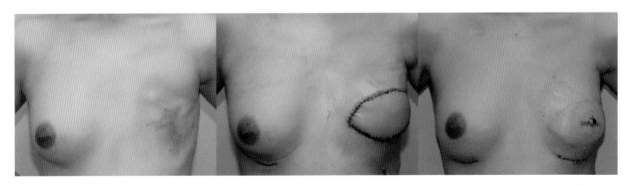

그림 2-2-20. 좌측 유방절제술 후 조직확장기 재건 및 우측 유방확대술 시행 후 감염 및 흉터, 구형 구축으로 좌측 광배근피판/보형물재건, 지방이식(재수술)

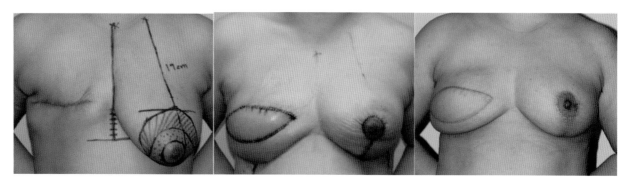

그림 2-2-21. 우측 유방절제술 후 광배근피판/보형물재건 및 좌측 유방축소술(지연유방재건)

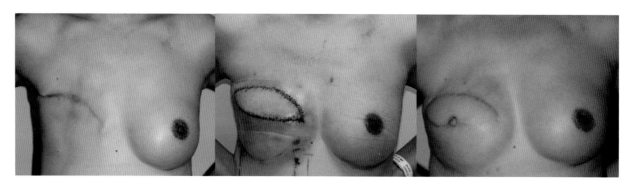

그림 2-2-22. 이전 유방확대술 받은 환자에서의 우측 유방절제술 후 광배근피판/보형물재건, 유방밑선 조정, 지방이식(지연유방재건)

(5) 합병증

가장 흔한 합병증은 공여부 장액종이다. 장기간 흡인 배액 혹은 배액관을 제거했을 경우 외래에서 흡인술로 치료한다. 장액종을 예방하기 위해 공여부 봉합 시 퀼팅 봉합을 하거나 fibrin sealant를 사용할 수 있으며 수술후 회복기간 동안 과도한 팔의 움직임을 제한할 수 있다. 광배근피판은 안정적인 혈관 공급으로 인해 허혈성 합병증은 드물게 일어난다. 당뇨나 흡연자의 경우에도 괴사의 위험성은 적다. 추가적인 합병증으로는 등 부위 탈장, 어깨 운동성 저하, 어깨 약화, 공여부 함몰, 익상 견갑(winged scapula) 등이 있다. 어깨 근력 및 기능은 일반적으로 수술 후 12개월 정도에 호전된다. 조직확장기 또는 보형물을 사용하는 경우 보형물 이동, 노출, 감염 등이 일어날 수 있다. 최근에는 구형구축 보고의 비율도 낮아져 지연유방재건 및 재수술 시 좋은 옵션으로 사용될 수 있다.

3) 결론

지연유방재건 및 재수술에서 광배근피판 혹은 광배근피판/보형물 재건은 다음과 같이 요약할 수 있다. 혈류량이 풍부하여 방사선 조사 후 발생할 수 있는 피부괴사 및 구형구축 등의 합병증을 줄여줄 수 있고, 추후 유두-유륜복합체재건시에도 적절한 피부피판을 제공할 수 있다. 보형물유방재건 및 자가조직유방재건의 실패 후에도 사용할 수 있으며 피판이 상대적으로 얇기 때문에 보형물과 함께 재건하여 충분한 돌출도 및 볼륨을 얻을 수 있다. 뿐만 아니라 이전 유방확대술을 받았던 환자나 거대유방증이 있는 경우 보형물 사이즈 조정 및 유방축소술을 동시에 시행하여 미용적으로 좋은 결과를 얻을 수 있다(그림 2-2-23).

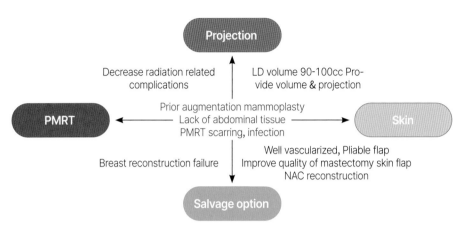

그림 2-2-23. 지연유방재건 및 재수술에서의 광배근피판 혹은 광배근피판/보형물재건 요약

📋 참고문헌

1. Agaoglu G, Erol OO. Delayed breast reconstruction with latissimus dorsi flap. Aesthetic Plast Surg 2009 May;33(3):413-20. doi: 10.1007/s00266-009-9338-8. Epub 2009 Apr 2. PMID: 19340480.

2. Bailey SH, Oni G, Guevara R, Wong C, Saint-Cyr M. Latissimus dorsi donor-site morbidity: the combination of quilting and fibrin sealant reduce length of drain placement and seroma rate. Ann Plast Surg 2012;68(6):555-8.

3. Cohen BE, Cronin ED. Breast reconstruction with the latissimus dorsi musculocutaneous flap. Clin Plast Surg 1984;11:287-302.

4. Fine NA, Hirsch EM. Keeping options open for patients with anticipated postmastectomy chest wall irradiation: immediate tissue expansion followed by reconstruction of choice. Plast Reconstr Surg 2009;123:25-9.

5. Garusi C, Manconi A, Lanni G, et al. Shoulder function after breast reconstruction with the latissimus dorsi flap: a prospective cohort study—combining DASH score and objective evaluation. Breast 2016;27:78-86.

6. Germann G, Steinau HU. Breast reconstruction with the extended latissimus dorsi flap. Plast Reconstr Surg 1996;97:519-26.

7. Glassey N, Perks GB, McCulley SJ. A prospective assessment of shoulder morbidity and recovery time scales following latissimus dorsi breast reconstruction. Plast Reconstr Surg 2008;122(5): 1334-40.

8. Hammond DC, Simon AM, Khuthaila DK, et al. Latissimus dorsi flap salvage of the partially failed TRAM flap breast reconstruction. Plast Reconstr Surg 2007;120:382-9.

9. Hammond DC. Latissimus dorsi breast reconstruction. Clin Plast Surg 2007;34:75-82.

10. Kokosis G, Khavanin N, Nahabedian MY. Latissimus Dorsi Musculocutaneous Flap for Complex Breast Reconstruction: Indications, Outcomes,and a Proposed Algorithm. Plast Reconstr Surg Glob Open 2019 Aug 8;7(8):e2382. doi: 10.1097/GOX.0000000000002382. PMID:

31592390; PMCID: PMC6756672.

11. Kovacs L, Papadopulos NA, Ammar SA, Klöppel M, Herschbach P, Heinrich G, Baumann A, Biemer E. Clinical outcome and patients' satisfaction after simultaneous bilateral breast reconstruction with free transverse rectus abdominis muscle (TRAM) flap. Ann Plast Surg 2004;53:199-204.

12. Leuzzi S, Stivala A, Shaff JB, Maroccia A, Rausky J, Revol M, et al. Latissimus dorsi breast reconstruction with or without im- plants: A comparison between outcome and patient satisfaction. J Plast Reconstr Aesthet Surg 2019 Mar;72(3):381-93.

13. McCraw JB, Papp C, Edwards A, McMellin A. The autogenous latissimus breast reconstruction. Clin Plast Surg 1994;21:279-88.

14. Menke H, Erkens M, Olbrisch RR. Evolving concepts in breast reconstruction with latissimus dorsi flaps: results and follow-up of 121 consecutive patients. Ann Plast Surg 2001;47(2):107-14.

15. Papp C, McCraw JB. Autogenous latissimus breast reconstruction. Clin Plast Surg 1998;25:261-6.

16. Papp C, Wechselberger G, Schoeller T. Autologous breast reconstruction after breastconserving cancer surgery. Plast Reconstr Surg 1998;102:1932-6, discussion 1937-8.

기타부위조직: 심부대퇴동맥천공지피판(허벅지)

Tissue from other sites: PAP

울산대학교 서울아산병원 성형외과 **한현호**

1. 유방재건 수술에 있어서 심부대퇴동맥천공지피판 (Profunda femoris artery perforator flap)의 선택

1) 배경

복부조직을 이용한 유방재건은 자가조직을 이용한 유방재건술에서 가장 많이 시행되는 수술 중 하나이다. 복부의 혈류가 안정적이고 복부를 날씬하게 만들면서도 유방을 효율적으로 만들 수 있어 자가조직 중에서 가장 안정적인 피판인 것은 분명하다. 하지만 복부 조직을 사용하기 어려운 환자들에게서는 다른 부위의 조직을 이용할 필요가 있다. 복부에 조직이 부족하거나 이전 수술력으로 복부의 혈관이 손상된 경우 등에서는 복부 피판을 사용하기가 어렵기 때문이다.

복부피판 대신에 허벅지, 엉덩이, 옆구리, 등 여러 부위에서 조직을 가져올 수 있는데, 이 중 허벅지 피판이 유방재건의 좋은 재료가 될 수 있다. 정식 명칭은 심부대퇴동맥천공지피판(Profunda femoris artery-perforator-PAP flap)으로 내후측 허벅지가 주로 사용된다. 2012년 Robert Allen에 의해 유방재건술에서의 적용이 처음 소개된 후 자가조직 유방재건에서 두 번째 옵션으로 널리 쓰이고 있다.

2) 유방재건에서의 PAP 피판의 장단점

복부를 제외한 부위에서 PAP 피판이 인기를 얻은 이유는 다음과 같다.

① 조직의 두께가 충분하여 2차 피판 중 비교적 부피가 충분하다.

② 수술 후 흉터가 엉덩이 밑선에 쉽게 가려진다.

③ 내후측 허벅지 부위를 날씬하게 만들 수 있다.

④ 수술 중 자세변경 없이 two-team 접근이 가능하다.

⑤ 혈관경의 분포가 일정하고 안정적이다.

⑥ 혈관경의 길이가 대략 10 cm 정도로 유리피판술을 시행하는데 충분하다.

반면, 한계점 역시 존재한다.

① 수술 중 술자의 자세가 불편하다.

② 양측 허벅지를 사용해야 하는 경우가 있어 피판이 2개가 사용될 수 있다.

③ 수술 후 환자가 1–2주 간 편하게 앉는 것이 어려워 자세가 불편하다.

④ 공여부의 상처 벌어짐이 흔하다.

3) PAP 피판의 이상적인 적응증

복부 피판을 사용하기 어려운 환자에게 주로 권유되고 다음과 같은 환자에서 유방재건을 시행하기에 이상적이다.

① 복부 조직은 부족하고 허벅지는 두꺼운 체형의 환자

② 이전에 tummy-tuck 복부성형술을 시행 받은 병력이 있는 환자

③ 하복부에 긴 흉터를 남기기 부담스러운 환자

④ 이미 복부재건을 시행하였는데 암 재발 등으로 추가로 자가조직 재건이 필요한 환자

⑤ 유방재건 수술 후 가능한 빨리 임신을 계획하고 있는 환자

서양인뿐만 아니라 동양인들도 최근 식습관 및 생활습관의 변화로 체형의 변화가 있고 하체의 조직이 충분한 경우가 많아 환자가 원할 경우 첫번째 우선 옵션으로 시행하는 경우도 늘고 있다.

2. 심부대퇴동맥천공지피판(Profunda femoris artery perforator flap)의 수술 과정

1) 수술 전 과정

수술 전 혈관 CT (computed tomographic angiography)를 촬영하여 내후측 허벅지 상부에서 천공지 혈관의 분포를 확인한다(그림 2-3-1). 또한 유방의 두께와 허벅지의 두께를 비교하여 비슷할 경우 편측 허벅지로, 유방의 두께에 비해 허벅지의 두께가 얇은 경우 양측 허벅지를 사용하는 것이 좋다. 허벅지부피를 미리 예측하는 방법도 소개된 바 있어 이를 활용할 수도 있다. 복부피판에 비해 수술 후 피판의 부피가 좀 더 줄어드는 경향이 있어 원래 가슴보다 20–30% 크게 만들어 주는 것이 원래 크기로 맞추는데 유리하다.

수술 전 피판 작도는 환자가 일어서 있는 상태에서 엉덩이 밑주름을 확인하고 이보다 0.5 cm 밑에 피판의 상부 경계를 표시한다. 혈관 CT에서 확인한 천공지 위치를 hand-held 도플러를 이용하여 다시 한번 확인하여 표시하고 해당 혈관이 피판 안에 넉넉히 포함될 수 있도록 피판의 상부 경계로부터 7-8 cm 하방을 피판의 하부 경계로 잡는다. 단, 이는 절대적인 경우는 아니며 환자 허벅지 피부의 유연성에 따라 줄이거나 늘리는 과정이 필요하다. 피판의 외측 경계는 엉덩이 주름이 끝나는 부위 근처로 한다. 이를 가능한 넘기지 않아야 흉터를 덜 보이게 위치시킬 수 있다. 내측 경계는 gracilis muscle의 내측 부위를 경계로 하고 femoral triangle은 침범하지 않도록 주의한다. 이를 침범할 경우 추후 내측 허벅지의 임파선의 손상을 가져올 수 있어 주의해야 한다. 참고로, Transverse upper gracilis (TUG) 피판은 PAP 피판에 비해 내전방측에 피판이 위치하여 임파선의 손상 가능성이 상대적으로 높다. 환자를 천장을 보고 눕힌 다음에 개구리 다리 자세를 하고 표시한 경계를 바탕으로 타원모양으로 피판 경계를 연결하여 작도를 마무리한다(그림 2-3-2).

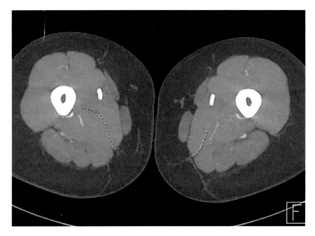

그림 2-3-1. Localizaiontion of profunda femoris artery perforators by computed tomographic angiography

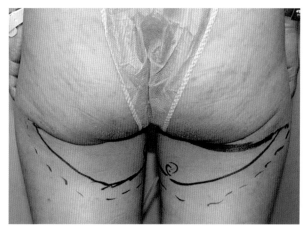

그림 2-3-2. Preoperative marking of PAP flap

2) 수술 과정

환자는 천장을 본 바른 자세로 눕히고 술자는 피판을 떼고자 하는 허벅지의 반대편에서 수술을 시작한다. 피판을 거상하는 측의 환자의 다리는 개구리 다리(frog leg) 자세로 한다(그림 2-3-3 (A)). 거상은 내전측부터 시작하게 되고 엉덩이 근처 상방 경계는 수직으로 절개를 가하고 하방경계는 조직의 볼륨을 더 확보하고 추후 상하방 피부의 봉합시 조직의 두께 차이를 줄이기 위해 beveling을 시행하면서 거상한다.

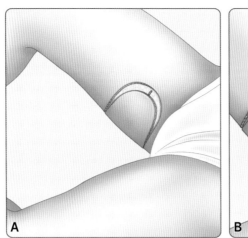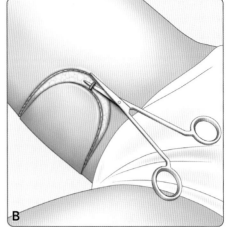

그림 2-3-3. **(A)** Position of patient during the flap harvest, **(B)** Preservation of greater saphenous vein branch

전내측부터 피판에 절개 넣고 피판 거상을 시작하면 greater saphenous vein의 가지가 피판에서 나가는 경우를 볼 수 있는데 가능한 이를 보존하는 것이 좋다(그림 2-3-3 (B)). 복부 피판에서의 표재하복부정맥(SIEV)와 같은 목적으로 보존하는 것이며 정맥울혈이 발생했을 경우 이를 활용하여 superdrainage를 할 수 있다. 이후 gracilis muscle이 확인되면 근막에 절개를 가하고 하방에 있는 adductor magnus 쪽으로 근막하 박리를 이어나간다. Adductor magnus에 도달한 후 gracilis muscle을 상방으로 들어올리고 바로 하방에 위치한 adductor magnus의 근막을 또다시 절개하면 adductor muscle을 뚫고 나오면서 피부로 향하는 천공지들을 확인할 수 있다. 이 중 크기가 크고 피판의 중심에 위치하는 천공지가 피판에 포함되도록 한다. 천공지 주행 경로를 따라 adductor magnus와 adductor longus muscle 속을 박리하여 근육과 혈관을 분리시키고 천공지의 심대퇴동맥 기시부까지 최대한 박리를 진행한다. 반대편 피판도 거상하는 경우 같은 방식으로 시행한다. 천공지는 기시부가 profunda femoris artery가 맞지만 10-20%에서는 medial circumflex femoral artery에서 기시하는 경우도 있을 수 있다.

배액관은 양측 허벅지에 하나씩 넣고 피부는 가능한 glue를 사용하여 마무리하면 추후 상처가 대소변에 오염되지 않을 수 있다.

3) 가슴 모양을 만들기 위한 피판의 배치

편측만 거상한 경우 cone shape 또는 일자로 늘어진 행태로 피판을 위치시키고 내흉동정맥(internal mammary artery and vein)의 순방향 연결을 시행한다(그림 2-3-4). 양측을 거상한 경우 반대편 허벅지 측에서 거상한 피판을 유방의 하부(caudal)에, 동측 허벅지에서 거상한 피판은 유방의 상부(cephalic)에 위치시킨다(그림 2-3-5). 상부의 피판은 내흉동정맥에 역방향 연결을 하고, 하부의 피판은 내흉동정맥에 순방향으로 연결을 한다. 혈관은 서로 X자로 cross하게 두어야 연결 부위에서 꺾이는 것을 방지할 수 있으며 유방아래쪽에 놓이는 피판과 연결한 혈관경이 유방상부에 놓이는 피판의 혈관경에 비해 바닥쪽에 위치해야 혈관이 서로 누르는 일을 방지할 수 있다.

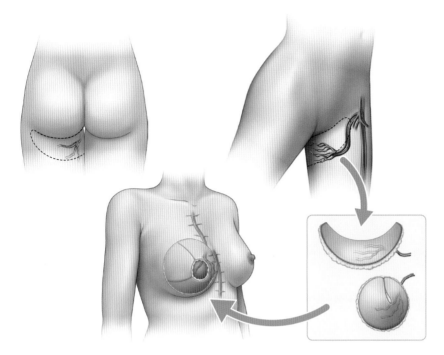

그림 2-3-4. Insetting of the single PAP flap as a cone shape

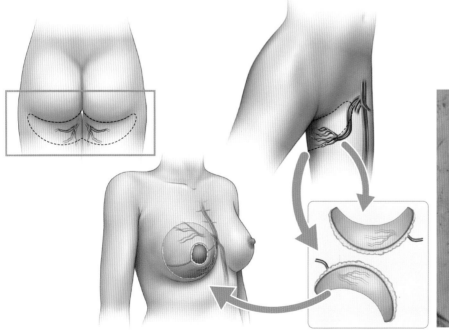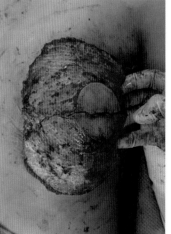

그림 2-3-5. Insetting of the stacked PAP flaps

피판의 공여부 흉터를 덜 보이게 하기 위해서는 엉덩이 주름과 수평하게(transverse) 피판을 거상하는 것이 좋으나 적절한 천공지의 위치가 허벅지 상부가 아니라 중간이나 이보다 아래쪽에 위치하게 되는 경우에는 diagonal, vertical 형태로 디자인을 변경하기도 한다.

4) 수술 후 관리

수술 직후에는 피판의 혈류 상태를 유심히 관찰한다. 특히 두개의 피판으로 유방을 재건한 경우 피판에 대한 혈류 상태를 각각 파악해야 한다. PAP 피판의 공여부인 허벅지의 상처 벌어짐이 10%까지도 보고되고 있어 이에 대한 각별한 주의가 필요하다. 수술 후 1일차까지는 누워서 지내고 수술 후 2일차부터는 거동을 시작하나 화장실을 가는 것을 제외하고는 가능한 앉는 것은 자제한다. 3일차부터는 15-20도씩 상체를 거상하여 앉히기 시작하고 수술 후 2주 이후에는 편하게 앉도록 안내한다. 하지만 환자에 따라 허벅지의 당김 정도의 차이가 크기 때문에 상체 거상을 시작했을 때 허벅지가 많이 당겨지지 않는 환자는 앉는 각도를 하루 30도 이상씩 올리기도 한다. 깊은하지정맥의 혈전을 방지하기 위한 간헐적 압박이나 스타킹을 적극적으로 사용해야 한다.

5) 심부대퇴동맥천공지피판(Profunda femoris artery perforator flap)의 수술 후 결과

PAP 피판의 지방괴사는 DIEP 피판에 비해 높다. 피판을 거상 후 이를 유방에 사용하는 비율(inset ratio)이 높기 때문에 혈류가 좋지 않은 피판 경계 부위의 조직까지 유방에 포함되게 된다(그림 2-3-6). 이로 인해 피판의 지방 괴사율이 올라가는 것으로 추정된다. 따라서 피판이 추후 흡수될 것을 고려하여 실제 유방에 비해 20-30% 크게 만드는 것이 좋다. 수술 후 방사선 치료가 예정되어 있다면 더 여유있게 만드는 것이 좋다. 따라서 미용적 우수한 결과를 위해서는 stacked flap을 시행하는 것이 안전하다.

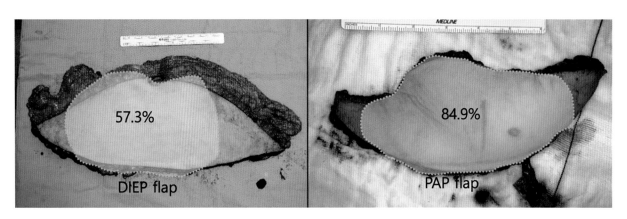

그림 2-3-6. Inset ratio between DIEP vs PAP

3. 결론

허벅지 재건은 수술 흉터가 잘 보이지 않고 유방 볼륨은 충분히 확보할 수 있으면서 혈
관경의 길이가 길어 유리피판 자가조직 유방재건에서 좋은 옵션이 될 수 있다. 특히 출산을
앞두고 있거나 뱃살은 없는 젊은 유방암 환자에서 적합할 수 있다(그림 2-3-7).

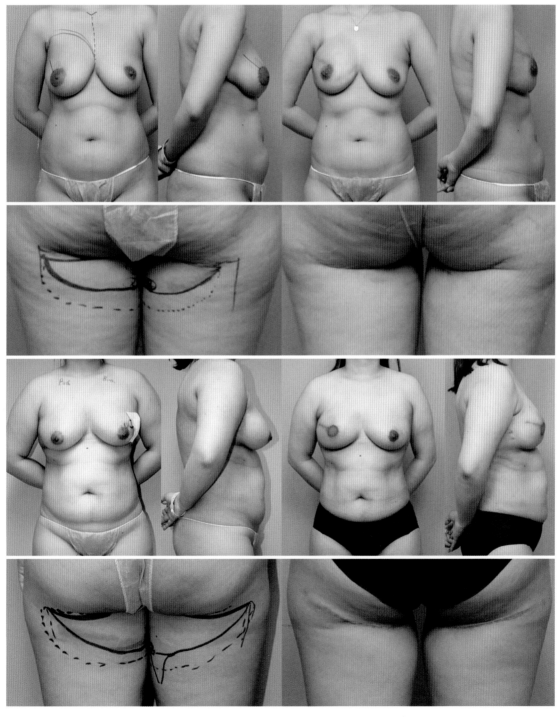

그림 2-3-7. 환자사진

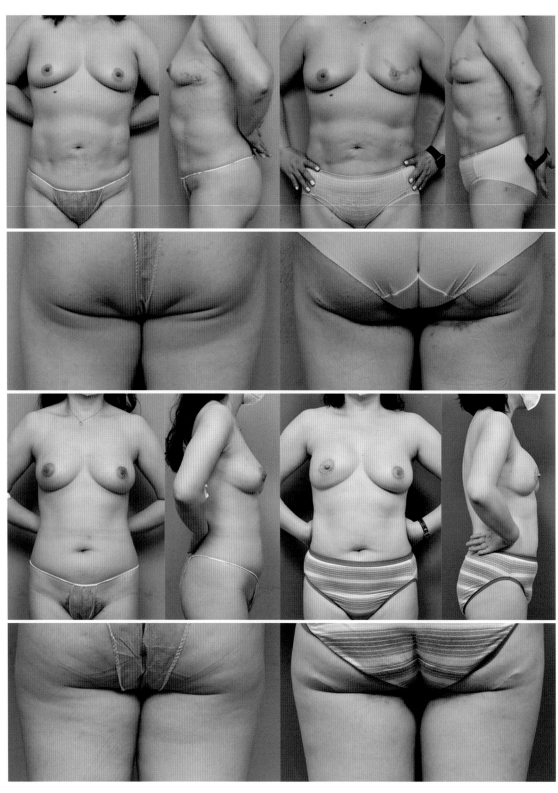

그림 2-3-7. 환자사진

☑ 참고문헌

1. Allen RJ, Haddock NT, Ahn CY, Sadeghi AJP. Breast reconstruction with the profunda artery perforator flap 2012;129(1):16e-23e.

2. Dayan JH, Allen Jr RJ. Neurotized diagonal profunda artery perforator flaps for breast reconstruction 2019;7(10):e2463.

3. Greige N, Nash D, Salibian AA, Sultan SM, Ricci JA, Thanik VD, et al. Estimation of profunda artery perforator flap weight using preoperative computed tomography angiography 2020;36(09):645-50.

4. Haddock NT, Gassman A, Cho MJ, Teotia SS. 101 consecutive profunda artery perforator flaps in breast reconstruction: lessons learned with our early experience 2017;140(2):229-39.

5. Hunsinger V, Lhuaire M, Haddad K, Wirz FS, Abedalthaqafi S, Obadia D, et al. Mediumand large-sized autologous breast reconstruction using a fleur-de-lys profunda femoris artery perforator flap design: a report comparing results with the horizontal profunda femoris artery perforator flap. 2019;35(01):008-14.

6. Jo T, Jeon DN, Han HH. The PAP Flap Breast Reconstruction: A Practical Option for Slim Patients 2022 Jan;38(1):27-33.

7. Jo T, Kim EK, Eom JS, Han HH. Comparison of transverse upper gracilis and profunda femoris artery perforator flaps for breast reconstruction: A systematic review. 2020;40(8):916-28.

종양성형술, 부분 유방 재건술

Oncoplastic surgery, partial breast reconstruction

칠곡경북대학교병원 성형외과 **양정덕, 김도곤, 어필선**

1. Introduction

유방암의 발생 빈도가 이전보다 증가하면서 2001년 이후 유방암이 여성에게 발생하는 암 중 두번째로 많이 발생하는 암이 되었다. 특히 2000년 이후 10년 동안 발병률이 2배 이상 증가하였다. 최근 유방암에 대한 진단 기법의 발달과 정기 검진이 보편화 됨에 따라 조기 유방암을 발견하는 경우가 많아지면서 유방전절제술 등의 수술보다는 화학 요법이나 방사선 치료와 연계하여 유방의 부분 절제를 통해 수술 후 유방의 변형을 최소화하려는 유방보존수술(breast-conserving surgery)이 많이 시행되고 있다.

조기 유방암 환자에서 부분유방절제술(lumpectomy, quandrantectomy or segmentectomy)을 시행한 후 보조방사선요법으로 치료하는 경우를 유방보존술(breast conserving surgery or breast conserving therapy)로 일컫는다. BCS 시행 후 종양성형술(oncoplastic surgery)을 시행할 수 있다. 이는 보존적 치료 이후에 발생하는 미용적인 부분에 있어서 변형을 완화시키는 술식으로, 발생 가능한 변형을 쉽게 예측할 수 있고, 종양의 위치, 유방의 크기, 절제된 부분에 필요한 피부나 실질조직 양에 따라서 다양하게 이용할 수 있다. 절제술을 시행 받은 모든 유방암 환자에게 종양성형술이 필요한 것은 아니지만, 환자에 따라서 적절한 종양성형술을 적용하기 위해서 수술 전 유방의 크기, 종양의 위치 및 예상되는 결손 부위의 크기 등을 고려하여 미리 계획을 세워야 한다.

1) General principles

(1) Patient selection

BCS를 받는 대부분의 환자들은 oncoplastic surgery의 좋은 대상이 된다. 특히 margin positive와 연관된 독립적 위험 인자가 있는 경우(multifocal disease, large tumor size, diffuse microcalcification, presence of EIC, younger age, estrogen receptor negative, lobular histology), 절제면 음성을 위해 좀 더 많은 범위를 절제해야 한다. 이 경우에는 그렇지 않은 경우와 비교하여 미용적으로 나쁜 결과를 보이므로 oncoplastic surgery에 좋은 적응증이 된다. Locally advanced breast cancer로 neoadjuvant chemotherapy에 반응이 좋은 환자들도 좀 더 많은 부위를 절제하고 oncoplastic surgery로 유방 모양의 결함을 교정해 줄 수 있다.

(2) Selection of oncoplastic surgical techniques

Oncoplastic surgical techniques은 수술 전 유방의 크기를 측정하고 유방암의 위치를 파악하며, 수술 중의 excised volume, volume of remained breast tissue를 동시에 고려하여 수술 방법을 결정해야만 수술 후 미용적으로 만족할 만한 결과를 얻을 수 있다. 이는 부족한 조직을 어떻게 극복 하느냐에 따라 크게 2가지로 나누어 볼 수 있는데, 종양절제 후 남아있는 주위 유방조직을 이용하는 volume displacement technique과, 절제량이 많아 유방 이외의 자가조직으로 부족한 유방조직을 보충하는 volume replacement technique이 그것이다.

모든 유방암 환자에게 oncoplastic surgical technique이 필요한 것은 아니지만, 서양인에 비해 상대적으로 유방의 크기가 작은 동양인의 경우에는 유방보존술 후 유방의 크기가 작아 미용적으로 불만족스러운 결과를 보이는 경우가 많다. 또한 중간 또는 큰 유방을 가진 환자의 경우에도 유방보존술 후 눈에 띄는 흉터나 모양의 변형을 보일 수 있다. 전체 유방에 비해 절제량이 많을수록 수술 후 결과를 쉽게 예측할 수 있으며, 수술 전 유방의 크기, 결손부의 크기 및 종양의 위치를 고려하여 미리 계획을 세운다면 보다 만족스러운 결과를 얻을 수 있다(표 2-4-1).

종양의 위치에 따른 고식적인 유방보존술은 수술 후 함몰된 부위나 흉터가 눈에 띄기 쉽다. 그에 비해 oncoplastic surgical technique은 성형외과적인 술기를 통해 nipple-areolar complex 주위나 lower pole of breast와 같이 잘 보이지 않는 곳에 흉터를 위치시키면서 재건하여 수술 후 미용학적 결과를 향상시킬 수 있다. 유방의 중앙에 위치하는 종양의 경우에는 다병소성이나 다발성의가능성, nipple-areolar complex의 직접 침윤 가능성, nipple-areolar complex의 제거 시 심미적인 거부감 등을 고려하여야 한다. 또한 유방 하부에 위치한 종양은 절제 후 부족한 조직으로 인한 distortion, skin retraction, nipple-areolar complex가 아래쪽으로 당겨지는 malposition 등의 unfavorable result에 주의하여야 한다.

(3) Management algorithm for repair of partial mastectomy

Oncoplastic surgery는 서양인과 같이 큰 유방에서 먼저 적용되었으며 glandular re-shaping만으로도 미용적으로 만족할 만한 결과를 얻을 수 있었다. 하지만 동양인과 같이 small to moderate sized breast에서는 defect size가 작더라도 상대적으로 deformity가

표 2-4-1. Partial mastectomy reconstruction techniques

Volume displacement techniques	Voulme replacement techniques
Glandular reshaping	**Local flaps**
Linear suture	Adipofascial flap
Parallelogram mastopexy lumpectomy	Lateral thoracodorsal flap
Purse string suture	Thoraccepigastric flap
Round block technique	ICAP flap
Batwing mastopexy	**Distant flaps**
Tennis racket method	TDAP flap
Rotation flap	LD myocutaneous flaps
Reduction mammoplasty techniques	
Inverted T	
Vertical type	

ICAP=intercostal artery perforator; TDAP=thoracodoral artery perforator; LD= lastissimus dorsi

심해 volume replacement technique이 많이 이용되고 있다. Small defect에서는 Tennis racket method, Round block technique, Batwing mastopexy와 같은 volume displacement technique이 유용하게 쓰일 수 있다. Moderate defect의 경우에는 regional flap인 TE flap, LTD flap과 TDAP flap, ICAP flap과 같은 perforator flap이 volume replacement technique으로써 유방을 재건하는데 있어 좋은 방법이 된다. Large defect의 경우에는 주로 LD flap이 사용된다.

Large-sized breast에서는 small to moderate sized breast에 비해 volume displacement technique이 더 유용할 수 있다. Large-sized breast에서는 반대측 유방의 reduction mammoplasty를 함께 시행하며, 재건한 유방과 비교하여 양측 유방의 크기와 모양을 맞추어 준다(그림 2-4-1).

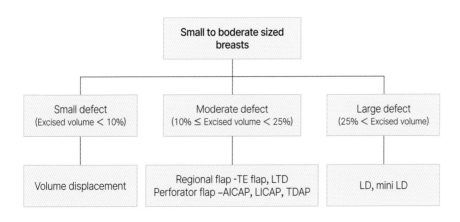

그림 2-4-1. Algorithm of partial breast reconstruction.

2. Operative techniques

1) Volume displacement

Volume displacement techniques는 남아있는 유방조직을 재배치하고 glandular reshaping and reduction mammoplasty를 통한 광범위 절제 부위를 최소화한다. Volume displacement surgery는 volume replacement techniques에 비해 덜 광범위하고 donor site morbidity가 거의 없다. 하지만 재건 후 유방 크기가 작아지고 반대측 유방 상태에 따라 대칭을 맞추기 위해 추가적인 수술을 시행해야 하는 경우가 있다.

(1) Glandular reshaping

유방보존술 후 결손 부위가 작으면서 남아 있는 유방 실질조직이 충분한 경우, 결손부 주변의 유방조직 전층을 흉벽과 피부로부터 충분히 박리한 뒤 유방조직을 전진, 회전, 또는 재배치한다. 이후 결손부로 이동시켜 수술 후 depression 현상을 최소화할 수 있다. 흉터가 길어질 수 있으며, 피부를 많이 절제한 경우 NAC의 위치가 변할 수 있으므로 주의하여 적용해야 한다.

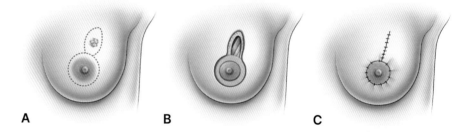

그림 2-4-2. **Tennis racket method. (A)** Preoperative design with racket form. **(B)** Lumpectomy and de-epithelization. **(C)** Filing and nipple-areolar complex reposition.

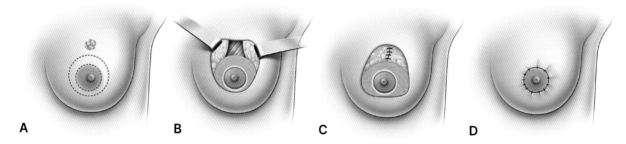

그림 2-4-3. **Round block technique. (A)** Preoperative design with two circular skin marking. **(B)** Lumpectomy and de-epithelization. **(C)** Undermining and approximation of nearby breast tissue. **(D)** Postoperative periareolar scar.

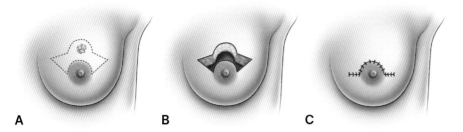

그림 2-4-4. **Batwing mastopexy. (A)** peroperative design with batwing form **(B)** lumpectomy **(C)** pulling up the inferior breasat tissue

(2) Reduction mammoplasty

흉터를 많이 남기는 단점은 있지만 비교적 유방이 크거나 유방 하수가 있으면서 reduction specimen 중에 breast tumor가 포함될 수 있는 환자가 좋은 적응증이 될 수 있다. 대개의 경우에는 반대편 유방에도 축소성형술 또는 유방고정술을 시행함으로써 대칭성을 얻을 수 있다. Oncoplastic reduction mammoplasty는 미용효과 및 기능적, 종양학적 이점을 가지고 있다. 수술 후 양쪽 유방의 균형을 맞추어 줌으로써 몸 전체적인 균형을 맞추어 줄 수 있으며, 큰 가슴으로 인한 허리 통증 및 어깨 통증을 해결할 수 있고, 보다 균형 잡힌 자세를 얻을 수 있다.

Reduction mammoplasty는 유방하수(breast ptosis)의 정도와 종양의 크기를 고려하여 vertical pattern이나 inverted T scar design 중 선택할 수 있다. 유방의 크기가 큰 경우에는 wise pattern을 적용할 수 있다. Tumor의 location에 따라 유방의 상부에 종양이 위치한 경우에는 아래쪽 혈관경을, 유방의 하부에 위치한 경우에는 위쪽 혈관경을 선택할 수 있다.

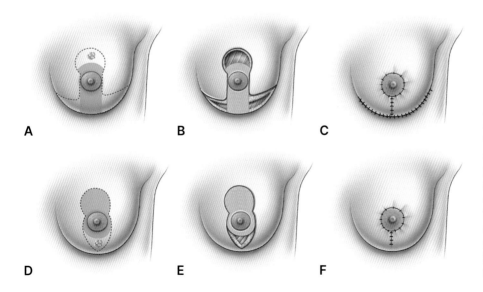

그림 2-4-5. **Reduction mammoplasty Wise pattern (inverted T) technique. (A)** preoperative design with inferior pedicle **(B)** lumpectomy and de-epithelization **(C)** postoperative scar. Vertical pattern technique. **(D)** preoperative design with superior pedicle **(E)** lumpectomy and de-epithelization **(F)** postoperative scar

2) Volume replacement

(1) Lateral thoracodorsal flap

외측가슴등피판(lateral thoracodorsal flap)은 축이 IMF의 외측 연장선 상에 놓이게 되며, 상부 경계는 앞쪽 겨드랑이 주름의 안쪽으로 인접한 곳에서 시작하여 외측으로 연장되고, 하부 경계는 상부 경계에서 약간 더 외측에서 시작하여 완만한 곡선을 이룬다. 외측 가슴 등 부위에서 핀치 테스트(pinch test)를 통해 술 후 공여부의 긴장도(tension)를 유방으로 전달 하지 않으면서 단순 봉합이 가능한 피판의 폭을 정할 수 있다. 이 피판술은 원래의 유방과 비슷한 피부와 연부조직을 제공하여, 주변 근육의 손상이 없어 공여부의 이환율 또한 최소 화할 수 있지만, 후외방 개흉술 같은 외측 흉곽에 수술을 받은 과거력이 있는 경우에는 금기 이다.

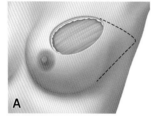  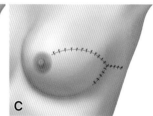

그림 2-4-6. **Lateral thoracodor-sal flap. (A)** design after mass excision **(B)** filling the defect after elevation of flap **(C)** post-operative scar

(2) Perforator flap

① Intercostal artery perforator (ICAP) flap

Anterior ICAP (AICAP) flap은 muscular segment에서 기시하는 intercostal artery의 천 공지를 이용하는 flap으로 유방의 내측 재건에 사용한다. AICAP은 sternal border에서 외측 으로 1–4 cm 떨어진 곳에 주로 위치하기 때문에, lower quadrant에 종양이 있을 경우 IMF 의 하방과 외측으로 광범위하게 박리하여 pedicle이 손상될 수 있으므로 주의해야 한다.

Lateral ICAP (LICAP) flap은 흉벽 측면의 costal segment에서 기시하는 천공지를 이용 하는 flap으로 lower lateral quadrant의 유방재건에서 흔히 사용된다. LICAP은 LD muscle anterior border의 5–6 cm 앞, axillary fold의 10–12 cm 아래의 6th, 7th intercostal space에 주로 위치한다. 외과수술 후 피부 재건의 필요 유무에 따라 다른 수술법으로 시행할 수 있 는데, 피부 재건이 필요할 경우 이용할 perforator만을 남기고 피부를 포함한 flap을 거상한 뒤 회전하여 결손부를 채우는 방법(Propeller method) 또는 외과수술 당시 피부절제가 없거 나 작아서 피부재건이 필요하지 않을 경우 flap의 피부를 제거해 soft tissue만 남기고 결손 부에 채우는 방법(Turnover method)가 대표적이다.

이 수술은 flap의 축이 IMF를 따라 위치하므로 브래지어를 착용하여 공여부의 흉터를 가릴 수 있으며, skin texture가 원래의 유방과 비슷하고, LICAP을 천공지로 사용하더라도 thoracodorsal vessel을 손상 없이 보존할 수 있는 장점이 있다.

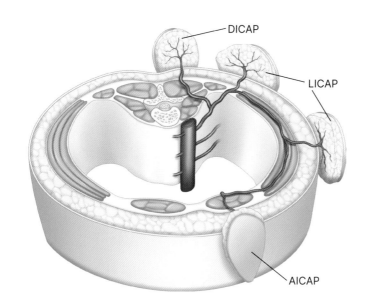

그림 2-4-7. Locations of ICAP (intercostal artery perforator) flap. AICAP, anterior ICAP; LICAP, lateral ICAP; DICAP, dorsal ICAP.

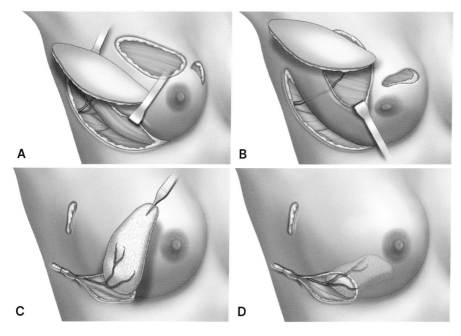

그림 2-4-8. Propeller method (A, B) and turnover method (C, D) of LICAP flap. (A) flap with skin paddle; (B) rotating the flap with the perforator as axis to fill the defect; (C) de-epithelized flap; (D) turnover flap to fill the defect.

② Thoracodorsal artery perforator (TDAP) flap

TDAP flap은 유방의 moderate defect 시 사용할 수 있는 flap으로, 주로 외측 유방의 재건에 유용하게 사용할 수 있다. Thoracodorsal artery는 subscapular artery에서 기시하여 horizontal과 descending branch로 분지 되며, descending branch는 LD muscle의

lateral and deep surface를 따라 주행하면서 lateral chest wall을 덮고 있는 피부에 혈류를 공급하는 perforator를 2–3개 정도 분지한다. 이는 주로 posterior axillary fold의 8–10 cm 하방, LD muscle lateral border의 2–3 cm 후방에 위치하며, 이 perforator를 포함하여 넓은 skin paddle을 가지는 flap을 디자인할 수 있다. 적절한 perforating vessel을 선택한 다음, thoracodorsal artery와 vein이 나올 때까지 LD muscle을 따라 박리를 계속하는데, 길이가 긴 pedicle이 필요하거나 arc of rotation을 많이 요구하는 경우에는 위쪽으로 axillary vessel을 향해 충분히 박리한다.

이 flap은 LD muscle을 보존할 수 있으며, restricted shoulder movement나 seroma와 같은 수술 후 공여부의 합병증 발생을 감소시켜 회복기간을 줄여줄 수 있다.

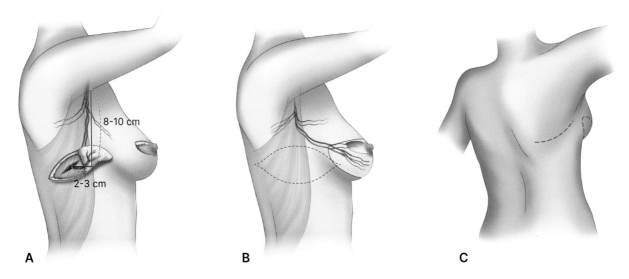

8-10 cm

2-3 cm

A   **B**   **C**

그림 2-4-9. **Thoracodorsal Artery Perforator** (TDAP) **Flap. (A)** elevate the flap carefully to avoid damaging the perforator; **(B)** filing the breast defect; **(C)** postoperative scar.

(3) Latissimus dorsi (LD) myocutaneous flap

광배근 피판술을 이용한 유방재건술은 최초의 순수한 자가조직을 이용한 유방재건술이다. 특히 비교적 유방의 크기가 작은 동양 여성에서는 유방보존술 후 LD myocutaneous flap이 유용하게 이용될 수 있다. 일반적으로는 피판의 혈관경으로 thoracodorsal artery의 transverse와 descending branch 모두를 사용하나, 유방의 크기가 작고 재건해야 하는 결손부가 작을 경우 thoracodorsal artery의 descending branch를 이용하는 mini LD flap을 사용할 수도 있다.

Skin paddle의 위치와 크기는 다양하게 디자인할 수 있는데, 유방 내 결손부의 위치와 피판의 arc of rotation을 고려하여 위치를 잡는 것이 좋다. Skin paddle은 타원형 모양으로 디자인한 뒤 skin pinch test를 통해 단순 봉합이 가능할 정도로 크기가 적절한지 가늠할 수 있다. 이 피판술은 혈액공급이 충분한 것이 가장 큰 장점으로, 흡연, 당뇨, 비만과 같이 미세혈관 수술의 위험 인자를 가진 환자에서도 유용하게 사용된다. 또한 술 후 방사선 치료나 항암치료가 예정되어 있더라도 수술의 금기가 아니다. 그러나 등, 어깨, 팔 운동의 약화와 긴 흉터, 장액종 같은 공여부의 합병증이 발생할 수 있다는 단점을 가지고 있다.

최근에는 내시경이나 로봇을 이용하여 광배근만을 이용한 피판술도 시행되고 있다. 이는 고식적인 광배근 피판술에 비해 흉터가 작게 남으며 환자의 회복이 빨라 환자의 재원기간을 단축시킬 수 있다는 장점이 있다. 로봇이나 내시경을 이용한 수술은 겨드랑이나 기타 여러가지 피부절개 방법이 고안되고 시행되고 있는데, 이전까지는 로봇수술을 할 때 2개 이상의 port incision을 시행하여야 했으나 최근에는 단일공 수술이 가능한 다빈치 SP 모델이 개발되어 해당 모델을 사용할 경우 추가적인 흉터를 최소화할 수 있게 되었다. 로봇이나 내시경을 이용한 광배근 피판술은 수술시간이 고식적인 방법에 비해 길고 근육만을 이용한 피판술이므로 술 후 피판의 부피가 감소되기 때문에, 재건해야 할 결손부가 클 경우 적절한 부피를 확보하기 어려울 수 있다는 제한점이 있다.

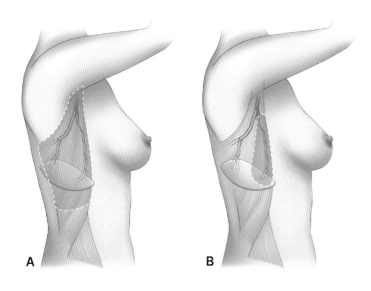

그림 2-4-10. Types of latissimus dorsi(LD) flap depending on the extent of reconstruction. (A) LD flap. both the transverse and descending branches of the thoracodorsal artery are used as pedicle; (B) Mini LD flap. used when the defect is small. the descending branch of the thoracodorsal artery is used as pedicle.

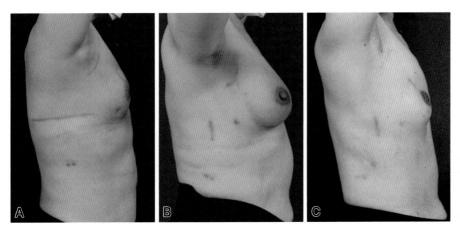

그림 2-4-11. Donor site scar after LD flap reconstruction. (A) Conventional LD flap; (B) Endoscopic LD flap; (C) Robot assisted LD flap.

3. Cosmetic improvement

NAC의 비대칭, 양쪽 유방의 크기나 하수(ptosis) 정도의 차이로 인해 유방성형술 후 발생한 비대칭은 반대편 유방에 수술을 시행하여 극복할 수 있다. 비대칭 정도가 경미한 경우에는 periareolar symmetrical de-epithelization을 시행하여 NAC의 위치를 교정할 수 있으며, moderate- to large-sized breast에서 하수(ptosis)가 있는 경우 mastopexy 혹은 reduction mammoplasty를 통해 양쪽 유방의 대칭을 이룰 수 있다.

최근 종양성형술을 비롯하여 유방재건을 시행한 이후 부족한 볼륨을 채우거나 표면의 irregularity를 보정하기 위해 지방이식이 흔히 시행되고 있다. 이전에는 유방암 수술 이후 시행하는 지방이식의 종양학적 안정성에 대해 우려가 있었으나 최근 다수의 연구에서 유방재건 후 지방이식이 유방암의 재발의 위험을 높이지 않는다는 결과가 나타나고 있다.

종양성형술 이후 나타날 수 있는 대표적인 합병증에는 지방괴사와 흉터가 있다. 지방괴사를 예방하기 위해서는 흉벽과 피부 사이에서 거상한 glandular flap을 포함하여 모든 피판에 충분한 혈류를 유지하는 것이 가장 중요하다. 종양성형술을 시행함으로 인해 공여부를 포함한 부위에 흉터가 길어질 수 있으나, 유륜 주위나 IMF와 같이 눈에 잘 띄지 않는 부위에 위치시켜 흉터를 최대한 숨길 수 있다. 또한 layered suture를 시행하여 피부 긴장을 줄이고, 조직을 undermining 할 때 피부의 혈류를 잘 유지함으로써 흉터가 벌어지는 것을 최소화할 수 있다.

4. Follow-up after oncoplastic surgery

종양성형술 후에는 유방 내 해부학적 구조의 변형이 오는 경우가 많기 때문에 술 후 실질조직의 단순 변화와 암의 국소재발의 감별은 아주 중요하다. 술 후의 follow-up imaging study에서 이상 소견이 발견된다면 좀 더 적극적인 접근이 필요하다. 현재까지의 연구를 살펴보면 standard breast conserving surgery (SBCS)보다 oncoplastic breast conserving surgery (OBCS)의 국소재발률이 대체로 낮은 것으로 보고되고 있다. 이는 SBCS에 비해 OBCS를 시행할 경우 수술을 하는 외과의의 술 후 유방 모양의 변형에 대한 부담이 적어지기 때문이다. 또한 종양을 포함한 더 많은 양의 조직 절제가 가능해져 최대한 clear한 surgical margin을 확보하여 줄이고 종양학적 안정성을 가져오기 때문일 것으로 생각된다.

지방괴사는 수술 합병증 또는 방사선치료로 인한 조직의 손상으로 발생할 수 있으며, 발생률은 4-25%로 보고되고 있다. 수술 후 mammography, 초음파, MRI 등의 영상검사에서 발견되는 이상소견들은 대부분 지방괴사, fluid collection, dystrophic calcification 등이다. 하지만 필요에 따라 생검 등의 방법으로 국소재발과 감별해야 할 수 있다. 최근 발표된 장기간 추적연구에서는 수술 후 발견된 지방괴사가 시간이 흐름에 따라 크기가 작아지며, 절반 이상에서 수술 후 2–3년 이내에 지방괴사 결절의 크기가 급격히 감소되었다고 보고되었다.

☑ 참고문헌

1. Bae SG, Yang JD, Lee SY, et al. Oncoplastic techniques for treatment of inferiorly located breast cancer. J Korean Soc Plast Reconstr Surg 2008;35:680-6.

2. Berry MG, Fitoussi AD, Curnier A, et al. Oncoplastic breast surgery: a review and systematic approach. J Plast Reconstr Aesthet Surg 2010;63:1233-43.

3. Brachtel EF, Rusby JE, Michaelson JS, et al. Occult nipple involvement in breast cancer: clinicopathologic findings in 316 consecutive mastectomy specimens. J Clin Oncol. 2009;27(30):4948-54.

4. Chang DW, Youssef A, Cha S, et al. Autologous breast reconstruction with the extended latissimus dorsi flap. Plast Reconstr Surg 2002;110:751-9.

5. Chang E, Johnson N, Webber B, et al. Bilateral reduction mammoplasty in combination with lumpectomy for treatment of breast cancer in patients with macromastia. Am J Surg 2004;187:647-50.

6. Hamdi M, Salgarello M, Barone-Adesi L, et al. Use of the thoracodorsal artery perforator (TDAP) flap with implant in breast reconstruction. Ann Plast Surg 2008;61:143-6.

7. Hamdi M, Van Landuyt K, de Frene B, et al. The versatility of the inter-costal artery perforator (ICAP) flaps. J Plast Reconstr Aesthet Surg 2006;59:644-52.

8. Hoch D, Benditte-Klepetko H, Bartsch R, et al. Breast reconstruction with the latissimus dorsi muscle flap. In: Fitzal F, Schrenk P, editors. Oncoplastic Breast Surgery: A Guide to Clinical Practice. Vienna: Springer; 2010. p.157-64.

9. Holmström H, Lossing C. The lateral thoracodorsal flap in breast reconstruction. Plast Reconstr Surg 1986;77:933-43.

10. Joo JH, Ki Y, Kim W, et al. Pattern of local recurrence after mastectomy and reconstruction in breast cancer patients: a systematic review. Gland Surg 2021;10:2037-46.

11. Kim DG, Choi DH, Lee JS, et al. A Workhorse Flap for Covering Moderate-sized Defects after Breast-conserving Surgery: Supercharged Lateral Thoracodorsal Flap. Plast Reconstr Surg Glob Open 2021 3;9:e3381.

12. Kim DG, Kim JS, Lee JS, et al. The Usefulness of Endoscopic Harvesting of the Latissimus Dorsi Flap for Breast Reconstruction Using a Single-Port and CO2 Gas Insufflation Technique. Aesthetic Plast Surg 2021;45:2681-90.

13. Kim JB, Eom JR, Lee JW, et al. Utility of Two Surgical Techniques Using a Lateral Intercostal Artery Perforator Flap after Breast-Conserving Surgery: A Single-Center Retrospective Study. Plast Reconstr Surg 2019;143:477e-487e.

14. Kim JB, Kim DK, Lee JW, et al. The usefulness of pedicled perforator flap in partial breast reconstruction after breast conserving surgery in Korean women. Arch Plast Surg 2018;45:29-36.

15. Krastev T, van Turnhout A, Vriens E, et al. Long-term Follow-up of Autologous Fat Transfer vs Conventional Breast Reconstruction and Association With Cancer Relapse in Patients With Breast Cancer. JAMA Surg 2019 1;154:56-63.

16. Lee J, Park HY, Kim WW, et al. Natural course of fat necrosis after breast reconstruction: a 10-

year follow-up study. BMC Cancer 2021 16;21:166.

17. Levine JL, Reddy PP, Allen RJ. Lateral thoracic flaps in breast reconstruction. In: Nahabedian M, editor. Oncoplastic Surgery of the Breast. Philadelphia: Saunders Elsevier; 2009. p.83-92.

18. Losken A, Elwood ET, Styblo TM, et al. The role of reduction mammaplasty in reconstructing partial mastectomy defects. Plast Reconstr Surg 2002;109:968-75.

19. Munhoz AM, Montag E, Arruda E, et al. Immediate conservative breast surgery reconstruction with perforator flaps: new challenges in the era of partial mastectomy reconstruction? Breast 2011;20:233-40.

20. Raufdeen F, Murphy J, Ahluwalia M, et al. Outcomes in volume replacement and volume displacement techniques in oncoplastic breast conserving surgery: A systematic review. J Plast Reconstr Aesthet Surg 2021;74:2846-55.

21. Silva MMA, Kokai LE, Donnenberg VS, et al.. Oncologic Safety of Fat Grafting for Autologous Breast Reconstruction in an Animal Model of Residual Breast Cancer. Plast Reconstr Surg 2019;143:103-12.

22. Sorrentino L, Regolo L, Scoccia E, et al. Autologous fat transfer after breast cancer surgery: An exact-matching study on the long-term oncological safety. Eur J Surg Oncol 2019;45:1827-34.

23. Yang JD, Bae SG, Chung HY, et al. The usefulness of oncoplastic volume displacement techniques in the superiorly located breast cancers for Korean patients with small to moderate-sized breasts. Ann Plast Surg 2011;67:474-80.

24. Yang JD, Lee JW, Cho YK, et al. Surgical techniques for personalized oncoplastic surgery in breast cancer patients with small- to moderate-sized breasts (part 1): volume displacement. J Breast Cancer 2012;15:1-6.

25. Yang JD, Lee JW, Cho YK, et al. Surgical techniques for personalized oncoplastic surgery in breast cancer patients with small- to moderate-sized breasts (part 2): volume replacement. J Breast Cancer 2012;15:7-14.

26. Yang JD, Lee JW, Park HY, et al. Oncoplastic surgical techniques for personalized breast conserving surgery in breast cancer patient with small to moderate sized breast. J Breast Cancer 2011;14:253-61.

보형물 재건술의 개요

Introduction of implant reconstruction

순천향대학교 부천병원 성형외과 **차한규**
가톨릭대학교 의정부성모병원 성형외과 **서보미**
중앙대학교병원 성형외과 **강신혁**, 분당서울대학교병원 성형외과 **허찬영**

1. 보형물을 이용한 유방재건술에서의 항생제 사용

순천향대학교 부천병원 성형외과 **차한규**

1) 유방재건술과 수술 부위 감염(Surgical site infection, SSI)

(1) 수술 부위 감염의 정의

수술 부위 감염(Surgical site infection, SSI)이란 수술 후 30일 이내에 수술 절개창이나 수술 장기 및 공간에 발생하는 모든 감염을 일컫는다. 수술을 받는 환자 중 약 2–5%에서 수술 부위 감염이 발생하는 것으로 알려져 있다. 최근의 조사에 따르면 이러한 수술 부위 감염은 전체 원내 감염의 20% 정도를 차지하여 원내 감염의 가장 흔한 원인으로 자리 잡았고 이에 따른 사회적인 의료 비용 또한 증가하고 있다고 한다. 수술 부위 감염으로 인한 입원 기간은 최소 일주일 이상 연장되며, 사망 위험 역시 2–11배까지 높아진다고 보고되고 있다.

미국 질병통제예방센터(Centers for Disease Control and Prevention, CDC)에서는 이러한 수술 부위 감염을 그 깊이에 따라 얕은 절개창 감염(피부 및 피하지방 침범), 깊은 절개창 감염(근막 및 근육 침범), 장기 및 공간 감염 등 세 종류로 분류하고 있다. 유방 전절제술 후 시행되는 유방재건술의 경우 주로 대흉근 및 근막이 노출된 상태에서 수술이 진행되기 때문에 깊은 절개창 감염의 기준에 준하여 치료가 이루어져야 할 것이다. 한 가지 주의할 점은 미국 질병통제예방센터의 깊은 절개창 수술 부위 감염 기준에 비인간유래 인공 보형물이 환자에게 삽입될 경우에는 수술 부위 감염의 기준 기간을 30일 아닌 1년으로 보아야 한다고 명시되어 있다는 것이다. 따라서 정리하면, 유방보형물을 이용한 유방재건술을 시행한 후 보형물과 관련된 감염이 발생할 경우 수술 후 1년까지 수술 부위 감염으로 정의될 수 있겠다.

(2) 수술 부위 감염의 원인

수술 부위 감염을 일으키는 주요 원인균들로는 황색포도알균(*Staphylococcus aureus*), co-agulase 음성 포도알균(coagulase-negative staphylococci), 장구균(*Enterococcus*), 대장균(*Escherichia coli*), 녹농균(*Pseudomonas aeruginosa*) 등이 있으며, 최근에는 메티실린 내성 황색포도알균(methicillin-resistant *Staphylocoocus aureus*, MRSA)과 칸디다균(*Candida albicans*) 등에 의한 감염도 증가 추세에 있다. 수술 종류에 따라 그 대표 원인균들은 달라지는데, 유방 수술과 인공 삽입물 수술의 경우 모두 황색포도알균과 coagulase 음성 포도알균이 가장 대표적인 원인균으로 알려져 있다. 그리고 수술 부위 감염 발생에 영향을 주는 위험 인자들은 환자 내적 요인(나이, 영양 상태, 흡연, 비만, 당뇨, 면역 상태 등)과 외적 요인(수술 전 준비 상태, 수술 시간, 수술실 상태, 무균적 수술 장비, 배액관, 창상 종류, 수술 방법 등)으로 나누어지며, 이번 단원에서는 특히 예방적 항생제의 사용에 대해 자세하게 알아보고자 한다.

2) 유방재건술에서 항생제의 사용

(1) 예방적 항생제의 일반적인 사용 원칙

예방적 항생제란, 수술 직전 투여되는 항생제를 말하며 그 목적은 수술할 부위를 멸균하는 것이 아니라 우리 몸의 방어기전 능력 이상으로 수술 중 세균 오염이 발생하지 않도록 그 정도를 감소시키는 것이다. 따라서 수술실에서 수술 절개창이 닫히는 시점이 그 효과가 종료되는 시점이며, 수술 후 세균 오염에 의한 수술 부위 감염을 예방하는 목적은 갖지 않는다.

이러한 예방적 항생제의 투여는 외과적 창상 분류 기준에 따라 달라진다. 외과적 창상은 그 오염도에 따라 크게 4가지, 즉 청결(clean) 창상, 청결-오염(clean-contaminated) 창상, 오염(contaminated) 창상, 그리고 불결 또는 감염(dirty-infected) 창상으로 분류된다. 유방 수술을 포함한 대부분의 성형외과적 영역의 수술들은 호흡기계, 소화기계, 생식기계, 비뇨기계 기관을 침범하지 않기 때문에 청결 창상에 해당한다.

이러한 청결 창상에서 예방적 항생제의 사용이 추천되는 경우는 보통 인공 보형물이 환자에게 삽입되는 수술이나 수술 부위 감염의 위험도가 높을 것으로 예상되는 수술 등이나, 실질적으로 현장에서는 대부분의 수술에서 적용되고 있다. 하지만 이러한 무분별한 항생제의 사용은 MRSA와 같은 다제내성균의 발생 문제를 야기하였으며, 장기간의 항생제 사용으로 인한 소화기계의 클로스트리듐 디피실리균(*Clostridium difficile*) 감염은 현재 의료행위와 관련된 감염의 가장 큰 원인이라는 보고도 있다. 따라서 현재 다양한 전문 기관과 전문가들은 이를 통제하기 위한 적절한 항생제 사용 지침을 내놓고 있다. 현재까지 미국 질병통제예방센터 및 미국 외과학회(American College of Surgeons and Surgical Infection Society)에서 발표한 청결 및 청결-오염 창상에 대한 예방적 항생제의 가이드라인을 정리하면 다음과 같다.

① 항생제는 수술 종류에 따라 가장 흔한 원인이 되는 균주에 맞추어 선택되어야 한다.

② 항생제의 투여는 수술 절개 시점을 기준으로 최대 1시간 이내에 시작되어야 한다(단, 반코마이신(vancomycin)과 퀴놀론계(fluoroquinolones) 항생제의 경우 2시간 이내).

③ 항생제는 정맥 투여되어야 하며, 수술 중 내내 그 치료 농도가 체내에 유지되어야 하므로, 수술이 길어질 경우나 출혈량이 1,500 mL 이상일 경우 추가 투여가 필요하다.

④ 절개창 봉합이 마무리되면 배액관이 있다고 하더라도 항생제 투여는 중지되어야 한다.

⑤ 절개창에 대한 국소적인 항생제 도포는 수술 후 시행하지 않는다.

(2) 유방재건술에서 예방적 항생제의 투여 원칙

앞에서 정리한 유방 수술 및 인공 보형물 삽입 수술에서 수술 부위 감염을 일으키는 원인균인 황색포도알균과 coagulase 음성 포도알균에 준하여 사용되는 청결 창상의 예방적 항생제는 1세대 세팔로스포린계 항생제이다. 대표적인 정맥 투여용 1세대 세팔로스포린계 항생제로는 cefazolin, cefazedone, ceftezole 등이 있고, 경구 투여용으로는 cephalexin, cefradine, cefadroxil 등이 있다. 하지만 예방적 항생제는 수술 직전 정맥으로 투여하는 것을 추천하고 있어 실질적으로는 cefazolin이 가장 흔하게 사용되고 있다. 페니실린계 항생제에 알레르기가 있는 환자에서는 clindamycin이나 vancomycin이 그 대체제로 사용되어야 한다(표 3-1-1). 이러한 원칙들을 기준으로 가장 흔하게 사용하는 cefazolin의 투여 방법은 다음과 같다.

① Cefazolin 2 g을 정맥 투여할 경우, 30분 이내에 체내 최고 농도에 도달하기 때문에 수술 전 30분 전에 투여하는 것이 좋다.

② Cefazolin의 반감기는 1.8시간이며, 일반적으로 두 번의 반감기가 지났을 때 재투여를 추천하므로 3.6시간, 즉 수술 시간이 3시간 반을 넘을 경우 추가 투여가 필요하다.

③ 절개창 봉합이 마무리되면 cefazolin 투여는 중지되어야 한다.

표 3-1-1. 1세대 세팔로스포린계(cephalosporin) 항생제의 종류 및 투여 방법

투여 방법	항생제 종류
정맥 투여용	cefazolin, cefazedone, ceftezole, cefalotin
경구 투여용	cephalexin, cephradine, cefadroxil, cefatrizine

페니실린 알레르기 환자의 경우: clindamycin, vancomycin

우리나라에서는 건강보험심사평가원 주관으로 수술의 예방적 항생제 사용 평가를 2007년부터 시행하기 시작하여 2015년부터는 유방 절제술이 평가 항목에 포함되었다. 2020년부터는 보형물, 조직확장기, 그리고 자가조직을 이용한 모든 유방재건술이 평가 대상에 포함되었다. 평가 항목으로는 ① 피부 절개 전 1시간 이내 최초 예방적 항생제 투여율, ② 1세대 세팔로스포린계 사용 여부, ③ 술후 24시간 이내 예방적 항생제 투여 종료율 등이다.

(3) 보형물을 이용한 유방재건술에서 예방적 항생제의 투여

앞에서 살펴본 가이드라인에서 보형물을 이용한 유방재건술의 경우 아직 전문 기관마다 의견을 달리하는 부분이 있다. 2016년 미국 외과학회에서 발표한 수술 부위 감염 가이드라인에서는 위와 같은 일반적인 원칙들에 따른 예방적 항생제의 사용을 권고하면서 그 예외 항목 수술로 보형물을 이용한 유방재건술, 관절 성형술, 심장 수술 등을 지정하였다. 즉, 해당 수술들에 대해서는 아직 서로 상반되는 결과를 보이는 연구들이 존재하기 때문에 수술 직후 항생제 투여의 중단 여부에 대한 확실한 근거가 없다는 것이다. 이러한 예외적인 항목에 보형물을 이용한 유방재건술이 포함된 이유는 보형물이나 조직확장기와 같은 인공 삽입물이 수술에 사용된다는 사실 외에도 유방재건술만의 특징들이 고려되었기 때문일 것이다. 유방재건술에 있어서 유방 절제술로 인한 유방 피판 손상이나 혈류량 부족 등은 매우 흔하게 발생하며 이와 관련된 합병증 또한 흔하게 관찰된다. 또 최근에는 인공 진피(acellular dermal matrix)의 사용이 보편화되었고 이와 함께 기존의 대흉근하(subpectoral plane) 보형물 삽입 재건술 대신 대흉근 보존(prepectoral plane) 보형물 삽입 재건술이 주를 이루게 되어 이와 관련된 연구들이 아직 충분하지 않은 상태이다.

현재까지 보고된 대흉근하 보형물 삽입 재건술 관련 연구들을 살펴보면, 수술 후 항생제 투여를 유지했을 경우 중단했을 때에 비해 낮은 수술 부위 감염률을 보였다는 연구들과 수술 부위 감염률에 차이가 없었다는 연구들이 공존하고 있다. 또한 대흉근 보존 보형물 삽입 재건술의 경우에도 아직까지 많은 연구들이 진행되지는 않았지만 수술 후 항생제 투여와 수술 부위 감염에 대한 상반된 연구들이 최근 보고되고 있다. 현재는 많은 연구들이 두 가지 수술 방법에 대한 합병증 발생 비교에 초점이 맞추어져 있고 이와 관련하여 수술 부위 감염률 비교 연구가 최근 발표되고 있어, 추후에는 항생제 투여와 관련한 연구도 이어질 것으로 기대한다. 다만 현재까지 많은 연구들이 후향적으로 진행되었기 때문에 그 한계가 있어 향후 무작위 대조군 연구(randomized controlled trial)와 같은 high quality evidence 연구들이 이루어져야 더 확실한 근거를 마련할 수 있겠다.

(4) 유방보형물 관련 감염에서 항생제의 투여

보형물을 이용한 유방재건술 후의 수술 부위 감염을 예방하기 위해 많은 노력들이 이루어져 왔지만 여전히 많은 유방보형물 관련 감염이 발생하고 있으며 높게는 40%까지 그 발생률이 보고되고 있다. 이러한 유방보형물 관련 감염의 관리는 환자에게 단순히 치료적인 고통뿐만 아니라 암 치료의 지연을 가지고 오며 재건술의 실패까지도 연결되기 때문에 매우 중요하다.

최근 보고된 대규모 메타분석 연구에 따르면 보형물을 이용한 유방재건술 후 발생한 감염의 약 50%는 포도알균주(Staphylococcus species)가 원인이었고, 그 뒤를 이어 녹농균, 세라티아균(Serratia) 등이 흔한 원인이었다. 이렇듯 보형물을 이용한 유방재건술 후의 수술 부위 감염의 경우, 의료행위 관련 감염의 원인균주들이 흔한 원인균으로 자리잡고 있고 최근에는 MRSA균의 증가 추세가 매우 뚜렷하다. 또 한 가지 주목할 점은 최근 인공 진피의 사용이 늘어나면서 이와 관련된 마이코박테리움(mycobacterium) 감염이 증가하고 있다는 점이다. 따라서 유방보형물 관련 감염 환자에서 세균 배양 검사 결과가 음성일 경우 추가적으로 마이코박테리움이나 곰팡이 배양 검사가 필요하겠다.

일반적으로 세균 배양 검사 결과가 나오기 전까지는 경험적 항생제가 사용되는데 아직까지 명확히 정해진 가이드라인은 없다. 하지만, MRSA를 포함한 Staphylococcus species와 혐기성의 그람음성균에 모두 효과를 가질 수 있는 항생제 병용 요법이 많이 추천되고 있으며, vancomycin이나 teicoplanin과 함께 piperacillin/tazobactam을 투여하는 것이 그 예가 될 수 있겠다(표 3-1-2).

표 3-1-2. 보형물을 이용한 유방재건술 후 발생한 수술 부위 감염에 대한 경험적 항생제 요법

	항생제		성인용량 (정상 신기능)
1	Teicoplanin		6 – 12 mg/kg q24h IV
	Vancomycin	중 **택1**	15 mg/kg q12h IV
	Linezolid*		600 mg q12h IV
		+	
	Piperacillin/tazobactam		3.375 – 4.5 g q8h IV
	Cefepime + Metronidazole	중 **택1**	2 g q8h IV + 500 mg q8h IV
	Meropenem		1 g q8h IV
	Imipenem		500 g q6h IV
2	Tigecycline 단독요법§		100 mg IV initially, then 50 mg q12h IV

* Linezolid는 피부연조직 감염의 경험적 치료로 건강보험요양급여가 되지 않음.
§ Tigecycline은 피부연조직 감염의 일차 치료제로 건강보험요양급여가 되지 않음. P. aeruginosa에 대한 항균력이 없음.

✅ 참고문헌

1. 피부 · 연조직 감염 항생제 사용지침. 질병관리본부. 2017.

2. Anderson DJ, Podgorny K, Berrios-Torres SI, Bratzler DW, Dellinger EP, Greene L, et al. Strategies to prevent surgical site infections in acute care hospitals: 2014 update. Infect Control Hosp Epidemiol 2014;35(6):605-27.

3. Antimicrobial prophylaxis in surgery. Med Lett Drugs Ther 1997;39(1012):97-101.

4. Avashia YJ, Mohan R, Berhane C, Oeltjen JC. Postoperative antibiotic prophylaxis for implant-based breast reconstruction with acellular dermal matrix. Plast Reconstr Surg 2013;131(3):453-61.

5. Ban KA, Minei JP, Laronga C, Harbrecht BG, Jensen EH, Fry DE, et al. American College of Surgeons and Surgical Infection Society: Surgical Site Infection Guidelines, 2016 Update. J Am Coll Surg 2017;224(1):59-74.

6. Banuelos J, Abu-Ghname A, Asaad M, Vyas K, Sohail MR, Sharaf B. Microbiology of Implant-Based Breast Reconstruction Infections: A Systematic Review. Ann Plast Surg 2020;85(2):194-201.

7. Berrios-Torres SI, Umscheid CA, Bratzler DW, Leas B, Stone EC, Kelz RR, et al. Centers for Disease Control and Prevention Guideline for the Prevention of Surgical Site Infection, 2017. JAMA Surg 2017;152(8):784-91.

8. Bratzler DW, Dellinger EP, Olsen KM, Perl TM, Auwaerter PG, Bolon MK, et al. Clinical practice guidelines for antimicrobial prophylaxis in surgery. Am J Health Syst Pharm 2013;70(3):195-283.

9. Classen DC, Evans RS, Pestotnik SL, Horn SD, Menlove RL, Burke JP. The timing of prophylactic administration of antibiotics and the risk of surgical-wound infection. N Engl J Med 1992;326(5):281-6.

10. Cohen JB, Carroll C, Tenenbaum MM, Myckatyn TM. Breast Implant-Associated Infections: The Role of the National Surgical Quality Improvement Program and the Local Microbiome. Plast Reconstr Surg 2015;136(5):921-9.

11. Da Costa A, Kirkorian G, Cucherat M, Delahaye F, Chevalier P, Cerisier A, et al. Antibiotic prophylaxis for permanent pacemaker implantation: a meta-analysis. Circulation 1998;97(18):1796-801.

12. Garner JS. CDC guideline for prevention of surgical wound infections, 1985. Supersedes guideline for prevention of surgical wound infections published in 1982. (Originally published in November 1985). Revised. Infect Control 1986;7(3):193-200.

13. Gupta K, Strymish J, Abi-Haidar Y, Williams SA, Itani KM. Preoperative nasal methicillin-resistant Staphylococcus aureus status, surgical prophylaxis, and risk-adjusted postoperative outcomes in veterans. Infect Control Hosp Epidemiol 2011;32(8):791-6.

14. Horan TC, Gaynes RP, Martone WJ, Jarvis WR, Emori TG. CDC definitions of nosocomial surgical site infections, 1992: a modification of CDC definitions of surgical wound infections. Infect Control Hosp Epidemiol 1992;13(10):606-8.

15. Mangram AJ, Horan TC, Pearson ML, Silver LC, Jarvis WR. Guideline for Prevention of Surgical Site Infection, 1999. Centers for Disease Control and Prevention (CDC) Hospital Infection Control Practices Advisory Committee. Am J Infect Control 1999;27(2):97-132; quiz 3-4; discussion 96.

16. Momeni A, Remington AC, Wan DC, Nguyen D, Gurtner GC. A Matched-Pair Analysis of Prepectoral with Subpectoral Breast Reconstruction: Is There a Difference in Postoperative Complication Rate? Plast Reconstr Surg 2019;144(4):801-7.

17. Phillips BT, Bishawi M, Dagum AB, Khan SU, Bui DT. A systematic review of antibiotic use

and infection in breast reconstruction: what is the evidence? Plast Reconstr Surg 2013;131(1):1-13.

18. Phillips BT, Fourman MS, Bishawi M, Zegers M, O'Hea BJ, Ganz JC, et al. Are Prophylactic Postoperative Antibiotics Necessary for Immediate Breast Reconstruction? Results of a Prospective Randomized Clinical Trial. J Am Coll Surg 2016;222(6):1116-24.

19. Platt R, Zucker JR, Zaleznik DF, Hopkins CC, Dellinger EP, Karchmer AW, et al. Perioperative antibiotic prophylaxis and wound infection following breast surgery. J Antimicrob Chemother 1993;31 Suppl B:43-8.

20. Rasnake MS, Dooley DP. Culture-negative surgical site infections. Surg Infect (Larchmt) 2006;7(6):555-65.

21. Sanderson PJ. Antimicrobial prophylaxis in surgery: microbiological factors. J Antimicrob Chemother 1993;31 Suppl B:1-9.

22. Wang F, Chin R, Piper M, Esserman L, Sbitany H. Do Prolonged Prophylactic Antibiotics Reduce the Incidence of Surgical-Site Infections in Immediate Prosthetic Breast Reconstruction? Plast Reconstr Surg 2016;138(6):1141-9.

23. Washer LL, Gutowski K. Breast implant infections. Infect Dis Clin North Am 2012;26(1):111-25.

2. 무세포진피기질
(Acellular Dermal Matrices: Biology and Clinical Application)

가톨릭대학교 의정부성모병원 성형외과 **서보미**

1) 무(無)세포진피기질(Acellular Dermal Matrix, ADM)이란?

사람(동종, 同種) 또는 소, 돼지(이종, 異種)의 진피 조직에서 세포 성분을 제거하는 공정을 거쳐 거부 면역반응이 일어나지 않도록 처리하여 남은 조직을 말한다. 피부에서 상피층을 분리하고, 진피에서 섬유아세포(fibroblast), 대식시포(macrophage), 비만세포(mast cell), 랑게르한스세포(Langerhans cell), 림프구(lymphocyte) 등의 세포를 제거하는 과정을 거쳐 세포성 면역반응의 표적이 되는 항원성을 없애 거부반응 없이 이식이 가능하다. 세포 제거 후 남은 진피의 고유한 단백질 구성 및 세포 외 기질(extracellular matrix)의 구조(scaffold)는 3차원적 형태를 유지하여 이식된 조직의 세포가 이동하여 분화하고 증식하게 된다.

여러 제품이 무세포진피기질의 원료가 되는 사체의 종(species)이나 생산 과정, 완성된 무세포진피기질의 보존 방법 등에 따라 상품화되어 있다. 현재 국내에서 유방수술에 사용되는 무세포진피기질은 대부분 동종 진피에서 유래한다.

2) 역사

(1) 무세포진피기질의 역사

무세포진피기질은 1990년대에 주로 화상 치료를 목적으로 개발이 되었다. 동종 무세포진피기질 제품은 미국에서 개발을 주도하였고, 국내에서는 '인체조직안전 및 관리 등에 관한 법률(보건복지부령 제 306호)'이 시행되면서 무세포진피기질의 국내 시장이 활성화되어왔다. 현재는 두경부부터 족부까지 전신의 재생과 재건, 창상치료에서 다양한 방식으로 적용이 되며, 미용 수술에서도 여러 형태의 무세포진피기질이 광범위하게 이용되고 있다.

(2) 유방수술 시의 임상적 활용 역사

① 유방확대술에서의 임상적 활용

무세포진피기질은 2001년에 유방확대술에 대한 보완적인 수술 재료로 처음 보고가 되었다. 유방확대술을 받은 환자 34명에게 얇은 연부조직 안쪽으로 두께가 있는 무세포진피기질을 덧대어 보형물의 외연이 비치고 만져지며 주름지는 현상(rippling)을 완화하였다는 결과를 기술하였다. 2003년에는 symmastia 교정, 유방확대술 후 연부조직 위축 부위의 부피 보완, 구형구축(capsular contracture)에 대한 피막절개술 시 무세포진피기질을 활용한 보고가 있었다. 현재는 유방재건술보다는 사용 빈도가 적지만 유방확대술 시행 시 보완적으로 이용되며 적응증도 점차 확대되고 있다.

② 유방재건술에서의 임상적 활용

유방재건술에서 무세포진피기질을 이용한 예는 2005년도에 Breuing and Warren이 즉시보형물재건(DTI, direct-to-implant) 시행 중에 AlloDerm®으로 보형물의 아래쪽을 현수구조로, 보완한 술기를 보고한 이후 다양한 수술 방법과 활용 기술이 발전하고 있다.

조직확장기를 이용한 단계적 유방재건술과 보형물을 이용한 즉시유방재건술은 초반에 대부분 대흉근(pectoralis major muscle)을 거상하여 보형물이나 확장기를 대흉근 밑(subpectoral)에 위치시켰다. 유방확대술 시에는 피부 및 피하지방의 두께에 따라 보형물을 유선 아래 대흉근 앞(prepectoral)에 넣거나 대흉근 근막 또는 대흉근 밑에 넣을 수 있다. 그러나 재건 시에는 유선이 없기 때문에 보형물을 대흉근 앞에 놓으면 보형물의 윤곽이 드러나거나 주름짐(rippling) 현상이 발생할 우려가 컸다. 또한 유방절제술 피판의 두께와 혈류가 좋지 않을 경우 피판이 괴사가 되면서 보형물 또는 확장기가 외부로 노출되는 부작용이 발생할 가능성도 있었다. 그래서 무세포진피기질이 도입되기 전 대부분의 보형물 유방재건은 대흉근이나 근막 밑 공간을 이용하였다. 대흉근이나 근막 또는 전거근(serratus anterior muscle)이나 근막, 소흉근(pectoralis minor muscle) 또는 복직근(rectus abdominis muscle) 근막을 거상하여 이 조직으로 보형물과 확장기를 감싸주었다.

하지만 대흉근 밑에 놓인 보형물 또는 확장기는 대흉근의 경계로 형태가 제약되어 있어 유방의 아랫부분 용적이 부족해 보였고 자연스럽게 늘어지는 가슴 형태를 구현하기 어려웠다. 또 간혹 대흉근의 수축과 함께 보형물이 움직이는 부작용이 나타났고 근막과 근육을 넓게 박리하여 통증도 증가하였다.

무세포진피기질이 도입되면서 보형물 및 확장기 이용 재건 방법의 폭이 넓어졌다. 대흉근 밑 재건의 경우 근육 또는 근막 조직만으로 조성하였던 보형물이나 확장기 공간의 벽을 일부 또는 전체적으로 무세포진피기질을 이용하여 만들 수 있게 되었다. 보형물이나 확장기의 위쪽은 대흉근으로 덮고 아래쪽은 무세포진피기질로 덮어 대흉근 밑 재건 방법의 단점을 보완할 수 있었다. 게다가 유방절제술 피판과 대흉근 사이에 보형물이나 확장기를 넣되, 무세포진피기질로 전체 또는 일부를 싸서 기존의 주름짐이나 윤곽이 드러나는 단점을 보완하여 대흉근 앞(prepectoral) 재건도 가능하게 되었다.

유방재건의 마지막 단계로 시행하는 유두 재건을 할 때도 유두의 높이와 용적을 유지하기 위해 유두 피판 내부에 원반이나 육면체 형태의 무세포진피기질을 넣어 장기 추적시 유의한 결과를 확인한 연구도 많다. 유방절제술 흉터가 함몰 양상일 경우 유방절제술 흉터 성형술을 하면서 무세포진피기질을 반흔 아래층에 얇게 삽입하고 피부 봉합을 시행하기도 한다.

3) 생산 과정

무세포진피기질의 생산 과정은 회사와 제품에 따라 다르다. 공통적인 목적은 무세포진피기질의 구조(scaffold) 손상을 최소로 하면서 세포를 효과적으로 제거하는 것이다. 무세포진피기질의 공정(工程)법에 따라 특성이 다른 최종산물이 생길 수 있기 때문에 공통적인 과정에 대하여서만 간략하게 살펴본다.

(1) 조직 채취(Tissue harvest)

사람 사체의 피부조직을 채취하는 과정이다. 인체 기증자에 대하여 한국 식품의약품안전처의 법률 요구사항 및 미국조직은행연합회(American Association of Tissue Banks, AATB)의 표준규정에 따라 기증자 적합성 평가를 시행한다. B형 간염 바이러스(Hepatitis B virus, HBV), C형 간염 바이러스(Hepatitis C virus, HCV), 사람면역결핍바이러스(Human immunodeficiency virus, HIV), 사람T세포림프친화바이러스(Human T-cell lymphotrophic virus, HTLV), 매독에 대한 혈청검사 및 호기성균, 혐기성균, 그리고 진균에 대한 균배양 검사가 포함된다.

현재 대부분의 무세포진피기질 제품의 원재료 조직은 미국식품의약국(Food and Drug Administration, FDA) 및 AATB에서 승인한 조직은행을 통해 기증된 피부조직으로 사체의 등, 하지, 그리고 복부가 주요 공여부위이다.

(2) 상피 제거(De-epithelialization)

상피를 진피에서 분리하여 제거하는 과정이다. 물리적, 화학적, 생물학적인 방법의 조합으로 시행한다.

(3) 세포 제거, 탈세포화(Decellularization)

모든 무세포진피기질 제품에서 거치는 공정으로, 수혜부에서 항원으로 작용할 수 있는 세포 조직을 제거하는 과정이다. 물리적 방법도 있으나 진피의 세포 외 조직을 손상시킬 가능성이 높아 세정제(detergent)나 효소를 이용한다. 세정제는 세포막의 지질과 단백질 간의 상호작용에 영향을 미쳐 세포 용해를 일으킨다. 이후 무세포진피기질을 세척하여 용해된 세포의 잔여물을 씻어낸다.

(4) 탈수(Dehydration)

무세포진피기질에서 수분을 제거하는 과정이다. 동결건조(lyophilization)나 vacuum pressing을 이용한다. 탈수의 장점은 유통 기한이 길어지고 유통과 보관이 편하며 내부의 성장인자 분해가 감소한다는 점이다. 탈수의 단점은 남은 구조의 두께가 줄어들고 섬유의 응축(compaction)이 생기며 탈수를 거친 조직은 수화를 시키더라도 수분 흡수 용량이 감소한다는 것이다.

(5) 멸균(Sterilization)

무세포진피기질을 멸균하는 과정이다. 모든 제품이 멸균을 거치는 것은 아니다. 멸균을 거치지 않는 무세포진피기질은 위 공정이 모두 무균시설에서 진행되므로 무균(aseptic) 무세포진피기질이라고 한다. 전자선(electron beam), ethylene oxide (EO) 가스, 감마선(gamma ray)을 이용하며, 세 방법 모두 정도는 다르지만 무세포진피기질의 구조에 손상을 입히는 것으로 나타났다.

멸균의 척도는 sterility assurance level (SAL)이며, 이는 10^{-n}으로 표기한다. SAL이 10^{-3}이면 멸균 후 무세포진피기질에 하나의 살아있는 미생물이 남아 있을 가능성이 1/1000이라는 의미이다. 인체에 적용되는 이식편은 SAL 10^{-6}수준을 권한다.

(6) 보존(Preservation)

글리세롤처리(glycerol-preservation), 동결(cryopreservation)이나 건조(drying) 등이 가능하다. 수화 시간을 단축하기 위해 개발된 수화된 ready-to-use (RTU) 무세포진피기질은 멸균생리식염수에 보관이 되어있다. 동결이나 건조 과정을 거치지 않기 때문에 진피의 3차원 구조에 대한 손상이 적을 것으로 예상된다.

4) 종류

(1) 형태

① 판(Sheet)

다양한 두께와 면적, 그리고 모양의 판 무세포진피기질이 있다(그림 3-1-1). 직사각형, 타원 등의 모양이 있으며 일부 제품은 천공(fenestration)이 있어 보형물을 싸기 용이하다. 유방재건술에는 주로 판 형태의 무세포진피기질이 사용된다.

② 육면체(Cube)

다양한 크기의 육면체 형태가 있다.

③ 맞춤 형태(Tailored)

적용되는 부위별로 다양한 형태로 제조가 가능하다. 예를 들면 코 성형에 이용되는 무세포진피기질은 콧등에 맞게 만들어져 있다.

④ 미세입자

무세포진피기질을 미세 입자로 만들어 주사 형태로 적용이 가능하다.

그림 3-1-1. 판 형태의 건조 무세포진피기질.
MegaDerm® (L&C BIO, Seoul, Republic of Korea)

5) 조성 및 인체 내에서의 반응

(1) 조성

진피에는 혈관, 신경, 감각 수용체 및 땀샘, 모낭, 입모근 등이 분포하며, 피부의 감각을 수용하고 상피의 물리적 상태를 보존하면서 피부의 재생에 기여한다. 진피 층의 주요 기능은 섬유아세포가 담당하며, 진피의 세포 외 주요 구성성분은 콜라겐 단백질로 형성된 교원섬유이고, 1형과 3형 콜라겐이 풍부하다(그림 3-1-2, 그림 3-1-3). 교원섬유 사이로 엘라스틴 (elastin) 단백질과 fibrillin 미세원섬유(microfibril)로 만들어진 탄성섬유가 그물 양상으로 짜여 있다. 콜라겐 단백질과 엘라스틴 단백질 외에는 섬유결합소(파이브로넥틴, fibronectin)과

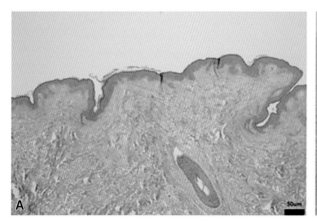 

그림 3-1-2. **(A)** 피부 원재료와 **(B)** 무세포진피기질의 광학현미경 Hematoxylin and Eosin 염색 사진. 피부 원재료에는 hematoxylin에 의해 보라색으로 염색된 세포 핵이 상피와 진피층에 관찰되지만 무세포진피기질 조직에는 eosin으로 염색된 세포 외 기질만 관찰된다(배율: x10). MegaDerm® (L&C BIO, Seoul, Republic of Korea)

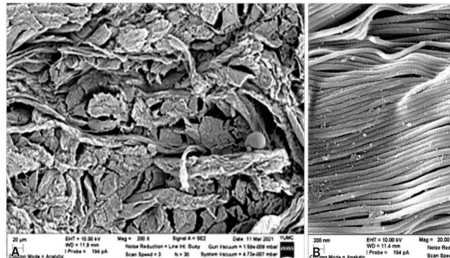 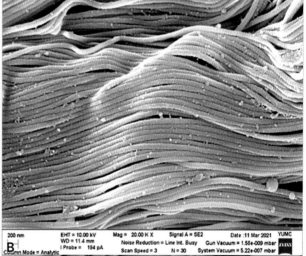

그림 3-1-3. 무세포화 공정을 거친 후의 무세포진피기질 전자현미경 사진. 콜라겐 섬유 다발이 손상 없이 규칙적으로 배열되어 있는 모습(좌측: x 200, 우측: x 20,000). MegaDerm® (L&C BIO, Seoul, Republic of Korea)

vitronectin, 성장인자, 프로테오글리칸(proteoglycan), 당단백질(glycoproteins), 하이알유론산(hyaluronic acid)과 같은 글리코사미노글리칸(glycosaminoglycan, GAG), 기저막 복합체(basement membrane complex)가 포함되어 있다.

세포를 제거한 무세포진피기질에는 기존의 피부부속물이나 혈관 통로와 같은 구조가 3차원적으로 남아있고 진피의 고유한 단백질 조성이 유지된다(그림 3-1-4).

조직 채취 시 상피 쪽, 즉 기저막 쪽의 진피와 피하지방 쪽의 진피가 있어 무세포진피기질은 방향성을 지니게 된다(그림 3-1-4).

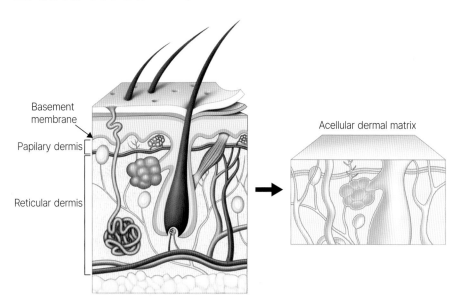

그림 3-1-4. 피부의 조직 단면과 탈세포화를 거친 무세포진피기질의 조직 단면 모식도

(2) 인체 내에서의 반응

이식된 무세포진피기질은 크게 세 종류의 면역 반응을 일으킬 수 있다.

① Biointegration

무세포진피기질이 항원으로 인식되지 않고, 면역반응을 일으키지 않아 수혜부의 세포들이 무세포진피기질의 3차원 단백질 구조로 이동, 유착, 증식하여 신생혈관이 형성되는 가장 이상적인 반응이다.

무세포진피기질은 세포가 없는 이종 이식편으로 수혜부의 섬유아세포, 근섬유모세포(myofibroblasts), 림프구(lymphocytes), 대식세포, 과립구(granulocytes), 비만세포(mast cells)와 같은 세포가 무세포진피기질 내로 들어오고, 혈관이 자라 들어가야 biointegration이 가능하다. 혈관이 무세포진피기질로 증식하여 들어가는 현상은 이식 약 1–2주 후에 관찰이 가능하며 무세포진피기질과 수혜부조직의 경계부위에서 시작한다(그림 3-1-5). 무세포 조직으로 혈관 내피세포와 섬유아세포가 진입하면서 화학유인물질(chemoattractant)을 분비하면서 수혜부 세포의 이동이 촉진된다.

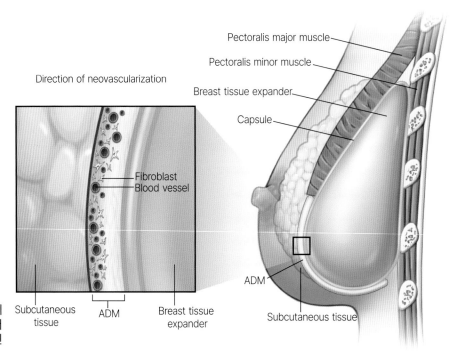

Direction of neovascularization

Pectoralis major muscle
Pectoralis minor muscle
Breast tissue expander
Capsule

Fibroblast
Blood vessel

ADM

Subcutaneous tissue

Subcutaneous tissue   ADM   Breast tissue expander

그림 3-1-5. 무세포진피기질 내에서도 수혜부 조직에 가까운 층부터 세포의 이동과 증식, 혈관 신생이 진행됨.

혈관 생성과 세포 이동은 모두 수혜부와 인접한 부위에서 기시하기 때문에 무세포진피기질과 수혜부 조직 사이에 혈종이나 장액종 등 물리적인 장애물이 생길 경우 생착 과정이 저해될 수 있다. 이는 피부이식 후 이식편과 수혜부 사이에 혈종이나 장액종이 생기지 않도록 밀착하여 고정하는 것과 같은 원리이다(그림 3-1-6).

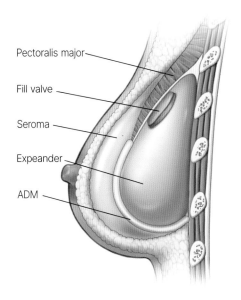

Pectoralis major
Fill valve
Seroma
Expeander
ADM

그림 3-1-6. 대흉근 밑에 위치한 확장기의 하부를 무세포진피기질로 현수하여 재건한 모식도. 무세포진피기질과 피부 연부조직 피판 사이에 장액종이 자리잡을 경우 biointegration이 늦어질 수 있다.

무세포진피기질의 biointegration 과정을 인체에서 관찰한 연구는 매우 드물고 동물 모델 또한 많지 않다. Garcia 외는 돼지의 피하에 무세포진피기질로 둘러싼 보형물을 삽입한 후 조직 검사를 4주, 8주, 12주에 시행한 연구에서, 4주에는 혈관 신생이 시작되기는 하지만 무세포진피기질에 전체적으로 혈관이 자라 들어가서 혈류가 측정 가능해지는 것은 적어도 8주가 된 시기라고 보고하였다.

무세포진피기질의 biointegration을 돕기 위한 술기 중에 가장 시행하기 수월한 것은 무세포진피기질에 절개창(fenestration)을 만들어주는 것이다. 이 절개창을 통하여 수혜조직의 세포와 혈관이 이동 및 증식하는 중심으로 작용할 수 있기 때문이다.

② Resorption

수혜부에서 염증반응이 일어나 무세포진피기질의 단백질 성분이 인체의 대식세포 등 면역세포에 의하여 흡수가 되는 과정으로 남은 무세포진피기질 조직이 얇고 강도가 낮아진다.

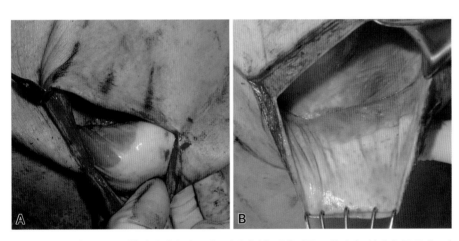

그림 3-1-7. 대흉근 앞 조직확장기 재건 시 무세포진피기질을 덧댄 다른 두 환자의 2차 수술 중 무세포진피기질 모습. 두 환자에서 2-3 mm 두께의 AlloDerm®을 사용하였으며 (A) 대흉근 앞에 확장기를 넣은 후 8개월이 지난 시점, (B) 대흉근 아래에 확장기를 넣은 후 6개월 지난 시점이다.

③ Encapsulation

수혜부에서 이물질로 인식하여 무세포진피기질 주위로 막을 조성하는 피막이 형성되는 현상이다. 무세포진피기질의 두께와 용적이 과도하게 크거나 두껍거나 육면체 형태의 분리된 무세포진피기질 조각이 삽입될 경우 세포 이주와 혈관 증식에 물리적 한계가 발생하게 된다.

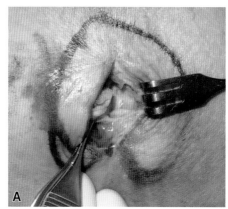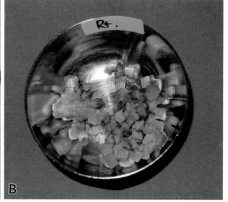

그림 3-1-8. 정육면체 형태의 무세포진피기질 조각으로 breast conserving surgery 결손을 채워 재건한 후 15개월이 지난 환자의 병변(A) 및 제거한 무세포진피기질 조각(B)

6) 유방성형수술에서의 임상적 활용

(1) 무세포진피기질의 적용 과정

① 무세포진피기질의 선택

유방 수술에서는 주로 판 형태의 무세포진피기질을 사용하게 되며 유두 수술에는 육면체 조각 형태의 무세포진피기질을 사용하기도 한다. 수술자의 선호도에 따라 크기와 형태, 두께, 보관방식 등이 선택에 영향을 미친다.

② 수화(水化, Hydration)/ 세척

동결되거나 건조된 무세포진피기질은 해동 및 수화가 필요하며 이를 위하여 멸균생리식염수에 무세포진피기질을 담그고 부드러워질 때까지 기다린다. 무세포진피기질이 단백질이기 때문에 따뜻한 생리식염수를 이용하여도 되지만 너무 뜨거운 용액 사용은 지양한다. 수화 시간에 따라서 구조적 특성과 tensile strength가 달라지며, 건조한 상태의 무세포진피기질이 tensile strength가 가장 약하다. 무세포진피기질의 두께에 따라 다르지만 10분-20분 이상 수화를 시킬 경우 부드럽고 조작이 수월한 상태가 된다.

이미 수화가 된 pre-hydrated 무세포진피기질은 멸균생리식염수에 보관이 되어있지만, 수술 부위에 적용 전 다시 멸균생리식염수로 세척을 한 후 사용하기를 권한다.

③ 방향성

가. 구분 방법

무세포진피기질은 원재료인 기증 피부 기준으로 상피 쪽 표면이 있고 피하지방 쪽 표면이 있다(그림 3-1-4). 상피 쪽 조직에는 기저막 복합체가 남아 있고 피하지방 쪽 조직에는 그물 진피 조직이 남아있다. 일부 무세포진피기질은 제조 시에 상피 쪽 표면에 종이가 붙어있기도 하다. 표식이 없는 경우 일부 제품에서는 표면의 특성으로 구분을 할 수 있다. 상피, 기저막 쪽은 표면이 덜 반짝거리고, 조금 거칠고 울퉁불퉁하며 혈액이 묻었을 때 혈액이 흡수되지 않는 듯한 양상이고, 피하지방 쪽 표면은 반짝거리고 밀도가 높고 매끈하며 혈액이 묻었을 때 흡수되는 양상을 가진다.

나. 방향성

통상적으로 상피 쪽 표면이 보형물 공간을 향하도록 무세포진피기질의 방향성을 배열한다.

그러나 무세포진피기질의 방향성에 따른 합병증이나 biointegration 결과의 차이에 대한 실질적인 연구는 부족하다. 즉시유방재건술에서 보형물 삽입을 한 경우 상피쪽 표면을 보형물 공간에 향하도록 배치한 환자와 피하지방쪽 표면을 보형물 공간에 향하도록 배치한 환자, 두 군을 후향적으로 비교한 연구에서는 유방재건의 합병증에는 유의한 차이가 없다는 보고가 있었다.

(2) 유방 미용 수술에서의 활용

① 연부조직 두께 보완

가. 피부 및 피하지방이 얇은 환자에서 조직 두께 보완

유방의 연부조직이 너무 얇은 경우 근막 또는 근육 하 삽입을 하더라도 rippling이 나타날 수 있으므로 이를 감안하여 보형물 삽입 일차 수술 때 무세포진피기질을 보형물과 피판 사이에 넣어줄 수 있다. 그러나 무세포진피기질을 추가함으로써 조직이 얇은 환자에서 rippling이나 보형물이 만져지는 현상이 효과적으로 예방되는지에 대한 연구는 아직 부족하다.

나. Rippling 교정

용적이 큰 보형물을 넣고 피부피판이 얇은 경우 얇은 피판이 보형물의 표면 굴곡에 따라 굴곡지는 rippling 현상이 생길 수 있다. 중력의 영향이 있기 때문에 rippling은 주로 유방의 위쪽 반에서 관찰된다. 보형물 교체나 지방이식 등의 방법으로 교정을 시도할 수 있지만, 무세포진피기질을 rippling 부위 내측 피막에 덧대어 피판의 연부조직을 보완해주는 동시에 보형물과 피판 사이에 경계로 작용하는 조직을 제공해 줄 수 있다. 그러나 무세포진피기질의 두께는 수 mm에 그치기 때문에 무세포진피기질 적용 단독으로 rippling을 효과적으로 교정해 줄 수 있는지에 대하여는 연구가 필요하다.

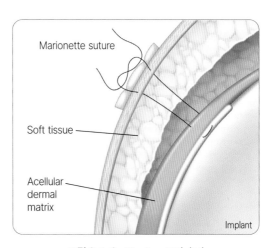

그림 3-1-9. Rippling 교정 술기

② 보형물 위치 고정 및 교정

가. 보형물에 대한 구조적 지지

보형물을 삽입하기 위한 공간에 무세포진피기질을 추가하여 internal bra처럼 지지력이 있을 것이라는 의견이 있으나 이를 뒷받침할 만한 근거는 불충분한 상태이다.

나. Symmastia 교정

보형물을 넣을 공간을 박리하는 과정에서 좌, 우 공간 내측 경계 사이 간격이 과하게 좁아질 수 있다. 이러한 경우 박리한 피판을 흉벽 바닥에 다시 봉합하는 피막봉합(capsulorrhaphy) 후 보정 속옷 및 테이핑(taping)을 이용하여 거상 되었던 공간을 줄일 수 있다. 그러나 보형물이 조금씩 움직이면서 공간이 다시 생길 수 있기 때문에 무세포진피기질 원하는 보형물 공간의 내측 벽 위치에 고정하여 symmastia를 교정할 수 있다. 이 시술법에 대한 장기적인 추적 결과에 대한 연구는 많지 않지만 시행된 연구에서는 재발이 관찰되지 않는 것으로 보고되었다.

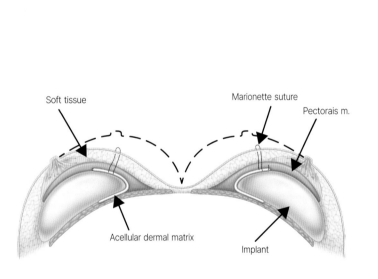
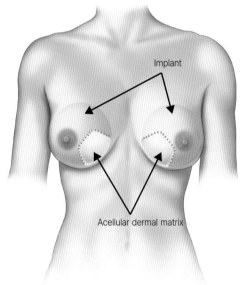

그림 3-1-10. Symmastia 교정

③ 유방밑주름(Inframammary fold, IMF) 위치 교정

유방밑주름이 너무 높거나 낮아 유방밑주름의 위치를 바꾸려고 할 때, symmastia 때와 마찬가지로, 새로운 IMF에 맞추어 피판의 공간을 만들어주고 보형물과 피판 사이에 무세포진피기질을 위치시켜 IMF가 원하는 위치에서 자연스럽게 유착되기를 기다린다.

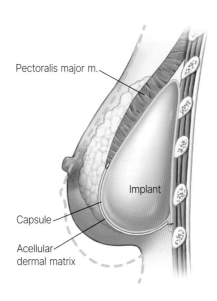

Pectoralis major m.

Implant

Capsule

Acellular
dermal matrix

그림 3-1-11. **Bottoming out 교정을 위하여 ADM을 사용한 모식도**

④ Bottoming–out 교정

Bottoming-out을 교정하기 위하여는 보형물을 위쪽으로 올리고, 유방의 아래쪽 구조물 (IMF, 유방 하부 피판)을 보강한다. IMF 위치를 올리면서 피막을 봉합하고 무세포진피기질을 덧대고, 보형물 하측으로 무세포진피기질을 넓게 덧댈 수 있다.

(3) 구형구축

① 구형구축 치료

구형구축 치료 과정에서 피막 절제술 또는 피막 절개술을 시행하고 보형물을 다시 삽입하는 경우라도 보형물 접촉면에 무세포진피기질을 배치시킨다. 무세포진피기질 고정은 보형물의 삽입 공간에 따라 다르다. 대흉근 아래로 보형물을 넣을 경우 대흉근의 절제연에도 고정하고 흉벽의 하측과 외측 부위에 고정할 수 있다. 무세포진피기질이 피막의 중간에 위치할 경우 물리적으로 피막의 전체적인 구형구축을 막고 염증반응이 줄어 구형구축이 덜 일어난다고 보고 있다.

② 구형구축 예방

구형구축이 있었던 환자에서 피막 절제술을 하면서 무세포진피기질을 보형물 앞에 무세포진피기질을 넣은 환자에서 무세포진피기질을 넣지 않은 환자에 비하여 구형구축 재발율이 낮다는 보고가 있다. 이를 바탕으로 일차 유방확대술 시에 구형구축에 대한 예방적 목적으로 무세포진피기질을 삽입하는 방법을 사용한 연구가 있으나 추적 관찰기간이 매우 짧아 이러한 목적의 적용에 대한 근거가 아직 더 필요하다.

(4) 유방재건수술에서의 활용

보형물이나 확장기를 이용한 유방재건수술 시 무세포진피기질을 이용하는 경우가 늘었다. 대부분은 판형 무세포진피기질을 이용하며 흡수사로 조직에 고정하기도 하고 아니면 봉합 없이 보형물과 조직 사이에 펼쳐 두듯(drape) 삽입하기도 한다. 어떠한 평면에 보형물이나 확장기를 넣고 어떠한 방식으로 무세포진피기질을 삽입하든지 반드시 수술 중 앉는 자세에서의 모습을 확인해야 한다. 무세포진피기질 고정 부위로 인하여 누운 자세에서는 드러나지 않던 유방조직이 파이거나 당기거나 부자연스러운 경우가 있기 때문이다.

① 즉시보형물재건(Direct-to-Implant, DTI, Reconstruction)

유두보존유방절제술(nipple sparing mastectomy, NSM) 환자에서 DTI 재건을 하는 경우 보형물과 피판 사이, 또는 보형물 전체를 싸는 방식으로 무세포진피기질을 넣어 줄 수 있다.

가. 대흉근 밑 삽입

보형물이 들어가는 공간이 대흉근 아래일 경우 무세포진피기질을 대흉근의 절제연에 봉합하고 IMF 또는 유방의 아래 쪽 피판 조직, 또는 흉벽의 외측 등에 고정할 수 있다. 이는 수술자에 따라 방법이 다를 수 있다. 무세포진피기질과 대흉근으로 보형물을 둘러싼 공간을 전부 덮을 수도 있고 아니면 일부만 덮을 수도 있다. 무세포진피기질에 절개를 넣어 면적을 확장시키는 meshing 방법을 이용할 수 있다.

적절한 보형물을 먼저 대흉근 아래 위치 후 이에 맞추어 무세포진피기질을 고정하고 배치하는 방법과 사이저(sizer, 적절한 보형물의 용적을 가늠하기 위하여 임시로 삽입하는 실리콘 의료기기)를 넣은 채로 무세포진피기질을 일부 고정하고 마지막에 사이저를 제거하고 보형물을 넣는 방법이 있다.

나. 대흉근 앞 삽입

유방절제술이 완료된 상태에서 대흉근이 바닥에 붙어 있고 유방의 피부 및 연부조직이 경계를 이루는 공간에 보형물을 삽입하는 방법이다. 보형물의 전(前)면 전체 또는 일부에 무세포진피기질을 올려 경계만 고정하거나 보형물 전체를 무세포진피기질로 감싸는 방법이 있다. 무세포진피기질의 가격이 낮지 않아 보형물을 효율적이고 효과적으로 감싸는 다양한 방법이 있다. 절개를 넣어 확장된 면적을 이용할 수 있다.

② 조직확장기를 이용한 두 단계 재건

어떠한 유방절제술 술기를 이용하여도 시행할 수 있는 재건 방법으로, DTI와 마찬가지로 조직확장기를 대흉근 밑(그림 3-1-13)에 넣는지 앞(그림 3-1-14)에 넣는지에 따라 무세포진피기질 적용 방법이 달라진다. 조직확장기는 완전히 확장한 상태로 무세포진

그림 3-1-12. 대흉근 앞 삽입을 위하여 보형물을 ADM으로 wrapping한 모습
(부산대학교 배성환 교수 제공)

피기질의 필요양과 배치를 계산하고 계획해야 한다. 조직확장기 위에 놓인 무세포진피기질이 확장이 되기는 하지만 근육이나 피부 등에 비하여 확장 비율이 높지 않기 때문이다. 이 특성을 감안하여 일부 수술자는 확장기간 동안 유두의 위치를 조절하기 위해 유두의 안쪽에 무세포진피기질이 놓이도록 배치를 시키기도 한다.

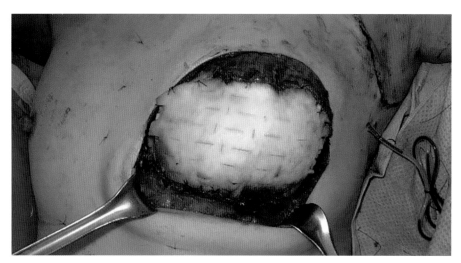

그림 3-1-13. 유방전절제술 후 조직확장기 재건을 받은 환자로, 대흉근과 무세포진피기질로 조직확장기가 덮여 있고 확장이 되어 있는 모습이다.

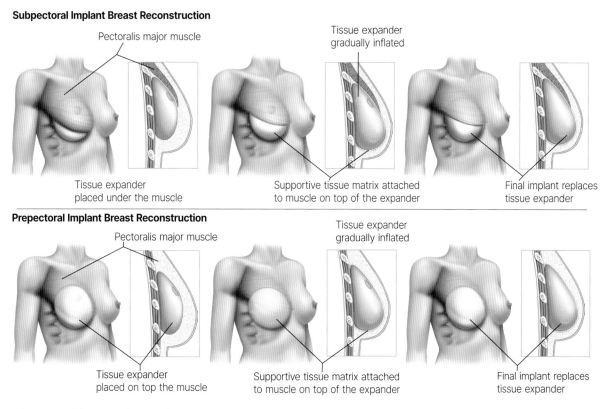

Subpectoral Implant Breast Reconstruction

Pectoralis major muscle

Tissue expander
gradually inflated

Tissue expander
placed under the muscle

Supportive tissue matrix attached
to muscle on top of the expander

Final implant replaces
tissue expander

Prepectoral Implant Breast Reconstruction

Pectoralis major muscle

Tissue expander
gradually inflated

Tissue expander
placed on top the muscle

Supportive tissue matrix attached
to muscle on top of the expander

Final implant replaces
tissue expander

그림 3-1-14. 대흉근 밑, 대흉근 앞 보형물 삽입 시 ADM의 배치

가. 대흉근 밑 삽입

무세포진피기질을 대흉근의 절제연에 봉합하고 IMF 또는 유방의 아래 쪽 피판 조직, 또는 흉벽의 외측 등에 고정할 수 있다. 조직확장기를 완전히 확장하여 무세포진피기질의 위치 및 고정방법을 정한다.

과거에 대흉근과 근막 조직만으로 조직확장기를 덮었을 때보다 유방 하부의 부피와 용적이 넉넉하게 늘어나고 IMF가 더 자연스러운 위치에 잡히는 장점이 있다는 사실을 고려하여 이 장점을 충분히 살릴 수 있도록 한다.

나. 대흉근 앞 삽입

대흉근 앞에 조직확장기를 넣고 확장을 하는 경우 무세포진피기질로 확장기 전체 또는 일부를 덮어야 하는 경우가 많다. 다만, 무세포진피기질의 확장 비율이 다른 조직에 비하여 낮기 때문에 확장기를 무세포진피기질로 감싸는 경우 넉넉하게 덮이도록 계산을 하는 것이 좋다.

다. 자가조직 피판-보형물 재건

유경광배근피판(pedicled latissimus dorsi flap)을 거상하여 회전시켜 연부조직을 제공하면서 보형물 재건을 하는 경우에 무세포진피기질을 부족한 용적 부위에 삽입할 수 있다.

라. 유두유륜 재건

유두 재건의 초점 중 하나는 유두의 높이를 장기간 유지하는 것이다. 다양한 피판을 이용하여 유두를 반대측에 비하여 높게 재건을 하여도 시간이 지나면서 조직이 위축되어 높이가 줄어든다. 이러한 변화를 최소화하기 위하여 육면체의 무세포진피기질 조각 또는 판 형태의 무세포진피기질 조각을 말아서 재건 유두의 중앙 부위에 삽입할 수 있다. 동일한 방법으로 재건을 받은 경우 무세포진피기질을 넣었을 때 유두 높이 감소율이 무세포진피기질을 넣지 않은 경우보다 적다는 연구가 다수 있다. 그러나 수술 이후 1년 이후의 장기 추적에 대한 연구가 더 필요하다.

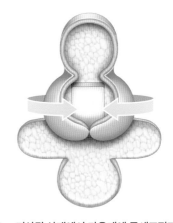

그림 3-1-15. CV flap 거상된 상태에서 가운데에 무세포진피기질 cube 넣는 그림

(5) 합병증

보형물이나 확장기를 이용한 유방재건술에서 무세포진피기질을 이용하는 경우, 무세포진피기질을 이용하지 않을 때와 비교하여 합병증 발생률이 더 높은 지 낮은 지에 대하여는 많은 연구가 있다. 유방절제술과 재건의 수술방법, 다양한 유방암 치료 등이 이질적인 경우가 많기 때문에 아직 논란이 많다. 최근에 500명 이상의 즉시 조직확장기 재건 환자군에서 matched cohort study를 시행하여 무세포진피기질을 사용한다고 장액종이나 감염, 피판 합병증 등이 증가하지 않음을 확인하기도 하였다. 또한 무균 무세포진피기질과 멸균 무세포진피기질, 건조 무세포진피기질과 수화 무세포진피기질, 제품별 비교 연구도 다수 있으며 아직도 활발한 연구가 진행 중이다.

① 감염

무세포진피기질을 이용한 보형물이나 확장기 유방재건에서 감염 발생이 더 높다는 보고가 초기에 많았으나 최근에는 차이가 없다는 연구가 많다.

무세포진피기질은 혈관이 없는 조직이기 때문에 감염에 대항할 면역 능력이 저조하기도 하고 무세포진피기질 자체가 동종/이종 이식편으로 감염원을 가지고 있을 가능성이 있다. 특히나 유방절제술 후 남은 피판의 혈류가 좋지 않을 경우 피판으로부터 혈액순환과 다양한 세포를 받아야하는 무세포진피기질이 biointegration 되지 못할 가능성이 높다. 방 외는 피판이 괴사되어 보형물이나 확장기가 노출될 위험에 놓인 환자 군에서 무세포진피기질을 넣은 경우 수술적 치료를 요하는 감염 합병증이 더 높았다고 보고하였다.

무세포진피기질을 이용한 조직확장기 재건에서 감염이 일어나더라도 대부분(>90%)이 확장 과정 이전에 일어나는 것을 관찰한 연구가 있어 감염 합병증이 수술 과정이나 환자 요인에서 기시할 가능성을 배제하지 못한다.

감염과 관련하여 무세포진피기질 이용 보형물 및 조직확장기 재건에서 항생제의 사용 여부, 사용 기간, 항생제의 종류를 비교한 다양한 연구에서 각 군의 차이가 없었다는 관찰이 많았으며 항생제 치료에 대한 일관된 결론을 내리기 어렵다.

② 장액종

무세포진피기질을 이용할 경우 배액되는 장액의 양이 더 많아 장액종 위험이 높다고 알려져 있었으나 최근 연구에서는 장액종의 양, 배액관 유지 기간 등에서 유의한 차이가 없는 것으로 관찰된다. 방 외가 저술한 단일 기관 연구에서 무세포진피기질사용 여부, 초기 확장 용적 비율 두 가지 인자는 장액종과 관련이 없었으며, 다만 큰 용적의 조직확장기를 사용한 환자, 고령일 경우 배액관 유지기간이 길었다.

③ 무세포진피기질의 구축

무세포진피기질 사용이 구형구축의 발생 빈도를 줄이는 것으로 알려져 있다. 그러나 무세포진피기질 자체가 정상 무세포진피기질보다 두배 이상 두꺼워지고 구축되는 현상을 이따금 관찰할 수 있다. 이 현상에 대한 기술은 최근에 논문으로 처음 보고되었으며 이를 무세포진피기질 관련 구축(ADM-associated contracture)이라고 명명하였다. 아직 기전이 명확하게 밝혀지지 않았지만 장액종이 있었던 환자에서 더 자주 관찰된 것이라 한다.

7) 유방재건술에서 무세포진피기질의 효과와 영향

(1) 조직 두께 증가(Improved coverage)

유방절제술 피판 내측에 biointegration된 무세포진피기질이 2~3 mm의 두께를 유지할 경우 비교적 얇지만 단단한 조직 층이 더해지는 효과가 있다.

(2) 지지 구조 제공(Physcial support)

보형물이 중력에 의해 하부로 힘을 받기 때문에 보형물의 하측에 설치한 무세포진피기질은 유방의 하부를 보강해주는 내부 지지구조로 역할을 한다. 그러나 복벽 재건이나 골반 기저부 재건에서 무세포진피기질을 사용한 경우 장시간이 경과하면 무세포진피기질이 늘어나면서 지지력이 약화되는 현상이 있기 때문에 유방의 하부나 유방밑주름 등의 구조를 지지하는 역할을 기대할 경우 시간이 지남에 따라 무세포진피기질의 지지력이 떨어질 것이라 예상할 수 있다. 이러한 지지 능력의 변화에 대한 장기적인 추적 연구는 아직 없다.

(3) 구형구축(Capsular contracture)

무세포진피기질을 이용한 유방보형물 삽입술을 받은 환자에서 무세포진피기질을 이용하지 않은 환자 대비 구형구축 발생률이 적다는 연구가 다수 보고되었다. 무세포진피기질과 접촉한 경우 대식세포와 같은 염증세포에서 염증반응을 일으키는 분비물을 덜 방출하기 때문일 것이라고 추정하였다. [MM] CARE trial (Continued Access Reconstruction/Revision Expansion trial)은 shaped, textured, silicone implant로 일차 유방재건 또는 보형물 관련 재수술을 시행 받은 환자를 대상으로 무세포진피기질을 적용 받은 군과 받지 않은 군에서 수술 후 1년 및 5년 시점의 합병증을 비교하였고, 일차 재건술을 받은 환자도 5년 시점에서 무세포진피기질이 있는 군의 구형구축 발생률이 낮았고(3.2% vs. 7.4%), 보형물 재수술을 받은 환자도 5년 시점에서 무세포진피기질이 있는 군의 구형구축 발생률이 낮았다(1.4% vs. 8.9%).

대흉근과 무세포진피기질 밑 조직확장기 재건을 받은 환자 중에서 방사선 치료를 받은 환자들은 대흉근 부위 피막과 무세포진피기질 부위 피막 검체를 비교한 연구에서 무세포진피기질 부위 조직에서 근섬유모세포, 섬유모세포, 혈관밀도, 대식세포, 형질전환성장인자(transforming growth factor, TGF)-β1과 PDGF-B의 발현이 유의하게 낮다는 연구가 있었다. 이러한 차이가 무세포진피기질 이용 환자에서 구형구축이 덜 일어나는 기전과 관련이 있을 것이다.

(4) 방사선

방사선은 보형물이나 확장기를 이용한 유방재건에서 합병증의 발생률을 높이기로 입증된 요소이다. 보형물이나 확장기 재건을 받는 환자에서 절제술 후 방사선 치료를 받는 환자에게 무세포진피기질을 사용하는 경우 합병증 발생이 더 많다는 보고도 있었으나 최근의 연구에서는 차이가 없거나 더 낮다는 연구가 많다. 구형구축 문단에서 언급하였듯이 방사선치료를 받은 환자에서 무세포진피기질 쪽 피막에 염증관련 세포나 성장인자, 근섬유모세포 관련 인자인 알파 평활근 액틴(alpha-smooth muscle actin, α-SMA)의 발현이 유의하게 낮은 것으로 관찰된다. 또 대흉근 쪽 피막에서는 방사선 치료를 받지 않은 검체보다 방사선 치료를 받은 검체에서 이러한 인자들의 발현이 확연히 증가한 반면 무세포진피기질 쪽에서는 방사선 치료 여부와 관계없이 비슷하였다는 점이 집중할 만하다. 이는 여러 연구에서 일관성있게 확인되는 결과이다.

✅ 참고문헌

1. Ayeni OA, Ibrahim AMS, Lin SJ, Slavin SA. Acellular dermal matrices in breast surgery: tips and pearls. Clin Plast Surg 2012;39(2):177-86.

2. Baxter RA. Intracapsular allogenic dermal grafts for breast implant-related problems. Plast Reconstr Surg 2003 Nov;112(6):1692-6; discussion 1697-8.

3. Bi S, Liu R, Wu B, et al. Breast Implants for Mammaplasty: An Umbrella Review of Meta-analyses of Multiple Complications. Aesthetic Plast Surg 2020;44(6):1988-96.

4. Bindingnavele V, Gaon M, Ota KS, et al. Use of acellular cadaveric dermis and tissue expansion in postmastectomy breast reconstruction. J Plast Reconstr Aesthet Surg 2007;60:1214-8.

5. Boháč M, Danišovič Ľ, Koller J, Dragúňová J, Varga I. What happens to an acellular dermal matrix after implantation in the human body? A histological and electron microscopic study. Eur J Histochem. 2018;62(1):2873. doi:10.4081/ejh.2018.2873.

6. Bottino MC, Jose MV, Thomas V, Dean DR, Janowski GM. Freeze-dried acellular dermal matrix graft: effects of rehydration on physical, chemical, and mechanical properties. Dent Mater 2009;25(9):1109-15.

7. Breuing KH, Warren SM. Immediate bilateral breast reconstruction with implants and inferolateral AlloDerm slings. Ann Plast Surg 2005;55:232-9.

8. Centers for Disease Control and Prevention [Internet] c2016. Guideline for Disinfection and Sterilization in Healthcare Facilities; 2016 Sep 18 [cited 2022 Jul 27]. Available from: https://www.cdc.gov/infectioncontrol/guidelines/disinfection/sterilization/index.html

9. Colwell AS, Taylor EM. Recent Advances in Implant-Based Breast Reconstruction. Plast Reconstr Surg 2020;145(2):421e-32e.

10. Cottler PS, Olenczak JB, Ning B, et al. Fenestration Improves Acellular Dermal Matrix Biointegration: An Investigation of Revascularization with Photoacoustic Microscopy. Plast Reconstr Surg 2019 Apr;143(4):971-81.

11. Craig ES, Clemens MW, Koshy JC, et al. Outcomes of Acellular Dermal Matrix for Immediate

Tissue Expander Reconstruction with Radiotherapy: A Retrospective Cohort Study. Aesthet Surg J 2019;39(3):279-88.

12. DeGeorge BR Jr, Ning B, Salopek LS, et al. Advanced Imaging Techniques for Investigation of Acellular Dermal Matrix Biointegration. Plast Reconstr Surg 2017 Feb;139(2):395-405.

13. DeGeorge BR Jr, Olenczak JB, Cottler PS, et al. Evaluation of Sidestream Darkfield Microscopy for Real-Time Imaging Acellular Dermal Matrix Revascularization. Ann Plast Surg 2016;76 Suppl 4:255S-9S.

14. Duncan DI. Correction of implant rippling using allograft dermis. Aesthet Surg J 2001 Jan;21(1):81-4.

15. Ellsworth WA 4th, Hammer J, Luo L, Schumacher A. Acellular Dermal Matrices in Breast Reconstruction: CARE Trial 5-Year Outcomes Data for More Than 9500 Patients. Plast Reconstr Surg Glob Open 2022;10(4):e4258.

16. Garcia O Jr, Scott JR. Analysis of acellular dermal matrix integration and revascularization following tissue expander breast reconstruction in a clinically relevant large-animal model. Plast Reconstr Surg 2013;131(5):741e-751e.

17. Hagarty SE, Yen LL, Luo J, Fosco CR, Gomez K, Khare M. Decreased Length of Postoperative Drain Use, Parenteral Opioids, Length of Stay, and Complication Rates in Patients Receiving Meshed versus Unmeshed Acellular Dermal Matrix in 194 Submuscular Tissue Expander-Based Breast Reconstructions: A Single-Surgeon Cohort Study. Plast Reconstr Surg 2020 Apr;145(4):889-97.

18. Hester TR Jr, Ghazi BH, Moyer HR, Nahai FR, Wilton M, Stokes L. Use of dermal matrix to prevent capsular contracture in aesthetic breast surgery. Plast Reconstr Surg 2012;130(5 Suppl 2):126S-36S.

19. Hur J, Han HH. Outcome Assessment According to the Thickness and Direction of the Acellular Dermal Matrix after Implant-Based Breast Reconstruction. Biomed Res Int. 2021 Nov 16;2021:8101009. doi: 10.1155/2021/8101009.

20. Kearney AM, Yan Y, Bricker JT, Pincus JL, Alghoul MS. Acellular Dermal Matrix-Associated Contracture: A Clinical and Histologic Analysis of Patients Undergoing Prosthetic Breast Reconstruction. Plast Reconstr Surg 2021;148(5):968-77.

21. Kim IK, Park SO, Chang H, Jin US. Inhibition Mechanism of Acellular Dermal Matrix on Capsule Formation in Expander-Implant Breast Reconstruction After Postmastectomy Radiotherapy. Ann Surg Oncol 2018;25(8):2279-87.

22. Kim S, Park E, Cha H, Nam S, Kim Y. Abstract: Acellular Dermal Matrix (ADM) Assisted Implant-Based Immediate Breast Reconstruction with Latissimus Dorsi Flap. Plast Reconstr Surg Glob Open 2017;5(9 Suppl):23-4.

23. Kim SY, Bang SI. Impact of Acellular Dermal Matrix (ADM) Use Under Mastectomy Flap Necrosis on Perioperative Outcomes of Prosthetic Breast Reconstruction. Aesthetic Plast Surg 2017;41(2):275-81.

24. Kornstein AN. The Benefit of Acellular Dermal Matrix Placement in Primary Breast Surgery May Outweigh the Cost in Patients at High Risk of Capsular Contracture. Aesthet Surg J. 2020;40(7):NP434-NP435.

25. Lee HJ, Ock JJ. How to Improve Projection in Nipple Reconstruction: A Modified Method Using Acellular Dermal Matrix Disk and Fragments. Plast Reconstr Surg 2019 Apr;143(4):698e-706e.

26. Macadam SA, Lennox PA. Acellular dermal matrices: Use in reconstructive and aesthetic breast surgery. Can J Plast Surg 2012;20(2):75-89.

27. Masià J; iBAG Working Group. The largest multicentre data collection on prepectoral breast reconstruction: The iBAG study. J Surg Oncol 2020;122(5):848-60.

28. Maxwell GP, Gabriel A. Acellular dermal matrix in aesthetic revisionary breast surgery.

Aesthet Surg J 2011;31(7 Suppl):65S-76S.

29. Mendibil U, Ruiz-Hernandez R, Retegi-Carrion S, Garcia-Urquia N, Olalde-Graells B, Abarrategi A. Tissue-Specific Decellularization Methods: Rationale and Strategies to Achieve Regenerative Compounds. Int J Mol Sci 2020;21(15):5447.

30. Mofid MM. Acellular dermal matrix in cosmetic breast procedures and capsular contracture. Aesthet Surg J 2011;31(7 Suppl):77S-84S.

31. Orgill DP, editor. Interventional Treatment of Wounds. 1st ed. Vol. 1. Germany, Berlin: Springer; 2018. pp.123-42.

32. Owens JL, Cordell KG, Amornporncharoen M, Palaiologou AA. Histologic Evaluation of Acellular Dermal Matrix Allografts in Humans. Clin Adv Periodontics 2017;7(3):122-7.

33. Park GY, Yoon ES, Cho HE, Lee BI, Park SH. Acellular Dermal Matrix as a Core Strut for Projection in Nipple Reconstruction: Approaches for Three Different Methods of Breast Reconstruction. Arch Plast Surg 2016;43(5):424-9.

34. Patel AA, Kayaleh H, Sala LA, Peterson DJ, Upadhyaya PK. Comparing Outcomes of Wise-Pattern, Two-Stage Breast Reduction-Reconstruction with and without Acellular Dermal Matrix. Plast Reconstr Surg 2021;148(3):511-21.

35. Phillips BT, Bishawi M, Dagum AB, Bui DT, Khan SU. A systematic review of infection rates and associated antibiotic duration in acellular dermal matrix breast reconstruction. Eplasty 2014;14:e42.

36. Salibian AA, Frey JD, Choi M, Karp NS. Subcutaneous Implant-based Breast Reconstruction with Acellular Dermal Matrix/Mesh: A Systematic Review. Plast Reconstr Surg Glob Open 2016;4(11):e1139.

37. Salzberg CA, Ashikari AY, Berry C, Hunsicker LM. Acellular Dermal Matrix-Assisted Direct-to-Implant Breast Reconstruction and Capsular Contracture: A 13-Year Experience. Plast Reconstr Surg 2016;138(2):329-37.

38. Sigalove S. Options in Acellular Dermal Matrix-Device Assembly. Plast Reconstr Surg 2017;140(6S Prepectoral Breast Reconstruction):39S-42S.

39. Spear SL, Sher SR, Al-Attar A, Pittman T. Applications of acellular dermal matrix in revision breast reconstruction surgery. Plast Reconstr Surg 2014;133(1):1-10.

40. StatPearls [Internet]. c2022. Histology, Dermis; 2022 Jan [2022 Jul 19]. Available from: https://www.ncbi.nlm.nih.gov/books/NBK535346/

41. Stein MJ, Chung A, Arnaout A, et al. Complication rates of acellular dermal matrix in immediate breast reconstruction with radiation: A single-institution retrospective comparison study. J Plast Reconstr Aesthet Surg 2020;73(12):2156-63.

42. Swanson E. Concerns Regarding the Use of Acellular Dermal Matrix at the Time of Primary Breast Augmentation. Ann Plast Surg 2021;86(1):1-2.

43. Wainwright DJ. Use of an acellular allograft dermal matrix (AlloDerm) in the management of full-thickness burns. Burns 1995 Jun;21(4):243-8.

44. Woo KJ, Paik JM, Mun GH, Pyon JK, Jeon BJ, Bang SI. Analysis of factors influencing drain amount, time to drain removal, and seroma formation in patients undergoing immediate expander-implant breast reconstruction. J Plast Surg Hand Surg 2018;52(1):53-9.

45. Yang CE, Park KH, Lee DW, Lew DH, Song SY. Does acellular dermal matrix expand in response to tissue expander inflation?. Arch Plast Surg 2019;46(1):34-8.

3. 유방보형물의 역사와 표면개질기술

중앙대학교병원 성형외과 **강신혁**, 분당서울대학교병원 성형외과 **허찬영**

1) 가슴확대술의 역사(History of breast augmentation)

수천년 전부터 유방의 모양은 서구 사회에서 중요한 미적 요소였으며, 고대시대부터 여성 들은 크고, 아름다운 모양의 유방을 추구하였다. 최초의 유방 확대술은 18 세기에 시작되었고, 상아, 유리, 금속, 고무와 같은 재료를 무분별하게 사용하여 많은 의학적 문제를 야기하였다. 그럼에도 불구하고 크고 아름다운 유방 모양을 갖기 위한 유방 확대술에 대한 관심은 계속되었다. 이 후 파라핀, 바셀린, 올리브 오일 등의 재료를 통한 유방확대술을 시도하였지만 마찬가지로 많은 합병증을 초래했다. 1950년대와 1960년대에는 유방의 확대를 위해 액체 실리콘을 유방에 직접 주입하기도 하였지만, 직접 주입된 실리콘은 유방 주변 조직에 침투하여 여러 신체적 손상을 일으켰고, 그 결과 실리콘을 유방에 직접 주입한 많은 여성들은 유방 절제술을 받아야 했다. 시행착오 끝에 1960년대에 유방확대를 위한 합성 보형물이 최초로 개발이 되었고 보형물을 이용한 유방확대술이 전세계적으로 유행하게 되었으며, 안정성과 미용적인 부분이 개선된 합성 보형물이 개발되었다.

2) 보형물의 종류(Type of breast implant)

유방보형물은 보형물 속 재료에 따라 크게 식염수 유방보형물과 실리콘 유방보형물 두 가지로 분류할 수 있다. 식염수 유방보형물의 충전제로는 멸균 식염수가 사용되며 멸균 식염수로 채워진 식염수 유방보형물은 손상이 되더라도 그 식염수가 자연스럽게 몸에 흡수되어 체외로 배출되며, 모양의 변성이 적고, 견고한 느낌을 갖는 것이 특징이다. 실리콘 유방보형물의 충전제로는 실리콘 겔이 사용되며 실리콘 겔은 실제 유방 조직과 유사한 질감을 가지고 있다. 하지만 식염수 유방보형물과는 달리, 실리콘 유방보형물이 손상되어 실리콘 겔이 누축될 경우, 체내로 흡수되지 않고 실리콘 겔이 보형물 껍질 안에 머물거나 유방보형물 껍질 밖으로 빠져나갈 수 있다. 이런 문제 때문에 실리콘 유방보형물을 이용하여 유방확대술을 시행하는 경우 성형외과 의사를 통해 보형물의 상태를 주기적으로 확인해야 하며, 초음파 또는 자기 공명 영상 검사(MRI) 등을 통해 평가할 수 있다.

3) 실리콘 유방보형물(Silicone gel implants)

(1) 실리콘 유방보형물의 개발 배경(development background of silicone breast implants)

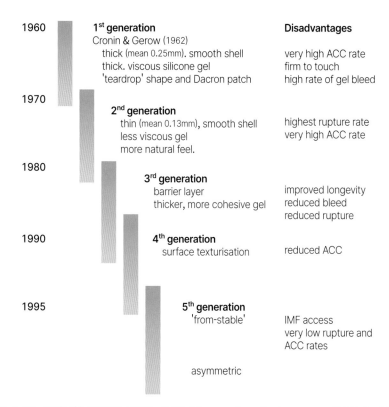

1960	**1st generation**	**Disadvantages**
	Cronin & Gerow (1962)	
	thick (mean 0.25mm). smooth shell	very high ACC rate
	thick. viscous silicone gel	firm to touch
	'teardrop' shape and Dacron patch	high rate of gel bleed
1970	**2nd generation**	
	thin (mean 0.13mm), smooth shell	highest rupture rate
	less viscous gel	very high ACC rate
	more natural feel.	
1980	**3rd generation**	
	barrier layer	improved longevity
	thicker, more cohesive gel	reduced bleed
		reduced rupture
1990	**4th generation**	
	surface texturisation	reduced ACC
1995	**5th generation**	
	'from-stable'	IMF access
		very low rupture and
		ACC rates
	asymmetric	

그림 3-1-16. 유방보형물의 개발 변천사. (ACC: Adeverse Capsular Contracture, IMF: Infra-Mammary Fold) (출처: Breast augmentation: Part I--A review of the silicone prosthesis. J Plast Reconstr Aesthet Surg. 2010 Nov:63(11):1761-8.)

유방확대에 적합한 재료를 찾기 위한 시행착오를 겪은 끝에 1963년에 처음으로 상업적으로 이용 가능한 실리콘 합성 보형물이 개발되었으며, 이후 보형물의 표면, 크기, 겔 일관성 및 모양 등 유방보형물은 광범위한 방면에서 발전하였다. 1963년 처음 실리콘 합성 보형물이 개발된 이후 만들어진 모든 보형물이 이산화규소가 첨가된 실리콘 탄성 중합체가 외부 껍질을 이루고 있었으며, 유방보형물의 껍질은 껍질 수에 따라 단층 또는 이중층, 껍질 표면의 질감에 따라 매끄럽거나 거친 것, 차단막 코팅이 되어 있거나 폴리우레탄 폼으로 덮여 있는 것 등으로 나누어진다.

(2) 1세대 실리콘 유방보형물(1962–1970) (1st generation silicone breast implant)

Cronin과 Gerow는 "Silastic 0"이라고 불리는 최초의 실리콘 젤 보형물을 만들었다. 이 보형물은 두껍고 매끄러운 실리콘 탄성 중합체로 단일 껍질을 이루고, 점성이 있는 실리콘 겔로 채워져 있었다. 보형물의 모양은 눈물방울(tear drop) 모양으로, 보형물의 신체내 이동을 방지하기 위해 보형물 바닥쪽에 Da-cron 메쉬를 이용하여 고정 패치를 만들기도 하였다.

그러나 최초로 개발된 1세대 실리콘 유방보형물은 보형물의 껍질을 이루는 재료의 낮은 퀄리티와 실리콘 겔의 응집력의 부족으로 높은 유방 구형구축률을 보였고, 이로 인해 이를 보완하는 방향으로 2세대 실리콘 유방보형물의 개발이 이루어졌다.

(3) 2세대 실리콘 유방보형물(1970-1982) (2nd generation silicone breast implant)

1세대 실리콘 유방보형물의 단점을 보완하기 위해 1970년대에 개발된 2세대 실리콘 보형물은 더 얇고 이음새가 없는 보형물의 껍질을 갖게 되었으며, Dacron 패치를 제거하였다. 또한 좀 더 자연스러운 촉감을 갖기 위하여 보형물은 이전보다 점성이 낮은 실리콘 겔로 채워졌으며, 보형물의 모양은 구형의 형태를 갖췄다. 하지만, 얇고 다공성인 보형물의 껍질과 저점도 실리콘 겔 충전제로 인해 2세대 유방보형물은 작은 실리콘 분자가 보형물 주위로 확산되거나 새어나오는 부작용이 있었으며, 보형물 주변의 캡슐 내부로 실리콘 겔이 누출되는 사례가 자주 발생하였다.

(4) 3세대 실리콘 유방보형물(1982-1992) (3rd generation silicone breast implant)

2세대 실리콘 유방보형물의 단점을 보완하기 위하여 3세대 실리콘 유방보형물은 실리콘 겔이 보형물 밖으로 누출되는 것을 방지하는 방향으로 개발되었다. 이를 위해 3세대 실리콘 유방보형물은 유방보형물의 껍질의 강도를 높였으며, 단일층의 껍질이 아닌 여러 층으로 이루어진 실리콘 탄성 중합체의 껍질을 개발하였다. 이러한 3세대 보형물은 겔 누출을 실질적으로 감지할 수 없는 수준으로 감소시켰으며, 보형물 껍질의 파형도 크게 줄였다.

(5) 4세대, 5세대 실리콘 유방보형물(1993-현재) (4th generation, 5th generation silicone breast implant)

3세대에 사용되었던 액체 실리콘 겔의 인체 유해성이 밝혀지면서 1992년 미국식품의약국(FDA)이 미국 시장에서 3세대 실리콘 유방보형물의 사용을 일시적으로 중단할 것을 중단을 선언하였고, 이 후 실리콘 유방보형물의 시장 재도입을 위해 4세대 실리콘 유방보형물이 개발되었다. 4세대 실리콘 유방보형물은 ASTM (American Society for Testing Methodology) 및 FDA의 기준을 충족시키는 방향으로 개발되었으며, 이를 위하여 보형물 껍질의 두께와 실리콘 겔 응집도를 조절했으며, 이렇게 개발된 실리콘 겔이 미국 INAMED사에서 개발한 COHESIVE GEL이다. COHESIVE GEL은 보형물이 파열되어도 실리콘 겔이 밖으로 유출되지 않는 안정성이 장점이다. 5세대 실리콘 유방보형물은 이전의 유방보형물들에 비해 좀 더 자연스러운 유방의 모양을 갖기 위하여 해부학적인 모양(tear drop)의 개념이 도입되었으며, 구형구축을 방지하기 위하여 매끈한 표면이 아닌 거친 표면의 껍질을 갖는 보형물이 개발됐다. 하지만 거친 표면 껍질의 보형물의 경우 BIA-ALCL의 발생으로 인해 더 이상 사용하지는 않고 있다.

4) 실리콘 보형물의 진화(The evolution of silicone implant)

(1) 표면(surface)

실리콘 보형물 개발 초기부터 보형물 표면의 특성이 보형물을 삽입한 후 발생하는 캡슐 형성에 영향을 미칠 수 있다고 알려졌다. 1970년대에는 실리콘 겔 보형물을 덮기 위해 폴리우레탄 폼을 통하여 얇은 코팅을 하는 방법이 사용되었고, 이는 원래 보형 물을 이동을 방지하기 위해 사용하였지만, 임상적으로 구형 구축의 발생을 감소시키는 것으로 나타났다. 이러한 이유로 1980년대에는 폴리우레탄 폼이 코팅된 유방보형물이 대중화되었으나 1991년 발생한 폴리우레탄 폼의 안전성 문제로 인하여 폴리우레탄 폼이 코팅된 보형물의 사용이 줄어들었다. 폴리우레탄 폼은 보형물에서 분리될 뿐만 아니라 인체내에서 물리적 및 화학적으로 분해되는 것으로 알려졌고 이 과정에서 2-톨루엔디아민을 포함하여 다양한 화학 물질을 생성하는 것이 확인되었기 때문이다. 하지만, 폴리우레탄 폼과 유사한 질감이 있는 표면을 가진 보형물이 보형물 주변의 캡슐 형성을 예방하거나 심지어 감소시킬 수 있다는 것이 분명해졌고, 미국의 제조업체 들은 일제히 폴리우레탄 폼과 유사한 질감의 표면을 가진 실리콘보형물 표면을 개발하기 시작했다. 대표적인 과거 보형물들을 살펴보면 Sientra 사의 Silimed 보형물은 salt loss, vulcanisation, imprinting 프로세스를 사용하지 않은 TRUE texture 보형물이며 이는 작은 공동들이 입자형성을 줄여주는 작고 얇은 cell webbing 형태로 형성되어 있다. Allergan사의 BIOCELL texture는 salt loss 프로세스로 만들어지는데 이는 얇은 실리콘 코팅으로 염 결정층을 형성하고 이를 경화시키는 과정을 통하여 만들어진다. 다음으로 Mentor사의 Siltex 보형물은 폴리우레탄 폼을 이용하여 실리콘 표면에 압력을 가해 찍어내는 방법인 implant stamping기법이 사용된다(그림 3-1-17). 거친 표면의 보형물은 보형물 표면의 미세한 공동(pore)의 크기가 조직이 보형물에 유착되도록 하여 보형물을 안정화시킨다. 많은 연구에서 pore의 크기가 보형물의 안정화에 기여하는 것을 확인하였지만, pore의 크기가 구형구축의 감소와 연관이 있는지는 여전히 논쟁의 여지가 있다. Danino 등은 2001년에 BIOCELL(공동 직경 600~800 m, 깊이 150~200 m)와 Siltex(공동 직경 70~150 m)를 비교하였으나 구형구축 발생의 유의미

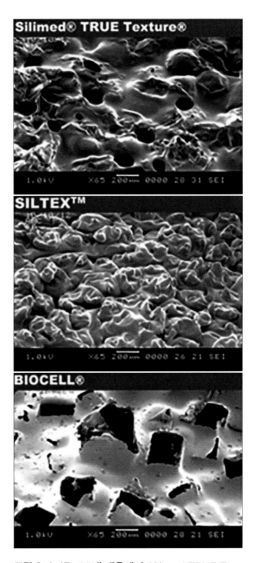

그림 3-1-17. 65배 배율에서 Silimed TRUE Texture, Allerga Biocell 및 Mentor Siltex 표면의 전자 현미경 이미지. (출처: Stevens W, Nahabedian M, Calobrace M, et al. Risk factor analysis for capsular contracture: a 5-year Sientra study analysis using round, smooth, and textured implants for breast augmentation. Plast Reconstr Surg 2013;132(05):1115-1123.)

한 차이는 없었다고 보고하였다. 이를 통해 pore의 크기가 보형물 안정화와 관련이 있지만 구형구축 감소와는 관련이 없다고 결론지었지만 명확한 감소를 주장하는 연구결과도 많이 보고된 바 있다.

(2) 충전물질(Filler)

1960년대 최초의 보형물이 발명된 이후 실리콘은 충전물질로 활용되었으나 시간이 지남에 따라 변화를 거듭하여 보다 자연스러운 느낌으로 더욱 내구성 있는 충전물질이 필요해졌다. 초기 연구에서는 3세대 실리콘 보형물을 식염수 보형물과 비교하였고 충전제는 보형물 개발 초기 단계에서 구형구축 발생률에 영향을 미치는 것으로 알려졌다. 실리콘은 화학적으로 다양한 길이의 폴리디메틸실록산(CH3)2-SiO) 단량체의 다양한 길이 사슬로 이루어진 복합분자의 혼합물로, 실리콘의 물리적 특성은 폴리머 사슬의 평균 길이와 가교 정도에 따라 결정된다. 예를 들어 액체 실리콘은 평균 길이가 짧고 가교가 적은 폴리머로 구성된다. 폴리머 사슬의 길이와 가교 정도가 증가함에 따라 실리콘의 일관성이 변하여 더 큰 점도의 실리콘 겔 보형물이 생성된다. 이를 이용하여 실리콘 겔의 촉감을 액체와 같은 말랑한 촉감부터 고체와 같은 단단한 촉감을 가진 보형물을 생성할 수 있다. 실리콘 겔 보형물은 특정 정도의 가교에 도달할 때까지 치수와 형태를 유지하여 응집성 겔 보형물을 생성한다. "form-stable"이라는 용어는 이러한 응집성 보형물에 적용되었으며, 이는 쉘 내의 겔 분포가 일정함을 의미한다. 하지만 어떤 보형물도 완전히 형태가 안정적이지는 않기 때문에 "form-stable"이라는 표현을 사용하는데 있어 차츰 의문이 생겨났고, 최근에는 보형물이 껍질 내의 겔 분포가 얼마나 일정한가 보다 보형물이 얼마나 모양을 잘 유지하는가를 나타내는 능력을 설명하는 데에 사용된다. 더 이상 거친표면의 보형물과 형태 안정 보형물은 사용되지 않지만, 응집력에 대한 과거 연구를 살펴보면 개선된 실리콘 겔의 응집력 측정을 위한 Maxwell의 한 연구에서는 "Memory shape"으로 알려진 Mentor사의 Contour profile gel 보형물과 비교하여 Allergan사의 410 보형물이 더 강한 응집력을 보이는 것으로 나타났다(그림 3-1-18). 또한 과거의 다른 연구에서는 Mentor사의 Contour profile gel 보형물과 Allergan사의 410 보형물과 비교했을 때, Silimed사의 형태 안정 보형물이 가장 낮은 응집력을 보였다. 반면, Mentor사의 원형 보형물과 Allergan사의 원형 보형물을 비교하였을 때에는 Allergan사의 원형 보형물이 더 약한 응집력을 보였으며 Silimed사의 원형 보형물은 앞의 두 회사의 원형 보형물보다 더 강한 응집력을 보였다. 저자는 일련의 응집성과 강성에 관한 연구결과들을 통해 응집성은 강성에 영향을 줄 수 있는 보형물의 특징 중 하나일 뿐 응집성과 강성이 꼭 일치하지 않는다는 것을 주장하였다. 보형물을 평가할 때에는 다른 모든 보형물들의 속성을 고려해야 한다. 보형물 제조 회사마다 독립적인 제조 방법을 통해 보형물을 생산하기 때문에 모든 보형물들의 응집력을 표준화하여 비교하는 것은 어렵다. 또한 3세대 보형물과 식염수 보형물을 비교하였을 때 보형물을 채우는 충전물질이 어떤 특성을 갖

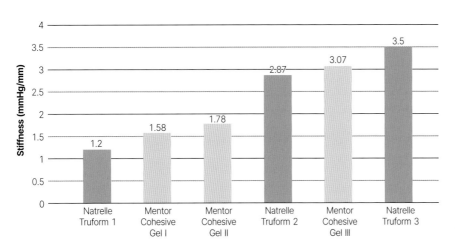

그림 3-1-18. 과거에 연구된 실리콘 겔 보형물의 응집성(강성도). (출처: Natrelle style 410 form-stable silicone breast implants: core study results at 6 years. Aesthet Surg J 2012;32(06):709-717.)

느냐에 따라 구형구축의 발생률에 영향을 주는 것으로 밝혀졌으나 4세대, 5세대 보형물의 경우에서는 이에 대한 충분한 연구가 진행되지 않아 안정성과 장기적 예후에 관한 연구가 필요하다.

(3) 껍질(Shell)

모든 유방보형물의 껍질은 실리콘 탄성 중합체로 구성된다. 실리콘 탄성 중합체는 실리콘 겔과 유사한 구조를 갖지만 가교결합이 훨씬 더 많고 유동성이 훨씬 적기 때문에 유연하고 고무 같은 특성을 지닌 단단한 껍질을 생성한다. 실리콘은 상대적으로 열 안정성이 뛰어나며, 다른 화학 물질에 대한 낮은 반응성과 낮은 표면 장력을 갖는데, 이는 보형물 껍질로서 많은 장점을 가지고 있다. 현재 보형물 안의 실리콘 겔의 보호를 위해 껍질에 장벽층을 추가하거나, 삼중 외피 탄성중합체와 같은 껍질을 만들어주는 방법들이 개발된 상태이다. 또한 보형물의 껍질은 인체 조직과 바로 닿는 부분이기 때문에, 이러한 보형물 껍질의 표면을 개질하는 연구들이 최근에 가장 활발히 진행되고 있다.

(4) 모양(Implant Shape)

보형물 껍질 내 실리콘 겔의 응집력, 실리콘 겔의 껍질에 대한 접착력, 실리콘 겔의 충전 비율 등은 보형물의 모양에 영향을 줄 수 있다. 실리콘 겔과 보형물 껍질의 비율은 공식적으로 정의된 척도는 없으며, 제조 업체마다 다르다. 원형 임플란트의 다양한 프로파일 내에서도 겔과 껍질의 비율도 다양하게 변경되는데, 이는 환자에게 잘못 사용된다면 겔과 쉘의 충전 비율의 변동으로 인해 rippling 및 upper pole collapse와 같은 명백한 임상적 변화가 발생할 수 있다. 최근 연구에서 엎드린 자세를 취한 후 촬영한 MRI를 통해 보았을 때 응집력이 강한 형태 안정성 보형물에서도 껍질의 rippling이 명확히 관찰됐다. 체위에 따라 형태가 변하는 것이 대개 임상적으로는 큰 문제를 일으키지 않지만 일부 환자에서는 문제가 되기도 한다.

5) 유방보형물 관련 역형성대세포림프종
(BIA-ALCL, Breast Implant Associated Anaplastic Large Cell Lymphoma)

1997년도에 식염수 유방보형물 삽입 후 발생한 BIA-ALCL이 Keech et al.에 의해 처음 학계에 보고가 됐다. 그 후로 전 세계적으로 900건 이상의 사례가 보고되었으며, 2011년 1월, 미국 식품의약국(FDA)은 유방보형물과 ALCL의 발생 사이의 연관성을 발표했다. 현재 BIA-ALCL은 세계보건기구(WHO)에서 혈액암, 림프종, 유방암으로 분류되고 있으며, 현재까지 국내에서 3건의 사례가 보고되었다.

일반적으로 BIA-ALCL의 임상적 특징은 대부분의 경우(>80%) 유방보형물 주변으로 생긴 캡슐내에 국한되어 발생한다는 점이다. 캡슐 내에 국한된 BIA-ALCL의 경우 일반적으로 캡슐과 함께 임플란트를 제거하면 문제가 해결되지만 주변 림프절로의 침범이 있거나, 캡슐 밖으로의 침범이 발생하였을 경우 예후에 큰 영향을 미친다.

질병의 병인은 여러 가지 측면에서 다양하게 고려되고 있는데 주로 거친 표면의 보형물에서 발생하는 장액종으로 인한 만성 염증 반응 및 면역반응, 무증상 세균 감염, 유전자 변형 등의 관점에서 살펴볼 수 있다.

BIA-ALCL의 여러 치료 방법들로는 유방보형물의 제거, 캡슐 전절제술, 림프절 절제술, 화학 요법, 방사선 요법 등이 있다. 우선 BIA-ALCL이 발생한 모든 환자는 유방보형물 제거, 캡슐 전절제술과 함께 절제연이 음성이 되도록 캡슐 주변 조직들을 제거하도록 권유된다. 이런 외과적 절제술을 통해 다른 화학 요법이나 방사선 요법보다 치료율을 높일 수 있다. 이 때, BIA-ALCL은 양측성으로 발생할 가능성이 있기 때문에 건측의 유방보형물도 제거하는 것이 권유되며 액와부 림프절 절제술은 영상 소견에서 림프절 침범이 의심될 때 시행된다. 2기 이상의 BIA-ALCL이거나 외과적 절제가 불완전하였을 경우, 재발성 질환의 경우에 환자는 외과적 절제술 후, 화학 요법이나 방사선 요법 같은 보조 요법 치료를 추가로 받아야 한다. 질병이 진행된 경우 항암화학요법이 필요하며, 가장 널리 사용되는 요법은 에토포사이드를 포함하거나 포함하지 않는 안트라사이클린 기반 화학요법 [CHOP(시클로포스파미드, 독소루비신, 빈크리스틴, 프레드니손)]으로 기존 역형성대세포림프종의 치료에 사용되는 항암화학요법과 유사하다.

6) 보형물의 다양한 표면개질기술
(Multimodal techniques for the functional surface modification)

(1) 생체모방의 물리적 표면개질(Biomimetic topographic modification)

보형물 표면을 인체 조직과 비슷한 형태의 표면으로 만들게 되면, 보다 더 나은 생체 내 적합성을 갖지 않을까라는 의문점에서 일련의 연구들이 진행됐다. 보형물 표면을 인체 조직과 비슷한 표면으로 만들기 위한 연구는 실리콘 보형물의 텍스처링을 변화시키는 연구로 이

전부터 진행되었다.

영국의 맨체스터 대학교 연구팀에서는 유방의 지방 조직을 분석하여 유방의 지방 조직과 유사한 실리콘 보형물의 표면이 보다 나은 생체내 적합성을 보일 것으로 예측하였으며, 이를 토대로 한 실험에서 세포 수준에서 전염증성 사이토카인(IL-b1, TNF-a 및 IL-6)이 감소했으며, IL-10과 같은 항염증 사이토카인은 증가했다는 결과를 도출했다(그림 3-1-19, 그림 3-1-20).

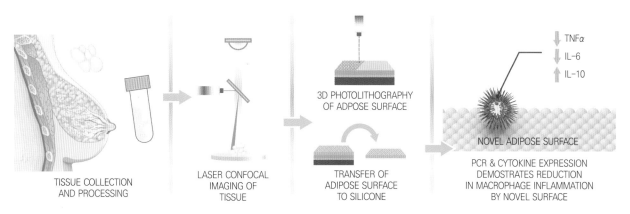

그림 3-1-19. **3차원 포토리소그래피 및 이온 에칭 기술을 사용한 인간 유방 조직의 지형 평가 및 복제에 대한 도식적 표현.** (출처: Barr S, Hill EW, Bayat A. Development, fabrication and evaluation of a novel biomimetic human breast tissue derived breast implant surface. Acta Biomater. 2017;49:260-71; with permission.)

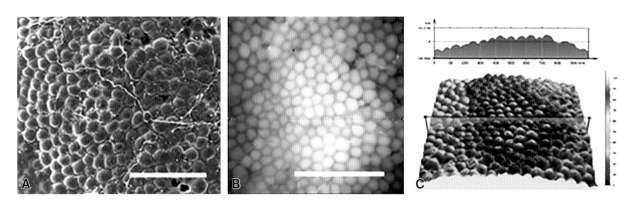

그림 3-1-20. **지방조직 표면 분석 (scale bars = 500마이크로미터). (A)** fixed Negative adipose tissue의 SEM image, **(B)** 지방조직 표면의 Laser Confocal height map, **(C)** B의 이미지를 3D 화시켜서 보편화한 profile (출처: Barr S, Hill EW, Bayat A. Development, fabrication and evaluation of a novel biomimetic human breast tissue derived breast implant surface. Acta Biomater. 2017;49:260-71; with permission.)

또 다른 연구는 세포 진피의 마이크로/나노 수준에서의 표면적 특징을 모사한 실리콘 보형물 표면의 생체내 적합성을 연구했다. 이 연구는 단순히 매끄럽거나 질감이 있는 기존 보형물과 같은 표면을 생성하는 것이 아닌, 인간의 조직과 비슷한 보형물의 표면을 생성하는 것을 목표로 하였다. 이러한 실리콘 표면의 형태적 변형은 분명히 세포 반응에 영향을 미치며, 생체내 적합한 세포 반응 유도함으로서 좀 더 나은 생체 적합성의 실리콘 보형물의 개발을 할 수 있음을 보여주고 있다.

(2) 소수성 표면의 친수화개질(Modification of hydrophobic surface)

　　물질의 표면이 소수성일 때 물질의 표면과 접촉하는 물방울은 둥근모양을 형성하고 이런 경우에 재료표면의 접촉각은 증가한다(그림 3-1-21). 실리콘의 재료 자체는 본질적으로 소수성이며, 시중에 나와 있는 대부분의 실리콘 보형물 표면의 접촉각은 약 100-130도이다(그림 3-1-21). 많은 연구에서 생체 물질 표면의 소수성의 성질이 대식세포와 T 세포 관련 염증 및 이물 반응을 증가시키는 것으로 나타났다. 따라서 실리콘 보형물의 표면을 친수성으로 개질하는 것은 보형물의 삽입을 이전에 비해 생체 적합하게 만드는 데 도움이 될 수 있다. 실리콘 보형물의 표면을 친수성으로 만들기 위한 플라즈마 표면 개질 기술은 매우 효과적이고 경제적인 방법이며, 생체재료 표면 공학 분야에서 활발히 연구되고 있는 기법이다. 이 기법에서 가장 많이 사용되는 기체는 산소이며, 산소를 이용하여 만든 OH 라디칼에 의해 실리콘 보형물 표면을 효과적으로 살균할 수도 있으며 고압증기멸균법에 비해 플라즈마 표면 개질은 고압 및 고온 조건에서 약한 실리콘 표면 개질에 매우 유용한데, 이 방법은 공정 중 고온이나 고압이 필요하지 않기 때문이다. 산소 플라즈마 처리법을 이용하여 보형물의 합병

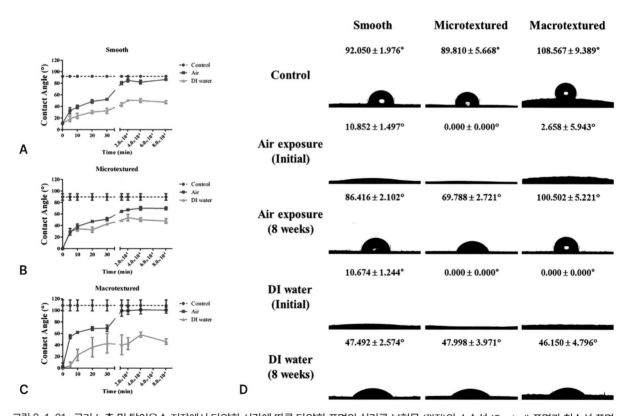

그림 3-1-21. 공기 노출 및 탈이온수 저장에서 다양한 시간에 따른 다양한 표면의 실리콘 보형물 (껍질)의 소수성 (Control) 표면과 친수성 표면 (산소 플라즈마 처리 후)의 물 접촉각 값 (A-C). 산소 플라즈마 처리 후의 고접촉각 물방울의 형태 (D: initial) 및 산소 플라즈마 전의 접촉하고 있는 낮은 접촉각 물방울의 형태 (D: Control). (출처: Kang SH, Sutthiwanjampa C, Kim HS, et al. Optimization of oxygen plasma treatment of silicone implant surface for inhibition of capsular contracture. Journal of Industrial and Engineering Chemistry. 97(2021): 226-238; with permission.)

증과 관련된 연쇄상구균, 포도상구균 균주 및 녹농균 등에 대한 균 억제효과를 보인 연구도 보고된 바 있다(그림 3-1-22, 그림 3-1-23). 이 표면 처리법을 통해 보형물 주변의 캡슐 형성을 줄이고 면역반응을 줄이기 위한 연구도 활발히 진행되고 있다.

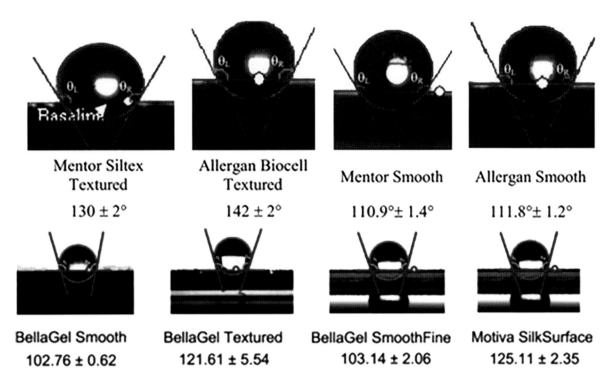

그림 3-1-22. 시장에 나와 있는 다양한 실리콘 보형물 표면의 접촉각 값. (출처: Nam S-Y, Lee M, Shin BH, et al. Characterization of BellaGel SmoothFine® implant surfaces and correlation with capsular contracture. J Biomater Biotechnol. 2019;10:196-211; with permission.)

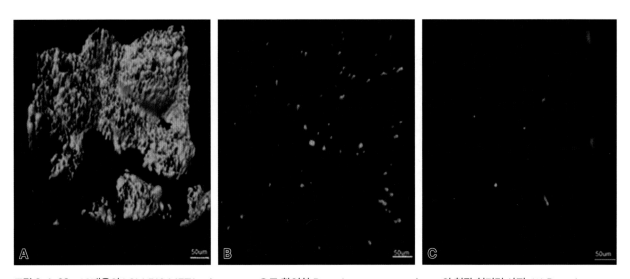

그림 3-1-23. 40배율의 LSM 510 META microscope으로 확인한 Pseudomonas aeruginosa의 형광 현미경 사진. (A) Pseudomonas aeruginosa가 활발하게 성장하는 플라즈마가 비활성화된 실리콘 표면, (B) 미생물 성장이 감소된 항생제만 처리한 표면(Gentamicin), (C) 플라즈마가 활성화되었으며, 항생제를 처리한 표면(Gentamicin) (출처: Barnea Y, Hammond DC, Geffen Y, et al. Plasma activation of a breast implant shell in conjunction with antibacterial irrigants enhances antibacterial activity. Aesthet Surg J. 2018;38:1188-96; with permission.)

(3) 물리화학적 이중 표면개질(Physicochemical dual surface modification)

폴리디메틸실록산계 실리콘 보형물 표면 개질은 크게 물리적 개질과 화학적 개질로 나눌 수 있다. 여러 연구에서 더욱 발전된 보형물 표면의 개질을 위해 물리적 개질과 화학적 개질 방법을 결합했다. 이러한 이중 개질연구로 물리적 표면 개질을 세 가지 다른 크기의 폴리스티렌 미립자(세 가지 다른 직경: 38, 70, 100 mm)를 사용하여 적용하였으며, 이중 개질

그림 3-1-24. Smooth, Micro-texture 실리콘 보형물 (4배 배율)과 Macrotexture 실리콘 보형물 (10배 배율)의 표면의 박테리아. (출처: Kang SH, Sutthiwanjampa C, Kim HS, et al. Optimization of oxygen plasma treatment of silicone implant surface for inhibition of capsular contracture. Journal of Industrial and Engineering Chemistry. 97(2021): 226-238; with permission.)

을 위해 poly-L-lysine과 hyaluronic acid로 다층 코팅하는 다층 화학적 개질을 추가하였다 (그림 3-1-24, 그림 3-1-25). 생체 내 연구를 통해서 이중 개질된 실리콘 보형물에서 대조군에 비해 조직 염증, TGF-b 발현, 섬유아세포 밀도 및 캡슐 두께가 크게 감소한 것을 확인하였으며 또 다른 이중 개질 연구는 항균 효과가 있는 itaconic acid을 사용하여 개질하는 방법이다(그림 3-1-26). Itaconic acid는 히알루론산과 같이 인체에 존재하는 무독성 유기산으로 대식세포의 항균 활성에 관여하는 것으로 밝혀져 있다. 한 연구에서는 이러한 itaconic acid를 이용하여 실리콘 보형물의 표면을 이중 표면 개질하였고 이를 통해 itaconic acid를 이용할 경우 실리콘 보형물 표면의 친수성은 크게 증가하고(물 접촉각 <60°), 단백질 흡착은 크게 감소한 것을 확인했다. 또한 itaconic acid를 이용한 이중 표면 개질을 통해 실리콘 보형물 주변으로 표피포도상 구균(Staphylococcus epidermidis), 고초균(Bacillus subtilis) 및 대장균(Escherichia coli) 균주에 대해 접착 방지 효과를 보였다.

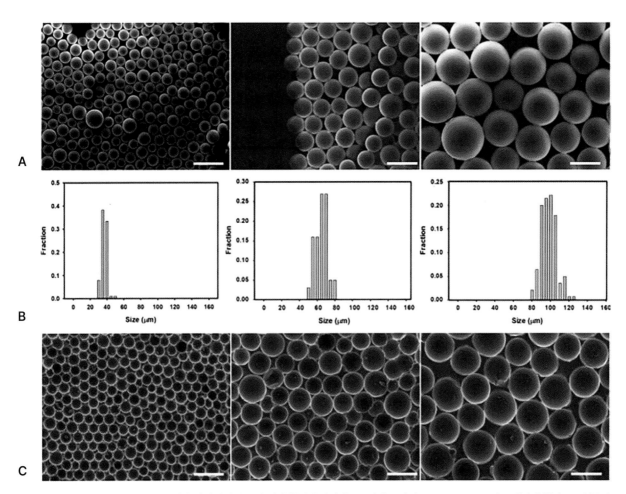

그림 3-1-25. (A) 3개의 서로 다른 크기의 미세 입자의 주사 전자 현미경 이미지, (B) 입자 크기별 분포도, (C) 오목 반구 패턴의 실리콘 보형물의 표면, Scale bars = 100 마이크로미터. (출처: Yoo BY, Kim BH, Lee JS, et al. Dual surface modification of PDMS-based silicone implants to suppress capsular contracture. Acta Biomater. 2018;76:56-70; with permission.)

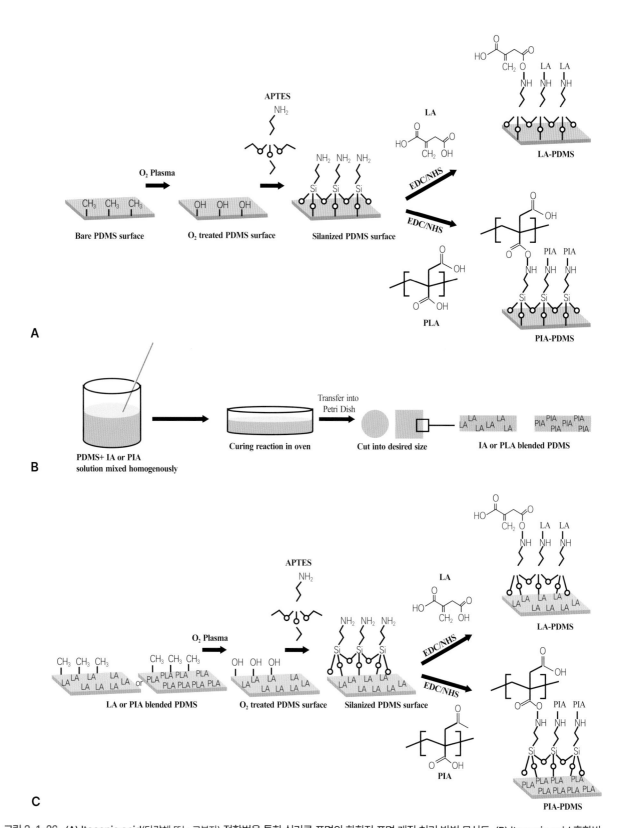

그림 3-1-26. (A) Itaconic acid(단량체 또는 고분자) 접합법을 통한 실리콘 표면의 화학적 표면 개질 처리 방법 모식도, (B) Itaconic acid 혼합방법을 통한 실리콘 표면의 물리적 표면 개질 처리 방법 모식도, (C) Itaconic acid 접합법 및 혼합방법을 통한 이중 표면 개질 처리 방법의 모식도.
(출처: Birajdar MS, Cho H, Seo Y, et al. Surface conjugation of poly (dimethylsiloxane) with itaconic acid-based materials for antibacterial effects. Appl Surf Sci. 2018;437:245-56; with permission.)

(4) 약물 로딩을 통한 표면 변형(Surface modification with drug loading)

실리콘 보형물 후 흔히 발생할 수 있는 구형구축의 부작용을 극복하기 위해 다양한 약물을 통한 치료법이 연구되어 왔다. 그러나 약물에 장기간 노출되면 부작용이 발생할 수 있으며, 약물의 전신 및 국소 전달 방법 모두 불필요한 약물의 노출을 유도하게 된다. 불필요한 약물 노출의 한계를 극복하기 위하여 실리콘 보형물의 표면에 약물을 로딩하여 보다 국소적으로 적용된 약물의 서방출능에 대한 연구가 함께 진행되고 있다.

최근에는 나노입자를 이용한 약물 전달 기술을 실리콘 보형물의 표면의 개질에 시도하는 연구들도 시도되고 있다. 한 연구에서는 키토산 기반 나노 입자가 약물 전달 시스템의 성능에 영향을 미치는 것을 확인했다. Biofilm을 형성하는 세균은 항생제에 대한 내성이 높기 때문에 기존의 세균보다 더 효율적인 새로운 약물 전달 방법이 필요한데 oxacillin과 DNase I은 실리콘 표면 주변의 biofilm에 적용되어 biofilm 형성을 효과적으로 방지하는 결과를 보였다(그림 3-1-27).

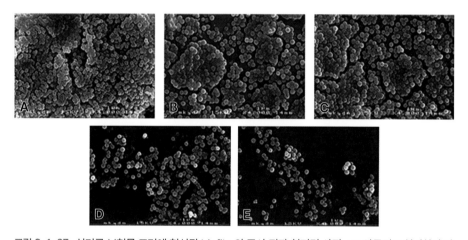

그림 3-1-27. 실리콘 보형물 표면에 형성된 biofilm의 주사 전자 현미경 사진. (A) 아무것도 처리하지 않음, (B) 옥사실린 단독 처리, (C) 양전하를 띤 키토산 나노입자+옥사실린 처리, (D) 옥사실린+DNase으로 처리 및 (E) 양전하를 띤 키토산 나노입자+옥사실린+DNase로 처리. (출처: Tan Y, et al. Enhancing antibiofilm activity with functional chitosan nanoparticles targeting biofilm cells and biofilm matrix. Carbohydr Polym. 2018;200:35-42; with permission.)

또한, 다른 연구에서는 실리콘 임플란트 표면으로부터 다양한 농도의 triamcinolone acetonide가 12주 동안 적절한 용량으로 약물이 방출이 되는 실리콘 임플란트 표면을 개발하였다(그림 3-1-28). 이러한 표면을 사용하여 시행한 생체내 실험 결과에서 염증 세포, 섬유아세포, 근섬유아세포의 양이 감소되었음을 보였다. 생체적합성 고분자 폴리(lactic-co-glycolic acid)와 트라닐라스트(tranilast)로 구성된 패턴 코팅 도트를 실리콘 보형물 표면에 개질하여 구형구축을 방지하는 연구도 보고되었다(그림 3-1-29). 이 연구에서는 모든 표면에 약물을 로딩하는 것보다 패턴 코팅 도트형태로 약물을 로딩하는 것이 약물의 서방출능을 안정적으로 확보할 수 있음을 보여주었다. 본 연구는 고분자 폴리(lactic-co-glycolic acid)을 약물 매개체로 사용하였으며, 각 코팅 도트에서 트라닐라스트를 지속적으로 방출하도록 설계하였고 결과적으로 만들어진 해당 실리콘 보형물의 생체 내 연구에서 캡슐 두께와 콜라겐 밀도가 감소한 것으로 나타났다.

성형외과의사들과 많은 재료연구자들의 노력으로 보형물로 인한 여러가지 문제점들이 극복되고 보다 발전된 형태의 보형물이 활발히 연구되고 있다. 생체적합한 보형물의 개발을 위해 더욱 많은 연구가 이루어져야 할 것이며, 특히 다양한 방법의 기능성 표면개질에 대한 연구는 진보된 형태의 보형물이 개발되는데 큰 기여를 하고 있다. 각 분야의 공동연구를 통해 이상적인 보형물이 만들어져 해결되지 못한 각종 문제점들이 해결되어 결국에는 환자에게 실질적인 도움이 될 수 있기를 기대한다.

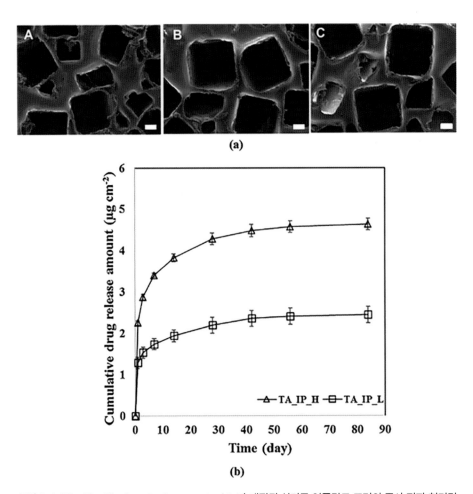

그림 3-1-28. (위 그림) triamcinolone acetonide가 개질된 실리콘 임플란트 표면의 주사 전자 현미경 사진. (A) 약물 로딩이 없는 임플란트, (B) 고용량의 트리암시놀론으로 코팅된 임플란트, (C) 저용량의 트리암시놀론으로 코팅된 임플란트, scale bars=100마이크로미터, (아래 그림) 90일 동안의 시간별로 방출된 약물의 정량 분석그래프. (TA_IP_H : 고용량 트리암시놀론, TA_IP_L : 저용량 트리암시놀론)(출처: Jeon BS, Shin BH, Huh BK, et al. Silicone implants capable of the local, controlled delivery of triamcinolone for the prevention of fibrosis with minimized drug side effects. J Ind Eng Chem. 2018;63:168-80; with permission.)

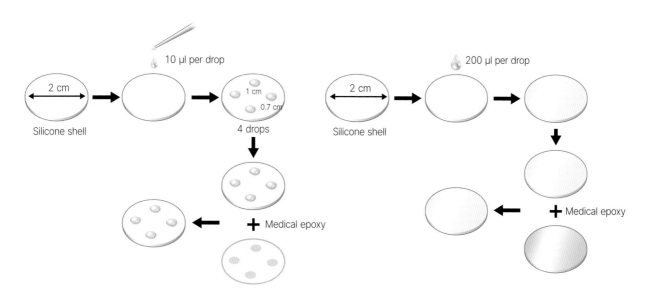

그림 3-1-29. 실리콘 임플란트 표면에 코팅 표면 도트 형태로 tranilast를 코팅하는 개략도(왼쪽), 전체표면에 코팅하는 개략도(오른쪽). (출처: Kim BH, Huh BK, Lee WS, et al. Silicone implant coated with tranilast-loaded polymer in a pattern for fibrosis suppression. Polymers (Basel). 2019;11:223; with permission.)

☑ 참고문헌

1. Abramo AC, De Oliveira VR, Ledo-Silva MC, De Oliveira EL. How texture-inducing contraction vectors affect the fibrous capsule shrinkage around breasts implants?. Aesthetic Plast Surg 2010;34(5):555-60.

2. Asplund O. Capsular contracture in silicone gel and saline-filled breast implants after reconstruction. Plast Reconstr Surg 1984;73(2):270-5.

3. Barnea Y, Hammond DC, Geffen Y, Navon-Venezia S, Goldberg K. Plasma Activation of a Breast Implant Shell in Conjunction With Antibacterial Irrigants Enhances Antibacterial Activity. Aesthet Surg J 2018;38(11):1188-96.

4. Barr S, Hill EW, Bayat A. Development, fabrication and evaluation of a novel biomimetic human breast tissue derived breast implant surface. Acta Biomater 2017;49:260-71.

5. Barr S, Hill EW, Bayat A. Functional biocompatibility testing of silicone breast implants and a novel classification system based on surface roughness. J Mech Behav Biomed Mater 2017;75:75-81.

6. Barton FF, Tebbetts JB. Augmentation mammaplasty. Selected Readings Plast Surg 1989;5:1.

7. Bengtson BP, Van Natta BW, Murphy DK, Slicton A, Maxwell GP; Style 410 U.S. Core Clinical Study Group. Style 410 highly cohesive silicone breast implant core study results at 3 years. Plast Reconstr Surg. 2007;120(7 Suppl 1):40S-8S.

8. Berry MG, Davies DM. Breast augmentation: Part I—A review of the silicone prosthesis. J Plast Reconstr Aesthet Surg. 2010 Nov;63(11):1761-8.

9. Birajdar MS, Cho H, Seo Y, et al. Surface conjugation of poly (dimethyl siloxane) with itaconic acid-based materials for antibacterial effects. Appl Surf Sci 2018;437:245-56.

10. Brody GS. Silicone technology for the plastic surgeon. Clin Plast Surg 1988;15(04):517-20.

11. Brohim RM, Foresman PA, Hildebrandt PK, Rodeheaver GT. Early tissue reaction to textured breast implant surfaces. Ann Plast Surg 1992;28(04):354-62.

12. Burkhardt BR, Dempsey PD, Schnur PL, Tofield JJ. Capsular contracture: a prospective study of the effect of local antibacterial agents. Plast Reconstr Surg 1986;77(6):919-32.

13. Capozzi A, Pennisi VR. Clinical experience with polyurethane-covered gel-filled mammary prostheses. Plast Reconstr Surg 1981;68(4):512-20.

14. Clemens MW, Medeiros LJ, Butler CE, et al. Complete Surgical Excision Is Essential for the Management of Patients With Breast Implant-Associated Anaplastic Large-Cell Lymphoma [published correction appears in J Clin Oncol. 2016 Mar 10;34(8):888. DiNapoli, Arianna [corrected to Di Napoli, Arianna]]. J Clin Oncol 2016;34(2):160-8.

15. Estes CF, Zhang D, Reyes R, Korentager R, McGinness M, Lominska C. Locally advanced breast implant-associated anaplastic large-cell lymphoma: a case report of successful treatment with radiation and chemotherapy. Front Oncol 2015;5:26.

16. Ferrufino-Schmidt MC, Medeiros LJ, Liu H, et al. Clinicopathologic Features and Prognostic Impact of Lymph Node Involvement in Patients With Breast Implant-associated Anaplastic Large Cell Lymphoma. Am J Surg Pathol 2018;42(3):293-305.

17. Grazer FM, Klingbeil JR. Body image: A surgical perspective. St. Louis: Mosby, 1980.

18. Gylbert L, Asplund O, Jurell G. Capsular contracture after breast reconstruction with silicone-gel and saline-filled implants: a 6-year follow-up. Plast Reconstr Surg 1990;85(3):373-7.

19. Hammond DC, Perry LC, Maxwell GP, Fisher J. Morphologic analysis of tissue-expander shape using a biomechanical model. Plast Reconstr Surg 1993;92(2):255-9.

20. Jeon BS, Shin BH, Huh BK, et al. Silicone implants capable of the local, controlled delivery of triamcinolone for the prevention of fibrosis with minimized drug side effects. J Ind Eng Chem 2018; 63:168-80.

21. Kang SH, Sutthiwanjampa C, Kim HS, et al. Optimization of oxygen plasma treatment of silicone implant surface for inhibition of capsular contracture. Journal of Industrial and Engineering Chemistry. Vol 97. Netherlands Amsterdam: ELSEVIER;2021. pp. 226-38.

22. Keech JA Jr, Creech BJ. Anaplastic T-cell lymphoma in proximity to a saline-filled breast implant. Plast Reconstr Surg 1997;100(2):554-5.

23. Kim BH, Huh BK, Lee WS, et al. Silicone Implant Coated with Tranilast-Loaded Polymer in a Pattern for Fibrosis Suppression. Polymers (Basel) 2019;11(2):223.

24. Laurent C, Delas A, Gaulard P, et al. Breast implant-associated anaplastic large cell lymphoma: two distinct clinicopathological variants with different outcomes. Ann Oncol 2016;27(2):306-14.

25. Maxwell GP, Van Natta BW, Bengtson BP, Murphy DK. Ten-year results from the Natrelle 410 anatomical form-stable silicone breast implant core study [published correction appears in Aesthet Surg J. 2015 Nov;35(8):1044]. Aesthet Surg J 2015;35(2):145-55.

26. Maxwell GP, Van Natta BW, Murphy DK, Slicton A, Bengtson BP. Natrelle style 410 form-stable silicone breast implants: core study results at 6 years. Aesthet Surg J 2012;32(6):709-17.

27. Miranda RN, Feldman AL, Soares FA. Breast implant-associated anaplastic large cell lymphoma. In Breast Tumors, 5th ed.; WHO Classification of Tumors Editorial Board Ed. IARC: Lyon, France, 2019; pp. 245-248.

28. Nam SY, Lee M, Shin BH, et al. Characterization of BellaGel SmoothFine Implant Surfaces and Correlation with Capsular Contracture. Journal of Biomaterials and Nanobiotechnology 2019;10:196-211.

29. Nichter LS, Hardesty RA, Anigian GM. IDEAL IMPLANT Structured Breast Implants: Core Study Results at 6 Years. Plast Reconstr Surg 2018;142(1):66-75.

30. Quesada AE, Medeiros LJ, Clemens MW, Ferrufino-Schmidt MC, Pina-Oviedo S, Miranda RN. Breast implant-associated anaplastic large cell lymphoma: a review. Mod Pathol 2019;32(2):166-88.

31. Sinclair TM, Kerrigan CL, Buntic R. Biodegradation of the polyurethane foam covering of

breast implants. Plast Reconstr Surg 1993;92(6):1003-14.

32. Smahel J. Tissue reactions to breast implants coated with polyurethane. Plast Reconstr Surg 1978;61(01):80-85.

33. Stevens WG, Harrington J, Alizadeh K, et al. Five-year follow-up data from the U.S. clinical trial for Sientra's U.S. Food and Drug Administration-approved Silimed® brand round and shaped implants with high-strength silicone gel. Plast Reconstr Surg 2012;130(05):973-81.

34. Stevens WG, Nahabedian MY, Calobrace MB, et al. Risk factor analysis for capsular contracture: a 5-year Sientra study analysis using round, smooth, and textured implants for breast augmentation. Plast Reconstr Surg 2013;132(05):1115-23.

35. Stevens WG, Pacella SJ, Gear AJL, et al. Clinical experience with a fourth-generation textured silicone gel breast implant: a review of 1012 Mentor MemoryGel breast implants. Aesthet Surg J 2008; 28(06):642-7.

36. Swerdlow SH, Campo E, Harris NL, et al. WHO Classification of Tumours of Haematopoietic and Lymphoid Tissue. 4th Edition. Switzerland Geneva: World Health Organization; 2017.

37. Tang SSK, Gui GPH.Implant and Implant Assisted Breast Reconstructions. Breast Reconstruction - Current Techniques [Internet]. 2012 Feb 3; Available from: http://dx.doi.org/10.5772/31928

38. Tebbetts JB. Achieving a zero percent reoperation rate at 3 years in a 50-consecutive-case augmentation mammaplasty premarket approval study. Plast Reconstr Surg 2006;118(6):1453-7.

39. Tebbetts JB. Form stability of the style 410 implant: definitions, conjectures, and the rest of the story. Plast Reconstr Surg 2011;128(3):825-6.

40. Weum S, de Weerd L, Kristiansen B. Form stability of the Style 410 anatomically shaped cohesive silicone gel-filled breast implant in subglandular breast augmentation evaluated with magnetic resonance imaging. Plast Reconstr Surg 2011;127(1):409-13.

41. Yoo BY, Kim BH, Lee JS, et al. Dual surface modification of PDMS-based silicone implants to suppress capsular contracture. Acta Biomater 2018;76:56-70.

1단계 재건술

One stage reconstruction

연세대학교 강남세브란스병원 성형외과 **노태석**, 연세대학교 용인세브란스병원 성형외과 **정복기**
고려대학교 안암병원 성형외과 **이형철**, 칠곡경북대학교병원 성형외과 **이준석**

1. 유방보형물을 이용한 대흉근하 즉시유방재건술
(Subpectoral Direct-to-implant Breast Reconstruction)

연세대학교 강남세브란스병원 성형외과 **노태석**, 연세대학교 용인세브란스병원 성형외과 **정복기**

유방암은 우리나라에서 여성에서 발생하는 암 중 가장 흔한 암으로, 보건복지부의 국가암등록사업 보고에 따르면 2017년 유방암은 전체 여성 암의 20.3%를 차지한다. 유방암은 특히 발생률이 빠르게 증가하는 질환이다. 2000년 여성인구 10만 명당 전체 유방암 환자수는 26.3명, 2010년 67.2명, 그리고 2017년에는 103.0명으로 지속적으로 증가하여 인구 10만명당 발생 인원이 100명을 넘어섰다.

미국성형외과학회(American Society of Plastic Surgery, ASPS) 연차 보고서에 따르면 유방재건술을 시행하는 사례가 해마다 증가하는 추세이며, 2020년에는 총 137,808건의 유방재건술 사례가 보고되었다. 이 중 96,300건이 실리콘 유방보형물을 이용한 유방재건술이며, 7,185건이 식염수 유방보형물을 이용한 유방재건술, 83,487건이 조직확장기-유방보형물을 이용한 2단계 유방재건술이었다. 또한 무세포진피기질(acellular dermal matrix, ADM)을 이용한 유방재건술은 총 59,247건에 달했다.

유방보형물을 이용한 즉시유방재건술(direct-to-Implant reconstruction)은 1971년 Snyderman 등이 유방절제술과 동시에 가슴 벽의 남은 피부 밑에 실리콘 젤 유방보형물을 넣어서 즉시유방재건술을 시행한 예를 보고하였다. 그러나 가슴 근육의 수축 및 구형 구축과 같은 수술 후 합병증이 우려되어 제한적으로 시행하였다. 하지만 무세포진피기질의 발달, 실리콘 젤 유방보형물의 발달로 Salzberg 등에 의해 2006년 재도입되었다. 특히 유방피부 전체와 유두-유륜복합체까지 보존하는 유두보존 유방절제술(Nipple Sparing mastectomy)과 같은 외과적 수술 술기의 발달로 인해 유방보형물을 이용한 즉시유방재건술은 현재까지 많이 시행되고 있으며 점차 증가하고 있다. 또한 수술 중 인도시아닌그린(indocyanine green, ICG)을 이용한 혈관 조영술과 같은 영상기술을 통해 유방절제술 후 피부피판 및 유두유륜복합체의 혈류를 평가할 수 있게 되어, 합병증을 줄이고 예방하는 데 도움이 되고 있다.

유방보형물을 이용한 즉시유방재건술은 다른 유방재건술에 비해 간단하며 수술시간이 길지 않다. 추가적인 피부절개를 할 필요 없이 유방절제술로 생긴 절개선 흉터를 통해서 유방보형물을 넣어 줄 수 있다는 장점이 있다. 또한 대흉근 아래에 유방보형물을 삽입하는 경우, 유방절제술 후 남은 피부피판 아래 관류가 좋은 대흉근이 위치하게 되어 피판의 안정성을 기대할 수 있으며, 재건 후 삽입한 보형물의 안정성 역시 기대할 수 있다 (표 3-2-1).

표 3-2-1. 유방보형물을 이용한 유방재건술의 성공적인 결과를 위한 전략

1. 수술 전 환자와의 충분한 상담을 통하여, 현실적인 기대치를 설립한다.
2. 유방암 수술 및 치료에 관한 인자
   1) 적절한 수술 시기 및 즉시유방재건술의 시행 여부 결정
   2) 기존의 유방 절개 흉터의 유무 및 위치에 따른 평가
   3) 수술 전 항암치료 또는 방사선 치료의 시행 유무
   4) 종양의 위치에 따른 유방절제술 시 절개선의 선정
   5) 예상되는 수술 후 치료 계획(항암치료 또는 방사선치료)
3. 신체 특성 및 성형재건에 관한 인자
   1) 환자 고유의 특징적인 유방 발자국(breast footprint)에 대한 평가
      (high/low/tall/short/wide/narrow breast)
   2) 유방크기, 대칭성 및 유방하수(ptosis)정도에 대한 평가
   3) 유방하주름선의 위치, 대칭성 및 앞쪽 겨드랑이 선 등의 표시 및 평가
   4) 유두–유륜복합체의 크기 및 위치에 대한 평가
   5) 쇄골–유방하주름선의 길이, 유두–유방하주름선의 길이에 대한 평가
4. 유방절제술 후 남은 피부피판에 대한 평가
   1) 수술 전/후의 인도시아닌그린을 이용한 혈관 조영술 시행
   2) 수술 전 관류가 불량한 피부 피판이 관찰 되는 경우, 2단계 조직확장기–보형물을 이용한 유방재건술 또는 자가조직을 이용한 유방재건술을 고려
   3) 수술 중 관류가 불량한 피부피판의 적절한 변연조직절제술 또는 복부피부전진술의 필요성에 관한 평가
5. 신체 계측 지수 및 용량에 의거한 알맞은 형태의 보형물의 선정
6. 반대쪽 유방의 balancing procedure 에 관한 결정
   (유방확대술, 유방축소술, 유방거상술 등)
7. 유방보형물을 이용한 즉시유방재건술 중 위험인자 감지시 조직확장기로의 전환 또는 지연재건에 관한 환자의 동의(informed consent).
8. 수술 후 피부피판에 대한 면밀한 추적관찰 및 관리

1) 해부학

유방재건술에서 유방의 해부학적 구조와 가슴근육에 대한 이해가 중요하다. 대흉근 (pectoralis major muscle)은 흉벽을 덮고 있는 가장 두꺼운 부채꼴 모양의 근육이다. 대흉근은 쇄골 내측 절반의 앞쪽 표면과 일곱개의 늑골, 외복사근(external oblique muscle)의 건막에서 시작되어 비스듬히 뻗어 상완골의 결절사이고랑에 부착되며 다양한 변이가 존재한다. 대흉근의 아래쪽 기시부는 얕은 층과 깊은 층, 두 층으로 분리된다. 가장 아래쪽 기시부가 다섯 번째 늑골, 여섯 번째 늑골, 일곱 번째 늑골까지 뻗은 경우가 각각 12%, 68%, 20%로, 얕은 층은 대개 여섯 번째 늑골에, 깊은 층은 다섯 번째 늑골에 붙어있는 경우가 많다. 대흉근의 안쪽으로 부속섬유(accessory fibers)가 네 번째, 다섯 번째 늑골에서 시작되어 대흉근의 깊은 층으로 연결된다. 혈액 공급은 주로 가슴어깨동맥(thoracoacromial trunk)에서 나오는 가슴 가지(pectoral branch)로부터 받는다. 대흉근의 내측 가장자리 일부는 속가슴동맥 관통지(internal mammary artery perforator)에 의해 혈액을 받으며, 가측 가장자리 일부는 갈비사이동맥의 관통지(thoracic intercostal artery perforator)로부터 혈액공급을 받는다(그림 3-2-1, 그림 3-2-2). 대흉근은 유방재건술에서 유방보형물을 덮어주며 노출되지 않도록 중요한 역할을 한다. 또한 유방보형물과 피부 사이에 조직을 제공하여 외부에서 유방보형물의 윤곽이 보이거나 직접적으로 만져지는 것을 최소화시켜준다.

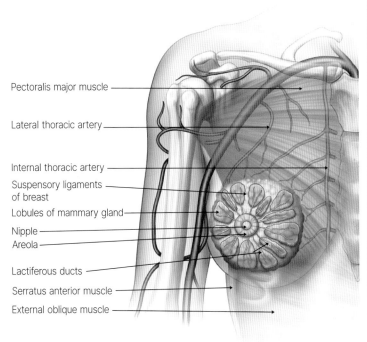

- Pectoralis major muscle
- Lateral thoracic artery
- Internal thoracic artery
- Suspensory ligaments of breast
- Lobules of mammary gland
- Nipple
- Areola
- Lactiferous ducts
- Serratus anterior muscle
- External oblique muscle

그림 3-2-1. 대흉근의 구조

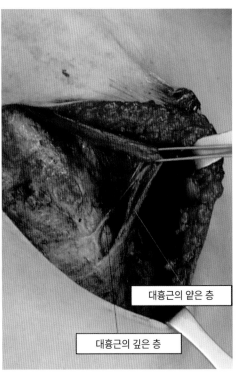

대흉근의 얕은 층

대흉근의 깊은 층

그림 3-2-2. 대흉근의 깊은 층과 얕은 층의 구분

소흉근(pectoralis minor muscle)은 대흉근 아래에 위치하며, 2–5번 갈비연골에서 시작되어 어깨뼈의 부리돌기까지 뻗어있는 얇은 삼각형 모양의 근육이다. 소흉근은 전방 겨드랑이선의 일부를 구성하며, 내측 가슴신경(medial pectoral nerve)과 상완신경총(brachial plexus)에 대한 지표를 제공한다. 소흉근은 주로 가슴어깨동맥, 가쪽가슴동맥, 겨드랑이 동맥의 분지로부터 혈액을 공급받는다(그림 3-2-3).

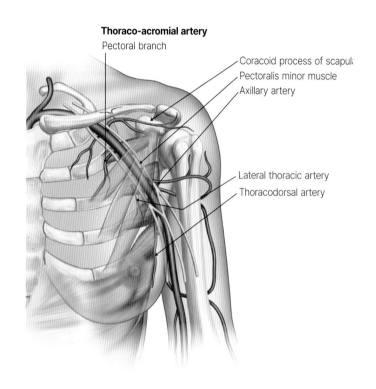

그림 3-2-3. 소흉근의 구조

유방하주름(inframammary fold)은 유방의 중요한 랜드마크로, 흉벽의 부드러운 곡선을 따라 흉골에 인접한 유방의 내측면에서 점진적으로 시작되어 앞쪽 겨드랑이 선 바로 뒤쪽까지 이어지는 선이다. 대부분 유두에서 6–7 cm 떨어진 위치에 5–6번째 늑골에 걸쳐서 존재한다. 유방하주름의 해부학적 구조에 대해서는 아직 명확히 밝혀진 바가 없지만, 여러 연구에서 유방하주름은 유방의 표면근막계통(Superficial fascial system)으로부터 확장되어 진피와 가슴근육사이에 부착영역(zone of adherence)을 형성한다고 보고하고 있다. 대개 유방하주름은 대흉근보다 늑골 하나 정도 너비 아래에 위치하거나(36%), 같은 높이에(61%) 위치한다. 일반외과의의 유방절제술 방식에 따라 유방하주름이 흉벽으로으로부터 분리되어 파괴되는 경우가 있기 때문에, 대흉근과 유방하주름과의 관계를 잘 이해하고 유방절제술 후 유방하주름을 적절한 위치에 만들어주어야 유방재건술 후 환자 만족도를 높일 수 있다.

2) 수술 전 평가와 환자 선택

(1) 수술 전 환자와의 상담

유방절제술을 시행하기 전에 성형외과 의사를 만나 유방재건술에 대하여 상의할 수 있다. 환자의 기대치와 전반적인 상태를 수술 전 상담에서 평가하도록 한다. 환자는 수술 후 재건된 유방의 크기 및 모양에 대하여, 현실적인 기대를 가지고 있어야 한다. 수술 전 상담을 통해 환자의 심리적, 정서적 상태를 파악하고 환자의 요구가 무엇인지 확인할 수 있으며 환자와 의사간의 신뢰도를 쌓을 수 있다. 수술 전 상담을 통해 유방재건술의 적응증에 적합한 지와 수술 시기를 결정하는데 도움이 될 수 있다.

수술 전 상담을 통해 환자의 건강 상태 및 위험요소에 대하여 포괄적인 평가가 이루어져야 한다. 환자의 나이, 체질량지수(Body mass index, BMI), 과거병력(예: 흡연력, 고혈압, 당뇨병의 유무 등), 과거 수술력(예: 이전의 부분 유방절제술, 이전의 유방확대술 시행여부 등)에 대하여 확인해야 한다. 종양의 크기, 겨드랑이 림프절의 침범유무, 환자가 원하는 유방의 크기를 이해해야 한다. 상처 치유 장애 또는 출혈 합병증의 위험을 증가시키는 약물 복용력을 확인해야 한다.

(2) 환자의 선택

① 적응증

유방보형물을 이용한 즉시유방재건술은 유두보존 유방절제술을 받거나 피부보존유방절제술(Skin sparing mastectomy)을 받았으나 피부가 충분한 모든 환자를 대상으로 시행할 수 있다. 특히 중간 크기의 처지지 않은 유방을 가진 젊고 평균 체형의 건강한 여성 환자의 경우가 이상적인 적응증에 해당한다. 유방전절제술 후 측정한 조직의 무게는 600 g 이하가 이상적이며, 유방의 피부, 연조직의 탄력성 등이 수술 후 결과를 결정하는데 중요하다. 따라서 수술 전 상담 및 검사를 통해 유방보형물을 이용한 즉시유방재건술을 시행할 환자를 결정할 수 있다. 특히 거대 유방을 가진 환자나 유방하수가 심한 환자의 경우에는 보형물을 감싸고 있는 대흉근과 무세포진피조직으로 이루어져 있는 포켓과 잔존하는 유방피부피판(mastectomy flap) 간의 차이가 발생하게 된다. 이러한 차이에서 비롯되는 재건된 유방의 모양이나 크기의 변화에 대하여 수술 전 환자와 충분히 상담이 필요하며, 차이를 최소화할 수 있는 방법에 대한 전략이 필요하다.

② 수술 전 환자 선택에 있어서 고려할 상황

이전에 방사선치료를 받은 적이 있는 환자는 방사선조사를 받은 유방 피부에 만성 염증성 변화, 섬유화 등이 진행되어 보형물을 이용한 유방재건술을 시행받은 후 구형구축, 감염과 같은 수술 후 합병증이 발생할 가능성이 상대적으로 높다는 보고가 있다. 또한 수술 전 항암치료를 받은 경우, 수술 후 창상벌어짐, 창상치유지연 등의 위험인자로 수술 전 충분히 고려되어야 한다. 하지만 수술 전 방사선치료 또는 항암치료를 받은 과거력이 있는 환자가 유방보형물을 이용한 즉시유방재건술의 절대적인 금기증은 아니다. 따라서 환자와의 수술 전 상담을 통해 보형물을 이용한 유방재건술을 시행했을 때 발생할 수 있는 결과 및 합병증에 대한 구체적인 설명과 이해가 필요하다. 이에 대한 수술 전 환자의 동의(informed consent) 하에 수술을 시행할 수 있다.

③ 신체 계측을 통한 유방의 평가

신체 계측을 통해 현재 유방의 크기, 대칭성, 유방하수 정도, 기존의 유방의 흉터, 피부의 탄력성, 유두-유륜복합체의 위치 및 흉벽의 형태에 대하여 평가해야 한다.

유방의 경계는 환자가 똑바로 선 상태에서 수술 전 표시되어야 하며, 유방의 전체적인 윤곽(breast footprint)과 흉벽과의 관계를 확인해야 한다(그림 3-2-4). 유방의 상부 경계는 편평한 가슴벽과 유방사이의 경계로 환자의 자세에 따라 변할 수 있으며 수술 시 똑바로 누운

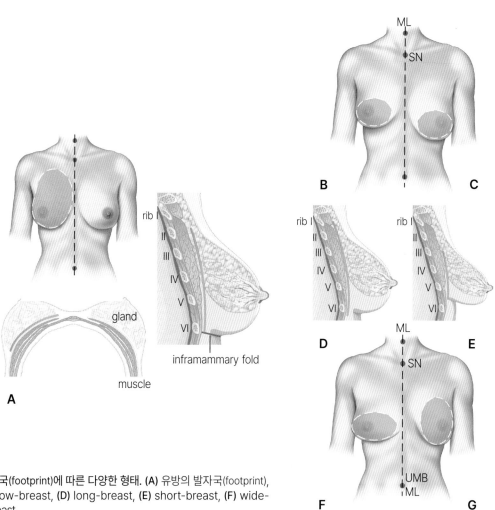

그림 3-2-4. 유방 발자국(footprint)에 따른 다양한 형태. (A) 유방의 발자국(footprint), (B) high-breast, (C) low-breast, (D) long-breast, (E) short-breast, (F) wide-breast, (G) narrow-breast

상태에서 잘못된 경계를 기준으로 수술할 수 있어 주의해야 한다. 유방의 상부 경계에 따라 높은 가슴(high-breasted)과 낮은 가슴(low-breasted)으로 구분할 수 있다. 유방하주름은 유방의 가장 아래쪽 경계이다. 유방은 피하조직으로 피부의 움직임에 따라 부드럽게 이동할 수 있으나, 유방하주름에 의해 아래쪽으로 더 이상 움직일 수 없도록 제한된다. 이상적인 유방하주름의 위치는 여섯 번째 갈비뼈이나 환자에 따라 그 위치가 매우 다양하며, 상하로 긴 가슴(long-breasted) 또는 상하로 짧은 가슴(short-breasted)으로 구분할 수 있다. 유방의 안쪽 경계는 흉골의 골막과 피부와 부착된 부위이고, 유방의 가쪽 경계는 앞쪽 겨드랑이 선이다. 하지만 유방의 가쪽 경계는 다른 경계와 달리 피부에 부착된 명확한 구조가 존재하지않아, 환자의 자세와 지방조직의 분포 및 이동에 따라 그 경계가 모호할 수 있다. 환자가 똑바로 누운 경우 중력에 의해서 가쪽 경계가 더 바깥쪽으로 처질 수 있으며, 지방의 분포에 따라 그 경계가 명확하게 확인되지 않을 수 있다. 유방의 안쪽 경계와 가쪽 경계를 통해, 넓은 가슴(wide-breast) 또는 좁은 가슴(narrow-breast)으로 구분할 수 있다.

흉벽으로부터 유방의 돌출된 정도(projection), 유두-흉골절흔간 거리, 유륜-유방하주름간의 거리, 유방의 너비를 측정한다(그림 3-2-5). 술자의 경우 최근 외측 유방하주름절제를 통한 유방재건술을 시행함에 따라 유방하주름-쇄골중간선간의 거리도 측정한다. 피부의 두께는 핀치테스트(pinch test)를 통해 손으로 직접 피부를 잡아보고 평가해볼 수 있으며, 피부의 질, 탄력성 또한 주의깊게 평가해야 한다.

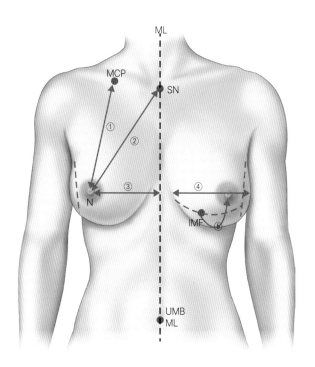

그림 3-2-5. 정상 유방의 계측. ① 유두-쇄골중간선간의 거리, ② 유두-흉골절흔간의 거리, ③ 유두-정중선간의 거리, ④ 유방의 너비, ⑤ 유두-유방하주름간의 거리 ML, midline, MCP, midclavicular point, SN, sternal notch, N, nipple, IMF, inframammary fold, UMB, umbilicus

(3) 유방 발자국에 의거한 보형물의 선택

수술 전 유방의 형태 및 유방발자국, 예상되는 유방절제술 후 유방조직의 무게와 흉벽의 형태, 반대쪽 유방의 크기를 고려하여 적절한 보형물을 선택해야 한다. 너비가 좁은 보형물을 삽입하면 측면 흉벽 윤곽이 오목하게 변형될 수 있다. 따라서 이러한 변형을 방지하려면 흉벽의 너비를 고려하여 보형물 바닥의 너비를 선택하는 것이 적절하다. 적절한 부피를 정하기 위하여 다양한 사이저를 이용하여 환자에게 적절한 보형물을 선택할 수 있다. 또한 수술 전 상담시, 3D 카메라, 컴퓨터 프로그램을 이용하여 적절한 보형물의 크기를 예상하는 데 도움이 될 수 있다.

보형물의 표면의 거칠기에 따라 Macrotextured, microtextured, smooth 형태의 코히시브 젤 보형물이 있다. Macrotextured 형태의 보형물의 경우, 유방보형물 관련 역형성큰세포림프종의 원인이 될 수 있어 판매 중지된 상태이고, microtexture 형태와 smooth 형태의 젤 보형물이 시판되고 있다. 현재 국내에서 가장 많이 사용하고 있는 유방보형물은 존슨앤존슨 회사의 Mentor®보형물로 MemoryGel®이 있다. 이 보형물은 충전재가 코히시브 실리콘 젤이며 표면이 매끈한 Smooth Round type과 smooth 형태의 보형물로 분류되지만, texturing이 존재하는 SILTEX®가 있다. MemoryGel®은 보형물의 너비, 높이와 돌출 정도에 따라서 크기가 다양하다(그림 3-2-6).

MemoryGel™ Round Breast Implant

Diameter
Comparison

Projection

Diameter

Smooth Round Moderate Classic Profile

Volume	Diameter	Projection	Product code
130 cc	9.6 cm	2.4 cm	350–7130MC
150 cc	10.3 cm	2.5 cm	350–7150MC
170 cc	10.5 cm	2.6 cm	350–7170MC
190 cc	11.0 cm	2.7 cm	350–7190MC
215 cc	11.6 cm	2.8 cm	350–7215MC
235 cc	11.8 cm	2.9 cm	350–7235MC
255 cc	12.2 cm	2.9 cm	350–7255MC
275 cc	12.5 cm	3.0 cm	350–7275MC
300 cc	12.8 cm	3.1 cm	350–7300MC
320 cc	13.0 cm	3.2 cm	350–7320MC
340 cc	13.4 cm	3.2 cm	350–7340MC
360 cc	13.6 cm	3.3 cm	350–7360MC
385 cc	13.9 cm	3.3 cm	350–7385MC
405 cc	14.2 cm	3.4 cm	350–7405MC
425 cc	14.6 cm	3.4 cm	350–7425MC
445 cc	14.8 cm	3.5 cm	350–7445MC
470 cc	15.0 cm	3.5 cm	350–7470MC
490 cc	15.2 cm	3.7 cm	350–7490MC
510 cc	15.4 cm	3.7 cm	350–7510MC
555 cc	15.7 cm	3.8 cm	350–7555MC
595 cc	16.1 cm	3.8 cm	350–7595MC
640 cc	16.5 cm	3.9 cm	350–7640MC
680 cc	17.0 cm	3.9 cm	350–7680MC
750 cc	17.5 cm	4.0 cm	350–7750MC
800 cc	18.0 cm	4.1 cm	350–7800MC

SILTEX® Round Moderate Classic Profile

Volume	Diameter	Projection	Product code
130 cc	9.6 cm	2.5 cm	354–1307MC
150 cc	10.2 cm	2.6 cm	354–1507MC
170 cc	10.6 cm	2.7 cm	354–1707MC
190 cc	11.0 cm	2.8 cm	354–1907MC
215 cc	11.5 cm	2.9 cm	354–2157MC
235 cc	11.7 cm	3.0 cm	354–2357MC
255 cc	12.1 cm	3.1 cm	354–2557MC
275 cc	12.3 cm	3.2 cm	354–2757MC
300 cc	12.6 cm	3.3 cm	354–3007MC
320 cc	12.9 cm	3.3 cm	354–3207MC
340 cc	13.2 cm	3.4 cm	354–3407MC
360 cc	13.4 cm	3.4 cm	354–3607MC
385 cc	13.7 cm	3.5 cm	354–3857MC
405 cc	14.0 cm	3.6 cm	354–4057MC
425 cc	14.3 cm	3.6 cm	354–4257MC
445 cc	14.5 cm	3.7 cm	354–4457MC
470 cc	14.7 cm	3.7 cm	354–4707MC
490 cc	14.9 cm	3.8 cm	354–4907MC
510 cc	15.1 cm	3.8 cm	354–5107MC
555 cc	15.4 cm	4.0 cm	354–5557MC
595 cc	15.8 cm	4.1 cm	354–5957MC
640 cc	16.3 cm	4.2 cm	354–6407MC
680 cc	16.7 cm	4.2 cm	354–6807MC
750 cc	17.2 cm	4.3 cm	354–7507MC
800 cc	17.6 cm	4.4 cm	354–8007MC

Smooth Round Moderate Plus Profile

Volume	Diameter	Projection	Product code
100 cc	8.2 cm	2.7 cm	350–1001 BC
125 cc	8.9 cm	2.8 cm	350–1251 BC
150 cc	9.5 cm	2.9 cm	350–1501 BC
175 cc	10.0 cm	3.1 cm	350–1751 BC
200 cc	10.5 cm	3.2 cm	350–2001 BC
225 cc	10.9 cm	3.3 cm	350–2251 BC
250 cc	11.3 cm	3.4 cm	350–2501 BC
275 cc	11.7 cm	3.5 cm	350–2751 BC
300 cc	12.0 cm	3.6 cm	350–3001 BC
325 cc	12.3 cm	3.8 cm	350–3251 BC
350 cc	12.5 cm	3.9 cm	350–3501 BC
375 cc	12.8 cm	4.0 cm	350–3751 BC
400 cc	13.1 cm	4.0 cm	350–4001 BC
425 cc	13.5 cm	4.1 cm	350–4251 BC
450 cc	13.6 cm	4.2 cm	350–4501 BC
475 cc	14.0 cm	4.2 cm	350–4751 BC
500 cc	14.1 cm	4.3 cm	350–5001 BC
525 cc	14.5 cm	4.4 cm	350–5251 BC
550 cc	14.6 cm	4.5 cm	350–5501 BC
575 cc	14.9 cm	4.6 cm	350–5751 BC
600 cc	15.0 cm	4.6 cm	350–6001 BC
650 cc	15.4 cm	4.8 cm	350–6501 BC
700 cc	15.8 cm	4.9 cm	350–7001 BC
750 cc	16.3 cm	4.9 cm	350–7501 BC
800 cc	16.5 cm	5.1 cm	350–8001 BC

SILTEX® Round Moderate Plus Profile

Volume	Diameter	Projection	Product code
100 cc	8.1 cm	2.7 cm	354–1001
125 cc	8.8 cm	2.9 cm	354–1251
150 cc	9.4 cm	3.0 cm	354–1501
175 cc	10.0 cm	3.2 cm	354–1751
200 cc	10.5 cm	3.3 cm	354–2001
225 cc	10.9 cm	3.5 cm	354–2251
250 cc	11.3 cm	3.6 cm	354–2501
275 cc	11.7 cm	3.7 cm	354–2751
300 cc	12.0 cm	3.7 cm	354–3001
325 cc	12.3 cm	3.8 cm	354–3251
350 cc	12.6 cm	3.8 cm	354–3501
375 cc	12.9 cm	3.9 cm	354–3751
400 cc	13.2 cm	4.0 cm	354–4001
425 cc	13.5 cm	4.2 cm	354–4251
450 cc	13.7 cm	4.1 cm	354–4501
475 cc	13.9 cm	4.4 cm	354–4751
500 cc	14.1 cm	4.2 cm	354–5001
525 cc	14.4 cm	4.6 cm	354–5251
550 cc	14.4 cm	4.4 cm	354–5501
575 cc	14.9 cm	4.7 cm	354–5751
600 cc	14.7 cm	4.5 cm	354–6001
650 cc	15.5 cm	4.9 cm	354–6501
700 cc	15.7 cm	4.8 cm	354–7001
750 cc	16.2 cm	5.1 cm	354–7501
800 cc	16.6 cm	5.0 cm	354–8001

Smooth Round High Profile

Volume	Diameter	Projection	Product code
125 cc	8.3 cm	3.5 cm	350–1254 BC
150 cc	8.8 cm	3.7 cm	350–1504 BC
175 cc	9.3 cm	3.9 cm	350–1754 BC
200 cc	9.7 cm	4.0 cm	350–2004 BC
225 cc	10.1 cm	4.2 cm	350–2254 BC
250 cc	10.5 cm	4.3 cm	350–2504 BC
275 cc	10.8 cm	4.4 cm	350–2754 BC
300 cc	11.1 cm	4.5 cm	350–3004 BC
325 cc	11.4 cm	4.6 cm	350–3254 BC
350 cc	11.7 cm	4.8 cm	350–3504 BC
375 cc	12.0 cm	4.8 cm	350–3754 BC
400 cc	12.2 cm	5.0 cm	350–4004 BC
425 cc	12.5 cm	5.0 cm	350–4254 BC
450 cc	12.8 cm	5.1 cm	350–4504 BC
475 cc	12.9 cm	5.3 cm	350–4754 BC
500 cc	13.2 cm	5.3 cm	350–5004 BC
550 cc	13.6 cm	5.5 cm	350–5504 BC
600 cc	14.0 cm	5.6 cm	350–6004 BC
650 cc	14.4 cm	5.7 cm	350–6504 BC
700 cc	14.8 cm	5.8 cm	350–7004 BC
750 cc	15.1 cm	5.9 cm	350–7504 BC
800 cc	15.5 cm	6.0 cm	350–8004 BC

SILTEX® Round High Profile

Volume	Diameter	Projection	Product code
125 cc	8.4 cm	3.6 cm	354–4125
150 cc	8.9 cm	3.8 cm	354–4150
175 cc	9.4 cm	4.0 cm	354–4175
200 cc	9.9 cm	4.1 cm	354–4200
225 cc	10.2 cm	4.3 cm	354–4225
250 cc	10.5 cm	4.5 cm	354–4250
275 cc	10.9 cm	4.6 cm	354–4275
300 cc	11.1 cm	4.7 cm	354–4300
325 cc	11.5 cm	4.8 cm	354–4325
350 cc	11.7 cm	4.9 cm	354–4350
375 cc	12.0 cm	5.0 cm	354–4375
400 cc	12.3 cm	5.1 cm	354–4400
425 cc	12.5 cm	5.2 cm	354–4425
450 cc	12.7 cm	5.2 cm	354–4450
475 cc	12.9 cm	5.4 cm	354–4475
500 cc	13.2 cm	5.4 cm	354–4500
550 cc	13.5 cm	5.6 cm	354–4550
600 cc	14.0 cm	5.7 cm	354–4600
650 cc	14.3 cm	5.8 cm	354–4650
700 cc	14.7 cm	6.0 cm	354–4700
750 cc	15.1 cm	6.0 cm	354–4750
800 cc	15.4 cm	6.3 cm	354–4800

MemoryGel™

그림 3-2-6. MENTOR®사의 MemoryGel®의 형태 및 크기

(4) 유방절제술 절개 방식

　　일반외과 의사는 피부보존유방절제술(skin sparing mastectomy)과 유두보존 유방절제술 (Nipple sparing mastectomy) 등의 유방절제술의 수술법을 결정하기 위해서 유방암의 위치, 크기, 유두-유륜복합체 침범 정도, 겨드랑이 림프절의 침범 여부를 수술 전 주의깊게 평가해야 한다. 유방절제술의 절개선(그림 3-2-7)의 선택은 유방재건수술 후 피부 피판의 관류 상태, 흉터의 미용적인 측면에서 중요하기 때문에, 성형외과 의사와 수술 전 상의하여 결정할 수 있다.

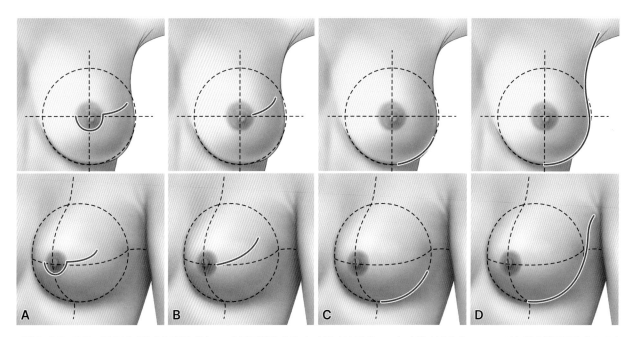

그림 3-2-7. 유두보존 유방전절제술의 절개선. (A) 유륜주위절개 및 측면 방사형 절개, **(B)** 측면 방사형절개, **(C), (D)** 외측유방하주름절개(술자에 따라, 절개선의 길이와 범위가 다양하다.)

　　첫 번째 절개방식은 유륜주위절개(periareolar incision)로, 유방 전절제술시 측면 방사형 절개와 복합적으로 시행할 수 있다. 유방절제술 후 유두유륜복합체로의 관류를 방해하여 유두의 괴사를 유발할 수 있어 권장하지 않는 방법이다.

　　두 번째 절개방식은 측면 방사형 절개(lateral radial incision)가 있다. 유방전절제술을 시행할 때 수술시야가 좋지 않으며, 수술 후 흉터가 정면에서 보이는 단점이 있다. 하지만 유방절제술시 종양위치에서의 직접적인 절제가 가능하고 유방절제술 후 피부 피판의 혈류가 가장 양호하여 비교적 안전한 절개법이다. 술자의 경우 환자의 체질량지수가 높거나 심한 유방하수가 관찰되는 경우, 일반외과 의사와 상의하여 측면 방사형 절개를 통한 유방전절제술을 한 뒤 유방재건술을 시행하고 있다.

　　세 번째 절개방식은 외측 유방하주름 절개(inframammary fold incision)이다. 종양의 크기가 작거나 종양이 유두유륜복합체에서 충분히 떨어져 있는 환자에서 유두보존 유방절제술을 시도할 때 적절한 절개방식이다. 수술 후 흉터가 정면에서 잘 보이지 않아 미용적으로 이점이 있다. 일반외과 의사의 숙련도나 선호하는 수술 방법에 따라 유방하주름을 따라 절개하는 절개선의 길이나 위치가 다양하다. 유방피부피판아래의 조직의 박리범위가 다양해, 술자에 따라 피부피판 혈류의 보존의 정도가 다양하게 나타난다.

특히, 유방발자국의 형태가 아주 낮은 환자의 경우(그림 3-2-3의 (C) low breast 또는 (D) long breast), 유방전절제술 후 피부피판의 길이가 너무 길어져 절개선 주변의 피판의 혈류상태가 불량하여 피판 괴사의 나타날 확률이 높다. 그래서 유방하주름 절개를 시행한 경우, 유방재건술 후 피판의 상태를 주의깊게 관찰해야 한다. 술자의 경우, 수술 전 신체 계측 결과, 유방하주름-쇄골중간선간의 거리가 35 cm 이상인 환자에서 외측 유방하주름 절개를 통한 유방전절제술을 시행하는 경우, 환자에게 피판괴사 가능성을 충분히 설명한 후 유방재건술을 시행하고 있으며, 40 cm 이상인 환자에서는 측면 방사형 절개를 권유한다. 또한 유방발자국이 상하로 좁은 환자[그림 3-2-3의 (E) short breast] 중 유방 아랫면의 피부가 충분하지 않은 환자에서 외측 유방하주름 절개를 하는 경우, 유방재건술을 완료하고 피부를 봉합한 뒤 절개선을 따라 걸리는 장력이 상대적으로 커져 절개선을 따라 피부괴사가 일어날 확률이 높다. 따라서 이와 같은 경우에도 측면 방사형 절개를 통한 유방전절제술 후 유방재건술을 하는 것을 선호한다.

3) 유방보형물을 이용한 유방재건술

(1) 수술 중 계획

보통 유두보존 유방절제술 또는 피부보존유방절제술 시 유방보형물을 이용한 유방재건술을 시행할 수 있다. 유방절제술을 시행한 뒤 남아있는 가슴피부피판의 두께와 탄력성, 절개선의 위치, 가슴근육의 상태, 반대편 유방의 크기 등을 확인한다. 피부피판의 두께가 비교적 두껍고 관류상태가 적절할 경우, 유방보형물을 이용하여 즉시유방재건술을 시행할 수 있다.

수술 중 피부피판의 생존력을 평가하기 위한 여러 방법이 시도되고 있으며, 피부의 관류를 평가하기 위한 수단으로 인도시아닌그린 혈관조영술이 있다. 이 방법은 동일한 수술동안 여러 번 사용될 수 있다. 수술 전, 수술 중 및 수술 후 조직 관류에 대한 실시간 평가를 가능하게 하여 수술 후 피부피판의 괴사 등의 합병증 발생율을 줄일 수 있다.

(2) 수술 과정

① 수술의 준비

유방절제술이 끝나면(그림 3-2-8), 피부를 베타딘 또는 클로르헥시딘 스크럽으로 준비하고 새로운 무균 방포를 이용하여 준비한다. 반대쪽 유방을 볼 수 있게 준비하여 재건할 유방의 위치나 크기의 기준으로 삼는다. 대흉근 아래 보형물 배치를 용이하게 하기 위해 근이완제를 미리 준다.

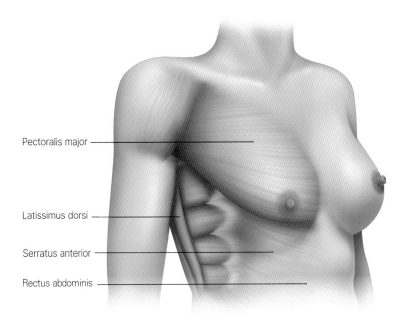

Pectoralis major

Latissimus dorsi

Serratus anterior

Rectus abdominis

그림 3-2-8. 유방전절제술 후 오른쪽 유방의 유방피판 아래 상태

② 수술 전 피부피판 혈류 상태의 확인

유방절제술이 끝나고 유방재건술을 시작하기 전, 남은 유방피부피판 혈류 상태를 확인한다. 인도시아닌그린 혈관 조영술을 시행하여 피부피판의 혈류 상태를 확인할 수 있다. 인도시아닌그린 25 mg을 생리식염수에 희석시켜 정맥으로 주사한다. 약 2-3분 간 Fluobeam 800®(Fluoptics, France)을 이용하여 유방피부피판으로 지나가는 혈관 상태를 확인할 수 있으며(그림 3-2-9), 혈류에 따라 조영되는 정도가 다르게 나타난다. 술자의 경우 인도시아닌그린을 주입한 후 혈관이 조영되는 정도를 초기(주입 후 혈관을 따라 조영이 되기 약 30초까지), 중기 (30-60초), 후기(1분 이후)로 나누어 확인한다. 그 결과 초기의 혈류 상태가 피판의 전반적인 상태를 가장 잘 반영하였으며, 유방보형물 삽입 후 부종 등에 의한 혈류저하로 수술 후 피부괴사가 발생할 가능성을 가장 잘 예측하였다. 즉, 초기의 인도시아닌그린 혈관 조영술상에서 피판내 혈류가 불량한 부분과 수술 후 피부괴사가 발생하는 범위가 대부분 일치하였다. 따라서 수술 전 인도시아닌그린 혈관조영술을 시행하여 초기에 피부혈류가 좋은 경우 보형물을 이용한 즉시유방재건술을 시행하였고, 그렇지 않은 경우 2단계 조직확장기-보형물 유방재건술 또는 자가조직을 이용한 유방재건술을 고려하였다.

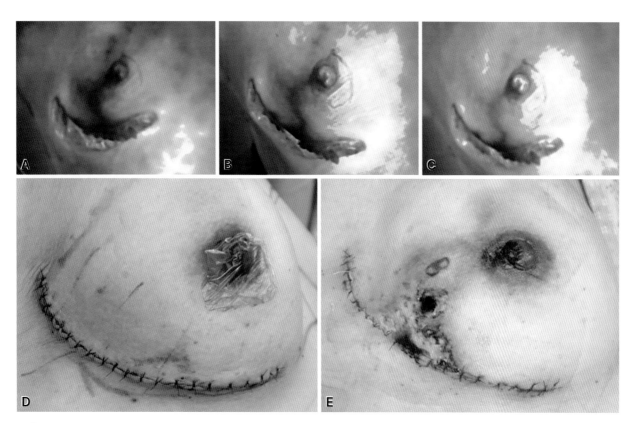

그림 3-2-9. 인도시아닌그린 혈관 조영술. (A) 인도시아닌그린 주사 후 약 20초 후, (B) 인도시아닌그린 주사 후 약 40초 후, (C) 인도시아닌 그림 주사 후 약 1분 후, (D) 외측 유방하주름절개로 유방절제술 후 보형물을 이용한 즉시유방재건술을 시행한 직후 사진, (E) 수술 후 20일 뒤 사진.

③ 대흉근하 포켓의 박리

대흉근의 유방하주름 부위에 부착된 아래쪽 기시부를 전기 소작기를 이용하여 외측에서 내측으로 분리하여 대흉근하 포켓을 만든다. 최근 많은 성형외과 의사들이 초음파에너지를 이용하는 전기소작기(예, 하모닉 스카펠, 썬더비트 등)를 이용하여 출혈을 적게 하고 주위 조직의 손상을 최소화시키면서 대흉근을 박리하기도 한다. 내측으로 박리할 때, 속가슴동맥의 관통동맥을 주의하여 지혈한다. 대개 유방하주름으로부터 2–3 cm 상방에 큰 관통동맥이 위치하며 양극성전기소작기로 정확하게 지혈해야 한다. 근육을 흉벽으로부터 박리한 부분도 수술 후 지연 출혈, 혈종으로 인한 수술 후 감염 및 구형구축의 원인이 될 수 있어 양극성전기소작기를 이용하여 완벽하게 지혈을 해야 한다.

대흉근 하방기시부의 내측 절개는 수술 중 대흉근 안쪽으로 흉골 아래쪽에 부착된 부위에서 손가락을 이용하여 아래쪽으로 촉진하였을 때, 저항없이 부드럽게 분리될 때까지 절개한다(그림 3-2-10). 이러한 과정을 통해 대흉근을 내측으로 충분히 분리하면 수술 후 유방의 내측부가 불분명한 윤곽을 가지는 것을 방지할 수 있다. 미용적으로 시행하는 유방확대술에서의 대흉근의 분리 높이를 조절하듯이 유방재건술에서도 이를 조절하여 유방의 형태나 유방하수 정도를 만들 수 있다.

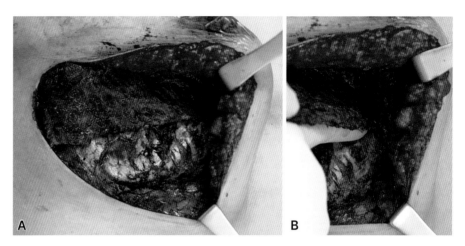

그림 3-2-10. 대흉근의 하방기시부의 분리. (A) 대흉근의 외측에서 내측으로의 분리가 완료된 모습. (B) 대흉근의 내측절개부분에서 하방으로 저항없이 부드럽게 분리될 때까지 절개한다.

유방재건술에서 대흉근하 포켓을 만들 때 대흉근의 아래기시부를 완전히 흉벽에서 분리하고, 무세포진피기질을 이용한 이중 평면(dual plane) 수술방법을 통해 유방보형물을 삽입하게 된다. 이중 평면 방식으로 수술하는 경우 수술 후 유방의 형태가 더 자연스러워 보이며 유방의 돌출 정도 및 유방하수의 정도도 적당히 조절할 수 있다. 이중평면 수술방법 (그림 3-2-11, 그림 3-2-12)을 시행할 경우 대흉근의 내측절개의 높이에 따라 재건된 유방의 모양이 결정된다. 대흉근을 유방하주름의 내측 가장자리 높이까지 분리하는 방법은 유륜-유방

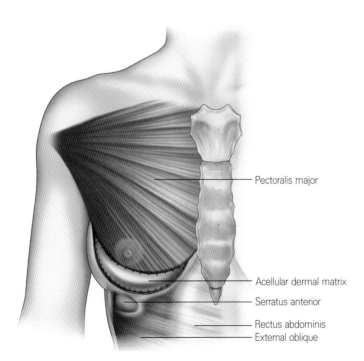

그림 3-2-11. 보형물을 이용한 유방재건술에서 무세포진피기질과 대흉근을 이용한 dual plane의 모식도(정면)

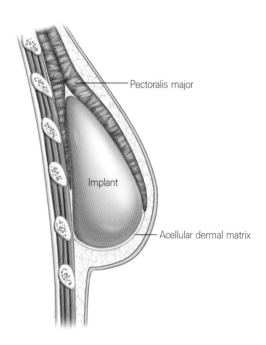

그림 3-2-12. 보형물을 이용한 유방재건술에서 무세포 진피기질과 대흉근을 이용한 dual plane의 모식도(단면)

하주름간의 거리가 비교적 짧고 유방의 아래쪽 피부를 많이 늘릴 필요가 없는 환자의 경우에 유용하다. 대흉근을 유두 높이까지 분리하는 경우 유방절제술 전 유방에서 유방하수가 관찰되거나 유륜-유방하주름간의 거리가 7 cm 이상 긴 환자에서 유용하다. 대흉근이 위쪽으로 좀 더 자유롭게 움직일 수 있으며, 대흉근의 하방으로 무세포진피기질을 봉합하여 좀 더 큰 유방보형물을 잘 감쌀 수 있게 된다. 또한 무세포진피기질이 아래쪽으로 늘어지면서 일종의 해먹 효과를 보여, 경증의 유방하수를 재현할 수 있는 장점이 있다(그림 3-2-13).

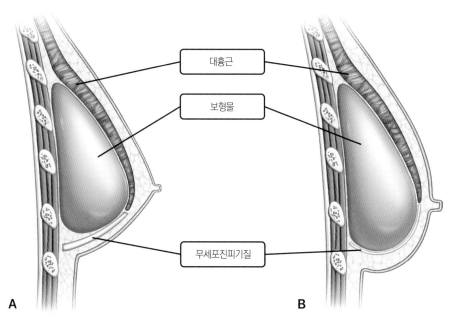

그림 3-2-13. 이중평면 대흉근하 포켓의 모식도 이중평면 방식의 대흉근하 포켓을 만드는 경우, 무세포진피기질을 봉합하는 방식에 따라 경증의 유방하수를 재현할 수 있다. **(A)** 유방하수가 거의 없는 유방의 경우, 무세포진피기질을 흉벽에 타이트하게 봉합할 수 있다. **(B)** 유방하수가 있는 유방의 경우, 무세포진피기질을 여유롭게 봉합하여 해먹효과를 통해 유방하수를 재현할 수 있다.

대흉근의 내측 가장자리가 과하게 분리될 경우 보형물 가장자리가 유방 내측 피부에서 과도하게 만져지거나 내측으로의 견인으로 물결무늬 변형이 발생하는 등 교정하기 힘든 변형을 일으킬 수 있어 대흉근의 과도한 내측 박리는 피해야 한다.

가측으로는 전거근(serratus anterior muscle)과 소흉근이 손상을 입지 않도록 주의하며 박리한다. 대흉근과 소흉근은 배아기때 겨드랑이 내측에 존재하는 공통 중배엽으로부터 발생하므로 같은 근섬유를 공유하기도 하고 기시부가 명확히 분리되지 않는 경우도 있다. 대흉근과 소흉근 사이로 박리하지 못하고 소흉근 아래로 의도하지 않은 박리가 이루어질 경우 지혈하기 힘든 근육의 출혈, 수술 후 통증을 유발할 수 있으며, 비정상적인 근육의 작용으로 인하여 보형물의 변이를 일으킬 수 있다.

④ 유방보형물의 삽입

환자를 똑바로 앉힌 다음 실리콘 겔 사이저를 보형물이 들어갈 자리에 미리 삽입하여 환자에게 가장 잘 맞는 보형물의 모양과 크기를 결정한다. 보형물을 대흉근하 포켓내부의 적절한 위치에 삽입한다.

보형물을 삽입하기 전 감염의 위험을 최소화하기위해 수술부위를 철저하게 지혈하고, 세파졸린, 젠타마이신 및 바시트라신이 함유된 삼중 항생제 용액(50,000 U 바시트라신, 1 g 세파졸린, 80 mg 젠타마이신을 500 mL의 생리식염수와 섞은 용액)으로 포켓과 주변 피부를 세척한다. 보형물은 삽입하기 직전에 개봉하여 삼중 항생제 용액에 담가둔다. 보형물을 이용한 유방재건술 후 발생하는 감염의 경우 유두나 피부에 존재하는 피부상재균에 의해 가장 흔하게 발생하므로, 보형물과의 접촉을 최소화하는 것이 좋다. 특히 유두나 주변 피부와의 접촉을 최소화하기 위해 유두 부위에 테가덤(Tegaderm™, 3M healthcare)과 같은 드레싱을 부착하여 수술 중 보형물이 접촉하지 않도록 할 수 있다. 또한 보형물을 삽입하기 전 삽입 부위 주변으로 베타딘 페인팅을 통해 보형물의 오염이 최소화될 수 있도록 노력한다. 그리고나서 새 장갑으로 교체한 뒤 깔때기 모양의 짤주머니를 이용하여, 보형물을 삽입한다(그림 3-2-14). 보형물을 완전히 삽입한 후, 환자를 앉혀서, 유방하주름의 위치나, 보형물의 위치가 적절하게 배치되었는지 확인한다.

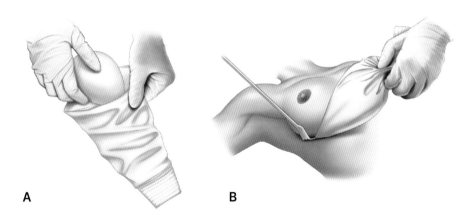

A   **B**

그림 3-2-14. 보형물을 삽입할 때, 짤주머니를 이용하여 보형물과 피부의 접촉을 최소화한다. (A) 유방보형물을 짤주머니에 넣는다. 짤주머니의 출구의 크기는 유방보형물의 크기에 맞게 잘라서 준비한다. (B) 절개선 주변을 잘 소독한 뒤, 짤주머니를 이용하여 유방보형물을 삽입한다.

⑤ 무세포진피기질의 고정

이중 평면방법을 이용한 수술방식에서는 무세포 진피기질을 이용한다. 주로 두께는 1.5-2.3 mm이고, 보형물의 하부를 감쌀수 있는 정도의 크기를 선택하게 된다. 주로 6×16 cm-8×16 cm의 크기의 무세포진피기질을 이용한다. 무세포진피기질을 고정하기 전, 무세포진피기질에 11번 블레이드를 이용하여 여러 개의 홈을 내어 배액을 도와주어 포켓내부에 혈종 또는 장액종이 고이는 것을 방지한다. 무세포진피기질이 보형물의 하부를 잘 감쌀 수 있도록 반달모양으로 디자인한 뒤 대흉근의 내측 기시부를 분리한 부분에서부터 3-0 바이크릴을 이용하여 봉합한다. 봉합할 때 보형물이 바깥쪽으로 변이가 되지 않도록 적절한 위치를 맞추어 무세포 진피기질을 흉벽에 고정한다. 무세포 진피기질의 아래가장자리는 새로운 유방하주름이 될 위치에 맞추어 고정을 하게 되며(그림 3-2-15 A) 무세포진피기질과 흉벽 또는 늑골의 골막만 봉합하기도 하고 진피까지 3점 고정을 시행하기도 한다. 이때 무세포 진피기질의 세로방향의 길이를 조절하여 보형물의 위치 및 쳐진 정도를 조절하게 된다. 무세포진피기질의 해먹효과를 이용하여, 반대편 유방과 비슷한 정도의 유방하수를 재현할 수 있다. 무세포진피기질의 가쪽 가장자리는 보형물의 윤곽을 따라 흉벽에 고정하며, 공간에 여유를 두는 경우 수술 후 보형물의 가쪽 변위가 발생할 수 있으므로 보형물에 딱맞추어 고정하는 것이 좋다.

대흉근 또는 소흉근에 과도한 장력으로 봉합을 시행하는 경우 치즈와이어링 현상 (cheese-wiring effect)으로 인해 근육이 찢어지게 되고, 봉합 부위에서 출혈이 발생할 수 있다. 근육의 출혈이 발생한 경우 지혈이 제대로 되지 않는 경우도 있어 양극성전기소작기를 이용하여 지혈을 제대로 해야 하며, 이를 예방하기 위하여 적절한 장력으로 근육을 봉합해야 한다. 또한 수술 후 환자가 팔을 갑작스럽게 움직이면 대흉근이 갑자기 수축하게 되면서 근육의 봉합된 부위가 파열되어 수술 후 출혈이 발생하는 경우도 있기 때문에 근육부위를 봉합을 통해 고정할 때에는 주의해야 한다. 무세포진피기질 위쪽 가장자리는 대흉근 아래쪽의 흉벽으로부터 분리한 부위와 고정을 하며, 너무 꼭 끼게 봉합하는 경우 수술 후 유방의 형태가 부자연스러워 보일 수 있으니 보형물의 형태에 맞게 여유롭게 봉합하는 것이 좋다 (그림 3-2-15 B).

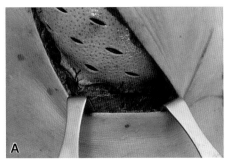 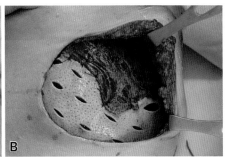

그림 3-2-15. 무세포진피기질의 고정. (A) 무세포 진피기질의 아래쪽 가장자리는 새로운 유방하주름이 될 부위에 흉벽 또는 즉골의 골막과 고정한다. 진피와 3점고정법을 시행하는 경우도 있다. (B) 대흉근과 무세포 진피기질은 보형물이 눌리지 않고, 자연스러운 모양을 유지할 수 있을 정도의 장력을 가지고 봉합한다.

ⓖ 유방하주름의 재구성

유방절제술을 통해 손상된 유방하주름은 유방재건술 시 함께 복원해주는 것이 미용적인 측면에서 좋다. 새로운 유방하주름을 정하는 방법은 유방절제술 전에 환자가 서있는 상태에서 양쪽 유방에 미리 유방하주름의 위치를 디자인하고 4-6개의 점을 타투로 표시하여, 유방절제술 후에도 위치를 확인할 수 있도록 한다. 수술 전 표시한 위치가 지워진 경우, 수술 중 환자를 앉혀서 확인해 볼 수 있다. 유방재건술에서 유방하주름을 재구성하기 위하여 일반적으로 3-0 바이크릴 봉합사를 이용한 봉합방법을 이용한다. 주로 5-6번째 늑골 높이의 새로운 유방하주름의 위치에서 무세포진피기질과 늑골의 골막 또는 흉벽에 단속봉합으로 단단히 고정하게 된다. 그 외에도 표층 근막 또는 진피조직과 흉벽을 고정하는 방법, 표층 근막 또는 진피조직과 무세포진피기질, 흉벽을 3점봉합법을 이용하여 고정하여, 유방하주름을 만들기도 한다. 술자의 경우, 새로운 유방하주름이 될 부위의 아래쪽 곡선을 따라 최소 5-6부위를 고정하며, 가장 낮은 부위에 2-3부위, 내측 부위에 1-2부위, 가측 부위와 소흉근과 만나는 부위에 1-2부위를 고정한다. 너무 많은 봉합을 시행하지 않더라도 피부가 완만한 곡선을 이루면서 해먹 효과를 통해, 경도-중등도의 유방하수의 효과를 만들 수 있다.

⑦ 배액관의 삽입 및 피부 봉합

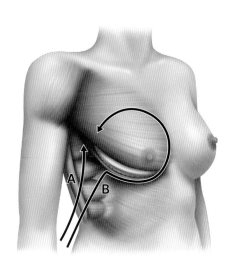

그림 3-2-16. 배액관의 위치. **(A)** 피부와 근육사이에 겨드랑이쪽으로 사강 부위를 배액하기 위하여 삽입한다. **(B)** 유방하주름을 따라 대흉근과 피부피판 사이를 지나가도록 길게 삽입한다.

유방재건술 후 흔하게 발생하는 합병증 중 하나가 장액종이다. 이를 예방하고 수술 부위에 피가 고이지 않도록 하기 위해 일반적으로 두개의 배액관을 삽입한다. 하나는 대흉근과 피부피판 사이에 배치하고, 다른 하나는 겨드랑이 위쪽으로 배치한다. 배액관은 약 1-2 cm 정도의 피하터널을 통해, 옆구리 부위로 빼서 고정한다(그림 3-2-16).

봉합하기 전 피부피판의 관류를 확인하기 위해서 한번 더 인도시아닌그린혈관조영술을 시행해볼 수 있다. 이전과 같은 방식으로 피부피판으로 지나가는 혈류 상태를 확인한다. 이때 피판으로의 관류가 좋지 않은 피부는 절제하거나 가장자리를 다듬고 난 뒤 층별로 봉합한다(그림 3-2-17).

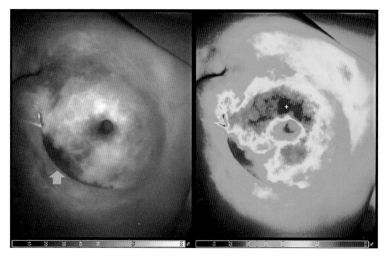

그림 3-2-17. 인도시아닌그린혈관조영술을 통한 피부피판의 관류를 확인할 수 있다. 절개부위의 상대적으로 어두운 부위(화살표)는 허혈성 변화를 보이며, 봉합하기 전 절제하여 피부괴사의 합병증의 발생 위험을 줄일 수 있다.

수술 후 배액관 주변과, 피부 봉합부에 대하여, 무균적으로 단순 드레싱을 시행한다. 압박드레싱을 하는 경우, 피판의 관류가 불량해져 피부괴사를 일으킬 수 있으니 과도한 압박은 피해야 한다.

다음(그림 3-2-18, 그림 3-2-19)은 유두보존유방절제술 후 유방보형물을 이용한 즉시유방재건술을 시행한 환자의 수술 전과 수술 후 사진이다.

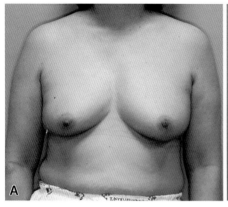 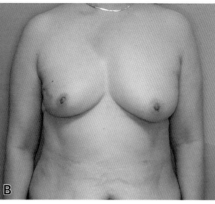

그림 3-2-18. 오른쪽 유방암 (TisN0M0, stage 0)으로 가측방사형절개를 통한 유두보존 유방절제술 후 유방보형물(Mentor MemeoryGel®, smooth round moderate classic profile, 340 cc)을 이용한 즉시유방재건(DermACELL®dual plane)시행한 사진. (A) 수술전, (B) 수술후 1년 뒤

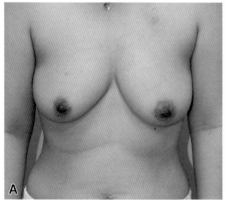 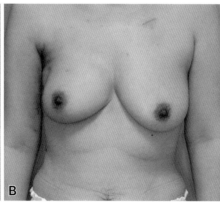

그림 3-2-19. 오른쪽 유방암 (T2N0M0, stage IIA)으로 외측 유방하주름절개를 통한 유두보존 유방절제술 후 유방보형물(Mentor MemeoryGel®, smooth round moderate classic profile, 255 cc)을 이용한 즉시유방재건술(DermACELL®dual plane)을 시행한 사진. (A) 수술전, (B) 수술후 3개월 뒤

(3) 수술 후 관리

수술 후 보형물을 지지하기 위해 헐렁한 수술용 브래지어를 착용한다. 타이트한 압박 브래지어 또는 압박 붕대는 유방 피부로 가는 혈류를 손상시킬 수 있으므로 피한다. 수술 후 장액종을 예방하고 피부에 가해지는 장력을 줄이기 위하여 배액관을 삽입하여야 하며, 배액관으로의 배출량이 24시간 동안 30 cc 미만일 때 제거한다. 일반적으로 수술 후 1주일이 지나면 두개의 배액관 중 하나를 제거하고 나머지 배액관은 평균적으로 수술 2주 후에 제거한다. 수술 전 예방적 항생제의 사용에 대하여는 그 효과가 입증되었다. 수술 후 예방적 항생제의 사용은 아직 논란이 있지만, 여러 성형외과 의사들이 경험적으로 배액관을 제거할 때까지 환자에게 경구 항생제를 복용하게 한다. 수술 후 약 4-6주 동안은 무거운 물건을 들

어울리거나 팔을 과도하게 사용하는 무리한 활동은 제한한다.

4) 수술 후 합병증

2018년 Srinivasa가 시행한 전향적 다중센터연구를 통해 유방보형물을 이용한 유방재건술을 시행한 환자의 결과와 2단계 조직확장기/보형물 유방재건술을 시행한 결과를 비교하여 분석을 시행했다. 대상 환자 1,427명 중 99명이 유방보형물을 이용한 유방재건술을 받았고 1,328명이 2단계 조직확장기/보형물 유방재건술을 받았다. 2단계 조직확장기/보형물 유방재건술과 비교했을 때 보형물을 이용한 유방재건술과 관련된 합병증 발생 비율이 일반적으로 높았지만, 그 차이는 통계적으로 유의하지 않았다. 전체 합병증 비율은 각각 보형물을 이용한 유방재건의 경우 32.3%(vs 26.2%) 였으며, 재입원 또는 재수술이 필요한 주요 합병증은 19.15%(vs 5.3%) 였다. 정맥 항생제 또는 보형물 제거수술이 필요한 염증은 16.2%(vs 10.5%) 발생하였으며, 유방재건 실패율은 8.1%(vs 7.4%) 였다. 또한 유방보형물을 이용한 재건술에서 유두괴사(4.5%) 및 보형물 노출(7.2%), 피판 괴사(3.4~20.5%), 장액종(1%), 혈종(0.6%), 구형구축(0.2%), 피부 얇아짐, 상처 치유 지연, 리플링, 보형물 이상회전 등의 합병증도 보고되었다. 유방절제술 절개 유형에 따라 유두괴사 위험은 유의하게 다르게 나타났으며, 유륜주위 및 원형유륜절개의 경우, 유두 괴사 비율이 가장 높았다(17.81%).

삽입하는 보형물의 표면에 따라 합병증이 나타나는 비율이 다르다. 전반적인 합병증 발생율을 비교하였을 때 표면이 거친 보형물(textured implant)이 표면이 매끈한 보형물(smooth implant)에 비해 전체적인 합병증 발생율이 높게 나타난다. 하지만 표면이 거친 보형물을 이용한 경우 표면이 매끈한 보형물을 이용하였을 때에 비해 구형구축이 적게 나타나고 보형물변이나 물결무늬 변형(rippling)이 적게 나타난다. 하지만 거친 표면에 균의 부착력이나 바이오필름의 생성이 훨씬 쉬워 연조직염이나 감염의 빈도가 높게 나타난다. 표면이 매끈한 보형물의 경우, 응집력이 더 낮은(lower cohesivity)실리콘 젤이 포함되어있어 물결무늬 변형이 더 많이 나타나게 된다. 하지만 조금 더 응집력이 높은 실리콘 젤을 채워넣으면서 이러한 단점이 극복되고 있으며 수술 후 자가지방이식을 통해 이러한 현상을 최소화시킬 수 있다.

(1) 수술 후 합병증 발생의 위험요인

유방재건술 후 합병증이 나타날 확률이 높은 위험인자로는 여러 가지 요인이 밝혀져 있다. 2007년 Woerdeman가 보고한 바에 따르면 43세 이상의 고령(OR 1.89), 체질량지수가 24 kg/m^2 이상인 경우(OR 2.35), 흡연력이 있는 경우(OR 3.02), 수술 후 합병증으로 인하여 보형물을 제거할 확률이 유의하게 높았다. 유방절제술 후 절제된 유방조직의 무게가 548 g 이상인 경우(OR 2.76), 삽입하는 유방보형물의 부피가 280 g 이상인 경우(OR 2.26), 수술 후 합병증이 나타날 확률이 높았다.

(2) 수술 후 합병증

① 출혈 및 혈종

수술 후 출혈은 수술 후 1-2일내에 가장 많이 발생하며, 수술을 필요로 하는 출혈/혈종은 0%-5.8% 빈도로 나타난다. 간혹 지연출혈이 나타나기도 한다. 적은 양의 출혈이 발생한 경우 수술 부위를 압박하거나 경과 관찰을 통하여 저절로 흡수될 수 있다. 하지만 대부분 수술 후 출혈이 관찰되면 재수술을 통해 출혈되는 혈관을 확인하고 지혈하거나 포켓 내에 존재하는 혈종을 제거해야 한다. 수술 후 출혈이나 혈종을 제대로 처치하지 않으면 추후 감염 또는 구형구축이 발생할 가능성이 매우 높아져 유방의 변형을 야기할 수 있다.

② 장액종

수술 후 장액종이 적절하게 배액되지 않거나 림프액을 재흡수하기 전에 배액관을 제거하면 유방내부 또는 대흉근하 포켓 내부에 축적될 수 있다. 수술 후 장액종이 발생하는 원인이 명확히 알려져 있지는 않으나 체액이 축적될 가능성이 있는 사강이 있는 경우, 림프절 생검 또는 림프절 제거수술을 통한 림프계의 파괴, 또는 유방보형물이나 무세포진피기질과 같은 이물질로 인한 반응으로 림프계에 이상이 생긴 경우, 지속적인 염증으로 인한 바이오 필름의 생성 등을 들 수 있다. 장액종의 발생위험인자로는 높은 체질량지수, 유방절제술 시 절제된 유방조직이 큰 경우, 수술 후 발생하는 사강이 넓은 경우를 들 수 있다. 또한 무세포 진피기질을 이용한 경우가 그렇지 않은 경우에 비해 장액종이 발생할 위험이 높아지며, 이전에 방사선치료 과거력이 있는 경우에 장액종이 많이 발생하는 경향이 있다. 장액종을 치료하지 않고 방치하는 경우 감염의 발생 가능성이 4배 이상 늘어나며, 이로 인한 보형물 제거 가능성이 그렇지 않은 경우에 비해 약 6.7배 증가할 수 있다.

장액종을 예방하기 위한 방법으로는 수술 중 유방하주름 및 겨드랑이 부위로 2개의 배액관을 삽입하고, 배액량이 24시간 동안 30 cc 미만일 때 제거한다. 과도하게 늘어진 피부피판을 다듬거나 절제하는 방법을 통해 사강을 줄일 수 있으며 수술 후 가벼운 압박 드레싱을 할 수도 있다. 염증이나 바이오필름의 생성을 방지하기 위하여 수술 중 삼중 항생제 용액을 사용하여 포켓을 세척할 수 있다.

배액관을 제거한 뒤, 소량의 장액종이 발생한 경우, 주사기를 이용한 흡인술을 통해 제거할 수 있으며, 이 때 보형물이 파열되지 않도록 주의하여야 한다. 그 양이 많다면 경피적 배액 또는 수술적 배액을 시행하여야 한다.

③ 피부괴사

피부 피판이 너무 얇거나 피부 피판에 과도한 장력이 가해질 때 유방 피부피판에 허혈성 손상이 발생할 수 있다. 유방절제술 직후 또는 사이저나 보형물 삽입 후 피부에 가해지는 장력이 증가함에 따라 피판으로의 관류가 제한되어 피판 아래의 진피나 피부에 변색이 나타날 수 있다. 수술 중 피판에서 유의한 허혈성 손상이 관찰되는 경우 2단계 조직확장기-보형물 유방재건술 또는 지연유방재건술을 고려하는 것이 좋다. 허혈성 손상을 방치하는 경우, 피부괴사를 야기할 수 있다. 피부괴사는 약 10.4%(2.3-41.2%)의 비율로 나타나며, 그 중에서 수술 등의 처치가 필요한 피부괴사가 6.6% 비율로 관찰되었다. 피부괴사가 발생하면 적극적으로 상처 관리를 해야 한다. 괴사된 피부의 정도에 따라 치료방법이 달라진다. 괴사된 피부의 범위가 작을 경우 보존적 치료로 회복할 수 있지만, 크거나 깊은 경우; 1) 변연 조직 절제술 및 일차봉합술, 2) 국소피판술, 3) 보형물 교체 또는 조직확장기로의 교체, 4) 보형물의 제거 수술 등의 수술적 치료가 필요할 수 있다. 피부괴사가 진행되어 보형물이 노출되거나 화농성 분비물이 동반될 경우 보형물을 제거하고 지연재건술을 고려하는 것이 좋다 (그림 3-2-20).

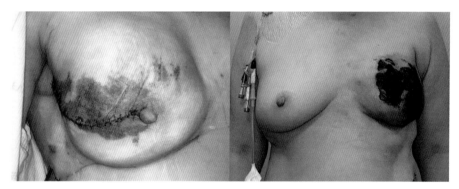

그림 3-2-20. **수술 후 피부 피판의 괴사.** 피부 깊은 층까지 피부괴사가 발생한 경우 수술적 치료가 필요하다.

특히, 유방보존 유방절제술시 유두의 괴사로 인해 유두의 소실이 나타나는 경우가 있으며, 유방전절제술시 절개선의 위치에 따라 영향을 많이 받는다. 측면 방사형 절개로 유방전절제술을 받은 환자에 비해 외측 유방하주름 절개 또는 유두유륜복합체주위 절개로 유방전절제술을 받은 환자에서 유두의 괴사가 많이 발생하는 경향이 있다(표 3-2-2).

④ 감염

유방절제술 후 유방피부피판의 관류가 좋지 않아 감염에 더욱 취약해진다. 수술 후 감염은 약 0-15% 빈도로 발생하며 대부분은 수술 후 6주 이내에 발생한다. 수술 후 감염이 발생하는 경우, 보조항암치료(항암치료, 방사선치료 등)가 미루어 질 수 있어 수술 후 감염의 예방과 적절한 치료가 중요하다. 수술 후 감염 발생의 위험인자로는 조절되지 않는 당뇨병, 높은 체질량지수, 흡연력, 수술 전 항암치료 또는 방사선치료 과거력이 있는 경우, 수술 후 장액종의 발생 등이 있다.

감염은 일반적으로 피부의 발적, 발열, 통증 및 압통의 증가, 종창 등의 증상으로 나타

1. 환자 요인과 수술 후 피부괴사
  1) 환자가 55세 이상의 고령일수록 수술 후 피부괴사 발생율이 상대적으로 높다.
  2) 환자의 체질량지수가 높을수록 수술 후 피부괴사 발생율이 상대적으로 높다.
  3) 당뇨와 같은 전신적인 혈관질환이 동반되어있는 경우, 수술 후 피부괴사 발생율이 상대적으로 높다.
  4) 흡연력이 있는 경우, 수술 후 피부괴사 발생율이 상대적으로 높다.

2. 유방의 발자국의 형태와 수술 후 피부괴사
  1) 피부가 매우 단단하고, 작은 유방의 경우(very small breast with tight skin or very short breast-foot-print), 유방전절제술을 시행하더라도, 피부가 여전히 타이트하여, 피판에 가해지는 장력이 커서, 수술 후 피부괴사 발생율이 상대적으로 높다.
  2) 유방이 전체적으로 길고, 아래에 위치한 경우, 유방하주름─쇄골정중선간의 거리가 멀수록(very low or very long breast footprint), 유방절제술 후 피부피판의 범위가 길어져, 상대적으로 관류가 좋지않은 가운데 부위를 따라 수술 후 피부괴사 발생율이 상대적으로 높다.

3. 유방절제술 시 시행한 피부 절개선의 위치
  1) 유두유륜복합체 주위 절개시 수술 후 유두 괴사 발생율이 상대적으로 높다.
  2) 측면 방사형 절개를 통한 유방 절제술시 유방 피판의 관류가 좋아, 유방피판의 괴사 발생율이 상대적으로 낮게 나타난다.

4. 그 외
  1) 유방전절제술의 수술 범위가 넓을수록 수술 후 발생하는 유방피부피판의 면적이 넓어, 피판의 관류가 불량하여, 피부괴사가 발생할 확률이 높다.
  2) 유방전절제술을 시행하는 외과의사의 숙련도에 따라 피부괴사가 발생하는 범위가 다양하게 나타날 수 있다.

난다.

감염이 발생한 환자에서 삼출물이나 창상에서 시행한 균동정검사상 균이 발견되지 않는 경우가 대부분이며, 코아굴라제 음성 포도상구균(Coagulase-negative staphylococci), 황색 포도상구균(Staphylococcus aureus), 녹농균(Pseudomonas aeruginosa)이 가장 주된 균으로 동정된다. 다른 증상이나 동반질환 없이 피부의 발적만을 보이는 증상이 경한 환자의 경우 경구 항생제를 투여해볼 수 있다. 만약 다른 증상이 동반되거나 경구 항생제로 증상이 개선되지 않는 환자에게는 입원치료 및 정맥 항생제 투여가 필요할 수 있다. 일반적으로 세퓨록심을 가장 흔하게 처방하고 클린다마이신 또는 암피실린/설박탐을 치료에 이용할 수 있다. 정맥 내 항생제 주사 치료에도 반응하지 않는 심한 감염 환자는 보형물 교환 또는 제거 수술을 해야 한다. 수술 중 내부 포켓이 감염의 증거 없이 깨끗해 보이는 경우 포켓 세척 및 보형물 교체만으로도 치유를 기대할 수 있다. 하지만 포켓 내부에 보형물 주위 감염의 증거가 명백하게 관찰되는 경우 감염의 원인이 될 수 있는 보형물 또는 무세포진피기질, 피막을 완전히 제거하고, 배액관을 삽입한 뒤 봉합하여야 한다(그림 3-2-21). 감염이 의심되는 환자에서 단순한 연조직염인지, 보형물 또는 대흉근하 포켓 감염인지 구분하는 것이 중요하다. 단순한 연조직염인 경우 항생제치료만으로도 증상이 호전될 수 있으나, 보형물 또는 대흉근하 포켓의 감염이 확인되는 경우 수술적 치료가 반드시 필요하며 구제될 확률이 20% 미만이다.

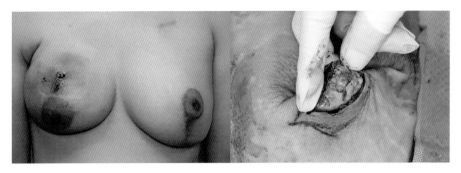

그림 3-2-21. **수술 후 감염.** 유방보형물을 이용한 즉시유방재건술 시행후 감염으로 인하여 보형물이 노출된 환자로, 수술적 치료를 시행하였다. 대흉근하 포켓과 무세포진피기질까지도 염증 소견 보이는 경우 보형물 및 무세포진피기질을 완전히 제거해야 감염 증상이 호전될 수 있다.

현행 가이드라인에 따르면 수술 전 예방적 항생제만으로도 수술 후 감염을 감소시킬 수 있다. 따라서, 유방재건수술을 하는 환자는 수술 전 24시간 내에 1회 예방적 항생제를 주사하고 있다. 수술 후 예방적 항생제 사용에 대하여 명확한 근거가 아직 부족하지만, 임상적으로 많은 성형외과 의사들은 배액관을 제거하기까지 또는 수술 후 7일까지 경구 항생제를 유지하고 있다. 특히 감염이 일어나기 쉬운 위험인자(당뇨, 높은 체질량지수, 고혈압, 간질환, 양쪽 유방절제술을 시행한 경우, 즉시유방재건술을 시행한 경우, 이전의 항암치료 또는 방사선치료 과거력, 수술 후 피부피판의 관류 불량 등)를 포함한 환자의 경우, 수술 후 예방적 항생제를 경험적으로 투여하고 있다.

⑤ 구형구축

보형물을 이용한 유방재건술을 한 환자들이 재수술을 하는 가장 흔한 이유 중 하나가 구형구축으로, 구형구축은 약 1–38%의 빈도로 발생한다(그림 3-2-22). 구형구축의 정도는 베이커 분류법에 의해 나뉘어진다(표 3-2-3).

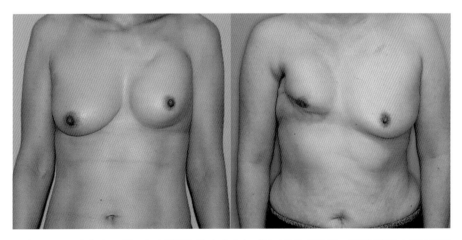

그림 3-2-22. **수술 후 구형구축이 발생한 환자.** 수술후 베이커 III에 해당하는 구형구축의 소견이 관찰된다.

표 3-2-3. Baker classification of capsular contracture

Grade	Description
I	Soft
II	Less soft, but implant nor visible
III	Moderate firmness, implant can be palpated or distortion can be seen
IV	Very firm, hard, tender, painful and cold

구형구축이 발생하는 병인 중에 가장 잘 알려진 것은 균에 의한 감염과의 연관성이다. 그 중에서도 표피포도알균(Staphylococcus epidermis)이 가장 흔한 균주이다. 따라서 수술 과정에서 항생제(50,000 U bacitracin, 1 g cefazolin, 80 mg gentamicin)를 500 mL의 생리식염수와 함께 섞은 용액을 이용해 보형물과 포켓을 세척한다. 이를 통해 포켓내의 균수를 줄여 감염은 물론 구형구축을 예방할 수 있다. 또한 보형물을 삽입하기 전에 항생제 용액에 일정시간 동안 담가 놓았다가 사용한다. 보형물을 삽입하는 과정에서 장갑 또는 피부와의 접촉을 최소화하기 위해 깔때기 모양의 짤주머니를 이용하는 등 균감염을 최소화하여 구형구축을 예방할 수 있다.

또한 방사선치료를 받은 경우 피부의 섬유화가 진행되면서, 그렇지 않은 경우에 비해, 구형구축의 발생 가능성이 높아진다.

보형물의 크기와 모양, 보형물이 위치하는 포켓의 위치도 구형구축의 발생과 연관이 있다. 대흉근하 포켓에 보형물을 삽입하면 피부와 보형물의 유착을 막을 수 있으며, 표면이 거친 보형물을 이용하게 되면 표면이 매끈한 보형물에 비해 구형구축의 발생을 줄일 수 있다.

⑥ 보형물의 파열

보형물의 파열은 보형물을 삽입하고 있는 기간과 연관성이 있으며, 보형물의 노화에 따른 보형물의 껍질(shell) 또는 충전물(gel)의 변성으로 인하여 발생한다. 보형물을 삽입하고 약 9–12년 뒤 보형물이 파열될 누적발생율은 약 15.1%로, 15년 주기로 교체하기를 식약처에서 권고하고 있다. 주로 피막내파열(intracapsular rupture)로 발견되며 보형물이 파열되어 실리콘 젤이 보형물 주변의 피막내부에 국한된 경우로, 대부분의 환자에서 유방의 크기나 변형이 심하게 동반되지는 않으며 특이한 증상을 호소하지 않는다. 피막외파열(extracapsular rupture)은 실리콘 젤이 피막을 넘어 퍼진 경우로, 유방의 변형을 동반하거나 덩어리가 만져질 수 있으며 염증성 변화를 동반할 수도 있다. 피막외 실리콘의 누출은 육아종을 형성할 수 있으며, 가슴근이나 피부로 침범하여 수술시 완전한 제거가 힘들 수도 있다. 보형물의 파열이 의심되면 초음파(민감도: 73.7%, 특이도: 87.8%), 고해상도초음파(민감도: 90%, 특이도: 80%), 또는 자기공명영상촬영(민감도: 87%, 특이도: 85%)을 통하여 진단할 수 있다(그림 3-2-23). 치료는 파열된 보형물과 새어나온 실리콘 젤을 완전히 제거하고, 실리콘 젤의 누출로 손상된 피막을 제거하고, 필요시 새로운 보형물을 삽입할 수 있다. 구형 구축이 동반된 경우, 새로운 포켓을 만들어 새로운 보형물을 삽입함으로써 구형구축의 재발 위험을 줄일 수 있다.

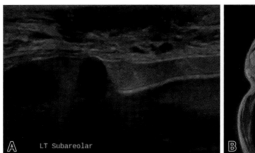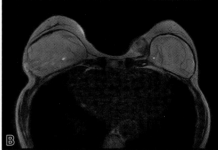

그림 3-2-23. 보형물의 피막내 파열. (A) 고해상도 초음파상 보형물 내 고에코성 병변이 불균일하게 관찰되며, 피막의 끊어진 부분과 사다리 징후(stepladder sign)가 관찰된다. **(B)** 자기공명영상촬영 상 파손된 보형물 껍질이 여러 개의 구불구불한 저신호강도 선이 포개져 있는 모양으로 보이는 링기니 사인(linguini sign)이 관찰된다.

☑ 참고문헌

1. Akhavan AA, Wirtz EC, Ollila DW, Bhatt N. An Unusual Case of BIA-ALCL Associated with Prolonged/Complicated Biocell-Textured Expander, followed by Smooth Round Breast Implant Exposure, and Concurrent Use of Adalimumab. Plast Reconstr Surg 2021;148(2):299-303.

2. Baek SH, Bae SJ, Yoon CI, et al. Immediate Breast Reconstruction Does Not Have a Clinically Significant Impact on Adjuvant Treatment Delay and Subsequent Survival Outcomes. J Breast Cancer 2019;22(1):109-19.

3. Baek WY, Byun IH, Seok Kim Y, Jung BK, Yun IS, Roh TS. Variance of the pectoralis major in relation to the inframammary fold and the pectoralis minor and its application to breast surgery. Clin Anat 2017;30(3):357-61.

4. Baek WY, Byun IH, Kim YS, Lew DH, Jeong J, Roh TS. Patient Satisfaction with Implant Based Breast Reconstruction Associated with Implant Volume and Mastectomy Specimen Weight Ratio. J Breast Cancer 2017;20(1):98-103.

5. Baker BG, Sewart E, Harvey J, Potter S; Implant Breast Reconstruction Evaluation Study Steering Group and Breast Reconstruction Research Collaborative. Implant-Based Reconstruction following Mastectomy in Patients Who Have Had a Previous Breast Augmentation: Lessons from the National Multicenter Implant Breast Reconstruction Evaluation Study. Plast Reconstr Surg 2022;149(2):324-37.

6. Bertozzi N, Pesce M, Santi P, Raposio E. One-Stage Immediate Breast Reconstruction: A Concise Review. Biomed Res Int 2017;2017:6486859.

7. Breuing KH, Warren SM. Immediate bilateral breast reconstruction with implants and inferolateral AlloDerm slings. Ann Plast Surg 2005;55(3):232-9.

8. Broyles JM, Liao EC, Kim J, et al. Acellular Dermal Matrix-Associated Complications in Implant-Based Breast Reconstruction: A Multicenter, Prospective, Randomized Controlled Clinical Trial Comparing Two Human Tissues. Plast Reconstr Surg 2021;148(3):493-500.

9. Bucher F, Vogt PM. The Failed Breast Implant in Postmastectomy Reconstruction: A

Systematic Literature Review of Complications of Implant-Based Breast Reconstruction. Ann Plast Surg 2022;88(6):695-703.

10. Colwell AS. Current strategies with 1-stage prosthetic breast reconstruction. Gland Surg 2015;4(2):111-5.

11. Frey JD, Salibian AA, Karp NS, Choi M. Implant-Based Breast Reconstruction: Hot Topics, Controversies, and New Directions. Plast Reconstr Surg 2019;143(2):404e-416e.

12. Handel N, Garcia ME, Wixtrom R. Breast implant rupture: causes, incidence, clinical impact, and management. Plast Reconstr Surg 2013;132(5):1128-37.

13. Hwang K. Seroma in Prosthetic Breast Reconstruction. Plast Reconstr Surg 2017;140(2):347e-348e.

14. Jordan SW, Khavanin N, Kim JYS. Seroma in Prosthetic Breast Reconstruction. Plast Reconstr Surg 2016;137(4):1104-16.

15. Kallarackal PA, Slaninka I, Mrozková N. Breast implant-associated anaplastic large-cell lymphoma - an evolution through the decades: citation analysis of the top fifty most cited articles. Anaplastický velkobun ný lymfom spojený s prsním implantátem - evoluce v pr b hu desetiletí: cita ní analýza 50 nejcitovan jších lánk . Acta Chir Plast 2021;63(3):127-38.

16. Kalus R, Dixon Swartz J, Metzger SC. Optimizing Safety, Predictability, and Aesthetics in Direct to Implant Immediate Breast Reconstruction: Evolution of Surgical Technique. Ann Plast Surg 2016;76 Suppl 4:S320-S327.

17. Kearney AM, Yan Y, Bricker JT, Pincus JL, Alghoul MS. Acellular Dermal Matrix-Associated Contracture: A Clinical and Histologic Analysis of Patients Undergoing Prosthetic Breast Reconstruction. Plast Reconstr Surg 2021;148(5):968-77.

18. Lacerda Macedo AC, Carvalho G, Uggioni MLR, et al. Accuracy of Ultrasonography in Breast Implant Rupture Diagnosis: Systematic Review and Meta-Analysis. Plast Reconstr Surg 2021;148(5):939-47.

19. Lee D, Jung BK, Roh TS, Kim YS. Ultrasonic dissection versus electrocautery for immediate prosthetic breast reconstruction. Arch Plast Surg 2020;47(1):20-5.

20. Marra A, Viale G, Pileri SA, et al. Breast implant-associated anaplastic large cell lymphoma: A comprehensive review. Cancer Treat Rev 2020;84:101963.

21. Maclin MM 2nd, Deigni OA, Bengtson BP. The Laminated Nature of the Pectoralis Major Muscle and the Redefinition of the Inframammary Fold: Clinical Implications in Aesthetic and Reconstructive Breast Surgery. Clin Plast Surg 2015;42(4):465-79.

22. Madsen RJ Jr, Chim J, Ang B, Fisher O, Hansen J. Variance in the origin of the pectoralis major muscle: implications for implant-based breast reconstruction. Ann Plast Surg 2015;74(1):111-3.

23. Nam SB, Song KH, Seo JY, et al. Attachment distribution of pectoral muscle origins identified in dual-plane breast implant insertion. Arch Plast Surg 2020;47(2):160-4.

24. Nanigian BR, Wong GB, Khatri VP. Inframammary crease: positional relationship to the pectoralis major muscle origin. Aesthet Surg J 2007;27(5):509-12.

25. Oleck NC, Gu C, Pyfer BJ, Phillips BT. Defining Mastectomy Skin Flap Necrosis: A Systematic Review of the Literature and a Call for Standardization. Plast Reconstr Surg 2022;149(5):858e-866e.

26. Park S, Yoon C, Bae SJ, et al. Comparison of complications according to incision types in nipple-sparing mastectomy and immediate reconstruction. Breast 2020;53:85-91.

27. Perdanasari AT, Abu-Ghname A, Raj S, Winocour SJ, Largo RD. Update in Direct-to-Implant Breast Reconstruction. Semin Plast Surg 2019;33(4):264-9.

28. Rohrich RJ, Bellamy JL, Alleyne B. Assessing Long-Term Outcomes in Breast Implant Illness: The Missing Link? A Systematic Review. Plast Reconstr Surg 2022;149(4):638e-645e.

29. Roh TS, Kim JY, Jung BK, Jeong J, Ahn SG, Kim YS. Comparison of Outcomes between

Direct-to-Implant Breast Reconstruction Following Nipple-Sparing Mastectomy through Inframammary Fold Incision versus Noninframammary Fold Incision. J Breast Cancer 2018;21(2):213-21.

30. Rothe K, Münster N, Hapfelmeier A, et al. Does the Duration of Perioperative Antibiotic Prophylaxis Influence the Incidence of Postoperative Surgical-Site Infections in Implant-Based Breast Reconstruction in Women with Breast Cancer? A Retrospective Study. Plast Reconstr Surg 2022;149(4):617e-628e.

31. Salgarello M, Barone-Adesi L, Terribile D, Masetti R. Update on one-stage immediate breast reconstruction with definitive prosthesis after sparing mastectomies. Breast 2011;20(1):7-14.

32. Salzberg CA. Focus on technique: one-stage implant-based breast reconstruction [published correction appears in Plast Reconstr Surg. 2013 Mar;131(3):669]. Plast Reconstr Surg 2012;130(5 Suppl 2):95S-103S.

33. Salzman MJ. Silent Rupture of Silicone Gel Breast Implants: High-Resolution Ultrasound Scans and Surveys of 584 Women. Plast Reconstr Surg 2022;149(1):7-14.

34. Sarfati B, Honart JF, Guimond C, Rimareix F. Inframammary fold reconstruction: the "hammock" technique. J Plast Reconstr Aesthet Surg 2015;68(3):433-4.

35. Song JH, Kim YS, Jung BK, et al. Salvage of Infected Breast Implants. Arch Plast Surg 2017;44(6):516-22.

36. Song SY, Chang JS, Fan KL, et al. Hypofractionated Radiotherapy With Volumetric Modulated Arc Therapy Decreases Postoperative Complications in Prosthetic Breast Reconstructions: A Clinicopathologic Study. Front Oncol 2020;10:577136.

37. Srinivasa DR, Garvey PB, Qi J, et al. Direct-to-Implant versus Two-Stage Tissue Expander/ Implant Reconstruction: 2-Year Risks and Patient-Reported Outcomes from a Prospective, Multicenter Study [published correction appears in Plast Reconstr Surg. 2018 Feb;141(2):532]. Plast Reconstr Surg 2017;140(5):869-77.

38. Tark KC, Jeong HS, Roh TS, Choi JW. Analysis of 30 breast implant rupture cases. Aesthetic Plast Surg 2005;29(6):460-71.

39. Vorstenbosch J, McCarthy CM, Shamsunder MG, et al. Smooth versus Textured Implant Breast Reconstruction: Patient-Reported Outcomes and Complications. Plast Reconstr Surg 2021;148(5):959-67.

40. Weissler JM, Banuelos J, Jacobson SR, et al. Intravenous Tranexamic Acid in Implant-Based Breast Reconstruction Safely Reduces Hematoma without Thromboembolic Events. Plast Reconstr Surg 2020;146(2):238-45.

2. 대흉근 보존 술식(Prepectoral reconstruction technique)

고려대학교 안암병원 성형외과 **이형철**, 칠곡경북대학교병원 성형외과 **이준석**

1) 도입(Introduction)

유방 전절제술 후 보형물을 이용하여 즉시유방재건술(implant based breast reconstruction)을 시행하는 경우에 최근 점차 많이 시행되고 있는 대흉근 보존 유방재건술(prepectoral technique)과 대흉근을 일부 이용하는 방법(subpectoral technique)에 대하여 소개하고자 한다. 대흉근 하 보형물 유방재건술(subpectoral breast reconstructoin)이 약 20년 이상 보편적인 방법으로 많이 사용되었지만, 술후 환자가 통증을 호소하는 경우가 많았고 근육의 움직임으로 인한 모양 변형(animation deformity)과 어깨 관절의 기능 저하 등의 다양한 합병증들이 보고되었다. 이로 인해 최근 대흉근 보존 보형물 유방재건술(prepectoral breast reconstruction)이 점차 많이 시행되고 있는 추세이다. 특히 보형물과 무세포동종진피(human origin ADM; acelluar dermal matrix)가 발전되면서 각국에서 대흉근 보존 유방재건술의 시행 빈도가 높아지고 있다. 또한 유방외과에서는 종양학적으로 안전하면서도 미용적으로 좋은 결과를 얻기 위해 유방 절제술이 발전되어 왔으며, 다학제 진료와 긴밀한 협업을 통해 유방재건 수술후 합병증을 줄이고 좋은 미용적 결과를 얻고 있다. 대흉근 보존 유방재건술을 시행할 경우 대흉근 하 보형물 유방재건술을 시행할 때 발생할 수 있는 대흉근의 거상으로 인한 합병증들이 방지되어 좋은 결과를 보였다는 최근의 보고들이 있다. 이에 보형물을 이용한 즉시 유방재건의 간략한 역사와 적응증 및 수술 방법, 결과와 합병증 등에 대해 알아보고자 한다.

(1) 개발 배경 및 역사(Background and history)

피부 밑으로 보형물을 넣어 재건을 시행하는 방법은 1960년대에 처음 소개되었으나 1년 이하의 짧은 추적 관찰 기간에도 불구하고 높은 감염률과 구형 구축을 보였으며 보형물을 제거하는 비율도 높아서 곧 사용이 제한되었다. 이어서 보형물을 대흉근 안쪽으로 삽입하는 방법이 사용되었으나 아래쪽의 근육 부착 부위를 풀어주지 않아서 돌출이 부족하고 부자연스러운 모습을 보였으며 특히 유방 아래쪽의 팽창이 제한되는 결과를 보여 이에 대흉근의 아래쪽을 절개하여 미용적인 수술을 시행할 때와 마찬가지로 이중평면(dual plane)을 이용하여 위쪽은 대흉근, 아래쪽은 피부 피판으로 보형물을 덮어주면서 보다 자연스러운 유방 모양을 만들 수 있게 되었다. 무세포동종진피를 대흉근 아래에서부터 유방하주름까지 덮어주면서 원하는 크기와 모양의 주머니(pocket)을 만들기가 용이해졌으며, 보다 안정적인 결과를 가져오면서 대흉근 하 즉시 보형물 유방재건술이 보편적인 방법으로 현재까지도 사용되고 있다. 하지만 대흉근의 움직임으로 인한 변형(animation deformity)과 통증, 보형물의 위치 이상(malposition), 어깨의 운동 기능 저하 등의 합병증이 문제가 되었으며, 수술 기법과 무세포동종진피의 발전, 유방외과와의 적절한 협진 등을 바탕으로 대흉근 보존 보형물 유방재건술의 사용이 전세계적으로 증가추세에 있다. 이에 대흉근 보존 즉시 보형물을 이용한 유방재건술(immediate direct-to-implant breast reconstruction using prepectoral technique)에 대해 알아보고자 한다.

2) 적응증 및 수술 방법 소개

(1) 환자 및 보형물 선택(Patient selection)

보형물을 이용한 대흉근 보존 유방재건술에서 조직확장기를 이용한 2단계 재건이 아닌 즉시보형물재건을 시행하는 경우 적응증을 신중히 선택하고 전절제 후 유방 피부 피판(skin flap)의 상태 등을 면밀히 살펴 면밀히 확인한 후 합병증을 줄이고 좋은 미용적 결과를 가져올 수 있도록 주의를 기울여서 수술을 시행해야 한다. Casella 외는 환자의 나이, 당뇨 여부, 흡연력, 체질량지수(BMI), 유방 하수의 정도, 유방 수술 기왕력, 방사선 치료 여부, 절제술 후 피부 피판의 두께에 따라서 점수를 나누었으며, 점수에 따라 대흉근 보존 유방재건술이 적합한지, 즉시보형물재건과 2단계 재건 중 어느 방법이 적합할지에 대하여 발표하였다. 환자의 나이가 젊고 당뇨가 없으며 바흡연자에 체질량지수가 22에서 25 사이이며, 유방 하수가 없고 이전 유방수술이나 방사신치료 기왕력이 없고 유방 절제술 후 피부 피판의 두께가 2 cm 이상인 경우 양호한 결과를 보이는 적절한 적응증이라고 보고하였다.

Gabriel 외는 피부 피판이 얇고 혈행이 풍부하지 않으며 허혈이 의심되는 경우, 이전 방사선 치료를 받은 경우, 체질량지수가 40 이상의 비만 환자, 면역 저하자, HbA1c 7.5% 이상, 흡연자, 지방 공여부가 적절하지 않은 경우 등은 상대적 금기에 해당한다고 주장하였다. 또한 종양학적으로 5 cm 이상의 크기인 경우, 병기가 높은 경우, 암의 위치가 매우 깊거나 흉벽을 침범한 경우, 액와 림프절 양성, 재발의 위험이 높은 경우도 적절하지 못한 적응증으로 주장하였다.

조절되지 않는 당뇨나 흡연자의 경우는 적응증에 해당하지 않는다고 생각하며, 비만 환자나 금연한지 3개월 이상이 지난 경우, 방사선 치료를 받고 6개월 이상 지난 경우에는 높은 합병증 등에 대해 환자와 충분히 상의한 뒤 수술 중 피판의 상태가 좋다고 판단될 경우 대흉근 보존 유방재건술을 동시에 시행해볼 수 있다고 여겨진다.

정리하면 수술 전에 이전 흉터, 피부와 피하 지방의 두께와 양상을 면밀히 살펴보고 수술 중에 피부 피판의 두께와 상태, 경계부에서 혈행 등을 확인한다. 그리고 인도사이아닌 그린(ICG; indocyanine green)와 근적외선 카메라(near-infrared camer)를 이용해 객관적으로 수술 가능 여부를 평가하고 진행하는 것이 중요하다. 위험성이 높다고 생각될 경우 2단계 재건이나 근육하 유방재건 등으로 수술 방법을 적절하게 선택하여야 한다.

유방의 크기는 조금 작거나 중간 정도이며 하수가 없거나 심하지 않으며 유방하주름 등 경계가 명확히 있는 경우 좋은 결과를 얻을 수 있다. 하지만 유방의 크기가 아주 작은 경우

건측 유방에 확대 수술을 같이 시행하거나, 크기가 크고 처짐이 있는 경우 절개선을 수정하고 반대측 축소 수술을 같이 시행하는 방법 등을 수용하여 대흉근 보존 유방재건술을 동시에 시행하면 환자에게 높은 만족도를 기대해볼 수 있다.

보형물은 주로 매끈한 표면을 가진 원형의 실리콘 보형물(smooth type round implant)을 사용하며 돌출도(projection)에 따라 3-4가지로 구분된다. 유방의 계측치 중 유방의 너비(breast width)를 중심으로 보형물의 크기와 모양을 고려하고 수술 전에 환자와 충분한 상담을 통해 보형물을 결정하는 것이 중요하다.

(2) 다양한 술기법들(Various techniques)

수술 전에 유방외과, 종양내과, 영상의학과, 핵의학과, 방사선종양학과 등과의 다학제 진료를 통해 수술 전 후 항암 치료와 수술 범위와 방법 등을 잘 상의해서 정하는 것이 중요하다. 특히 유방외과와의 긴밀한 협진을 통해 절제술과 재건의 방법, 절개 위치와 길이 등을 정하는 것이 중요하다. 최근에는 다빈치 로봇 중 4세대 단일공(single port) 모델이 사용되면서 이를 통한 유방 절제술과 재건도 많이 도입되고 시행되고 있다.

국내에서는 인체에서 유래한 무세포동종진피를 많이 사용하고 있으며 보형물의 앞쪽을 주로 덮게 되며 뒤쪽은 고정하는 용도로 일부 덮거나 대부분을 덮게 된다. 술자나 저자에 따라 다소의 차이는 있지만 무세포동종진피로 보형물을 싸는 방법에 따라 크게 랩핑(wrapping)과 전방 텐팅(tenting) 방법으로 나누어 볼 수 있다. 예방적 유방 절제술 등 피하 지방이 충분히 남아있고 혈행 등 피판의 상태가 좋은 경우 무세포동종진피의 사용 없이 보형물만을 이용해 대흉근 보존 유방재건을 시행할 수도 있다.

보형물을 랩핑하는 방법은 술자에 따라 다양하며 무세포동종진피의 크기도 14×14, 16×16, 18×18 cm 등 다양한 사이즈와 모양이 있다. 대개 보형물의 크기가 작은 경우 뒤쪽까지 대부분 덮게 되고, 크기가 큰 경우에는 뒤쪽의 일부를 덮으면서 고정시키게 된다. 랩핑을 시행하는 경우 유방 외과가 수술을 시행할 때 다른 테이블에서 작업을 시작할 수 있어 수술 시간을 줄일 수 있고 보형물을 원하는 위치에 고정시킬 수 있는 장점이 있다.

전방 텐팅 방법은 무세포동종진피가 주로 보형물의 앞쪽을 덮게 되며 무세포동종진피를 절제술 후 피부 피판에 직접 고정하거나 대흉근이나 위쪽을 일부 거상시킨 대흉근(P1 방법) 등에 고정시키게 된다. 이는 보형물이 포켓 안에서 좀 더 자연스럽게 움직일 수 있고 무세포동종진피를 적게 사용할 수 있다. 또한 포켓을 원하는 크기와 모양으로 조작하기 쉬우며 피판에 생착이 좀 더 용이할 수 있다.

감염과 구형구축을 방지하기 위해 기존에 발표된 방법들을 최대한 지키면서 무균적 조작을 하는 것이 중요하다. 수술 전에 유방외과와 절개선의 위치와 길이를 상의 후 결정하고 유방 절제술을 시행할 때 유방의 경계, 특히 유방하주름을 넘어가고 손상시키지 않도록 주의하도록 한다. 절제술이 끝난 후에는 ICG camera를 확인하고 피판의 상태를 면밀히 관찰하고 대흉근 보존 동시 재건술을 시행할지를 최종적으로 결정한다. 기존에 표시한 경계가 손상된 부분이 있으면 내부에서 고정하는 방법 등을 이용해 복원시키도록 노력한다. 이는 미용적으로 좀 더 좋은 결과를 가져오고 장액종 등의 합병증을 줄일 수 있다. 유방 너비를 중심으로 한 계측치들과 반대측 수술 시행 여부, 환자의 선호도 등을 고려해 적합한 보형물 사이저(implant sizer)를 넣어보고 환자를 앉혀서 크기와 모양, 피판의 긴장도 등을 확인한 후에 최종적인 보형물을 결정하게 된다.

환자의 가슴 크기와 하수 정도, 피부의 상태에 따라 환자와 상의 후 반대측 수술 여부를 결정한다. 이에 따라 절개선과 보형물의 크기와 종류, 무세포동종진피의 크기와 사용 방법 등을 결정하게 된다. 유두유륜보존 유방 절제술을 시행할 경우 유방하주름을 이용하면 흉터를 자연스럽게 가릴 수 있어 미용적으로 좋은 결과를 가져올 수 있다. 또한, 유방이 크고 처진 경우 양측에 짧은 흉터를 이용한 유방 축소술의 절개선을 대칭적으로 이용하면 좋은 결과를 가져올 수 있다.

BIA-ALCL (Breast implant-associated anaplastic large cell lymphoma)로 인해 거친표면의 물방울 모양 보형물을 사용하기 힘든 만큼 사용하기 힘든 만큼 크기가 작거나 중간 정도이며 하수가 없거나 심하지 않은 경우, 반대측 확대와 함께 크기와 돌출이 조금 더 큰 보형물로 재건을 시행할 때 미용적으로 좋은 결과를 얻을 수 있다. 하수가 어느 정도 있는 경우에도 근육하 유방재건에 비해 자연스럽게 처진 모양을 만들기가 더 용이한 만큼 미용적으로 좋은 결과를 얻을 수 있다. 피부가 잘 늘어나고 여유가 있는 편이라면 유두유륜복합체를 절제하더라도 대흉근 보존 유방재건술을 동시에 시행해볼 수 있다.

유방이 크고 하수가 심한 경우 반대측 축소술을 시행하는 것이 좋으며 자가조직을 이용한 재건이 더 적합할 수 있다. 그러나 보형물을 이용해 재건을 시행하는 경우 피부를 많이 절제하지 않도록 주의하고 탈상피화를 시행해 최대한 피판의 혈관과 혈행을 유지시키도록

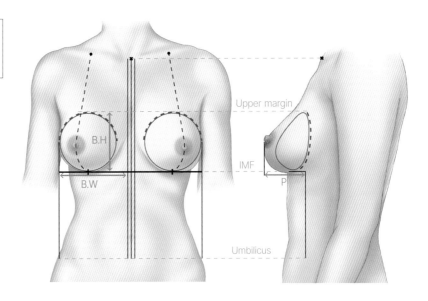

● Mid-clavicular point
✕ Sternum jugular notch
···· Breast parenchyma margin
— Implant position guide-line

Upper margin

IMF

B.H

B.W

P

Umbilicus

그림 3-2-24. 보형물 선택을 위한 일러스트레이션. BW; breast width, BH; breast height. P; breast projection, IMF, infra-mammary fold.

노력해야 한다. 이러한 경우 피부와 피하 조직의 여유가 있어서 무세포동종진피를 사용하지 않고 이를 이용해 보형물을 감싸는 방법들이 발표되었다. 다만 피판의 면적이 넓고 얇은 경우가 많은 만큼 ICG를 통해 피판의 상태를 확인하고 좋지 않은 경우 피부를 일부 절제하고 수술 방법을 변경해야 할 수 있다.

대흉근 보존술식 보형물 유방재건술에는 다음과 같은 여러 가지 술기법들이 있다.

① 무세포성동종진피로 보형물 전체 랩핑 기술(Full wrapping technique)

가. 대형 무세포성동종진피를 이용한 보형물 전체 랩핑 기술
(Full wrapping technique using large acellular dermal maxrix)

보형물의 크기와 모양에 따라 16×16–20×20 cm 정도 크기의 무세포동종진피를 사용하여 보형물을 감싸주게 된다. 별도의 멸균 테이블에서 무세포동종진피를 베타딘과 생리식염수로 충분히 씻고 준비를 시작한다. 보형물의 크기가 작은 경우(300 cc 이하) 뒷면의 대부분을 무세포동종진피가 감싸게 된다. 보형물의 크기가 큰 경우 네 모서리를 제외한 부분을 2–3 cm 두께로 띠 모양으로 자른 뒤 다시 봉합해 뒤쪽을 다양한 모양으로 감싸는 데 사용할 수 있도록 준비한다. 무세포동종진피의 봉합은 주로 3–0 PDS II를 사용한다. 11번 블레이드를 사용하여 2 cm 정도의 천공(fenestration)을 수평 방향으로 만들어 준다. 아래로 자연스럽게 처지는 모양을 위해서 천공을 주로 수평 방향으로 위치시키며 보형물을 무세포동종진피를 봉합할 때 긴장이 생기면서 보형물을 누르지 않도록 충분한 여유를 두고 봉합하도록 주의한다.

유방 절제술이 끝난 뒤 형광염색시약(fluorescence dye - indocyanine green) 카메라를 이용하여 피판의 상태를 확인한 뒤 포켓을 세척하고 지혈을 시행한 뒤 유방의 경계를 이루는 해부학적 구조물들이 손상되지 않았는지 확인한다. 유방하주름이 손상된 경우 사이저를 넣어 보고 환자를 앉혀서 고정 위치를 정한 뒤에 2–0 Vicryl을 이용해 최대한 복원시켜준다. 외측의 박리가 과한 경우에도 2–0 Vicryl이나 3–0 Vicryl을 이용하여 만들어진 주머니 크기를 줄여주도록 노력하며 특히 얇은 피판을 너무 두껍게 당기지 않도록 주의해야 한다.

보형물을 대형 무세포성동종진피로 전체를 감싸는 동안 주머니를 항생제를 포함하여 여러 번 세척하고 베타딘으로 드레이핑을 다시 시행한 후 장갑을 교체한다. 보형물을 삽입하기 전에 12시, 3시, 6시, 9시에 자연스럽게 고정되는 위치를 미리 표시한 뒤 2–0 Vicryl을 이용해 위쪽과 내측의 대흉근과 아래쪽의 유방하주름, 가쪽은 대흉근과 전거근(serratus anterior)의 경계나 전거근에 고정시킨다. 이후 환자를 앉혀서 보형물의 위치와 모양, 피부 피판의 긴장도, 부자연스러운 부위 등을 반대편 가슴과 비교해 본 뒤 환자를 다시 눕혀서 2–0 Vicryl, 3–0 Vicryl, 5–0 barbed suture (Stratafix), 피부접착제(Dermabond)를 이용하여 층별로 조심스럽게 봉합을 시행한다.

동영상 3-2-1. 보형물 전체 랩핑 기술 영상

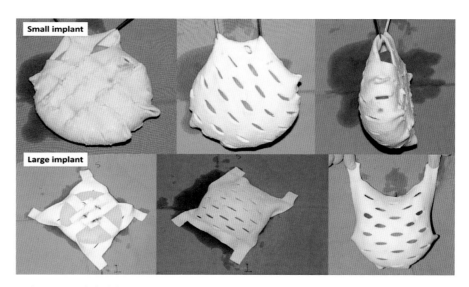

그림 3-2-25. 전체 랩핑(full wrapping method). 보형물이 작은 경우 뒷면의 대부분을 감싸게 되고 보형물이 큰 경우에는 뒷면의 일부분을 감싸게 된다.

나. 두개의 직사각형 모양의 무세포성동종진피를 교차시켜 전체 보형물을 감싸는 술기법
(Full wrapping technique using two double-crossed ADMs)

선택된 보형물의 가로 세로 둘레길이를 측정하고, 그 길이에 알맞은 적당한 크기의 직사각형 무세포성동종진피 두장을 적용하였다. 각 무세포성동종진피의 길이와 너비는 임플란트 위쪽과 아래쪽으로 서로 수직으로 교차 적용될 때 완전히 보형물을 덮을 수 있다. 무세포성동종진피의 잔여 세포 성분을 제거하기 위해 ≥500 ㎖의 베타딘 용액과 식염수를 사용하여 대량으로 헹구었다. 메스 칼날 사용 도 11에 도시된 바와 같이 수직 및 수평 방향으로 교차하면서 0.5-0.8 cm 간격으로 천공하였다. 이후 혈관신생 가능성이 높은 진피표면에 두장의 무세포성동종진피를 교차시켜 보형물쪽 방향이 아닌 유방피부피판쪽을 향하도록 하여 보형물을 완전히 덮었다. 임플란트 손상을 피하기 위해 조심스럽게 2-0 Vicryl을 사용하여 봉합사로 경계를 꿰매었다. 유방 주머니(상부 및 유방하주름)에 음의 흡입으로 2개의 라인을 적용하고 항생제 세척 용액(povidone-iodine, 50 cc; isepamicin, 80 mg; cefazolin, 1 g in 500)을 사용하여 세척을 수행했다. 베타딘으로 재소독을 시행하고 무세포성동종진피료 완전히 감싼 보형물을 가슴 주머니에 삽입했다. 삽입 전 무세포성동종 진피로 덮인 보형물의 정중선과 수평선을 표시하여 임플란트 위치 이상을 최소화했다.

감염 가능성을 낮추기 위해 최소한의 조작으로 주머니에 보형물을 삽입한 후, 6-7개의 흡수성 봉합사(2-0 Vicryl)를 사용하여 유방의 안쪽 부분에서 위쪽 및 옆쪽 부분까지 무세포성동종진피 재료를 대흉근에 봉합한다. 보형물이 유방 주머니에 적절하게 맞도록 고정시킨다. 유방하수로 인한 피부피판이 느슨한 경우 흡수성 봉합사를 적용하여 무세포성 동종 진피 재료가 피하층에 충분히 고정되도록 하여 장액종의 위험을 최소화하고 보형물의 앞쪽 부분이 손상되지 않도록 각별한 주의를 기울인다. 또한 최상부 부위 사강 형성 가능성을 최

소화하기 위해 3-4개의 볼스터 봉합을 수행하여 고정한다.

이후 층별 봉합사(2-0 Vicryl, 4-0 Vicryl 및 5-0 Ethilon)를 사용하여 피부 봉합을 한다. 음압 배액관은 보형물의 전후방에 거치시키고 절개 부위를 포함한 유방 전체를 외부 드레싱 (20×20 ㎠)으로 덮어 휴대용 음압 상처 치료(PICO 드레싱; Smith & Nephew Medical, Ltd., Hull, 영국)를 통해 외부 요인으로 인한 장액종의 발병 위험을 최소화하도록 한다.

② 전방 커버 기술(Anterior coverage technique)

가. 전방 드랩핑 기술 (Anterior draping technique)

14 × 14 − 16 × 16 cm 크기의 무세포동종진피를 사용하며 절제술 후 피부 피판과 보형물의 크기에 따라 크기를 결정하고 사용한다. 보형물 사이저를 넣어 환자를 앉혀 보면서 최종적인 크기와 모양을 정한 뒤 보형물의 앞쪽을 충분히 자연스럽게 덮을 수 있고 피부 피판을 커버할 수 있는 크기를 결정한다. 별도의 멸균 테이블에서 베타딘 및 생리식염수로 세척하여 사용하며, 3-0 Vicryl과 2-0 Vicryl을 사용하여 무세포동종진피를 피부 피판에 여러 군데 고정시켜 준다. 무세포동종진피를 넣기 전에 포켓을 항생제를 포함하여 여러 번 세척하고 베타딘으로 드레이핑을 다시 시행한 후 장갑을 바꾸어 무균적으로 조작할 수 있도록 한다. 포켓이 너무 크거나 유방하주름 등 해부학적 구조물이 파괴되지 않은 한 무세포동종진피로 인해 보형물이 압박되면서 모형 변형이 생기지 않도록 하기 위해 대흉근 등에는 봉합을 시행하지 않고 꽉 끼지 않고 여유 있는 포켓을 만들도록 한다. 피판의 피하 지방이 약해서 봉합이 어려운 경우 볼스터를 이용한 풀아웃(pull-out)봉합을 이용할 수도 있다.

동영상 3-2-2. 전방 드랩핑 기술 영상

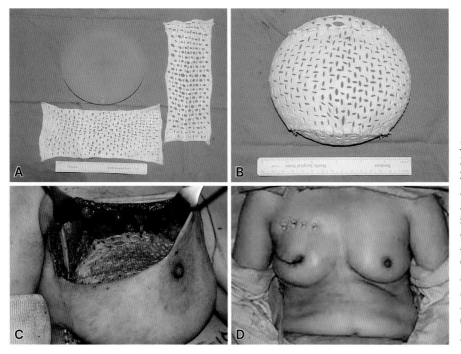

그림 3-2-26. 완전한 보형물 커버가 가능한 대흉근 보존 보형물 유방재건술기. (A) 선택한 실리콘 임플란트에 절개창이 있는 두개의 직사각형 모양의 무세포성 동종진피를 교차시켜 위치함. (B) 이중 교차 무세포성동종진피로 완전히 덮인 유방보형물 모습. (C) 슬릿 절개를 통해 완전히 덮인 보형물을 대흉근을 보존시켜 원래 유선조직이 있던 부분에 삽입하고 피부 피판과 무세포성동종진피를 흡수성 봉합사로 고정시킴. (D) 보형물 상방부에 사강을 최소화하기 위해 4-5개 정도의 볼스터 봉합을 시행함.

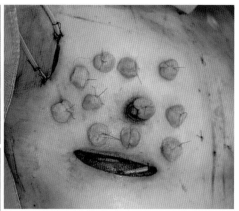

그림 3-2-27. Anterior draping technique. 무세포동종진피를 적절한 크기로 자른 뒤 피부 피판에 여러 군데 고정시켜 준다. 볼스터를 이용한 pull-out을 이용할 수도 있다.

나. 전방 슬링 기술 (Anterior sling technique)

이 전방 커버 기술은 대형 무세포성 인공진피(ADM, acelluar dermal matrix) 시트를 사용하며(16 × 16 – 20 × 20 cm) 유방 주머니와 보형물의 크기에 따라 적절하게 맞추어 사용한다. 유방주머니의 전방부를 구성할 무세포성 인공진피는 별도의 멸균 테이블에서 제조된 후 지침에 따라 요오드 및 생리식염수로 세척하여 사용한다. 2/0 Vicryl® (Ethicon, Raritan, NJ, USA)을 사용하여 대흉근의 상방부에 전흉부 주머니를 봉합을 하여 재건을 시작한다. 환자에게 가장 적합한 보형물 크기를 선택하기 위해서 보형물 사이저(breast implant sizer sizer)를 삽입한 후 재건될 유방주머니의 위쪽 경계를 대흉근에 봉합한다. 이후 보형물 사이저를 제거하고 유방 주머니의 내측 경계가 대흉근에 적절하게 위치하는 것을 확인하고 고정한다. 유방 주머니의 하방 경계부는 무세포성인공진피를 보형물 아래쪽으로 접어 자연스러운 유방하주름(infrmammary fold)을 형성하도록 위치시키고 고정한다. 이후 최종 실리콘 유방보형물을 삽입하기 위한 외측면에 개구부를 남기고 하측면은 봉합한다. 특히 하측면 봉합시에는 보형물과 유방 피부피판에 대해 직립했을 때 중력방향의 영향을 현실적으로 평가를 위해 45° 직립 자세로 환자를 앉혀 놓은 상태에서 유방의 자연스러운 곡선형 윤곽을 재현하고 유방하 밑주름 위치와 모양을 교정한다. 보형물 사이저를 이용하여 선정된 적절한 크기의 실리콘 유방보형물을 삽입한 후, 재건된 유방의 윤곽에 따라 측면을 긴장도가 자연스럽게 되도록 측면부를 봉합하여 보형물의 전면부가 완전히 무세포성인공진피로 덮어질 수 있도록 한다. 이후 유방 피부 피판은 필요에 따라 층층이 맞춤화하고 봉합한다.

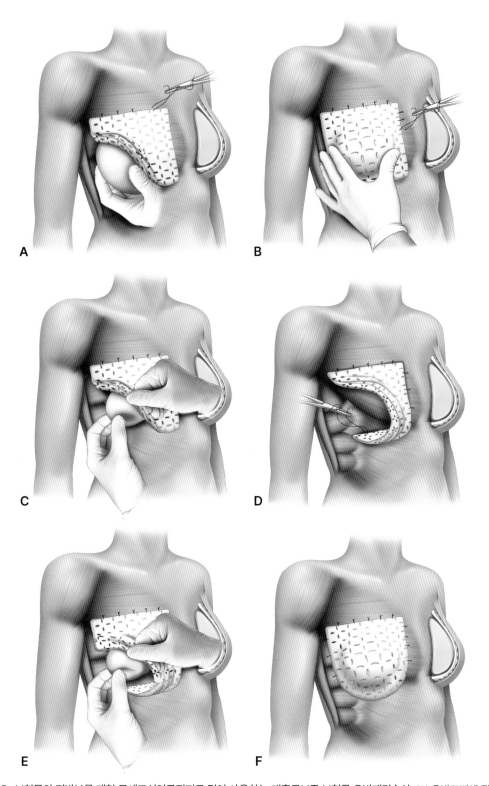

그림 3-2-28. 보형물의 전방부를 대형 무세포성인공진피로 덮어 사용하는 대흉근보존 보형물 유방재건술식. **(A)** 유방크기에 적절한 보형물 사이저(sizer)를 삽입한 후 상연에서붙 무세포성동종진피를 위치시켜 봉합한다. **(B)** 임플란트 사이저를 유지한 후 무세포성동종진피의 내측 경계를 대흉근에 고정하여 유방 주머니(pocket)을 만든다. **(C)** 하반부의 여분의 무세포성동종진피를 임플란트 사이저 후면으로 아래쪽으로 감싸듯이 접어 자연적인 유방하접힘(IMF)를 형성하도록 한다. **(D)** 하반부는 봉합하되 측면부는 최종적으로 선택된 보형물을 삽입할 수 있도록 개구부를 남긴다. **(E)** 선택한 보형물을 삽입한다. **(F)** 최종 보형물 상입후 보형물의 전면부가 모두 덮이도록 무세포성동종진피를 조직과 긴장도를 최소화하도록 봉합한다.

3) 수술 후 결과(Postoperative outcomes)

유방의 크기가 적당하고 유방하수가 적은 환자의 경우 수술하는 자의 선호도와 환자의 유방모양과 전절제후 유방 주머니를 만들 상황을 확인하고 재건술을 시행한다.

크게는 전체 보형물을 덮는 방법과 전방부만 덮는 방법으로 두가지로 분류해볼 수 있다. 작은 유방일 경우에는 건측의 유방에 확대술을 작은 보형물을 이용해서 시행하며, 확대된 유방의 모양과 크기에 대칭성을 이루도록 재건술을 받은 유방에 적절한 보형물을 선택하여 시행한다. 다양한 경우에 대한 경과를 환자사진을 다음과 같이 첨부하여 설명한다.

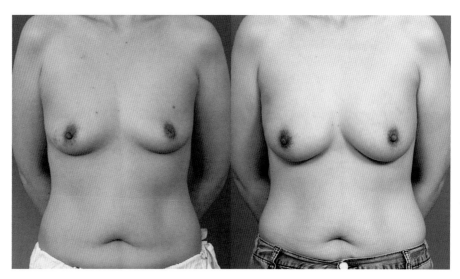

그림 3-2-29. 우측유방암으로 피부보존유방전절제술을 시행한 후 즉시 대흉근 부존 보형물유방재건술을 전체 보형물을 대형 무세포성동종진피로 덮는 술식을 시행함. 수술후 7개월째 양호한 경과를 확인함.

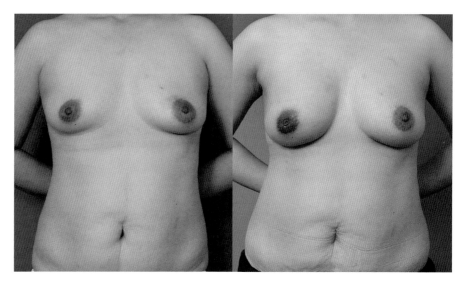

그림 3-2-30. 좌측 유방암으로 전절제를 시행후 무세포성동종진피로 전방부 보형물을 덮도록 디자인한 술식으로 시행하 건측 유방확대를 원하여 확대된 유방에 대칭성을 고려하여 술전 유방측정치보다 더 큰 보형물을 사용함. 수술후 1년 경과가 양호함을 확인함.

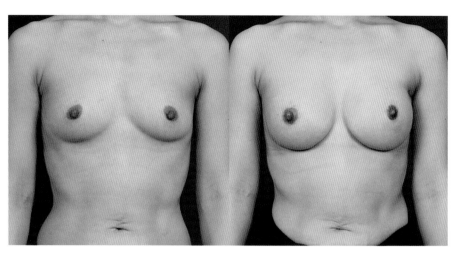

그림 3-2-31. 좌측 유방암으로 전절제를 시행하고 두개의 직사각형 모양의 무세포성동종진피를 교차적으로 전체 유방보형물을 감싸서 사용하는 술식으로 유방재건. 건측은 유방확대를 원하여 확대하였고, 확대한 크기와 대칭성을 고려하여 유방볼륨보다 더 큰 보형물을 선택하여 사용함. 술후 2년 경과로 양호한 것을 확인함.

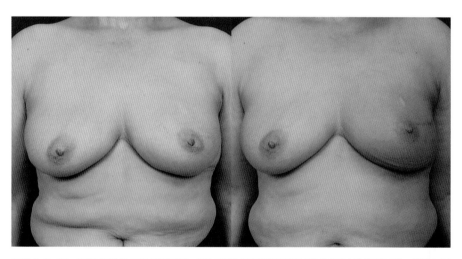

그림 3-2-32. 좌측 유방암으로 전절제후 대형 무세포성동종진피로 전방부의 보형물을 덮는 방법으로 재건. 수술후 방사선치료가 필요하여 치료받은 지 6개월 경과. 구형구축이나 보형물 위치 변형 등의 합병증이 없음을 확인함.

4) 수술 후 관리(Postoperatvie management)

보형물에 대한 감염예방 항생제가 정해지진 않았으며, 각 의료기관의 결정에 따라 술전부터 술중, 술후까지 일반적으로는 항생제를 사용하고, 수술부위 소독, 배액관 유지, 맞춤형 보정속옷, 장액종 발생을 휴대용 음압 의료용 장비(PICO) 등을 사용하여 수술후 합병증의 발생률을 최소화하려 노력하고 있다.

또한 환자와 보호자에게 수술에 대한 충분한 설명과 수술후 경과와 발생 가능한 합병증에 대한 유의점을 확실하게 설명해준다. 대흉근보존술식으로 보형물 유방재건술을 시행한 경우에는 통증은 대흉근하 유방재건술에 비해 경감된다.

5) 합병증(Complications)

　　대흉근 보존 보형물을 이용한 유방재건술 후에도 대흉근 보형물 유방재건술과 유사한 합병증이 발생할 수 있다. 그 종류로는 지속되는 장액종(seroma), 혈종(hematoma), 구형구축(capsular contracture), 피부괴사(skin necrosis), 감염(infection), 물결침(rippling) 등이 발생할 수 있다. 특히 물결침 합병증은 유방 피부피판과 보형물 사이에 무세포성동종진피만으로 쌓여 있어서 직립자세에서 유방의 상방부위에 보형물이 비쳐보이면서 물결치는 모양으로 나타나는 것으로, 대흉근하 재건술에 비해 발생 빈도가 높을 수밖에 없다. 반면 대흉근의 움직임으로 인한 움직임(animation deformity)나 통증 등의 합병증은 대흉근을 보존하였기 때문에 나타나지 않는 장점을 가지고 있다. 다양한 합병증의 예를 다음에 사진과 함께 설명하였다.

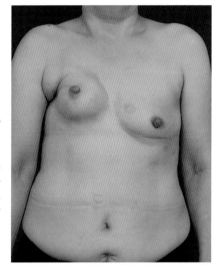

그림 3-2-33. 구형구축(Capsular contracture). 우측 유방암으로 보형물 이용하여 대흉근 보존 즉시유방재건술을 시행. 두개의 무세포성동종진피를 교차해서 보형물 전체를 감싸는 방법으로 시행하였으며, 수술 후 6개월부터 진행된 구형구축(Baker Grade III)이 진행하여 수술 후 1년째 피막제거술 및 보형물 교체 수술 시행하여 치료함.

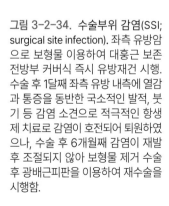

그림 3-2-34. 수술부위 감염(SSI; surgical site infection). 좌측 유방암으로 보형물 이용하여 대흉근 보존 전방부 커버식 즉시 유방재건 시행. 수술 후 1달째 좌측 유방 내측에 열감과 통증을 동반한 국소적인 발적, 붓기 등 감염 소견으로 적극적인 항생제 치료로 감염이 호전되어 퇴원하였으나, 수술 후 6개월째 감염이 재발 후 조절되지 않아 보형물 제거 수술 후 광배근피판을 이용하여 재수술을 시행함.

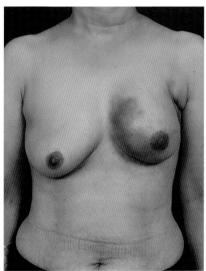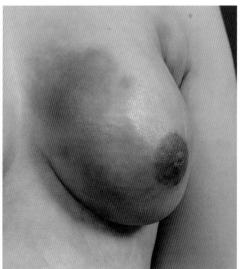

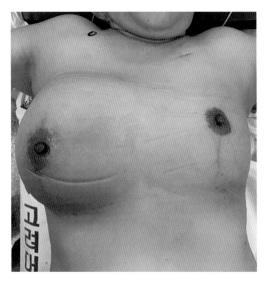
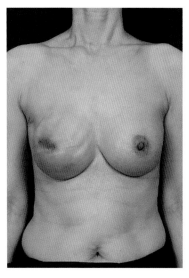

그림 3-2-35. 혈종(Hematoma). 우측 유방암으로 반대측 유방 축소술 시행하고 보형물 이용하여 즉시 유방재건 시행. 수술 후 5개월 째에 우측 유방 갑자기 커진 양상으로 외래 내원하여 응급 수술 시행하였으며 다량의 혈종 제거함.

그림 3-2-36. 물결침(Rippling). 우측 유방암으로 보형물을 이용한 즉시 유방재건 및 반대측 유방 확대술 시행. 수술 후 재건한 우측 유방은 물결침 소견이 지속적으로 확인됨.

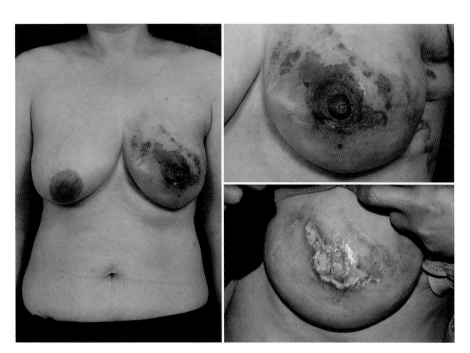

그림 3-2-37. 괴사(Necrosis). 유방하수를 보이는 환자로, 좌측 유방암으로 보형물을 이용한 즉시 유방재건 시행. 수술 후 피부피판의 혈행이 불안정하여 수술 후 1주일째부터 유두-유륜복합체 주위로 피부괴사 진행.

✅ 참고문헌

1. Antony AK, Robinson EC. An Algorithmic Approach to Prepectoral Direct-to-Implant Breast Reconstruction: Version 2.0. Plast Reconstr Surg 2019;143(5):1311-9.

2. Chopra S, Al-Ishaq Z, Vidya R. The Journey of Prepectoral Breast Reconstruction through Time. World J Plast Surg 2021 May;10(2):3-13.

3. Cuomo R, Giardino FR, Neri A, et al. Optimization of Prepectoral Breast Reconstruction. Breast Care (Basel) 2021;16(1):36-42.

4. Kaplan J, Wagner RD, Braun TL, Chu C, Winocour SJ. Prepectoral Breast Reconstruction. Semin Plast Surg 2019;33(4):236-9.

5. Lee JS, Kim JS, Lee JH, Lee JW, Lee J, Park HY, Yang JD. Prepectoral breast reconstruction with complete implant coverage using double-crossed acellular dermal matrixs. Gland Surg 2019 Dec;8(6):748-57.

6. Lee JS, Park E, Lee JH, et al. A prospective comparison study of early functional outcomes after implant-based breast reconstruction: subpectoral versus prepectoral technique. Ann Palliat Med 2021;10(3):2520-9.

7. Momeni A, Remington AC, Wan DC, Nguyen D, Gurtner GC. A Matched-Pair Analysis of Prepectoral with Subpectoral Breast Reconstruction: Is There a Difference in Postoperative Complication Rate? Plast Reconstr Surg 2019;144(4):801-7.

8. Safran T, Al-Halabi B, Viezel-Mathieu A, Hazan J, Dionisopoulos T. Direct-to-Implant Prepectoral Breast Reconstruction: Patient-Reported Outcomes. Plast Reconstr Surg 2021;148(6):882e-890e.

9. Salibian AA, Frey JD, Karp NS. Strategies and considerations in selecting between subpectoral and prepectoral breast reconstruction. Gland Surg 2019;8(1):11-8.

10. Schaeffer CV, Dassoulas KR, Thuman J, Campbell CA. Early Functional Outcomes After Prepectoral Breast Reconstruction: A Case-Matched Cohort Study. Ann Plast Surg 2019;82(6S Suppl 5):S399-S403.

11. Sigalove S, Maxwell GP, Sigalove NM, Storm-Dickerson TL, Pope N, Rice J, Gabriel A. Prepectoral Implant-Based Breast Reconstruction: Rationale, Indications, and Preliminary Results. Plast Reconstr Surg 2017 Feb;139(2):287-94.

12. Srinivasa DR, Holland M, Sbitany H. Optimizing perioperative strategies to maximize success with prepectoral breast reconstruction. Gland Surg 2019;8(1):19-26.

13. Storm-Dickerson T, Sigalove N. Prepectoral Breast Reconstruction: The Breast Surgeon's Perspective. Plast Reconstr Surg 2017;140(6S Prepectoral Breast Reconstruction):43S-48S.

14. Wong L. Prepectoral Breast Reconstruction: A Fad or Here to Stay? Ann Plast Surg 2020;84(6S Suppl 5):S411-S413.

15. Wormer BA, Valmadrid AC, Ganesh Kumar N, et al. Reducing Expansion Visits in Immediate Implant-Based Breast Reconstruction: A Comparative Study of Prepectoral and Subpectoral Expander Placement. Plast Reconstr Surg 2019;144(2):276-86.

2단계 유방보형물 재건법

Two stage breast prosthesis reconstruction method

영남대학교병원 성형외과 **이준호**
성균관대학교 삼성서울병원 성형외과 **전병준**

1. 유방확장기를 이용한 유방재건

영남대학교병원 성형외과 **이준호**

1) 서론

보형물을 이용한 유방재건술은 전세계적으로 가장 많이 이용되는 유방재건방법이며 지속적으로 증가하고 있다. 이러한 현상은 유방절제술과 유방보형물의 발전 그리고 새로운 재료들의 개발과 더불어 유방재건술기의 발전이 어우러져 가능하게 되었다. 또한 자가조직을 이용한 유방재건술에 비해 공여부의 흉터와 손상이 없고 회복이 빠르다는 점도 한몫하였다.

보형물을 이용한 유방재건술은 1971년 Snyderman에 의해 처음 시행되었다. 근치적 유방절제술(radical mastecomty)을 받았던 환자들에게 유방절제술 후 시간이 지나 유방을 재건하는 지연유방재건술의 형태로 시행하였다. 당시 보형물을 덮어줄 피부의 부족으로 인해 충분한 크기의 보형물을 삽입할 수 없었고 피부에 가해지는 과도한 부하로 미용적 결과가 실망스러웠으며 합병증 발생율도 높았다. 이러한 결과로 한동안 보형물을 이용한 유방재건술은 잘 사용되지 않았다. 이후 1982년 Radovan이 조직확장기를 개발하여 유방재건에 이용하면서 부족한 피부현상을 해결하게 되었고 이 후 확장기를 이용한 유방재건술은 현재까지 가장 많이 사용되는 유방재건방법의 하나로 자리를 잡았다.

보형물을 이용한 유방재건술은 유방절제술 후에 보형물을 곧바로 삽입하는 방법(1-stage method, direct-to-implant (DTI) technique)과 확장기를 삽입하였다가 이 후에 보형물로 교체하여 주는 방법(2-stage method, expander/implant method)으로 구분되어 사용되고 있다. 확장기를 사용하는 목적은 즉시유방재건과 지연유방재건에서 다소 차이가 있다. 즉시재건에서는 초기에 유방절제술 후 혈행이 감소한 유방피부피판에 가해지는 부하를 줄여주어 수술직후에 발생할 수 있는 유방피부피판의 괴사를 예방 또는 최소화하며 유방절제술 후 절제된 피부를 확장시켜 추가로 얻기 위함이다. 이와 달리 지연재건에서는 영구적인 보형물을 삽입시킬 수 있는 공간을 확보하기 위해 모자라는 피부를 확장하기 위함이다.

유방암에 대한 인식이 높아지며 조기검진을 통한 유방암의 조기발견과 유두보존술식 유방절제술(nipple sparing mastectomy)이 증가하면서 보형물을 바로 삽입할 수 있는 환경이 마련되었다. 피부피판의 혈행을 검사할 수 있는 인도사이아닌그린(indocyanine green, ICG) 혈관조영술(indocyanine green angiography, ICGA) 및 무세포진피기질(acellular dermal matrix, ADM)의 사용으로 인해 확장기를 사용하지 않고 바로 영구적인 유방보형물을 삽입하는 경우가 늘어나고 있다. 하지만 지연재건과 바로 보형물을 넣기에 위험하다고 판단되는 경우에는 여전히 확장기의 사용이 필요하다.

2) 장단점

즉시재건에서 확장기를 사용하는 장점은 유방절제술 직후 혈행이 급격하게 줄어든 피부피판에 가해지는 부담을 최소화하여 유두유륜 및 피부피판의 괴사를 감소시킬 수 있다는 것이다. 혹시 괴사가 발생하더라도 괴사부위를 절제한 뒤 확장기의 식염수의 양을 줄여 피부봉합을 시행하고 이후 모자란 피부는 피부확장과정을 거쳐 얻을수 있는 장점도 있다 (그림 3-3-1).

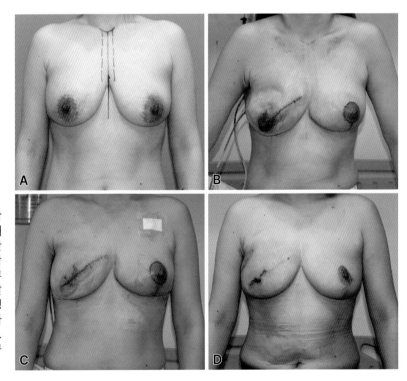

그림 3-3-1. 유방절제술 후 피판의 괴사가 예상되어 조직확장기를 삽입한 뒤 2단계로 유방을 재건한 증례. (A) 술전사진. (B) 유방절제술 후 피판의 괴사가 우려되어 영구적인 유방보형물 대신 확장기를 삽입하고 식염수를 일부만 채워 피판의 부하를 줄여 주었지만 유두유륜복합체의 괴사가 발생하였다. 반대측에는 유방거상술을 동시에 시행하였다. (C) 괴사조직을 절제하고 식염수를 추가로 제거하여 피부에 긴장이 없도록 봉합하였다. (D) 이후 식염수주입으로 피부를 확장한 뒤 영구적인 보형물 교체 및 유두재건을 하였다.

자가조직을 이용한 경우 신체의 다른 피부를 가져오기 때문에 피부 색깔의 차이가 있을 수 있는데 확장기를 사용하여 동일부위의 피부를 확장하기에 동일 색상, 질감의 피부를 얻을 수도 있으며, 절개흉터의 길이와 갯수도 줄일 수 있다. 따라서 유방의 크기가 크더라도 피판괴사에 대한 위험성을 줄일 수 있고, 유방절제술 후 보형물을 바로 넣으려면 A 혹은 B 컵 크기의 가슴크기에 제한을 받지만 확장기 사용시에는 가슴의 크기에 제약을 받지 않는다. 그리고 최종 검체의 조직검사 결과를 확인한 후에 영구적인 보형물을 삽입할 수 있다는 장점도 있다. 이외에 보형물을 삽입하는 2차 수술시 필요한 수술이 있다면 반대편 유방에 대한 수술을 동시에 할 수도 있다.

하지만 수술의 횟수가 최소 2회이고 이에 따른 입원, 회복기간, 비용이 늘어나며 조직확장기를 확장시키기 위해 여러 차례의 외래 방문이 필요하다는 단점도 있다.

3) 적응증

유방절제술 후 바로 보형물을 삽입하기 힘든 경우 확장기의 사용이 필요하다. 가슴의 피부와 연부조직이 확장하기 좋은 상태여야 하며, 원래 가슴의 크기보다 큰 가슴으로 재건하고자 하는 경우도 좋은 적응증이 된다.

금기증은 보형물을 삽입할 수 없는 환경이거나 확장가능한 피부 및 연부조직이 없거나 확장기를 지지해줄 골격이 없는 경우 그리고 유방절제술 후 만성적인 통증이 있는 환자이다.

재건수술 전후로 해서 방사선 치료를 받았거나 받을 예정인 경우 금기증은 아니나 주의를 요하여 수술하여야 한다. 지연재건의 경우 이전에 방사선치료로 피부피판의 상태가 좋지 않은 경우 확장기 삽입수술 전에 지방이식을 시행하여 피부피판의 질과 두께를 향상시킬 수도 있다.

즉시재건 시 방사선 치료가 예정되어 있는 경우 확장기 삽입 후 영구적인 보형물로 교체한 뒤에 방사선치료를 시행하기도 하고, 방사선 치료를 먼저 시행한 뒤 영구적인 보형물로 교체하기도 한다.

4) 유방확장기

1976년 Radovan이 조직확장기를 개발하였고 1982년에 유방재건에 처음으로 사용하였다. 이 당시의 조직확장기는 식염수 주입을 위한 포트가 별도로 분리되어 있는 형태(smooth round expander with remote port)였다. 이 후 확장기의 표면은 유방보형물과 마찬가지로 거친 표면(textured surface)과 해부학적 모양(anatomical shape)의 확장기도 추가되었으며, 별도로 분리되어 있던 주입구(injection port)도 일체형(expander with integrated port)으로 바뀌었다. 거친 표면의 확장기는 매끄러운 표면(smooth surface)의 확장기에 비하여 피막구축이 덜 일어나고 확장 중 피부에 의해 발생하는 장력으로 인한 확장기의 이동을 줄여 줄 수 있다는 장점이 있다. 해부학적 모양(anatomical shape)의 확장기는 둥근 모양(round shape)에 비해 유방하부의 피부를 잘 확장시켜 좀 더 자연스러운 모양의 가슴을 만들어 줄 수 있다는 장점이 있다. 주입구가 별도로 떨어져 있으면 주입구 삽입을 위한 추가적인 박리가 필요하고 주입구와 확장기를 연결하는 연결관의 기능 이상이나 누출이 발생할 위험이 있는데 일체형에서는 이러한 위험성이 없어진다. 식염수를 사용하지 않고 가스로 확장하며 병원을 방문할 필요없이 리모컨으로 환자 자신이 확장시키는 확장기도 개발되었다.

확장기는 최종적으로 삽입될 유방보형물의 프로파일을 고려하여 부피, 폭, 돌출정도(projection), 높이를 고려하여 선택하여야 한다.

현재 국내에서 사용가능한 확장기는 Mentor사의 제품만이 사용가능하며, CPX4 확장기 모델 중 거친 표면을 가진 Siltex® 제품만 수입되다가 최근 부드러운 표면의 제품도 수입되기 시작하였다.

CPX®4 Smooth Breast Tissue Expander with Suture Tabs

Low Height				Smooth Surface 6 Suture Tabs
Volume	Width (cm)	Height (cm)	Projection	Catalog #
250 cc	11.4 cm	8.1 cm	6.1 cm	350-9111
350 cc	12.7 cm	9.4 cm	6.5 cm	350-9112
450 cc	14.0 cm	10.2 cm	7.1 cm	350-9113
550 cc	15.0 cm	10.9 cm	7.4 cm	350-9114
650 cc	15.7 cm	11.2 cm	7.9 cm	350-9115
750 cc	16.5 cm	11.9 cm	8.1 cm	350-9116

Medium Height				Smooth Surface 6 Suture Tabs
Volume	Width (cm)	Height (cm)	Projection	Catalog #
275 cc	10.7 cm	9.3 cm	6.2 cm	350-9211
350 cc	11.7 cm	10.0 cm	6.6 cm	350-9212
450 cc	12.7 cm	10.8 cm	7.0 cm	350-9213
550 cc	13.5 cm	11.7 cm	7.4 cm	350-9214
650 cc	14.6 cm	12.6 cm	7.6 cm	350-9215
800 cc	15.6 cm	13.3 cm	8.0 cm	350-9216

Tall Height				Smooth Surface 6 Suture Tabs
Volume	Width (cm)	Height (cm)	Projection	Catalog #
250 cc	10.1 cm	10.7 cm	5.6 cm	350-9311
350 cc	11.3 cm	11.8 cm	6.0 cm	350-9312
450 cc	12.3 cm	12.9 cm	6.5 cm	350-9313
550 cc	13.2 cm	13.8 cm	6.9 cm	350-9314
650 cc	14.0 cm	14.6 cm	7.3 cm	350-9315
750 cc	14.6 cm	15.3 cm	7.6 cm	350-9316
850 cc	15.4 cm	15.9 cm	7.9 cm	350-9317

CPX®4 SILTEX® Breast Tissue Expander

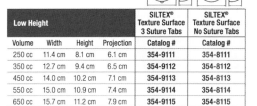

Low Height				SILTEX® Texture Surface 3 Suture Tabs	SILTEX® Texture Surface No Suture Tabs
Volume	Width	Height	Projection	Catalog #	Catalog #
250 cc	11.4 cm	8.1 cm	6.1 cm	354-9111	354-8111
350 cc	12.7 cm	9.4 cm	6.5 cm	354-9112	354-8112
450 cc	14.0 cm	10.2 cm	7.1 cm	354-9113	354-8113
550 cc	15.0 cm	10.9 cm	7.4 cm	354-9114	354-8114
650 cc	15.7 cm	11.2 cm	7.9 cm	354-9115	354-8115
750 cc	16.5 cm	11.9 cm	8.1 cm	354-9116	354-8116

Medium Height				SILTEX® Texture Surface 3 Suture Tabs	SILTEX® Texture Surface No Suture Tabs
Volume	Width	Height	Projection	Catalog #	Catalog #
275 cc	10.7 cm	9.3 cm	6.2 cm	354-9211	354-8211
350 cc	11.7 cm	10.0 cm	6.6 cm	354-9212	354-8212
450 cc	12.7 cm	10.8 cm	70 cm	354-9213	354-8213
550 cc	13.5 cm	11.7 cm	7.4 cm	354-9214	354-8214
650 cc	14.6 cm	12.6 cm	7.6 cm	354-9215	354-8215
800 cc	15.6 cm	13.3 cm	8.0 cm	354-9216	354-8216

Tall Height				SILTEX® Texture Surface 3 Suture Tabs	SILTEX® Texture Surface No Suture Tabs
Volume	Width	Height	Projection	Catalog #	Catalog #
250 cc	10.1 cm	10.7 cm	5.6 cm	354-9311	354-8311
350 cc	11.3 cm	11.8 cm	6.0 cm	354-9312	354-8312
450 cc	12.3 cm	12.9 cm	6.5 cm	354-9313	354-8313
550 cc	13.2 cm	13.8 cm	6.9 cm	354-9314	354-8314
650 cc	14.0 cm	14.6 cm	7.3 cm	354-9315	354-8315
750 cc	14.6 cm	15.3 cm	7.6 cm	354-9316	354-8316
850 cc	15.4 cm	15.9 cm	7.9 cm	354-9317	354-8317
1445 cc	14.9 cm	16.0 cm	11.6 cm	354-9336	

그림 3-3-2. 국내에서 사용가능한 Mentor사의 CPX4 확장기의 사양표

주입구가 일체형으로 되어 있어 식염수 주사 시 정확한 주입위치로 주사해야 확장기의 누출(leak)이 발생하지 않는다. 주입구가 돔 형태로 돌출되어 있고 정확한 주사위치를 찾을 수 있게 강자성체가 내장되어 있는데, 이 부위를 주입돔(injection dome)이라고 한다. 확장기 와 함께 제공되는 자성검출기(magnetic detection device)를 이용하여 주사부위를 찾을 수 있 다. 자성검출기를 확장기 위에서 움직이다가 금속으로 된 지시바가 수직으로 서는 위치에서 피부에 도장 찍듯이 수직으로 눌러주면 "X"자가 표시된다. 이후 이 부위에 바늘을 꽂아 주 사하면 된다(그림 3-3-3). 확장기 내부에 강자성체가 들어있기 때문에 환자들에게 금속이 가 슴에 붙을 수 있다는 점과 MRI 촬영을 하지 말 것을 설명하여야 한다.

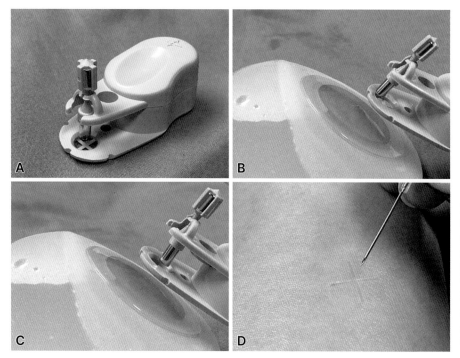

그림 3-3-3. 정확한 주입돔을 찾는 방법. (A) Mentor사의 자성검출기 (CENTERSCOPE® Magnetic Detection Device). (B) 주입돔의 주변부에 있을 때 지시바가 기울어진다. (C) 주 입돔의 중앙에 위치 했을 때 지시바 가 수직으로 선다. (D) 지시바가 수직 이 될 때 자성검출기를 유방피부에 도장 찍듯이 눌러주면 피부에 주사 바늘을 삽입할 위치가 표시된다.

5) 수술방법

(1) 첫 번째 수술 : 즉시재건

유방절제술 시행 전에 흉부의 정중선, 유방의 안쪽과 바깥쪽 경계, 유방하주름을 미리 표시하며 유방의 비대칭성, 유방하수 정도, 유두의 위치 및 유방하주름에서의 거리, 유방의 돌출높이 등을 측정한다.

절개가 들어가기 전에 예방적항생제를 투여한다. 유방절제술이 종료된 후 남아있는 피 부피판에 대한 평가가 필요하다. 객관적인 피판의 상태를 평가하기 위하여 ICG를 이용한 혈 관조영술을 시행하며 피판의 두께는 괜찮은지 피판아래쪽에 진피가 노출된 부위는 없는지 관찰한다. 피판의 두께나 관류상태가 좋으면 곧바로 영구적인 보형물을 삽입할 수 있다. 조영술상 관류가 되지 않는 부위가 광범위하거나 환자의 유방하수가 심하고 피판이 얇아 괴사가 우려되면 확장기를 삽입하여 피판의 부하를 줄여 줄 수 있다. 또한 피부절제양이 많아 바로 보형물을 삽입하기 힘들면 확장기를 삽입해 추후에 모자라는 피부를 확장시켜준다. 절제범위는 ICG 혈관조영술상 관류가 되지 않는 부위를 절제범위로 정한다. 절제조직은 최소화하는 것을 추천하며 절제 후 꼼꼼히 지혈한 뒤 보형물을 삽입할 공간을 박리한다. 영구적인 보형물을 삽입할 포켓의 조절을 용이하게 하려면 확장기의 폭과 높이가 보형물과 비슷하거나 좁은 것을 사용하는 것이 좋다. 삽입할 확장기는 영구적으로 삽입될 보형물의 프로파일을 고려하여 부피, 폭, 돌출정도(projection), 높이를 고려하여 선택하여야 한다.

확장기를 삽일할 때는 전체근육밑공간(total muscular pocket), 흉근밑공간(subpectoral pocket) 또는 이중평면공간(dual-plane pocket), 흉근위공간(prepectoral pocket)의 3가지 위치에 삽입할 수 있다(그림 3-3-4).

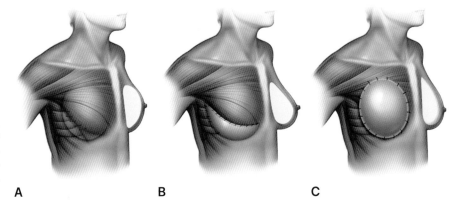

그림 3-3-4. 확장기 삽입 위치. (A) 전체근육밑공간(total muscular pocket). (B) 흉근밑공간(subpectoral pocket) 또는 이중평면공간(dual-plane pocket). (C) 흉근위공간(prepectoral pocket)

A   B   C

① 전체근육밑공간(Total muscular pocket)

전체근육밑공간에 확장기를 삽입시킬 때에는 확장기의 중심부와 내측은 대흉근(pectoralis major muscle), 외측은 전거근(serratus anterior muscle) 그리고 확장기의 아래쪽은 복직근막(rectus abdnominis muscle fascia)으로 이루어진 공간아래에 확장기가 놓이게 된다. 따라서 먼저 대흉근의 외측경계부에서 박리를 시작하여 내측으로 확장기의 폭에 맞추어 필요한 만큼 최소한으로 박리한다. 내측 박리시 내흉동맥의 천공지(perforator of internal mammary artery)를 조심하여야 하며 정준선에서 2 cm의 안전거리를 두어야 한다. 아래쪽으로는 대흉근으로만 유방하주름위치까지 확장기를 덮기 어렵기 때문에 복직근막을 유방하주름 부위까지 대흉근에 연결하여 박리해준다. 그리고 대흉근의 외측경계부에서 박리를 시작하여 전거근을 확장기의 폭만큼 박리해준다.

이런 전체근육밑공간은 확장기를 사용하더라도 유방하주름이 둔탁해지고 근육의 수축으로 인하여 유방의 자연스럽게 처지는 모양을 얻기가 힘들다. 또한 근육의 박리가 많아 이와 관련된 통증이 부작용이 발생할 수 있다는 단점이 있다.

② 흉근밑공간(Subpectoral pocket) 또는 이중평면공간(Dual-plane pocket)

ADM을 유방재건에 사용하기 시작하여 대흉근만을 거상하고 나머지 확장기의 바깥쪽과 아래쪽은 ADM을 이용하여 확장기를 감싸주는 흉근밑공간을 사용할 수 있다. 대흉근만 박리하기 때문에 근육과 관련된 통증과 합병증을 줄일 수 있으나 확장기의 아래쪽의 확장이 용이하여 보다 자연스러운 처짐현상을 얻을 수 있다. 또한 조기에 아래쪽 피부확장을 얻을 수 있으며 전체적인 확장시간을 줄일 수 있다는 장점도 있다. 하지만 대흉근이 피부피판과 유착이 되면서 팔의 운동시 남성들처럼 가슴이 움직이는 animation deformity가 발생하는 문제가 있다.

③ 흉근위공간(Prepectoral pocket)

Animation deformity를 예방하거나 치료하기 위해 사용되기 시작한 방법이다. 대흉근을 박리하지 않고 ADM으로 확장기의 앞면 혹은 전체를 감싼 후 대흉근 위에 확장기를 삽입하는 것으로, 원래 유방이 있던 위치에 보형물을 위치시킴으로써 미용적으로 우수한 결과를 얻을 수 있다. 하지만 사용하는 ADM의 면적이 증가하여 재료비도 증가한다.

확장기는 삽입 전에 부풀어 있는 상태에서 식염수가 담긴 통에 확장기를 완전히 담근 후 압력을 가해 공기가 새는 곳이 없는지 확인한 후 확장기 안의 공기를 완전히 제거한다. 확장기를 삽입할 공간이 마련되면 항생제가 섞인 세척액(50 cc povidone-iodine solution, 1 g cefazolin, 80 mg gentamicin, 500 cc normal saline)으로 세척한 뒤 배액관을 삽입한다. 삽입 후 필요에 따라 확장과정 중에 확장기가 원치 않는 곳으로 이동하는 것을 방지하기 위해 확장기에 부착되어 있는 고정탭을 갈비뼈의 골막이나 골막에 가깝게 봉합해서 단단히 고정해 준다.

배액관은 흉근위공간을 사용할 때에는 피하층에 하나만 삽입하여도 되지만 그 외에는 근육아래 및 근육위(피하층)에 각각 하나의 배액관을 삽입하여야 한다. 피하, 피부 봉합을 시행한 후 피판에 무리가 가지 않는 한도 내에서 확장기에 식염수를 주입해 주면 포켓내에서 압박이 되고 사강을 줄일 수 있어 배액량을 줄일 수 있다. 이후 배액관은 20 cc 이하로 2일 연달아 배액되는 경우에 제거해준다.

피판의 관류상태가 좋지 않을 것으로 예상이 되면 고압산소치료를 1주일 정도 시행해 주는 것이 도움이 될 수 있으며 nitroglycerin ointment를 도포해 주는 것도 국소적으로 도움이 될 수 있다. 피판의 괴사가 일어나는 경우 가능하면 빨리 제거를 해주는 것이 2차적인 합병증 예방에 도움이 되나 어느정도 경계가 명확해지려면 1-2주간 기다린 뒤 절제할 수밖에 없다.

(2) 첫 번째 수술 : 지연재건

　　지연유방재건에서 확장기의 사용 목적은 삽입될 보형물이 들어갈 공간의 마련을 위한 피부의 확장이다(그림 3-3-5). 즉시재건때와 마찬가지로 확장기를 선택할 때는 반대쪽 가슴의 크기와 모양을 참조하여 최종적으로 삽입될 보형물의 부피를 고려하여 선택하여야 한다. 확장기 삽입술 전 선자세에서 흉부의 정중선을 표시한다. 수술측의 유방이 없는 상태이므로 반대측 유방을 대칭으로 표시하여 유방의 안쪽과 바깥쪽 경계, 유방하주름, 이전 수술로 인한 반흔 등을 표시한다.

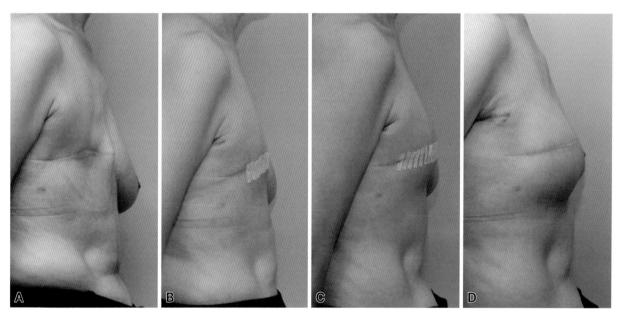

그림 3-3-5. 지연유방재건에서 유방확장기를 이용한 유방피부확장과정

　　수술은 이전 수술의 반흔을 따라 절개하여 먼저 확장기가 삽입될 공간만큼으로 피하박리를 시행한다. 다음으로 확장기가 삽입될 공간은 즉시재건과 마찬가지로 3가지 공간이 사용되어 질 수 있으며 수술방법 역시 즉시재건과 동일하다.

　　피판의 두께가 지나치게 얇지 않다면 피판의 혈행평가는 필요없다. 이때도 확장 중에 확장기가 위쪽으로 잘 이동하므로 확장기의 고정탭을 이용하여 잘 고정을 해준다. 또한 아래쪽을 충분히 확장시켜 자연스럽게 처진 유방모양을 만들어 주기 위해 최대한 유방하주름쪽으로 내려서 고정해 준다. 이후 배액관 삽입후 피부에 과도한 장력이 발생하지 않는 한도에서 확장기를 확장시켜준다. 이후 배액관은 20 cc 이하로 2일 연달아 배액 되는 경우에 제거해 준다. 수술 후 4주 후부터 피부확장을 시작하여 2-4주 간격으로 확장한다. 환자가 많이 불편해하지 않을 정도로 20-100 cc 사이로 주입하나 보통 50 cc 전후로 주입한다. 보형물을 삽입했을 때 자연스럽게 처지는 모습을 얻기 위해 삽입될 보형물보다 10-20% 정도 더 크게 식염수를 주입해준다. 삽입 후 6개월 정도에 영구적인 보형물로 교체해준다.

(3) 두 번째 수술 : 영구적 보형물 교체수술

즉시재건이나 지연재건에서 확장기를 이용한 피부확장이 완료되면 2차적으로 영구적인 보형물로 교체하게 된다.

수술방법은 이전 절개흉터를 절제하면서 바로 확장기가 삽입된 공간으로 바로 접근한다. 기존의 삽입되어 있는 확장기를 손가락으로 밀면서 피막과 분리시킨 뒤 확장기를 고정하는데 이용하였던 탭의 봉합사를 제거하고 확장기를 제거한다. 생성된 피막은 굳이 제거할 필요가 없으니 필요시 피부의 확장을 위하여 바둑판 모양의 피막절개술(capsulotomy)은 시행할 수 있다. 혹시 확장과정 중에서 확장기가 위쪽으로 이동하였다면 반대쪽과 유방하주름의 위치를 맞추기 위하여 아래쪽으로 추가적인 박리를 시행한다. 이외에 필요시 추가적인 박리를 시행하거나 피막의 앞쪽과 뒤쪽을 봉합하여 보형물이 들어갈 공간의 크기를 조절할 수 있다. 또한 국소적인 함몰의 교정이나 유방피판의 두께를 늘리기 위하여 지방이식을 동시에 시행하기도 한다.

6) 합병증

확장기를 사용한 유방재건술에서의 합병증은 보형물을 사용한 유방재건에서의 합병증과 동일하게 혈종, 장액종, 감염, red breast syndrome, 피부괴사, 피막구축 등이다. 과거 주입구에 관련된 부작용들이 있었으나 일체형으로 바뀌면서 이러한 부작용도 사라졌다. 일체형 확장기에 삽입되어 있는 강자성체에 의해 MRI 촬영 시 노이즈가 발생하므로 확장기가 삽입된 기간 동안에는 MRI 촬영을 금하여야 한다.

✅ 참고문헌

1. Adams WP, Jr., Rios JL, Smith SJ. Enhancing patient outcomes in aesthetic and reconstructive breast surgery using triple antibiotic breast irrigation: six-year prospective clinical study. Plast Reconstr Surg. 2006;117:30-36.

2. Albornoz CR, Bach PB, Mehrara BJ, Disa JJ, Pusic AL, McCarthy CM, Cordeiro PG, Matros E. A paradigm shift in U.S. breast reconstruction: Increasing implant rates. Plast Reconstr Surg 2013;131:15-23.

3. Ascherman JA, Zeidler K, Morrison KA, Appel JZ, Berkowitz RL, Castle J, Colwell A, ChunA, Johnso D, Mohebali K. Carbon dioxide-based versus saline tissue expansion for breast reconstruction: Results of the XPAND prospective, randomized clinical trial. Plast Reconstr Surg 2016;138:1161-70.

4. Colwell AS, Tessler O, Lin AM, Liao E. Breast reconstruction following nipple-sparing mastectomy: Predictors of complications, reconstruction outcomes, and 5-year trends. Plast Reconstr Surg 2014;133:496-506.

5. Cordeiro PG, Albornoz CR, McCormick B, Hudis CA, Hu Q, Heerdt A, Matros E. What is the optimum timing of postmastectomy radiotherapy in two-stage prosthetic reconstruction: Radiation to the tissue expander or permanent implant? Plast Reconstr Surg 2015;135:1509-17.

6. Cordeiro PG, Jazayeri L. Two-stage implant-based breast reconstruction: An evolution of the conceptual and technical approach over a two-decade period. Plast Reconstr Surg 2016;138:1-11.

7. Davila AA, Mioton LM, Chow G, Wang E, Merkow RP, Bilimoria KY, Fine N, Kim JYS. Immediate two-stage tissue expander breast reconstruction compared with one-stage permanent implant breast reconstruction: A multi-institutional comparison of short-term complications. J Plast Surg Hand Surg 2013;47:344-9.

8. Ho AL, Bovill ES, Macadam SA, Tyldesley S, Giang J, Lennox PA. Postmastectomy radiation therapy after immediate two-stage tissue expander/implant breast reconstruction: A University of British Columbia perspective. Plast Reconstr Surg 2014;134:1e-10e

9. Kalus R, Dixon Swartz J, Metzger SC. Optimizing safety, predictability, and aesthetics in direct to implant immediate breast reconstruction: Evolution of surgical technique. Ann Plast Surg 2016;76(Suppl 4):S320-S327.

10. Kobraei EM, Cauley R, Gadd M, Austen WG Jr, Liao EC. Avoiding breast animation deformity with pectoralis-sparing subcutaneous direct-to-implant breast reconstruction. Plast Reconstr Surg Glob Open 2016;4:e708.

11. Manish CC, Wendy WW, Michael EH, Subhas CG. The evolution of breast reconstruction: a historical perspective. World J Surg 2012;36(4):730-42.

12. McCarthy CM, Lee CN, Halvorson EG, Riedel E, Pusic AL, Mehrara BJ, Disa JJ al. The use of acellular dermal matrices in two-stage expander/implant reconstruction: A multicenter, blinded, randomized controlled trial. Plast Reconstr Surg 2012;130(Suppl 2):57S-66S.

13. McCarthy CM, Mehrara BJ, Riedel E, Davidge K, Hinson A, Disa JJ, Cordeiro PG, Pusic ALl. Predicting complications following expander/implant breast reconstruction: An outcomes analysis based on preoperative clinical risk. Plast Reconstr Surg 2008;121:1886-92.

14. Muresan H, Lam G, Cooper BT, Perez CA Hazen A, Levine JP, Saadeh PB, Cho M, Karp NS, Ceradini DJ. Impact of evolving radiation therapy techniques on implant-based breast reconstruction. Plast Reconstr Surg 2017;139:1232e-1239e.

15. Nahabedian, MY, Neligan PC. Plastic Surgery: Volume 5: Breast. Elsevier Health Sciences. 2017

16. Phillips BT, Halvorson EG. Antibiotic prophylaxis following implant-based breast reconstruction: What is the evidence? Plast Reconstr Surg 2016;138:751-7.

17. Saint-Cyr M, Dauwe P, Wong C, Thakar H, Nagarkar P, Rohrich RJ. Use of the serratus anterior fascia flap for expander coverage in breast reconstruction. Plast Reconstr Surg 2010;125:1057-64.

18. Salibian AH, Harness JK, Mowlds DS. Staged suprapectoral expander/implant reconstruction without acellular dermal matrix following nipple-sparing mastectomy. Plast Reconstr Surg 2017;139:30-9.

19. Sbitany H, Piper M, Lentz R. Prepectoral breast reconstruction: A safe alternative to submuscular prosthetic reconstruction following nipple sparing mastectomy. Plast Reconstr Surg. 2017;140:432-43.

20. Snyderman, RK, Guthrie RH. Reconstruction of the female breast following radical mastectomy. Plast Reconstr Surg 1971;47:565-7.

21. Widgerow AD, Murdoch M, Edwards G, Norval C. Patient-controlled expansion: Applying a new technique to breast reconstruction. Aesthetic Plast Surg 2007;31:299-305.

2. 확장기와 보형물을 이용한 유방재건

성균관대학교 삼성서울병원 성형외과 **전병준**

1) 서론

(1) 보형물을 이용한 유방재건

유방암은 세계적으로 볼 때 전체 여성암의 25.2%를 차지하는 가장 흔한 암 가운데 하나이다. 우리나라에서도 여성의 체중과 출산 연령의 증가, 모유 수유의 감소, 서구화된 식습관과 같은 다양한 원인들로 유방암의 발병률이 높아져 여성암 중 가장 흔한 암이 되었다. 비교적 근래의 자료를 살펴보면 2012년에는 1996년과 비교하였을 때 발병이 5배 이상 증가하였고, 2013년 이후 연간 2만건 이상 진단되는 것으로 알려져 있다. 특히 우리나라에서는 전체 환자의 70% 가량이 40–50대로, 외국과 비교할 때 젊고 상대 생존율이 높아 삶의 질을 높이기 위한 측면에서 유방재건에 대한 관심이 높다. 이는 2015년 4월부터 유방재건술이 건강보험 급여 대상으로 전환된 것을 통해서도 확인할 수 있다.

조직확장기와 보형물을 이용한 재건은 Radovan에 의해 제안된 이후 유방재건의 주요한 방법들 중 하나가 되었다. 먼저 납작한 모양으로 삽입한 뒤 생리식염수를 주입하여 팽창시킴으로써 창상의 수축을 막고 나아가 남겨진 피부와 연부 조직의 확대가 가능하다. 디자인 측면에서 식염수 주입구를 조직확장기와 일체형으로 만들면서 주입구를 위치시키기 위한 추가적인 박리가 필요하지 않게 되었고, 별도의 주입구와 관련된 합병증도 줄일 수 있게 되었다. 또한 매끈한 표면에서 거친 표면으로 바뀌면서 피막 구축과 원하지 않는 위치로의 이동을 줄일 수 있게 되어 더욱 효과적으로 피부와 연부조직을 확장할 수 있게 되었다. 이러한 개선으로 인해 보형물을 이용한 재건은 국내에서 2015년 기준 1366건(60.1%, 자가조직 재건: 905건)이에서, 2018년 기준 3703건(70.2%, 자가조직 재건: 1570건)으로 증가하는 추세를 보이고 있다. 아울러 비교적 짧은 기간 동안 보형물을 바로 삽입(direct-to-implant, DTI)하는 증례가 증가하는 것도 눈여겨볼 추세의 변화라고 생각된다(2015년에는 조직확장기와 직접 보형물 삽입술이 각각 777건, 589건 이루어졌고, 2018년에는 각각 1863건, 1840건 시행된 것으로 보고된 바 있다.).

자가조직을 이용한 재건과 비교할 때 보형물을 이용한 유방재건은 수술 방법이 간단하고, 동일한 색과 질감을 가진 주변의 피부를 활용하여 추가적인 흉터를 남기지 않으며, 수술 시간과 회복 기간이 짧은 장점이 있다. 하지만 피막 구축, 보형물의 파열과 같은 합병증이 발생할 경우, 보형물을 교체 또는 제거하여야 하고 감염에 취약하며 외부의 온도 변화에 민감하고, 체중 변화나 연령 증가에 따른 자연스러운 변화가 나타나지 않는다는 단점도 있다. 그래서 많은 환자들에게 적용할 수 있으며, 특히 공여부 조직이 부족하거나 긴 수술 시간과 회복 기간을 견디기 힘든 환자들에게 효과적인 재건 방법으로 고려할 수 있다.

조직확장기와 보형물을 이용한 재건술은 수술이 두 번 필요하다는 점에서 환자들이 거부감을 호소하는 경우도 많지만, 절제술 후 다양한 조직 상태에 대해서 안전하게 적용할 수 있고 재건 결과가 비교적 일괄적이며 재현 가능하다는 점에서 안전하게 선택할 수 있는 유방재건 방법이라고 할 수 있다.

(2) 유방암 수술의 변화

유방재건 방법의 변화는 유방절제술의 변화 과정과 무관하지 않다. 2002년 유방전절제술이 61.3%, 부분절제술이 37.6% 이뤄졌으며, 2006년 각각 49.1%, 49.6%가, 2018년에는 각각 33.0%, 66.2%가 이뤄졌다. 특히 최근 들어 전절제술 가운데 유두를 보존하는 경우가 증가하였으며, 이는 앞에서 살펴본 것처럼 직접 보형물 삽입을 시행하는 경우가 증가하는데 기여한 부분이 크다고 생각된다. 본래의 조직이 많이 보존되는 경우 상대적으로 미용적 결과가 우수하며, 조직확장기를 가지고 있는 기간도 줄일 수 있다.

환자의 연령도 재건 방법을 결정하는데 영향을 미친다. 2018년 조사된 자료에 따르면 30대 환자의 자가조직을 이용한 재건의 비율이 22%(복부피판 13%, 광배근피판 9%)이며, 40대에서는 29%(복부피판 21%, 광배근피판 8%), 50대에서는 36%(복부피판 27%, 광배근피판 9%)로 증가했다가 60대가 되면 다시 30%(복부피판 24%, 광배근피판 6%)로 감소하는 경향을 관찰할 수 있다. 또한 연령대에 따른 재건의 비율도 차이를 보이는데, 60대 이상에서는 전절제술을 받은 환자의 7%만 유방재건술을 시행 받았다.

이 외에도 BRCA1, BRCA2와 같은 유방암 관련 유전자에 대한 진단과 치료에 대한 관심이 증가하면서 양측성 재건이 필요한 경우가 증가하고 있다. 이 경우 젊은 연령과, 재건에 충분한 연부 조직이 요구되고, 수술 시간과 회복 기간 등의 부담이 증가하면서 보형물을 이용한 재건 역시 증가할 수 있을 것이라 생각된다.

(3) 보형물과 확장기의 선택

표면이 거친 보형물은 유방재건에서 자연스러운 모양과 피막 구축의 가능성을 낮추는데에 도움이 되는 것으로 알려져 널리 이용되어 왔다. 하지만 유방보형물 관련 역형성대세포림프종(BIA-ALCL, Breast Implant-Associated Anaplastic Large Cell Lymphoma)이 낮은 빈도로라도 발생할 수 있는 것으로 알려지면서 표면이 매끄러운 보형물을 주로 사용하게 되었다.

조직확장기의 경우 과거 조직확장기와 주입구가 떨어진 형태로 사용되기도 하였으나 현재는 일체형을 사용하고 있다. 조직확장기는, 유두와 주변 피부 일부를 절제한 피부보존유방절제술(skin-sparing mastectomy) 경우 부족한 조직을 늘려서 얻기 위한 목적으로, 유두보존유방절제술(nipple-sparing mastectomy)에서는 유두의 괴사가 우려될 경우에 제한적으로 사용하는 것을 고려할 수 있다. 조직확장기를 삽입할 때 아래 쪽 경계가 유방밑주름(inframammary fold)과 일치하거나 약간 낮게 위치시키게 된다. 조직확장기의 위치가 자리를 잡을 때까지 적절하게 고정하는 것이 필요하며, 이를 통해 원하는 부분을 확장시킬 수 있고, 예상한 모양으로 재건할 수 있다.

과거 표면이 거친 해부학적 보형물을 사용하는 경우 유방하부의 자연스러운 모양을 얻는데 도움이 된다고 생각하여 널리 사용되었다. 그러나 조직확장기를 제거하고 보형물을 삽입하였을 때 주변 조직과 만족스러운 유착이 이뤄지지 않으면 보형물의 위치 변형(malposition)이 비교적 흔하게 발생하기도 하였다. 조직확장기를 삽입할 보형물 보다 크게 확장하고, 매끈한 보형물을 사용하면 가슴의 처짐을 만드는데 어느 정도 도움이 될 수 있다.

(4) 무세포진피기질의 이용

무세포진피기질(acellular dermal matrix, ADM)의 사용은 보형물을 이용한 유방재건에 여러 변화를 일으켰다. 과거에는 확장기를 삽입할 때 조직확장기의 내측과 상부를 대흉근(pectoralis major muscle)으로 덮고, 나머지는 전거근(serratus anterior muscle)의 근막 또는 근육 자체로 덮는 대흉근아래 위치(subpectoral placement) 기법을 주로 사용하였다. 자기 조직만으로 덮기 어려운 상황에서 무세포진피기질을 사용하여 조직확장기의 하외측을 덮는데 활용할 수 있어, 조직의 추가적인 손상과 확장에 따른 통증을 줄이는데 도움이 되었다. 아울러 무세포진피기질은 보형물의 위치를 조정하는데 도움이 되고 뚜렷한 유방밑주름을 만들기 쉬우며, 절제술 후 피판에 걸리는 압력을 덜어주어 수술 중 충분한 확장이 가능하여 확장 기간을 줄이는데 도움이 된다. 아울러 일부 연구에서는 피막 구축을 방지하는 효과도 보고 되고 있다. 최근에는 남겨진 유방 피판의 두께와 혈액 순환이 적절한 경우, 조직확장기를 무세포진피기질로 감싸 대흉근 위에 위치시키는 대흉근위 위치(prepectoral placement) 기법도 널리 이용되고 있다.

2) 환자 선택

(1) 적응증

조직확장기와 보형물을 이용한 2단계 재건을 통해 만족스러운 결과를 얻기 위해 적합한 환자 선정에 신중을 기해야 하고, 환자에게 수술 기법의 장단점을 포함하여 충분한 설명을 해야 한다. 또한 진단된 유방암의 크기뿐만 아니라 세포 특성[호르몬 수용체 유무, HER2 (Human epidermal growth factor receptor 2) 유전자 변이 등], 인근 림프절 침범 여부와 범위 등을 고려하여야 한다. 이외에도 한쪽만 재건이 필요한 경우, 기준이 되는 반대쪽 유방의 크기와 모양, 병적 상태 여부뿐만 아니라 추가로 확대나 축소와 같은 크기의 변화를 원하는지에 대한 확인도 필요하다. 진단 당시 병기에 따라 추가적으로 항암치료나 방사선 치료가 필요할 수 있어 이에 대한 고려도 필요하다. 수술 후 항암치료의 경우 4–6주 안에 시작되므로 창상 치유에 장애가 될 요인은 없는지 살펴야 하며, 선행항암치료와 수술 후 방사선 치료가 예정되어 있는 경우에도 방사선 치료가 시작되기 전에 충분한 확장이 가능할 수 있도록 주의를 기울여야 한다.

재건 방법을 결정할 때 기준이 되는 가슴의 크기와 처짐을 포함한 모양, 그리고 환자가 선호하는 재건 방법에 대한 고려도 중요하다. 대개 가슴이 작거나 중간 정도의 크기이고 처짐이 없거나 적은 경우, 보형물을 이용한 재건을 통해 만족스러운 결과를 얻을 수 있다. 또한 조직확장기로 재건될 쪽의 공간을 추가로 확보하는 경우 남아있는 가슴의 확대도 고려할 수 있다. 가슴이 크고 처짐이 있으면서 충분한 자기 조직을 가진 경우, 환자가 원한다면 자기 조직을 이용한 재건을 고려하는 것이 좋다. 하지만 처진 가슴을 축소하고 보형물을 이용한 재건을 원하는 경우도 있으므로 수술 전 여러 상황에 대해 환자와 충분한 논의가 필요하다.

(2) 적용에 주의가 필요한 경우

보형물을 이용한 재건을 고려할 때, 이전 방사선 치료 병력이 있을 경우 좀 더 신중하게 생각할 필요가 있다. 방사선 치료가 수술의 금기는 아니지만 피막구축, 창상 치유 지연과 벌어짐, 보형물의 위치 변화와 노출 가능성이 비교적 높은 것으로 알려져 있기 때문이다. 이 경우 즉시재건을 원한다면 자기 조직을 이용한 재건을 권유하거나 지연재건을 고려할 수 있다. 환자가 비만이며 크고 처진 모양의 가슴을 가진 경우, 보형물을 이용한 재건을 원하는 경우에도 주의가 필요하다. 이 때 창상 치유 지연이 발생하여 추가적인 치료를 지연시킬 수 있고, 유방축소술 형태로 피부를 절제하면서 조직확장기를 삽입하는 경우 합병증의 가능성이 높아지기 때문에 이에 대한 설명과 주의가 반드시 필요하다.

3) 수술 계획 및 수술 기법

(1) 첫 수술 계획

유방재건은 즉시재건과 지연재건으로 나눌 수 있다. 지연재건의 경우, 이전에 절제술과 항암, 방사선 치료 등의 추가적인 치료들이 종결되고 일정 기간이 경과한 다음에 이뤄지게 된다. 이 때 과거 방사선 치료가 이뤄진 경우, 또는 남겨진 조직이 지나치게 얇은 경우에는 조직확장기와 보형물을 이용하기 보다는 자기 조직을 이용하는 것이 좋다.

즉시재건을 원하는 경우 유방암에 대한 다학제적 평가가 필요할 수 있다. 유방외과 뿐만 아니라 혈액종양내과, 방사선 종양학과 그리고 경우에 따라 산부인과와 함께 수술 순서와 시기 등에 대한 논의가 필요할 수 있다. 유방외과 수술에 이어 재건이 이뤄지고, 다양한 재건 방법의 장단점에 대한 충분한 논의가 필요하다. 유두 보존 여부와 관계없이 조직확장기의 삽입이 필요할 수 있고, 남겨진 유방피판의 두께와 혈액 순환의 정도에 따라 대흉근 위 또는 아래에 조직확장기가 놓일 수 있고, 무세포진피기질을 적절하게 활용할 수 있음도 설명할 필요가 있다. 또한 일측성 재건의 경우 기준이 되는 반대쪽 유방에 대한 수술 시행 여부와, 수술 시행 시 확대, 축소, 고정 중에 어떤 수술이 필요할지에 대해 환자와 충분한 논의를 거쳐 결정할 필요가 있다.

선행항암을 시행하였으며 절제술 후 방사선 치료의 가능성이 높은 경우, 수술 후 6–8주 이내에 조직확장기를 원하는 크기로 늘여야 함을 반드시 염두에 두어야 한다. 이는 방사선 치료에 대한 모의 치료 이후에는 확장기를 확장시킬 수 없으며, 방사선 치료가 종료된 후 피부가 변하고 나서 추가 확장을 시도하면 연부조직이 늘어나기보다는 흉벽 쪽이 조직확장기에 의해 눌려 변형될 수 있기 때문이다. 반대쪽 가슴에 대해 추가적인 수술을 원하는 경우, 수술 시기는 조직확장기를 빼고 보형물로 교체하는 시기에 시행하는 것이 바람직하다. 조직확장기를 넣고 기다리는 기간 동안 환자의 생각이 달라질 수 있고, 추가적인 치료나 생활 습관 변화에 따른 환자의 체형 변화도 가능하기 때문이다. 반대쪽 가슴이 크고 추후에 축소술을 원하는 경우, 피부축소형(skin reduction pattern) 절개와 함께 조직확장기 삽입을 고려할 수 있다.

수술 전 유방의 넓이(width)와 돌출 정도(projection)뿐만 아니라 가슴둘레, 흉골 패임(sternal notch)에서 유두까지의 거리, 가슴 사이 거리 등 일반적인 계측치를 측정하고 기록해 두어야 한다. 또한 수술 전후 결과를 확인하고 비교하기 위해 통일된 기준에 따라 의학 사진을 촬영해 두어야 한다.

(2) 조직확장기 삽입

수술 준비는 통상적인 과정을 따른다. 다만 양쪽 팔을 반드시 노출시킬 필요는 없이 앙와위(supine position)에서 45도 가량 벌려 둔다. 지나치게 벌릴 경우 가슴 모양과 유방밑주름 위치가 달라질 수 있어 조직확장기의 정확한 위치를 정하는데 제한이 있을 수 있다.

남겨진 유방피판의 상태를 면밀히 관찰하여야 하는데 이는 조직확장기의 위치를 정할 때 중요하기 때문이다. 피판의 두께뿐만 아니라 일정하게 유지되는지, 지나치게 얇아진 부분이나 전기 소작에 따른 화상은 없는지 확인하여야 한다. 상황에 따라 미리 절제를 하는 것이 창상의 치유를 돕고, 이후 확장 과정에서 염려하지 않고 생리식염수를 주입할 수 있다. 특히 감시림프절(sentinel lymph node)를 확인하기 위해 Isosulfan blue 염색액을 주입한 경우 피판 상태에 대한 확인이 어려울 수 있어 주의가 필요하다. 남겨진 유방피판 뿐만 아니라 주변 조직의 상태를 확인하면서 면밀한 지혈이 필요하다. 특히 대흉근을 포함한 근육에서 출혈이 발생할 경우나 작은 동맥이 제대로 지혈되지 않을 경우 혈종이 발생할 수 있어 잘 살펴야 한다. 또한 흉벽의 폭을 계측하여 절제된 유방의 무게, 2차적으로 반대쪽 가슴에 대한 수술(확대, 축소, 거상 등) 등을 고려하여 적합한 크기의 조직확장기를 선택할 때 고려하여야 한다.

유방밑주름의 상태와 남겨져 있는 정도에 대한 확인도 반드시 필요하다. 피부 절제가 많이 이루어진 경우 조직확장기를 넣고 당겨서 봉합하면 원래 계획했던 위치와 다른 곳에 확장기의 하연이 위치할 수 있으므로 피부가 당겨지는 정도를 보아 반대쪽 위치에 맞게 피판의 일부를 거상하여 조직확장기의 위치를 유지할 수 있도록 하여야 한다. 유방밑주름을 많이 박리한 경우 3-0 Vicryl 등을 이용하여 재고정하거나 조직확장기의 날개를 함께 봉합하여 원하는 위치에 정확하게 위치시킬 필요가 있다.

피판과 주변 조직이 조직확장기와 보형물을 이용한 재건에 적합하다고 판단되면, 조직확장기를 대흉근 위에 위치시키고 무세포진피기질로 덮을 수 있다. 피판이 보형물을 덮기에 약하다고 판단되는 경우 대흉근을 흉벽에서 박리하여 대흉근 아래에 조직확장기를 위치시킨다. 이 때 박리된 대흉근의 하연과 유방밑주름 사이를 무세포진피기질로 조직확장기를 덮을 수 있다. 하지만 남겨진 아래쪽 유방피판의 두께가 충분하다고 판단되면 거상된 대흉근의 하연을 아래쪽 피판에 적당히 고정하는 것이 이후 조직확장기를 확장하고 뚜렷한 유방밑주름을 만드는데 도움이 될 수 있다.

선택된 크기의 조직확장기는 공기를 제거하고 소량의 생리식염수를 주입하여 제품 결함이나 누수는 없는지 확인한 다음, 가장 자리를 안쪽으로 접어 표면적을 최소화한다. 조직확장기가 흉벽에 제대로 고정되어 있지 않고, 약간의 생리 식염수가 들어 있는 상태로 두게 되면 추가적으로 생리식염수를 주입하는 과정에서 접혀 있던 조직확장기 표면이 주사침에 찔려 손상될 수 있으므로 이에 대한 주의도 필요하다. 조직확장기를 주입하기 전 준비된 공간을 생리 식염수로 충분히 세척하고, 지혈 상태를 다시 확인한다. 이어 포비돈 요오드 액(povidone iodine)이 섞인 용액으로 세척하고 조직확장기를 원하는 위치에 놓고 가장 자리 날개와 주변 조직을 봉합하여 위치를 고정한다. 피판을 당겨 보아 조직확장기의 위치가 반대쪽 가슴의 위를 고려할 때 적절한지 다시 평가한다. 피부 스테이플러 등을 이용하여 일시 봉합하고, 피부의 당겨짐을 고려하여 생리식염수를 주입한다. 추가적으로 피부의 혈류 상태를 인도시아닌그린 염색액(indocyanine green dye)을 이용한 근적외선 카메라를 활용하여 확인하고 혈류가 좋지 않은 부분을 추가로 절제하는 것도 고려할 수 있다. 배액관은 조직확장기의 위쪽과 아래쪽에 두 개를 위치시키고 브라의 위치를 고려하여 피부로 뚫고 나올 지점을 정한다. 3-0 vicryl로 피하지방층을, 4-0 monosyn으로 진피층을 연속 봉합한 다음 피부접착제(skin bond)로 마무리한다. 피부의 장력을 확인하고 추가로 생리식염수를 주입할 수 있다.

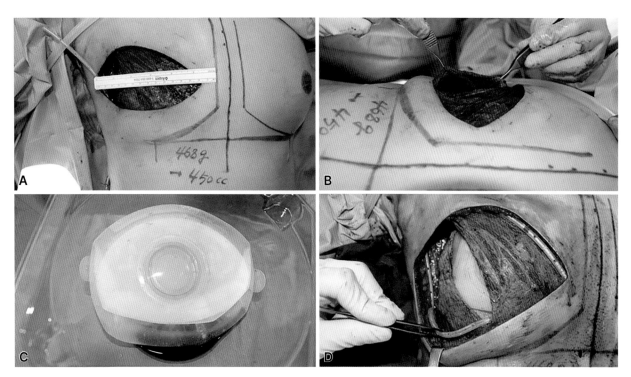

그림 3-3-6. (A) 가슴 폭과 절제된 무게를 고려하여 조직확장기 결정. (B) 대흉근과 전거근(근막)을 박리하여 공간 마련. (C) 조직확장기 준비. (D) 조직확장기를 준비된 공간에 위치시키고, 겨드랑이 부위와 대흉근 아래에 배액관을 각각 삽입.

(3) 두 번째 수술 계획

확장기를 삽입하고 창상 문제가 없는 경우 2주 후부터 생리식염수를 주입하여 확장을 진행한다. 한 번에 50 mL 가량을 2-3주 간격으로 주입하여 확장하게 되는데, 이때 환자의 불편감, 피부의 색깔 변화와 탄력 정도 등을 고려하여 적당량을 가감할 수 있다. 선행항암 후 방사선 치료가 필요한 경우에는 매주 방문하여 생리식염수 주입을 진행하여야 한다. 반 대쪽 가슴을 기준으로 주입을 완료할 시점을 결정하는데, 조직확장기를 제거하고 나면 피부 의 수축이 바로 진행되므로 반대쪽보다 좀 더 여유 있게 늘려 두는 것이 도움이 된다. 확장 이 종료되고 3-4개월이 경과한 다음 2차 수술을 계획하게 된다. 방사선 치료를 받은 경우 6 개월 또는 그 이상 두는 것이 창상 치유 지연이나 벌어짐 등의 합병증을 줄이는 데 도움이 될 수 있다.

(4) 조직확장기 제거와 보형물 삽입

유방절제술에 사용한 절개선을 따라 절개를 가한다. 절개선의 길이가 충분히 긴 경우, 1차 수술 후 남겨진 반흔 중에 만족스럽지 못한 일부만 절개를 가하면 절개선을 줄이고 이 후 회복에 도움이 될 수 있다. 절개선 주변으로 피하지방층으로 일부 박리하여 피부 절개선 과 보형물 피막의 절개선이 일치하지 않도록 주의한다. 유방밑주름의 위치가 적절한지 확인 하고, 당겨 올라온 경우 추가적으로 피막을 절개하여 높이를 조절하고, 낮은 경우 2-0, 3-0

vicryl로 적절한 높이에서 봉합하여 새로운 유방밑주름을 만들어준다. 조직확장기 주변으로 만들어진 피막에 절개를 가하고 추가로 박리하여 단단하게 붙은 반흔 조직을 끊어 주어 보형물이 자연스럽게 놓일 수 있고, 수술 후 당겨짐도 호전될 수 있다. 보형물 사이저(implant sizer)를 넣고 스킨 스테플러로 임시 고정하여 크기, 모양과 대칭을 확인한 후 충분히 지혈하고, 공간을 항생제, 포비돈 요오드 액이 섞인 용액으로 세척한다. 보형물이 크지 않은 경우 출혈과 장액종의 위험이 높지 않아 별도의 배액관을 넣지 않을 수 있다. 조직확장기 삽입술 때와 마찬가지로 3-0 vicryl, 4-0 monosyn으로 봉합하고 피부접착제로 마무리한다.

4) 수술 후 관리와 합병증

1차 수술 후 입원 기간은 창상의 치유 정도와 환자 상태, 배액관 양을 고려하여 결정하게 된다. 대개 수술 후 일주일 가량 소요되며 이 기간 동안은 팔의 움직임과 걷기 등의 동작을 제한하는데, 이는 조직확장기와 무세포진피기질의 위치 고정과 생착을 돕고 배액 되는 체액의 양을 빨리 감소시키려는 목적 때문이다. 퇴원 후에는 배액관을 제거한 피부에 연고를 바르고 바로 샤워를 할 수 있고, 팔은 가급적 적극적으로 사용하도록 하며, 걷기와 같은 일상적인 활동도 가능한 빨리 진행할 수 있도록 격려한다. 창상 부위의 회복과 단단함의 정도를 고려하여 무거운 물건을 드는 것은 4주 가량 제한을 하고, 엎드리거나 격렬한 운동은 6-8주 가량 경과한 이후에 시행하는 것이 필요할 수 있음도 설명한다. 탄력 있는 스포츠 브라 착용도 추가적으로 지혈에 도움이 되고 안정감을 주어 회복을 도울 수 있다.

2차 수술 후 배액관을 넣지 않은 경우 수술 후 다음 날 퇴원이 가능하고, 배액관을 넣은 경우 배액 되는 체액의 양에 따라 입원 기간이 달라질 수 있다. 1차 수술과 마찬가지로 회복을 위한 노력을 격려한다. 절개선 주위에 유두가 위치하게 되므로 6개월 가량 경과한 다음에 국소마취 하에서 유두를 만들고 2-3개월 경과한 후 문신으로 마무리할 수 있음도 설명한다.

(1) 혈종

혈종은 수술 후 1-2일 내에 나타나는 경우가 흔하다. 배액관의 색과 양을 면밀히 관찰하여 색이 지나치게 붉거나 검고, 양이 많은 경우 혈종 제거를 계획하는 것이 필요하다. 혈종은 피막 구축의 위험인자로 알려져 있기 때문이다. 발생 시기와 조직의 상태에 따라 혈종만 제거할 것인지, 조직확장기와 무세포진피기질도 제거하거나 교체할 것인지 결정이 쉽지 않은 경우가 많다. 따라서 혈종이 발생하지 않도록 주의할 필요가 있으며, 면밀한 지혈과 충분한 세척으로 확인할 필요가 있고, 지혈을 막고, 피막 구축을 막는 효과가 있을 수 있다고 알려져 있는 Tranexamic acid를 생리식염수에 녹여 마지막 세척에 사용하는 방법도 고려해 볼 수 있다. 또한 수술 후 입원 기간 동안은 가능하면 활동을 제한하는 것도 고려할 수 있다.

(2) 장액종

수술 후 발생한 그을음 같은 잔해, 조직 손상 등 다양한 원인이 장액의 원인이 될 수 있다. 다량의 장액이 오랜 기간 지속적으로 존재하는 경우 이차적으로 감염이 될 가능성이 있으며, 이로 인해 조직확장기나 보형물을 제거해야 하는 상황이 생길 수 있다. 따라서 감염에 대한 주의와 예방이 필요하다. 지혈 과정에서 불필요한 그을음이 발생하지 않도록 주의하고 충분히 세척하며, 겨드랑이과 광배근 옆으로 지나치게 큰 사강(dead space)이 만들어진 경우 3-0 vicryl을 이용하여 2-3차례 봉합을 시행하여 그 크기를 줄이기 위한 노력이 필요한 경우도 있다. 대개의 경우 장기간 배액관을 거치함으로써 해결이 가능하지만, 수술 후 입원 기간 동안 움직임을 제한하여 조직확장기, 보형물 등이 위치를 잡고 사강의 크기가 최소화된 상태로 창상의 치유가 이루어지도록 노력할 필요가 있다.

(3) 피부괴사

유방절제술 과정에서 피부피판이 얇게 남겨진 경우나 조직확장기 삽입 후 다량의 생리 식염수를 채운 경우 등에서 피부괴사가 발생할 수 있다. 피판의 두께가 얇지 않더라도 지혈 과정에서 주요한 혈관의 손상이 발생하였거나 화상을 입을 수 있고 이어서 피부괴사가 발생할 수 있으므로 지혈 과정에서 면밀한 주의가 필요하다. 피부가 괴사하여 외부로부터의 감염을 막지 못하게 되면 창상연이 무너지고 이어서 감염으로 진행되기도 한다. 따라서 수술 후 회복 과정에서 초기에 적절한 판단이 필요하고 조직확장기의 생리 식염수를 덜어 내고 괴사된 피부를 선제적으로 절제하는 것이 이후 치유 과정에 도움이 될 수 있음도 고려할 필요가 있다. 인도시아닌그린(indocyanine green) 염색약을 이용한 근적외선 카메라 촬영은 피판의 혈류 순환을 평가하는데 도움이 된다. 하지만 수술하는 의사의 경험과 판단도 주요한 역할을 담당하므로 면밀한 관찰이 반드시 필요하다.

(4) 감염

수술 전 예방적 항생제의 사용과 무균적 수술은 감염을 막는데 도움이 된다. 하지만 이외에도 피판의 혈류 상태와 조직의 손상 정도, 장액의 지속 여부, 환자의 전신 상태 등 다양한 인자들이 감염에 기여할 것으로 생각된다. 따라서 면밀한 경과 관찰이 필요하며, 경우에 따라서는 변연절제술과 같은 적극적인 치료를 선제적으로 시행하는 것도 고려해 볼 수 있다.

(5) 피막구축

피막구축은 보형물을 이용한 유방 수술에서 가장 흔하지만 반드시 해결이 필요한 경우가 많다는 점에서 중요한 합병증이다. 일반적으로 유방 확대술과 같은 미용 수술(5-19%)에 비해 재건 수술에서 피막 구축 발생률(19-25%)이 더 높은 것으로 알려져 있다. 베이커 분류법(Baker's classification) 기준으로 3 이상의 경우 수술적 치료가 필요할 수 있다. 다양한 가설들이 제안되었고, 원인들도 언급되어 있지만 만족스러운 치료 방법은 계속 연구가 필요한 상황이다. 수술 과정에서 조직의 손상을 최소화하기 위한 노력은 피막 구축을 예방하기 위해 반드시 필요할 것으로 생각된다.

☑ 참고문헌

1. Albornoz CR, et al. Diminishing relative contraindications for immediate breast reconstruction. Plast Reconstr Surg 2014;134:563e-569e.

2. Bellini E, Pesce M, Santi P, Raposio E. Two-Stage Tissue-Expander Breast Reconstruction: A Focus on the Surgical Technique. Biomed Res Int 2017;2017:1791546.

3. Chun YS, et al. Implant-based breast reconstruction using acellular dermal matrix and the risk of post-operative complications. Plast Reconstr Surg 2010;125:429-36.

4. Frey JD, Salibian AA, Karp NS, Choi M. Implant-Based Breast Reconstruction: Hot Topics, Controversies, and New Directions. Plast Reconstr Surg 2019;143:404e-416e.

5. Haddock N, Kadakia Y, Liu Yulun, Teotia SS. Prepectoral versus Subpectoral Tissue Expander Breast Reconstruction: A Historically Controlled, Propensity Score-Matched Comparison of Perioperative Outcomes. Plast Reconstr Surg 2022;148:1-9.

6. Kim JY, Connor CM. Focus on technique: two-stage implant-based breast reconstruction. Plast Reconstr Surg 2012;130:104S-115S.

7. Kim JY et al. A meta-analysis of human acellular dermis and submuscular tissue expander breast reconstruction. Plast Reconstr Surg 2012;129:28-41.

8. Kraenzlin F, et al. Tissue Expander-Based Breast Reconstruction in the Prepectoral Versus Subpectoral Plane: An Analysis of Short-Term Outcomes. Ann Plast Surg. 2021; 86: 19-23.

9. Nava MB. Expander-Implants breast reconstructions. In: Neligan PC editors. Plastic Surgery 3rd ed, vol. 5. Philadelphia: Saunders; 2013. p. 336-69.

10. O'Shaughnessy K. Evolution and update on current devices for prosthetic breast reconstruction. Gland Surg 2015;4:97-110.

11. Rawlani V et al. Tissue expander breast reconstruction using prehydrated human acellular dermis. Ann Plast Surg 2011;66:593-7.

12. Roh TS. Expander/Implant Breast Reconstruction. In: Na YC editors. Aesthetic Plastic Surgery, vol. 3. Republic of Korea Paju: Koonja; 2018. P. 301-18.

13. Saldanha IJ, et al. Implant-based Breast Reconstruction after Mastectomy for Breast Cancer: A Systematic Review and Meta-Analysis. Plast Reconstr Surg Glob Open 2022;10:e4179.

14. Salzberg CA et al. An 8-year experience of direct-to-implant immediate breast reconstruction using human acellular dermal matrix (Allo-Derm). Plast Reconstr Surg 2011;127:514-24.

15. Song WJ, Kang SG, Kim EK, Song SY, Lee JS, Lee JH, Jin WS. Current status of and trends in post-mastectomy breast reconstruction in Korea. Arch Plast Surg 2020;47:118-25.

16. Strock LL. Immediate two-stage breast reconstruction using a tissue expander and implant. In: Spear SL editors. Surgery of the breast 3rd ed, vol. 1. Philadelphia: Lippincott; Williams&Wilkins, 2011. P. 388-405.

17. Vardanian AJ, et al. Comparison of implant-based immediate breast reconstruction with and without acellular dermal matrix. Plast Reconstr Surg 2011;128:403e-410e.

보형물을 이용한 유방재건술에서의 교정술

Revisional operation

연세대학교 강남세브란스병원 성형외과 **김영석**

1. 서론

보형물을 이용한 유방재건술은 유방절제술 후 유방을 재건하는 가장 일반적인 방법 중 하나가 되었다. 이는 유방의 형태를 쉽고 빠르게 회복시키는 큰 장점을 가지고 있지만 유방의 크기나 돌출정도의 불균형, 보형물의 변위나 회전, 윤곽의 불규칙함이나 주름짐, 유두 위치의 변위나 피막구축 등의 이차적 합병증이 발생할 수 있다.

조직확장기 삽입술 후 보형물로 교체하는 단계적 재건법의 경우 즉시보형물삽입술(direct-to-implant)과는 달리 두번째 수술로 더 정확한 보형물의 위치조정과 더 나은 미용적 결과를 얻을 수 있지만, 즉시보형물삽입술 역시 상기 결과가 한번의 수술로 달성될 수 있으므로 나름대로의 장점이 있다.

보형물 재건 방법에 관계없이 보형물의 폭, 크기, 스타일 및 정확한 배치를 적절히 선택하면 이론적으로는 추가적인 교정술이 필요치 않다. 하지만 수술 후 발생할 수 있는 장액종(seroma), 혈종(hematoma), 감염 및 염증, 방사선치료 등으로 인하여 여러 부가적인 이차적 합병증이 발생할 수 있고, 아무리 훌륭한 성형외과 의사라 할지라도, 유방재건술 후 교정술을 피하기는 어렵다. 이 챕터에서는 보형물을 이용한 유방재건술 이후에 발생 가능한 이차적 합병증과 이를 개선하고 해결하는 방법에 대해 제시하고자 한다.

2. 보형물을 이용한 유방재건술에서의 교정술의 빈도

유방재건술 후 교정술의 실제 발생률은 환자가 다시 수술을 받고자 하는 욕구와 의지, 수술을 시행하는 주치의의 의지, 그리고 초기 수술의 미용적 결과와 유방의 균형 등 여러가지 변수에 달려 있다. 이러한 변수들은 매우 통제하기 어렵기 때문에 교정술의 빈도를 정확히 제시한 연구는 드물다. 미국의 Massachusetts General Hospital에서 즉시보형물삽입술 또는 조직확장기를 통한 보형물 삽입술을 통해 재건을 받은 432명의 환자의 682유방을 대상으로 한 후향적 연구에서 교정술의 빈도가 5년 동안 약 21%였다. The Mastectomy Reconstruction Outcomes Consortium (MROC) multicenter에서의 전향적 연구는 9개의 대학병원 및 2개의 민간 종합병원의 2,113명의 환자를 대상으로 유방재건 후 2년간의 결과를 평가했다. 수술 후 합병증이 없는 환자 1,534명에서 전체 교정술 비율은 40%였으며, 이 중 50%는 자가지방이식술이 차지했다. 이는 합병증이 없는 환자에게 국한된 비율이며, 환자에게 유방재건술 후의 합병증이 나타난 경우 교정술이 시행된 경우의 비율은 67%까지 증가했다.

3. 유방절제술 후 피부괴사 및 감염

유방절제술 후 피부피판의 혈행의 저하, 심한 경우 괴사가 일어날 수 있는데 이는 재건술 시 반드시 고려해야 하는 부분이다. 이러한 합병증의 빈도는 기관이나 외과의의 수술 성향에 따라 그 빈도가 매우 달라지므로 즉시유방재건을 시행하는 경우 피부의 혈행을 평가하는 ICG (indocyanine gree) angiography 등의 객관적 검사를 통해 그 빈도가 증가하는 것을 방지할 수 있다. 피부의 혈행이 좋지 않다고 판단되는 경우 조직확장기의 식염수 주입 정도를 조절하거나, 심한 경우 변연절제술을 시행해야 할 수 있다. 술전 즉시보형물삽입술을 계획한 경우 조직확장기 삽입술로 변경하거나 계획보다 작은 부피의 보형물을 사용해야 하는 경우도 있다(그림 3-4-1). 수술 후 피부괴사가 진행하는 경우는 역시 변연절제술 및 조직확장기의 부피를 더 줄이는 방법이 있고, 늑간혈관경(intercostal vessel)을 이용한 국소피판술로 피복할 수 있다. 광범위한 괴사가 나타난 경우는 자가조직인 광배근 피판으로 괴사된 피부조직을 대체하는 방법도 시도할 수 있으며, 여의치 않은 경우 보형물을 제거하고 지연재건을 고려한다.

보형물을 이용한 유방재건술에서의 감염은 매우 치명적이며 잘 조절되지 않을 경우 보형물을 제거해야 할뿐더러 조절된 이후에도 피막구축 등 장기적인 문제의 원인이 될 수 있다. 감염률은 약 2-6% 정도로 보고되고 있는데 미국 NSQIP (National Surgical Quality Improvement Program) database 연구 결과에 의하면 19,100케이스의 보형물재건 후 감염률을 3.8%로 보고하였고 Havard 그룹에서는 1,952케이스에서 감염률은 5.1%, salvage rate은 37.3%정도로 보고 하였다. Genova group의 1,293케이스에서는 8%의 감염률을 보고하였고 Salvage rate은 56%로 보고 하였는데 이 중에 조직확장기가 영구 보형물보다 복원률이 높다고 보고 하였다. 또한 보형물을 교체한 쪽이 항생제만 사용한 경우보다 복원 성공률이 높았다고 보고 했다.

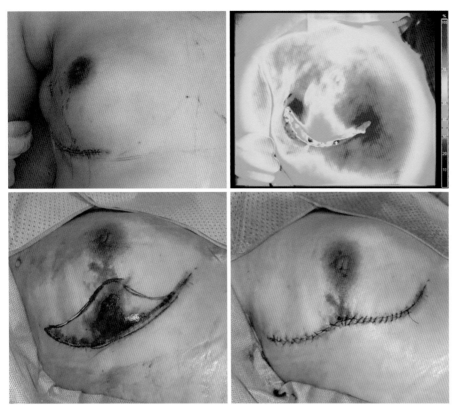

그림 3-4-1. 우측 유방절제술 및 조직확장기 재건술 시행 후 발생한 피부괴사. ICG angiography상 절개부에서 유두까지 삼각형태의 혈행 결손 부위가 관찰되었고 술후 비슷한 형태의 피부괴사가 발생하여 revision을 시행하였다.

감염의 원인으로는 당뇨, 비만, 화상 등의 환자 요인에서부터 유방절제후 피부괴사, 액와 림프절 수술, 항암치료, 방사선치료 등 피치 못할 원인도 있으나, ADM 사용 시 생착이 지연 되며 발생한 장액종 및 만성 염증, 배액관을 통한 상향감염(ascending infection) 등의 가능성 도 있으므로 반드시 고려해야 한다. 여러 연구에서 거친표면 보형물(textured implant)에서 감 염 등의 합병증 비율이 높다고 보고를 하고 있어, 스무스 보형물 사용도 감염을 줄이는 하나 의 방법이 될 수 있다. 감염을 예방하기 위해 수술 중 장갑교체나 항생제 용액으로 포켓 세 척, "no-touch" 삽입을 위한 funnel 사용 등 모든 무균적 절차를 철저하게 준수한다.

수술 후에 환자가 감염의 징후를 보이는 경우 빨리 내원하도록 교육해야 보형물 salvage rate을 올릴 수 있다. 가급적 빨리 균배양 검사를 하고 이후에 경험적 항생제를 사용하여야 하며, 장액종이나 농양이 있을 경우 반드시 배액 해주어야 한다. 균감염이 확실하다면 가 급적 빨리 수술 계획(surgical exploration)을 세워야 하며 수술 중에는 모든 염증조직을 제거 하고 특히 생착되지 않거나 감염된 ADM을 반드시 제거해 주어야 한다. 포켓의 상태에 따 라 보형물 재삽입 여부를 결정해야 하는데 흉벽(chest wall) 쪽에 purulent debris 나 심한 inflammatory rind가 있게 될 경우 바로 다시 보형물을 넣지는 않는 것이 좋다. 보형물 주 변의 감염이 심하지 않은 경우 보형물 재삽입이나 교체를 시도할 수도 있다(그림 3-4-2). 심한 감염이 명백한 경우 차후에도 보형물의 제거를 피하기 어려우므로 재삽입 환자에게는 이에 대해 주지시켜야 한다.

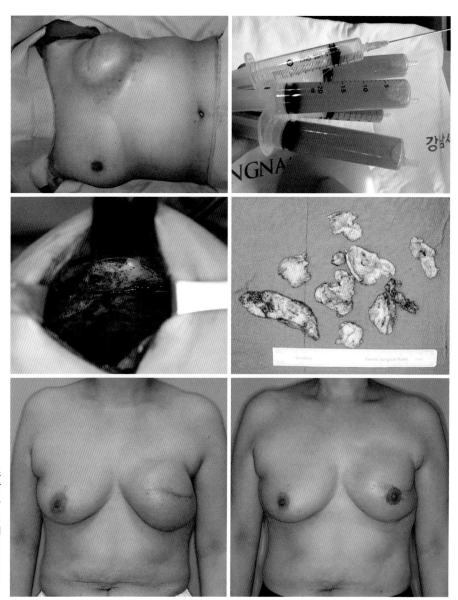

그림 3-4-2. 좌측 유방절제술 및 조직확장기 재건술 시행 후 발생한 감염. Skin erythema와 다량의 seroma가 발견되어 항생제 치료 및 복원 수술을 진행함. 생착되지 않은 ADM 및 감염된 포켓 내부를 깨끗이 제거하고 smooth implant로 교체. 복원 2개월 및 2년 후 사진들에서 외측 피막구축이 발생된 것을 볼 수 있음.

4. 유방 크기나 돌출(projection)정도의 교정

가장 흔하게 마주칠 수 있는 문제 중 하나는 적당한 크기의 보형물이 삽입되지 못한 경우로 비대칭이 발생된 경우이다. 이는 즉시보형물삽입술에서 일반적으로 발생할 수 있다. 유방절제술 후 피부피판의 혈행상태가 좋지 않은 경우, 조직확장기를 이용한 단계적 재건술 혹은 더 작은 보형물 삽입이라는 두 가지 차선책 중에서 한가지를 선택해야 한다. 더 작은 보형물 삽입을 할 경우 보형물 주변의 볼륨 부족, 비대칭, 그리고 유방이 충분히 돌출되지 않는 결과를 초래할 수 있다. 유방의 크기가 매우 작은 여성에서의 작은 여성의 문제는, 절제된 유방 볼륨과 유사한 기성제품 보형물이 결손부위를 채울 수 있는 너비(width)나 높이

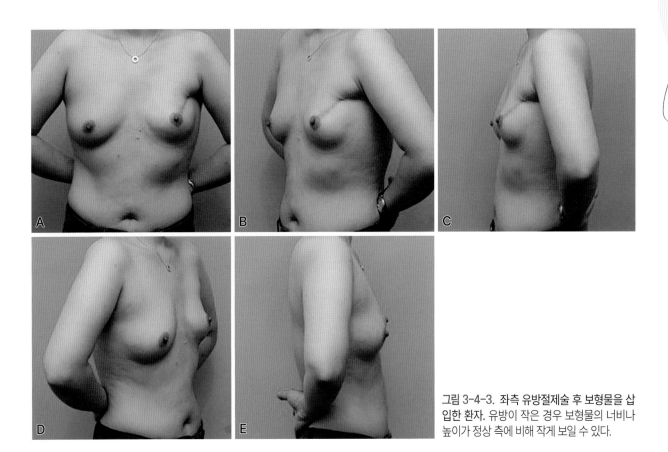

그림 3-4-3. 좌측 유방절제술 후 보형물을 삽입한 환자. 유방이 작은 경우 보형물의 너비나 높이가 정상 측에 비해 작게 보일 수 있다.

(height)를 가지지 못한다는 것이다(그림 4-3-3). 위의 두 가지 문제들은 더 큰 보형물로의 교체 혹은 지방이식 또는 둘 다 시행함으로 비교적 쉽게 교정될 수 있다. 지방이식술은 크기 조정에는 많은 영향을 미치지 못하고, 자연스럽지 못한 윤곽을 어느 정도 개선할 수 있다. 환자가 정상측 유방 확대까지 원할 경우에는 재건 측에, 훨씬 더 큰 임플란트를 넣어야 하며, 이 경우에는 유방 피부를 늘려주는 조직확장기를 넣는 것이 고려된다. 이를 위해서는 2차 수술에서 보형물로 교체 및 정상측 유방확대술을 시행하게 되며 환자에게 추가적인 수술이 필요하다는 것을 알려야 한다.

돌출정도의 교정은 보다 어려운 문제이다. 유방절제술은 원뿔형태의 유륜하 유방조직을 제거하기 때문에 유방을 납작하게 만든다. 이것은 피부보존유방절제술(skin-sparing mastectomy) 또는 피부를 많이 절제하는 유방절제술에서 가장 뚜렷하게 나타나지만, 유두보존유방절제술(nipple sparing mastectomy)에서도 나타난다. 유방 돌출정도에 대한 문제는 종종 보형물의 크기가 작거나 보형물의 변위가 동반되었을 때 눈에 띄게 된다.

이에 대한 치료는 보형물 크기 및 변위를 교정하거나, 돌출정도가 크고 과주입(overfilled)된 보형물 혹은 높은 코히시브-젤(highly cohesive gel) 양상의 보형물로의 교체를 고려하는 것이다. 지방이식은 보형물 교체 및 변위 교정에 대한 보조술로 사용될 수 있으나 정상유방에서의 돌출정도와 완전히 똑같이 보정할 수는 없다.

5. 보형물의 변위(Malposition) 교정

보형물 변위란 보형물이 잘못 위치됨을 의미한다. 이로 인해서 유방윤곽의 비대칭 및 불만족스러운 모양을 초래하고 때로는 불편함까지 유발한다. 보형물 변위의 이유로는 부정확한 보형물 배치, 내측이나 가측 구조의 불충분한 지지, 광범위한 유방전절제술, ADM 고정부위의 불유합(poor integration) 등을 들 수 있다. Spear 등은 Inamed silicone breast implant core study에서 6년간의 추적관찰에서 보형물의 변위가 유방재건술에서의 재수술이나 보형물 제거의 가장 일반적인 이유임을 보고했다. Clarke-Pearson 등은 2006년부터 2011년까지 보형물을 이용한 유방재건술을 받은 682건의 케이스에서 보형물 크기나 위치에 대한 교정술 비율이 5년 동안 약 10%임을 발견했다. 피부괴사나 감염, 상처열개와 같이 유방재건 환자에게서 나타날 수 있는 합병증이 존재하는 경우, 이러한 환자에 대한 교정술 필요성이 유의하게 증가했다(odds ratio [OR], 2.831; 95% CI, 1.562–5.130; P = 0.001).

보형물의 변위는 가장 일반적으로 측면(lateral)이나 하방(lower)으로 생긴다. 환자들은 보형물이 내려갔거나 서로 너무 멀리 떨어져 있다고 불평하는 경우가 많다. 이학적 검사 시 눕거나 서 있을 때 비대칭, 위쪽 윤곽의 꺼짐, 그리고 측면, 하방 변위가 있을 수 있다. 치료는 조직과 피막의 상태에 따라 결정된다.

피막봉합술(capsulorrhaphy)은 외측이나 하방 변위를 치료하는 가장 일반적인 방법이다. 보형물을 배치할 공간을 확보하고 적절한 내측 박리를 위해 피막의 위쪽이나 내측의 피막 절개술(capsulotomy)을 수행한다. 그런 다음 타원형의 피막을 보형물 주위로 조여주는데, 가슴 밑 선(inframammary fold)을 높이고, 흡수성 또는 비흡수성 봉합사로 보형물 위치를 내측으로 옮기기 위해 측면 또는 하방의 피막을 봉합한다(그림 3-4-4).

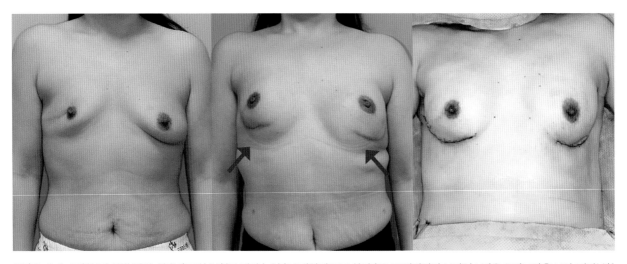

그림 3-4-4. 보형물의 하방 변위. 양측 흉근하 보형물 재건술 이후 3개월째 모두 하방측으로 변위되어 부자연스러운 유방모양을 보임. 피막봉합술을 통해 교정함.

하방에 넓어진 피막하공간을 줄이기 위해 맞닿은 피막 부분을 monopolar coagulator로 소작하여 서로 접착력을 높일 수 있다. Calobrace 등은 유방확대 환자에서 봉합 보강하지 않고 포셉 등으로 피막 전층을 집은 채로 소작하여 조이게 만드는 팝콘(Popcorn) 피막봉합술이 높은 성공률을 보인다는 것을 보고하였고 실제로 경도로 넓어진 피막하공간을 줄이는데 이러한 소작술은 매우 효과적이다. 피막이 얇고 약하거나 위치가 잘못된 경우 피막을 무세포 동종진피(Acellular dermal matrix, ADM)로 보강할 수도 있다. Arquero 등은 유방보형물 주변의 약한 피막이 보형물 변위를 유발할 수 있기에 이러한 경우 하중이 걸리는 면의 지지를 위해 해당 면의 피막봉합술을 시행 시 ADM을 덧대어 보강할 수 있음을 보고하였다.

보형물의 위쪽으로의 변위는 가장 일반적으로 피막구축(capsular contracture)과 관련이 있다(그림 4-3-3). 구축 외의 이유로는 유방 하측의 뻣뻣한 ADM 혹은 유방하주름의 위치를 잘못 고정함으로 인함이다. 치료로는 유방하측의 피막절개술이나 부분 피막절제술이 포함된다.

내측변위는 일반적으로 합유증(symmastia)이라고 하며, 좌우 유방 포켓이 연결되는 것을 포함한다. 흉골에 부착된 대흉근 밑에 보형물을 위치시키는 흉근하재건 보다 대흉근 위에 위치시키는 전흉근재건술(prepectoral reconstruction)에서 더 발생 가능성이 높다.

치료는 내측 피막봉합술을 시행하며, 이 경우 조직이 상당히 약하기 때문에, 인공진피를 사용하여 보강해주고, 재발을 방지하는 것이 좋다. Spear 등이 유방확대술에서 합유증을 교정하기 위해 제안한 바처럼 새로운 흉근하포켓(subpectoral neo-pocket creation)을 만들어 흉골쪽으로 열려 있는 내측 공간을 닫는 방법도 사용해볼 수 있다. 보형물을 외측으로 재위치 시키려면 당연히 외측 피막절개가 필요한 경우가 많다.

6. Rippling과 Contour Irregularities 교정

보형물을 이용한 유방재건술 후 피부를 통해 보형물이 비치며 rippling(잔물결모양)으로 보일 수 있으며 피부 표면이 고르지 않게 나타날 수 있다(그림 3-4-5). 이는 일반적으로 얇은 피부를 가진 환자의 경우나, 피부 외피에서 보형물이 유리되어 있는 경우, 식염수 또는 과소주입(underfilled)된 실리콘 보형물을 사용한 경우 나타난다. 흉근하재건술, 전흉근재건술에서 모두에서 볼 수 있지만, 연부조직으로 덜 덮이고 대흉근의 지지가 부족한 전흉근재건술에서 더 흔하다. Contour irregularities는 rippling과 함께 발생하는데, 위쪽, 외측, 내측이 움푹 파여 보이거나, 피부가 남거나, 납작하거나 불균일한 모양으로도 나타날 수 있다.

Rippling과 재건된 유방의 contour irregularity를 치료하는 데는 세 가지 주요 방법이

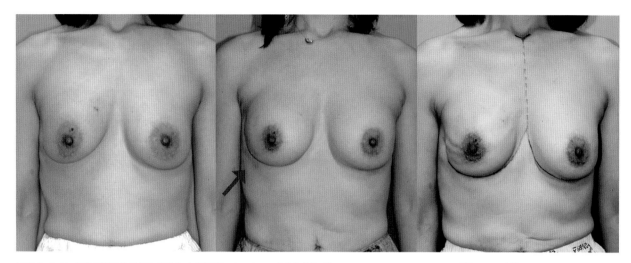

그림 3-4-5. 우측 전흉근보형물 재건술 후 발생한 Rippling. 피막절제술 및 highly cohesive full-filled보형물로 교정함.

있다. 이러한 방법은 단독으로 또는 동시에 사용할 수 있다. 첫째, 앞서 언급된 MROC연구에 따르면 Rippling을 치료하는 주요 방법은 지방이식이다. 한 차례 또는 수회의 지방이식을 통해 contour를 부드럽게 하고 보형물의 가장자리나 울퉁불퉁한 표면이 눈에 덜 띄게 할 수 있다. 앞서 언급된 Massachusetts General Hospital series에서도 흡연, 이전의 방사선치료, 피부괴사가 있는 경우 지방이식 수술에 대한 필요성이 증가한 것으로 나타났다.

둘째 방법은 결합력이 높거나 더 큰 사이즈의 보형물을 고려하는 것이다. 과주입(over-filled) 보형물이나 높은 코히시브 보형물(highly cohesive implant)을 선택할 수 있다(그림 3-4-5). Sigalove 등은 64명의 환자를 대상으로 full-filled implant인 Inspira implant (Allergan, Dublin, Ireland)로 유방 교정 수술을 시행하여 단기적으로 만족스러운 결과를 얻었다. 마지막으로, 피막봉합술을 시행하되 손에 장갑을 낀 것처럼(hand-in-glove fit) 보형물 주변의 피막을 조여줄 수 있다(그림 3-4-6). 전흉근재건술에서 상기 방법들이 성공적이지 못할 경우, 흉근하로의 보형물 위치 변경을 고려할 수 있다.

7. Animation Deformity 교정

애니메이션 변형은 대흉근의 수축으로 보형물이 움직이면서 생기는 피부의 뒤틀림을 이른다. 보형물의 움직임은 전흉근재건술과 흉근하재건에서 모두 발생할 수 있지만, 흉근하재건에서 더 두드러지며, 피부의 변형은 거의 흉근하재건의 경우 나타난다. 대부분의 환자에게서 애니메이션은 경미하지만 어떤 경우는 심각할 수 있다. 정도가 심하거나 환자가 증상을 호소하는 애니메이션의 경우 보형물의 위치를 흉근 앞쪽면으로 전환하는 것이 추천된다. Gabriel 등은 57명의 환자를 대상으로 흉근 윗면으로 보형물의 위치를 전환하여 애니메

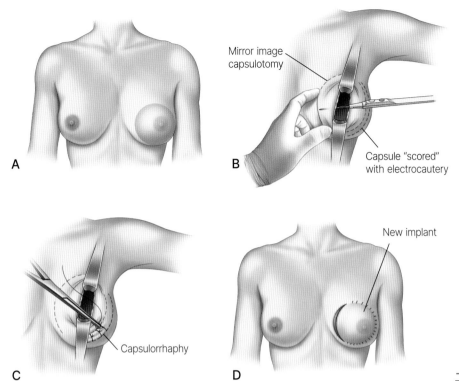

Mirror image
capsulotomy

Capsule "scored"
with electrocautery

Capsulorrhaphy

New implant

A   B   C   D

그림 3-4-6. 피막봉합술.

이선의 완전한 해결과 낮은 합병증 발생률을 보였다(그림 3-4-7). 애니메이션이 해결되지만, 환
자에게는 임플란트 윤곽이 더 잘 보이고 rippling이 일어날 가능성이 더 높다는 것을 설명해
야 한다. ADM은 일반적으로 연부조직 강화를 위해 사용되며 보형물 전체를 감싸거나(full
wrapping), 전방피복(anterior coverage)로 위치시킬 수 있다.

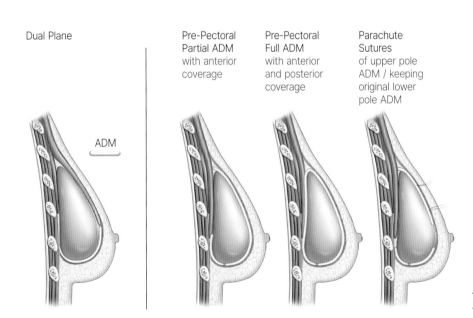

Dual Plane

Pre-Pectoral
Partial ADM
with anterior
coverage

Pre-Pectoral
Full ADM
with anterior
and posterior
coverage

Parachute
Sutures
of upper pole
ADM / keeping
original lower
pole ADM

ADM

그림 3-4-7. Animation deformity
교정을 위한 보형물 삽입면의 변화.

8. 피막구축(Capsular Contracture) 교정

피막구축은 보형물을 이용한 재건에서 나타나는 가장 흔한 장기적인 합병증이다. Mentor silicone implant core study에서, 6년간의 재건환자 중 Baker Grade III/IV 피막구축은 13.7%였다. 피막구축의 병인은 아직 모호하나, 통계적으로 관련된 인자로는 바이오필름(biofilm), 혈종, 방사선치료, 보형물 파열 등이 있다. Clarke-Pearson은 혈종 환자(OR, 6.13; 95% CI, 1.103–34.79, P = 0.038)와 유방절제술 후 방사선치료를 받은 환자(OR, 3.477; 95% CI, 1.264–9.562; P = 0.016)에서 피막구축 위험이 증가했다고 보고했다. 피막구축에 대한 일반적인 예방법으로는 montelukast와 같은 leukotriene antagonist (류코트리엔 길항제)의 투여이다. 비록 최근 FDA에서 montelukast의 serious mental health side effects에 대한 Booxed warning이 있었지만, 1,710개의 유방보형물을 포함하는 Wang 등의 최근 메타 분석에 의하면 leukotriene antagonist 사용시 피막구축 발생률이 유의미하게 감소함을 보고하였다.

피막구축이 지속되거나 악화되는 경우, 수술적 치료를 고려하는데, 가장 확실한 치료 방법은 두꺼워진 피막에 대해 부분적 또는 전체 피막절제술(partial or total capsulectomy)을 시행하고 보형물을 교체하는 것이다(그림 3-4-8). 경우에 따라서는 Zingaretti 등이 설명한 바와 같이 피부 두께가 적당하다면 피막절제를 시행하는 것 대신에 피막 앞의 공간(precapsular space)을 박리해서 보형물이 삽입된 면을 바꿔주는 방법도 고려해볼 수 있다. 이는 피막 뒤쪽을 박리할 필요가 없으므로, 출혈 및 기흉의 발생을 줄일 수 있다. 부분적 또는 전체적 피막절제술의 경우 박리된 연부조직에서 혈액, 장액이 생성되는 경향이 있으므로 배액관을 넣는 것을 권장한다. 단순한 피막절개술만으로 grade III/IV 구축을 해결하기는 어렵다. 가급

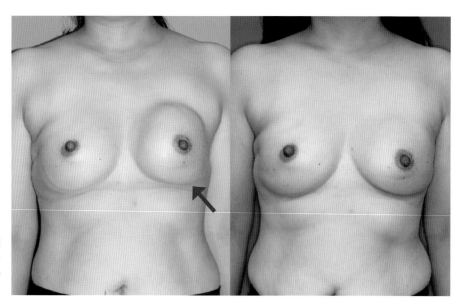

그림 3-4-8. 좌측 전흉근보형물 재건술 후 발생한 capsular contracture를 partial capsulectomy를 통해 교정함.

적 피막절제술을 시행해야만 한다. 보형물 포켓을 조절하며, 구축재발을 완화시키기 위해 ADM의 삽입을 고려해볼 수 있다. 과거에는 거친표면 보형물(textured implant)이 피막 구축을 해결하는 또 다른 방법으로 고려되었으나, Biocell 거친표면 보형물의 리콜 사태로 인해 이는 더이상 선호되지 않고 있다.

유방절제술 후 방사선치료와 관련된 피막구축은 해결하기가 더욱 어렵다. 조직확장기에 대한 방사선치료에 비해 최종 보형물의 방사선치료와 관련된 전체적인 합병증은 더 적게 보고되고 있고, 흉근하재건술 보다 전흉근재건술에서 피막구축의 발생률이 적은 것으로 보고되고 있다. 방사선으로 인한 피막구축의 경우 ADM의 삽입 여부와 관계없이 피막절개나 부분피막절제술 만으로는 개선이 없는 경우가 많다. 이러한 경우 자가조직 재건으로 전환을 고려해 볼 수 있다. 피막구축이 통증을 유발하지 않고 모양이 나쁘지 않다면 방사선치료를 받지 않은 반대편 유방을 교정하여 대칭성을 회복시킬 수도 있다.

9. 유두의 변위(Nipple Malposition) 교정

유두보존유방절제술의 적응증이 증가함에 따라 유방재건을 할 경우 유두 위치를 최적화하기 위해 노력해야 한다. 수술 후에 유두 변위가 발생할 경우 교정이 쉽지 않기 때문에 근원적으로 변위가 발생하지 않게끔 하는 것이 중요하다.

가장 일반적인 실수는 너무 폭이 좁은 보형물을 사용함으로써, 유두를 유방의 중심에 위치시키는 것이 어려운 경우이다. 보형물을 이용한 유방재건술의 경우 수술 직후에도 유두가 비교적 외측에 위치하는 경우가 많으며, 돌출정도(projection)가 큰 보형물을 사용하거나 조직확장기로 팽창시키면 더욱 외측으로 이동할 수 있다. 유두보존유방절제술은 유두 존재로 인해 돌출정도를 어느정도 유지할 수 있기에 좀 더 폭이 넓고 돌출정도가 적은 보형물도 사용할 수 있다.

유방절제술 시 절개선의 위치 또한 전반적인 결과와 유두의 위치에 영향을 미칠 수 있다. Colwell 등은 grade II/III의 유방처짐(ptotic breast)이 있는 환자에 있어서, 수직절개가 유두의 가쪽으로의 변위를 예방하는 데 도움이 될 수 있다고 주장하였다.

유두가 이상적이지 않은 위치에 있는 경우 교정을 위한 몇 가지 전략이 있다.

Choi와 Karp은 77건의 유두변위를 가진 유방재건술 케이스에서, 초승달 모양의 유륜주위 절제술(crescent periareolar excision)과 direct skin excision이 유두 위치를 교정하는 가장 좋은 방법이라 보고 하였다. 유두의 외측 변위(lateral malposition)의 경우 외측 피막봉합술과 함께 폭이 더 넓은 보형물로의 교체로 개선할 수 있다. 부분적 또는 전체적인 수직유방고정술(vertical mastopexy)은 피부조직이 충분한 두께를 가지고 있을 경우 고려된다. 유륜의 표피를 얇게 제거할 때 주의를 기울여야 하며, 과교정이나 피부에 가해지는 장력이 증가하여 유두로의 혈행이 저해되는 것을 방지해야 한다.

10. Implant Rotation or Flipping 교정

보형물의 회전(rotation)은 거친표면의 해부학적 보형물(textured anatomical implant)을 사용할 경우 나타날 수 있다. 회전의 원인으로는 보형물 주위의 피막이 보형물 표면에 충분히 붙어서 조여지지 않거나 흉근하재건술의 경우 시간이 지남에 따라 대흉근의 움직임으로 인해 보형물이 근육방향으로 돌아가면서 발생하게 된다. 같은 해부학적 보형물이라 할지라도 표면의 거침 정도(surface roughness)가 덜한 보형물에서 회전 합병증이 더 많이 발생한다. 보형물 회전이 생길 경우, 유방의 형태가 비정상적으로 보이게 되므로 발생 즉시 이에 대한 교정이 필요하다. 이에 대한 치료는 간단하게 보형물의 위치를 교정하고 피막봉합술을 재시행하거나 아예 라운드 형태의 부드러운 표면을 가진 보형물로 교체를 고려해야 한다.

보형물이 앞뒤로 뒤집히는 경우(flipping)는 돌출정도(projection)가 크고 결합력이 강하며 표면이 부드러운 보형물(extra-high-projection, cohesive, smooth, round implants)에서 발생될 수 있는 새로운 현상이다. 모든 부드러운 표면의 둥근 보형물은 포켓 안에서 어느 정도 움직이며, 앞뒤가 뒤집힐 수 있다. 보형물의 뒤쪽 탭이 느껴지는 경우를 제외하고는 일반적으로 임상적으로 눈에 띄지 않는다. 하지만 그 extra-high-projection의 부드러운 표면의 보형물일 경우는 앞뒤로 뒤집혔을 때 유방모양의 변화와 돌출정도의 변화로 눈에 띄게 된다. 진료실

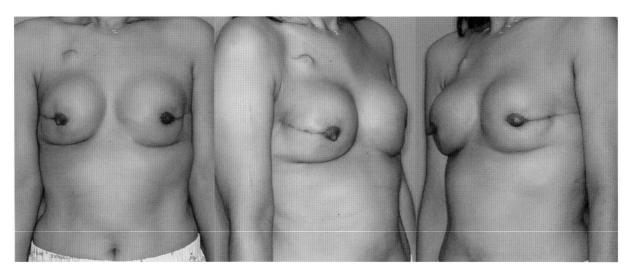

그림 3-4-9. Anatominal cohesive gel implant를 이용하여 양측 흉근하 보형물 재건술 후 발생한 양측 보형물 회전(implant rotation) 증례. 우측은 반시계방향, 좌측은 시계방향으로 회전하여 보형물의 하부(lower pole)가 각 유방의 superomedial 쪽에 위치하고 있음. 외측 피막절개술 및 내측 피막봉합술로 교정술 후 비교적 모양이 잘 유지되고 있음.

에서 보형물을 올바른 방향으로 뒤집을 수도 있지만, 이는 일반적으로 이동성이 남아 있게 되고 이로 인해 임플란트가 추후 다시 뒤집힐 가능성이 있기 때문에, 문제에 대한 근원적인 해결책은 아니다. 수술적 치료로는 피막으로 포켓을 조이고 결합력이 덜하며(less cohesive) 표면이 부드럽고 둥근 보형물, 혹은 높이가 더 낮고(lower profile) 결합력이 높으며 표면이 둥근 보형물로 교환하는 것을 고려할 수 있다.

11. 결론

보형물 기반 유방재건술에서는 많은 변수들에 의해 비이상적인 결과가 흔하게 발생하며, 일반적으로 교정술을 통해 더 좋은 결과를 얻을 수 있다. 자가지방이식술, 피막 교정술, 보형물의 타입이나 크기의 교체를 통해 유방재건술의 결과를 더욱 개선할 수 있다.

☑ 참고문헌

1. Colwell AS. Correction of Suboptimal Results in Implant-Based Breast Reconstruction. Aesthet Surg J 2020;40(Suppl 2):S38-S44.

2. Arquero PS, Zanata FC, Ferreira LM, Nahas FX. Capsular Weakness around Breast Implant: A Non-Recognized Complication. World J Plast Surg 2015;4(2):168-74.

3. Calobrace MB, Mays C, Wilson R, Wermeling R. Popcorn Capsulorrhaphy in Revision Aesthetic Breast Surgery, Aesthetic Surgery Journal, Volume 40, Issue 1, January 2020, P. 63-74.

4. Choi M, Frey JD, Salibian AA, Karp NS. Nipple-Areola Complex Malposition in Nipple-Sparing Mastectomy: A Review of Risk Factors and Corrective Techniques from Greater than 1000 Reconstructions. Plast Reconstr Surg 2017;140(2):247e-257e.

5. Clarke-Pearson EM, Lin AM, Hertl C, Austen WG, Colwell AS. Revisions in Implant-Based Breast Reconstruction: How Does Direct-to-Implant Measure Up? Plast Reconstr Surg 2016;137(6):1690-9.

6. Colwell AS, Taylor E, Specht M, Orringer JS. Optimizing Nipple Position following Nipple-Sparing Mastectomy. Plast Reconstr Surg Glob Open 2017;5(9):e1490.

7. Cunningham B. The Mentor Core Study on Silicone MemoryGel Breast Implants. Plast Reconstr Surg 2007;120(7 Suppl 1):19S-29S.

8. Franchelli S, Pesce M, Baldelli I, Marchese A, Santi P, De Maria A. Analysis of clinical management of infected breast implants and of factors associated to successful breast pocket salvage in infections occurring after breast reconstruction. Int J Infect Dis 2018;71:67-72.

9. Gabriel A, Sigalove S, Sigalove NM, et al. Prepectoral Revision Breast Reconstruction for Treatment of Implant-Associated Animation Deformity: A Review of 102 Reconstructions. Aesthet Surg J 2018;38(5):519-26.

10. Ibrahim AMS, Shuster M, Koolen PGL, et al. Analysis of the National Surgical Quality Improvement Program database in 19,100 patients undergoing implant-based breast reconstruction: complication rates with acellular dermal matrix. Plast Reconstr Surg 2013;132(5):1057-66.

11. Jones GE. Bostwick's Plastic and Reconstructive Breast Surgery. NEW YORK: Thieme Medical

Publishers, Incorporated; 2020.

12. Nelson JA, Voineskos SH, Qi J, et al. Elective Revisions after Breast Reconstruction: Results from the Mastectomy Reconstruction Outcomes Consortium. Plast Reconstr Surg 2019;144(6):1280-90.

13. Paul E. Chasan, MD, Cameron S. Francis, Capsulorrhaphy for Revisionary Breast Surgery, Aesthetic Surgery Journal, Volume 28, Issue 1, January 2008, P. 63-9.

14. Prince MD, Suber JS, Aya-Ay ML, et al. Prosthesis salvage in breast reconstruction patients with periprosthetic infection and exposure. Plast Reconstr Surg 2012;129(1):42-8.

15. Reish RG, Damjanovic B, Austen WG Jr, et al. Infection following implant-based reconstruction in 1952 consecutive breast reconstructions: salvage rates and predictors of success. Plast Reconstr Surg 2013;131(6):1223-30.

16. Scuderi N, Mazzocchi M, Fioramonti P, Bistoni G. The effects of zafirlukast on capsular contracture: preliminary report. Aesthetic Plast Surg 2006;30(5):513-20.

17. Sigalove S, Maxwell GP, Gabriel A. Outcomes Utilizing Inspira Implants in Revisionary Reconstructive Surgery. Plast Reconstr Surg 2019;144(1S Utilizing a Spectrum of Cohesive Implants in Aesthetic and Reconstructive Breast Surgery):66S-72S.

18. Spear SL, Murphy DK, Slicton A, Walker PS; Inamed Silicone Breast Implant U.S. Study Group. Inamed silicone breast implant core study results at 6 years. Plast Reconstr Surg. 2007;120(7 Suppl 1):8S-16S.

19. Wang Y, Tian J, Liu J. Suppressive Effect of Leukotriene Antagonists on Capsular Contracture in Patients Who Underwent Breast Surgery with Prosthesis: A Meta-Analysis. Plast Reconstr Surg 2020;145(4):901-11.

20. Zingaretti N, De Lorenzi F, Dell'Antonia F, De Biasio F, Riccio M, Parodi PC. The Use of "Precapsular Space" in Secondary Breast Reconstruction. Aesthetic Plast Surg 2016;40(5):716-23.

보형물 재건과 방사선 요법

Implant reconstruction and radiation

성균관대학교 삼성서울병원 성형외과 **변재경**

1. 유방암 환자에서의 방사선 치료

방사선치료는 항암화학요법, 호르몬 치료와 함께 유방암 치료의 중요한 구성 요소이며 일부 유방암 환자에서 국소 재발을 줄이고 장기 생존을 향상시킨다. 하지만 방사선치료는 보형물을 이용한 유방재건에서 장단기 합병증 발생률을 높이고, 심미적 결과에도 영향을 미치는 것으로 알려져 있다.

미국 종합암 네트워크(National Comprehensive Cancer network, NCCN)에 따르면 4개 이상의 액와 림프절 전이가 있는 경우 방사선 치료를 시행하며, 1–3개의 액와 림프절에 전이가 있거나, 액와 림프절 전이가 없더라도 종양의 크기가 5 cm 이상인 경우 방사선 치료를 고려한다. 절제 후 종양과 절제연 간의 거리가 1 mm 이하인 경우에는 중앙/내측 종양, 2 cm 이상의 종양, 저연령 또는 광범위한 림프 혈관 침범(lymphovascular invasion, LVI) 등의 고위험 인자가 있는 경우 방사선 치료를 고려한다. 부분 유방 절제술(breast conserving surgery, BCS)을 받은 유방 보존 환자는 임신 중이거나 이전에 흉벽 또는 전체 유방 방사선 요법을 받은 적이 있거나 70세 이상이면서 호르몬 수용체 양성인 경우를 제외하고, 전체 유방 방사선 요법을 받아야 한다. 전체 유방 방사선 치료를 시행하지 않은 환자는 국소 재발 위험이 3배 더 높고 사망 위험은 8.6% 증가한다.

전체 유방 조직을 대상으로 한 전체 유방 방사선 요법(Whole breast radiation therapy, WBRT), 유방 조직에 동측 흉벽을 포함하는 흉벽 방사선 요법(Chest wall radiation therapy), 국소 림프절 방사선 요법(Regional nodal radiation therapy) 등을 시행할 수 있다. 전체 유방 방사선 요법은 유방, 피하 조직, 흉벽, 흉터, 배액관 부위를 표적으로 하며, 45–50 Gy의 선량을 목표로 한다. 염증성 유방암 환자, 국소 재발 위험이 높은 환자(50세 미만, 악성 림프절, 림프혈관 침범, 가까운 종양절제연)의 경우 10–16 Gy의 추가 방사선 투여를 시행한다.

表 3-5-1. 저분할 전유방 방사선 요버브이 적응증*

1. 나이 50세 이상
2. 병리학적 병기가 T1–2N0 이고 유방보존술을 시행한 경우
3. 항암화학치료를 받지 않은 환자
4. 유방의 중심축에서 방사선의 최소 용량이 처방 용량의 93% 이상이고 최대 용량이 처방 용량의 107% 이하 범위에 포함됨

* 저분할 전유방 방사선 요법을 시행하기 위해서 환자는 유방보존술의 적응증도 만족해야 한다. 임신중이거나, 결합혈관조직 질환의 병력이 있거나, 이전에 방사선 치료를 받았거나, 다중심성(multicentric) 병변이 있는 경우 유방보존술이 금기이다.

그동안 유방암 조직이 분획당 용량(dose per fraction)에 덜 민감하다는 가정에 따라 유방암 조직만을 파괴하고 건강한 조직을 보존하기 위해 매일 소량의 분획으로 방사선 치료를 시행하였다. 하지만 방사선 치료 기간을 줄이기 위한 저분할 전유방 방사선 치료에 대한 연구가 있었고, 전통적인 전유방 방사선 요법과 저분할 전유방 방사선 요법에 국소재발율 및 장기 독성에 차이가 없다는 것이 밝혀졌다. 저분할 전유방 방사선 요법은 아직 3상 연구가 진행 중으로 현재는 제한된 환자군(표 3-5-1)에서만 고려 가능하다.

최근에는 조기 유방암으로 진단된 선별된 저위험 환자에 대해 전체 유방 방사선요법 대신 가속 부분 유방 조사(accelerated partial breast irradiation, APBI)를 시행하기도 한다. 절제연에서 2 cm 주변까지 더 큰 분획, 더 적은 횟수로 조사하여 동등한 조사량을 제공하면서 치료 기간을 단축한다. 유방확대술 후 부분유방절제술 및 방사선 치료를 받은 환자를 대상으로 한 연구에 따르면 전체 유방 방사선 요법에 비해 가속 부분 유방 조사는 방사선 치료 후 보형물의 구형 구축 위험을 줄일 수 있다. 가속 부분 유방 조사를 시행할 수 있는 환자에 대한 기준은 표 3-5-2와 같다.

2. 방사선 요법의 독성

1) 급성 및 만성 독성

방사선이 조사된 피부와 연부조직은 방사선에 의한 급성 및 만성 독성을 겪게 된다. 급성 독성은 방사선 치료 과정 중 또는 직후에 나타나는 가역적 손상으로 피부 홍반, 박리, 부종, 과다색소침착 등을 특징으로 하여 방사선 치료를 받은 환자의 85% 이상에서 발생한다. 지연 급성 독성은 치료 완료 후 6주에서 6개월 사이에 발생하는 가역적인 손상이다. 급성 독성과 지연 급성 독성은 총 선량, 조사되는 체적의 크기, 화학요법과 같은 방사선 과민성 약물과 관련이 있다. 후기 독성은 방사선 치료 완료 후 6개월 이후에 발생한다. 세포 재생이 느리고 줄기세포에서 다시 증식할 수 없는 세포들의 수명 주기가 끝날 때 후기 독성으로 나타나며 수년에 걸친 섬유증을 특징으로 하여 피부 위축, 건조, 모세혈관확장증, 색소이상 등을 보인다. 후기 독성은 방사선 분획 크기와 방사선의 유형과 관련이 있다(그림 3-5-1).

표 3-5-2. 가속 부분 유방 조사를 시행할 수 있는 환자에 대한 기준

	적합	경고	부적합
나이	60세 이상	50-59세	50세 미만
BRCA 1/2 돌연변이	없음		있음
종양 크기	2 cm 이하	2.1-3 cm	3 cm 초과
T 병기	T1	T0 or T2	T3-4
절제연	음성(2 mm 이상)	가까움(2 mm 이하)	양성
등급	상관 없음		
림프혈관침윤	없음	제한적/국소적	광범위함
다중심성	단심성	임상적으로 단초점 (총 크기 2.1-3 cm)	임상적으로 다초점이거나 현미경적으로 3cm 이상
조직학	침윤성 유관암, 점액암, 관상암, 교질암	침윤성 소엽암	
순수 유관 상피내암	허용되지 않음	3 cm 이하	3 cm 이상
광범위한 관내 상피암 성분	허용되지 않음	3 cm 이하	3 cm 이상
소엽 상피내암 연관	허용됨		
N 병기	pN0(i-, i+)		pN1, pN2, pN3
림프절 수술	감시림프절 생검 또는 액와림프절 절제술		시행하지 않음
선행항암요법	허용되지 않음		시행됨

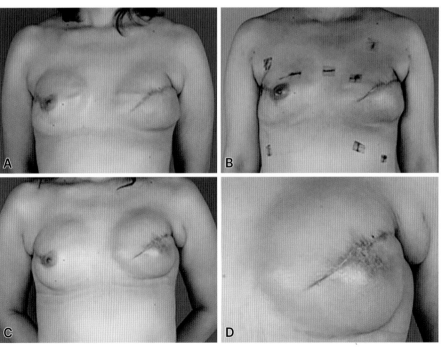

그림 3-5-1. 방사선 치료 후 유방 피부의 변화. 양측 유방암에 대해 우측 유두 보존 유방전절제술 및 조직 확장기 삽입술, 좌측 유방전절제술 및 조직확장기 삽입술 시행 후 좌측 유방에 대해 방사선 요법을 시행하 였다. (A) 방사선 치료 종료 당일 사진. 피부 홍반, 부종 등 급성 독성이 관찰된다. (B) 방사선 치료 종료 6개 월 후 사진. 급성 독성이 호전되었다. (C), (D) 방사선 치료 종료 18개월 후 조직확장기 제거 및 유방보형물 삽입술을 시행하였다. 보형물 삽입 수술 2개월 후 모습. 모세혈관확장증, 색소 침착의 후기 독성을 보이며 유방 피부 피판이 얇아져 있다.

2) 방사선 유발 섬유증(Radiotherapy Induced Fibrosis; RIF)

방사선 유발 섬유증은 잘못된 상처 회복 과정의 결과로 나타나는 방사선 치료의 장기적인 부작용이다. 방사선치료는 직접적인 DNA 손상을 일으키는 것 외에 전리방사선이 활성산소와 질소종을 생성하여 국소 염증 반응을 일으킨다. 이 국소 염증 반응은 궁극적으로 콜라겐 침착 증가, 혈관 분포 감소, 흉터를 특징으로 하는 섬유화 과정으로 진행하게 된다. 방사선에 의해 자극된 섬유아세포는 근섬유아세포로 전환되며 이러한 근섬유아세포는 과도한 증식뿐만 아니라 콜라겐, 세포 외 기질 성분을 생성한다.

방사선 요법의 총 선량, 분획당 선량, 치료된 조직의 부피, 치료 전달 시간은 방사선 유발 섬유증의 위험을 증가시키는 요인이다. 방사선량이 증가하고 분할 횟수가 적을수록, 방사선 조사 부위가 넓고 치료 기간이 길수록 방사선 유발 섬유증이 증가한다. 또한 화학요법의 동시 진행, 기존 결합 조직 질환도 방사선 유발 섬유증에 기여할 수 있다. 특히 전신성 경피증(systemic scleroderma), 전신성 홍반성 루푸스(systemic lupus erythematosus), 마르판 증후군 환자는 심각한 방사선 유발섬유증으로의 진행에 더 취약하다.

최근에는 유전자도 방사선 유발 섬유증의 발생에 일부 관여하는 것으로 알려졌다. 대표적으로 ataxia-telangiectasia (ATM) 유전자는 DNA의 이중 가닥 손상의 회복 역할을 하며, ATM 유전자의 변형이 있는 경우 유방암에 대한 방사선 치료 후 방사선 유발 섬유증의 위험을 증가시킨다. 이 외에도 SOD2, XRCC1, XRCC3, TFGb1, RAD21 단백질을 코딩하는 유전자의 단일 뉴클레오타이드 다형성이 방사선 유발 섬유증 경향에 관여하는 것으로 확인되었다. 이러한 DNA 변화는 장기적이고, 방사선 조사가 끝난 이후에도 방사선 손상에 대한 만성 섬유화 반응에 중요한 역할 가능성이 높다.

방사선 유발 섬유증을 관리하기 위해 제일 중요한 것은 예방이다. 방사선량과 조사된 조직의 부피가 가장 중요한 위험요인이므로 이를 최소화 하는 것이 가장 먼저 고려되어야 한다. 최근에 도입된 3차원 입체조형치료(3-Dimensional conformal radiotherapy) 기술은 방사선 치료의 대부분을 주변 조직이 아닌 종양으로 향하게 하여 정상 조직의 손상을 최소화한다.

방사선 유발 섬유증 치료의 주요 목표는 기질 합성 억제와 염증 감소이다. 분자 수준의 억제부터 세포 이식까지 다양한 기술을 사용한 전임상 모델에 대한 연구가 진행중이다. 유방암에서 항염증성 펜톡시필린(Pentoxifylline)과 비타민 E의 투약은 방사선 유발 섬유증 환자에서 조직탄성을 향상시키는 것으로 나타났다. 또한 혈관내피성장인자(VEFG) 억제제, 베바시주맙(bevacizumab), 항증식제인 피르페니돈(pirfenidone) 등이 방사선 유발 섬유증 치료제로 사용될 수 있는 가능성이 연구되고 있다.

많은 연구에도 불구하고 방사선 유발 섬유증에 대해 승인된 치료법의 수는 적으며 주로 증상 치료를 시행하고 있다. 치료는 섬유화의 위치와 심각도에 따라 다양하다. 물리 치료는 유방암 환자에서 방사선 치료 후 림프 부종을 줄이고 어깨 운동 범위를 보존하는데 효과가 있는 것으로 보고되었다. LPG 시스템 기계적 마사지 기법은 유방 피부 조직에서 방사선 유발 섬유증을 감소시키는 것으로 알려져 있다.

3. 방사선 치료와 보형물 재건

최근 유방전절제술 후 방사선 치료의 적응증이 넓어짐에 따라 보형물 재건에서 방사선 치료를 고려해야 하는 비율이 증가하고 있다. 재건 방법의 선택은 환자의 체형, 흡연 여부, 동반 질환, 환자 선호도 등을 고려하여 결정하여야 하며, 방사선 치료로 인해 합병증 발생이 높아질 수 있음에 대해 수술 전 환자에게 충분히 설명하여야 한다. 유방암 수술 후 방사선 치료의 최적 시기는 아직 논란의 여지가 있으나 방사선 치료가 지연되면 국소 재발 및 전체 생존율에 영향을 미칠 수 있다고 알려져 있다.

1) 재건 전 방사선 치료가 시행된 경우

이전에 방사선 치료를 시행한 유방에서 보형물을 이용한 재건은 방사선 치료를 시행하지 않는 경우에 비해 재건 실패, 감염, 구형구축을 포함한 합병증 위험이 유의하게 증가하는 것으로 알려져 있다. 방사선 치료를 시행한 유방에서 위험이 증가하는 경향은 1단계 재건보다 2단계 재건에서, 지연재건보다 즉시재건에서 더 높게 나타났다. 다른 재건 방법과 비교했을 때 보형물 재건은 자가조직 재건에 비해 재건 실패의 위험도가 10배 높으며, 자가조직과 보형물 복합 기법에 비해서도 높은 재건 실패율을 보인다는 메타분석 연구 결과도 보고된 바 있다.

방사선 치료를 받은 유방을 재건하는 경우는 크게 두가지이다. 첫번째는 유방보존술 및 방사선 치료 후 재발 소견으로 유방 전절제술을 시행하면서 즉시재건을 시행하는 것이다(그림 3-5-2). 즉시 확장기 또는 보형물을 삽입한 경우, 이전의 방사선 치료가 구형 구축이나 다른 합병증을 높이는지에 대한 연구는 부족하다. 두번째는 유방전절제술 및 방사선 치료 후 지연재건을 시행하는 경우이다. 방사선 치료가 끝난 후 어느 정도의 간격을 두고 재건 수술이 시행되어야 하는지에 대한 명확한 기준은 없으며, 많은 경우 방사선 치료 종료 후 1년 이상 시간 간격을 둔 후 재건을 시행하게 된다.

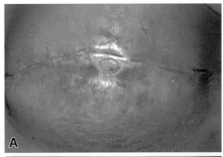
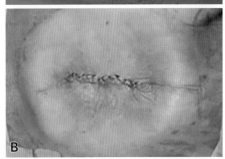
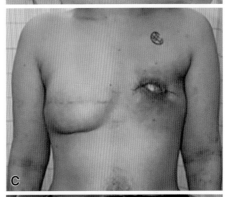
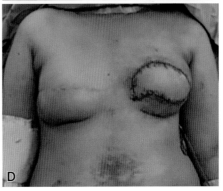

그림 3-5-2. 유방보존술 및 방사선 치료 과거력이 있는 환자에서 보형물을 이용한 유방재건 후 합병증이 발생한 예. 환자는 좌측 유방암에 대해 유방보존술 및 방사선 치료 후 좌측 유방암 재발 소견으로 좌측 유방전절제술 및 즉시 보형물 삽입술, 우측 예방적 유방전절제술 및 즉시 보형물 삽입술을 시행받았다. (A) 유방전절제술 및 즉시 보형물 삽입술 3개월 후 좌측 유방 상처 주변으로 상처 열개가 발생한 사진. (B) 변연절제술 이후 보형물 감염으로 보형물 제거를 시행한 사진. (C) 보형물 제거 후에도 상처 열개가 재발하고 상처가 호전되지 않은 상태. (D) 넓은 등 근육 피판을 이용하여 좌측 유방을 재건한 사진.

2) 재건(조직확장기 또는 보형물 삽입) 후 방사선 치료

유방절제술 후 방사선 치료를 받는 환자에서 보형물 재건이 가장 일반적인 재건 방법임에도 불구하고 방사선 치료 후 2단계 수술(조직확장기 제거 및 보형물 삽입술) 시행 시기와 방법에 대해서는 아직 논란이 있다. 게다가 확장기 및 보형물 기반 재건 후 방사선 치료가 시행될 때 재수술이 필요한 합병증은 37%, 재건 실패는 16.8%까지 보고된 바 있다(그림 3-5-3).

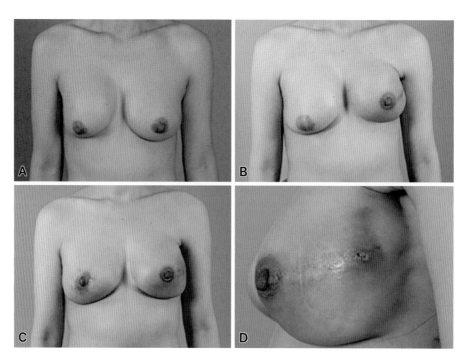

그림 3-5-3. 유방전절제술 및 조직확장기 삽입술 시행 후 상처합병증이 발생한 예. (A) 수술 전 환자의 사진. 이전 양측 유방확대술의 과거력이 있다. (B) 좌측 유방전절제술 및 조직확장기 삽입술 시행 17개월, 방사선 치료 종료 12개월 후의 사진. (C) 우측 유방교정술, 좌측 조직확장기 제거 및 보형물 삽입 술 시행 3개월 후의 사진. (D) 절개선을 따라 상처 열개가 발생한 상태.

(1) 확장기/보형물 삽입 평면의 선택

전흉근 보형물 유방재건술은 흉근을 보존하고, 애니메이션 변형을 피하면서 흉근 밑 보형물 유방재건보다 더 좋은 미적 결과를 보이는 것으로 알려져 있다. 흉근 밑 보형물 삽입술 시행 후 보형물은 흉근의 수축에 따라 위쪽 바깥쪽으로 이동하게 된다(그림 3-5-4). 전흉근 보형물 유방재건은 방사선 치료에 의해 수축하는 대흉근의 섬유성 변화 및 단축이 없기 때문에 보형물 주머니의 위치가 흉근 밑 보형물 재건보다 더 안정적으로 유지되며 구형구축의 발생률이 감소된다. 즉시 보형물 삽입술을 시행 후 방사선 치료를 시행하는 경우 흉근 밑 보형물 삽입술이 전흉근 보형물 삽입술과 비교하여 구형 구축이 발생할 가능성이 더 높으며, 보형물 제거, 감염, 조직 괴사, 혈종 등의 합병증 비율은 보형물 삽입 평면에 따른 차이가 없었다. 따라서 방사선 치료가 예정되어 있는 경우 확장기 삽입 또는 즉시 보형물 삽입술의 전흉근 평면 시행이 추천된다. 무세포진피기질 사용에 대해서는 연구마다 다른 견해와 합병증 발생률을 보이고 있으나, 구형 구축을 예방하기 위해 전흉근 평면 재건 시 확장기 또는 보형물의 전면을 감싸는데 사용되고 있으며, 방사선 치료 후에도 무세포진피기질의 생착에는 무리가 없는 것으로 보고되고 있다.

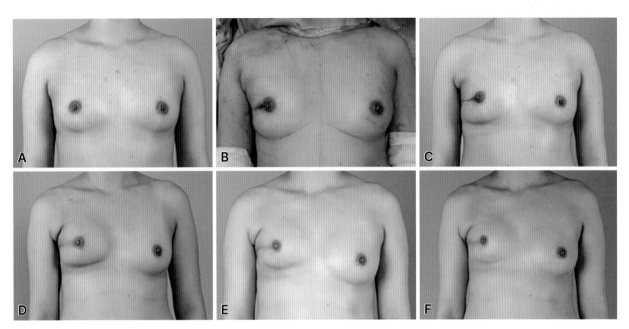

그림 3-5-4. 흉근 밑 즉시 보형물 삽입 후 방사선 치료를 시행 후 보형물의 위치 변화. (A) 수술 전 환자의 사진. (B) 좌측 유방 전절제술 및 흉근 밑 즉시 보형물 삽입술 시행 후. (C) 수술 17일 후의 사진. (D) 수술 6개월 후의 사진. (E) 수술 17개월 후의 사진. (F) 수술 28개월 후의 사진. 대흉근의 섬유성 변화 및 단축으로 인해 보형물이 윗쪽 바깥쪽으로 이동하는 것을 확인할 수 있다.

(2) 확장기 삽입 후 방사선 치료

만약 확장기 삽입 후 방사선 치료를 시행한다면 방사선 요법 전에 확장기를 얼마나 확장시켜야 하는지에 대한 연구는 많지 않다. 확장기 또는 보형물이 삽입된 상태에서도 방사선 치료 시행 시 유방 조직에 전달되는 방사선에는 영향을 미치지 않는 것으로 알려져 있다. 방사선 치료 전 확장기를 수축시키는 것은 내흉림프절에 방사선 조사를 더 용이하게 한다. 그러나 대규모 무작위 임상실험에서 생존율에 있어서 효과를 확인하지 못하였기 때문에 보편적으로 시행되는 기법은 아니며, 방사선 치료 중 확장기를 확장시키거나 수축시키는 것은 피해야 한다. Woo 외는 방사선 요법 시행 전 확장기의 최대 확장이 방사선 요법 관련 합병증 및 재건 실패를 최소화한다고 주장하였다. 유방재건 및 방사선 요법에 관한 국제 다학제 전문가 패널 합의(International multidisciplinary expert panel consensus on breast reconstruction and radiotherapy)에서 88%의 패널이 방사선 치료 전 확장기의 최대 확장이 시행되는 것에 동의하였다.

방사선 치료 종료 후 2단계 수술인 확장기 제거 및 보형물 삽입을 시행하는 시기에 대한

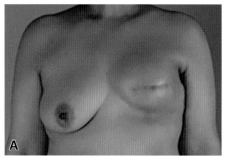
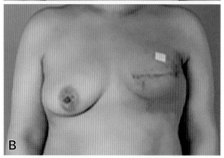
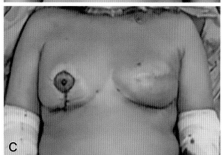
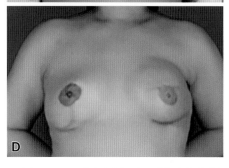

그림 3-5-5. 유방전절제술 및 조직확장기 삽입술 시행 후 방사선 치료를 받은 환자에게서 보형물로 교체하는 2단계 수술 시 유방밑주름 절개를 이용하여 수술한 예. (A) 방사선 치료 종료 일주일 후 사진. (B) 방사선 치료 종료 13개월 후 사진. (C) 좌측 유방 조직확장기 제거 및 보형물 삽입술, 우측 유방교정술을 시행한 사진. (D) 보형물 삽입술 8개월 후 사진.

의견은 다양하다. El-Savawi 등은 방사선 치료 후 확장기-보형물 교체술 시행 간격이 길어질수록 합병증이 감소한다고 하였으며, Kim 등은 방사선 치료 종료 131일 후 2단계 수술을 시행하는 것이 수술 후 49일 내의 경미한 감염, 상처 괴사 등의 단기 합병증을 줄이는데 가장 효과적이라고 보고하였다. 지방이식은 방사선치료 후 만성 변화가 있는 일부 환자에서 피부와 피하 조직의 질을 개선하는데 유용하다. 또한 2단계 확장기 보형물 기반 유방재건에서 두번째 단계 수술 시행 전에 수행하면 리플링(rippling) 현상을 줄이고 재건 결과를 개선할 수 있다.

(3) 방사선 치료 시 확장기 삽입과 즉시 보형물 수술 비교

확장기와 보형물에 방사선 치료를 시행한 경우에 대해 비교한 메타분석에 의하면 재건 실패 위험은 확장기와 보형물 간 유의한 차이가 없었으나 구형 구축은 방사선 치료가 확장기에 시행될 때 더 낮게 발생하였다. 수술 후 방사선 치료가 예정된 경우 2단계 보형물 재건과 즉시보형물재건 중 어느 기법이 더 나은지에 대해서는 여전히 논란이 있으나 최근에는 즉시보형물재건이 늘어나면서 임상적 미용적 결과에 큰 차이가 없다는 증거가 제시되고 있다.

4. 방사선 치료 후에 확장기 제거 보형물 교체 시 수술 방법

1) 절개선의 위치 변경

방사선 치료를 받은 조직에 대한 조작을 최소화하여 합병증을 줄이기 위해 방사선 치료 부위를 피하여 절개를 시행하면 절개 위치가 방사선 흉터 조직에 위치하지 않고, 절개선과 보형물 사이에 건강한 연조직이 놓이게 할 수 있다. 대체할 수 있는 절개 위치로는 이전 감시림프절 생검 절개선을 이용하는 방법과 유방밑주름 절개를 이용하는 방법이 있다.

저자들의 경험에 의하면 유방밑주름 절개는 보형물 삽입 공간까지의 거리가 짧아서 용이한 접근이 가능하고 이전 절개선과 그 주변 부위에 박리를 시행하지 않기 때문에 지방이식을 더 안정적으로 시행할 수 있다(그림 3-5-5).

2) 보형물 삽입 평면 변경

흉근에 방사선 치료가 시행되면 근육의 섬유화와 수축이 발생하여 흉근 밑 평면에 위치한 확장기와 보형물은 그 위치가 변할 가능성이 있고, 흉근 밑 평면에 위치하는 보형물은 흉근 앞에 위치하는 경우에 비해 구형 구축의 발생 확률이 3배까지 증가한다. 따라서 흉근 밑 평면에 확장기가 삽입된 뒤 방사선 치료가 시행된 경우 피부 두께가 충분하다면 2단계 수술 시 포켓의 위치를 흉근 밑에서 흉근 앞으로 변경하는 것을 고려할 수 있다(그림 3-5-6). 이때 확장기 삽입술 당시 이식한 무세포진피기질을 박리한 뒤 이를 이용하여 보형물의 앞쪽 표면을 덮을 수 있다.

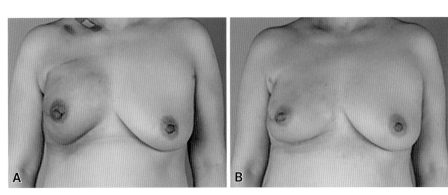

그림 3-5-6. 흉근 밑 평면에 조직확장기 삽입 후 방사선 치료를 시행한 환자에서 조직확장기를 보형물로 교체 시 전흉근으로 포켓 위치를 변경한 예. (A) 조직확장기 제거 및 보형물 삽입술 시행 전 사진. (B) 조직확장기 제거 및 전흉근 보형물 삽입술 시행 17일 후의 사진.

3) 피막제거술

피막제거술은 구형구축을 치료하는 방법 중 하나이다. 방사선 치료를 받은 캡슐은 수축하여 정상캡슐보다 두꺼워져 있으나, 방사선 치료로 인해 유방 조직이 얇아져 있기 때문에 과도한 캡슐 절제는 남은 유방 피부의 혈류를 손상시킬 수 있고 심한 리플링을 발생시킬 수 있으므로 주의하여 시행해야 한다.

4) 지방이식

방사선 조사를 받은 조직은 취약하고, 상처 치유력이 감소해 있다. 자가지방에 포함되어 있는 지방줄기세포는 이식 후 피하 조직과 피부의 두께를 증가시킬 수 있으며 혈관 성장에 기여하여 조직의 혈류를 개선하는 데에도 도움이 된다(그림 3-5-7). 유방보존요법 및 방사선요법 후 지방이식을 시행하면 종양의 재발률을 높이지 않으면서 방사선 유발 섬유증을 호전시키고, 유방 기형과 수축을 효과적으로 교정할 수 있다.

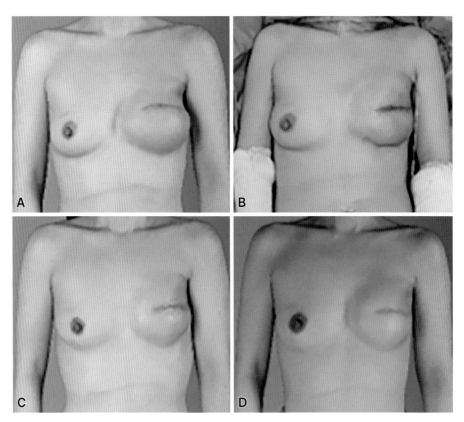

그림 3-5-7. 조직확장기 제거 및 보형물 삽입술과 함께 지방이식을 시행하여 재건한 예. (A) 조직확장기 확장 완료 및 방사선 치료 종료 후 확장기 제거술 시행 전 사진. (B) 확장기 제거 및 보형물 삽입술, 지방이식술 시행 직후. (C) 수술 5개월 후. (D) 수술 17개월 후.

5) 자가조직 재건

방사선으로 인해 피부가 얇아지고 위축되어 보형물 재건이 어려울 경우에는 환자와 상의하여 자가조직 재건을 계획한다. 방사선 치료 후 자가조직 재건은 보형물 재건에 비해서 구형구축, 감염, 보형물 위치 변화 등의 장기적인 합병증이 더 적고, 미용적 결과가 더 우수한 것으로 알려져 있다. 뿐만 아니라 방사선 치료 전 즉시 자가조직 재건에 비해 지방 괴사의 비율과 체적 감소량이 낮고 더 우수한 유방 윤곽을 얻을 수 있으며, 환자가 수술 방법과 시기를 결정함에 있어 충분한 시간을 가질 수 있다는 장점이 있다.

만약 확장기가 삽입되어 있는 상태라면 확장기를 가능한 확장하여 유방 피부 조직을 얻음으로써 기존 유방 피부와 비슷한 상태의 피부를 얻고, 재건된 유방의 흉터 크기와 공여부의 피부 채취 크기를 줄일 수 있다. 흔히 사용되는 공여부로는 광배근 피판, 심하복벽동맥 (Deep inferior epigastric artery) 천공지 피판, 깊은넙다리동맥 (Profunda femoris artery) 천공지 피판 등이 있다.

5. 합병증

1) 감염

2단계 확장기/보형물 기반 유방재건에서 감염 발생률은 27%까지 보고된 바 있다. 보형물이나 확장기에 감염이 발생하면, 환자는 감염된 가슴의 부종, 홍반, 열감, 압통 등을 호소하게 된다. 경증의 감염은 정맥 또는 경구 항생제 치료로 호전될 수 있으나, 항생제 치료로 효과가 없는 경우 수술적 치료를 시행하여야 한다. 확장기 또는 보형물을 제거하거나 구제하는 수술을 고려할 수 있으며, 환자의 연부 조직이 충분하고 피부 피판의 두께가 두껍다면 구제수술의 성공 확률이 높다. 하지만 구제 수술 시행 후에도 잠재 감염에 의한 감염 재발 가능성이 있으므로 수술 방법에 대해 환자와 충분한 상담이 필요하다. 구제수술 시행이 결정되었다면 최대한 빠른 시간 내 확장기 확장을 완료하고 2단계 수술을 시행한다. 확장기 주위로 감염된 조직을 최대한 제거하고 캡슐 내부를 세척한 뒤 보형물을 삽입한다. 만약 보형물이 삽입된 상태에서 감염이 발생하였다면 역시 보형물을 제거하고 감염 조직 제거 및 세척을 시행한 후 감염되지 않은 새로운 보형물을 삽입한다.

2) 구형구축

방사선 치료 후 구형 구축의 발생률은 연구마다 다양하나 최대 39%까지 보고된 바 있다. 방사선 치료를 받지 않았을 때와 비교하여 방사선 치료 후 보형물 기반 유방재건에서 구형 구축의 상대위험도는 5배 이상이고 평균 발생률은 25% 정도이다. 구형 구축을 해결하기 위해 피막 제거술 또는 보형물 평면 교체술을 시행할 수 있다. 무세포 진피 기질의 발달로 흉근 하에서 전흉근 평면으로 보형물의 위치를 변경할 수 있으며 애니메이션 기형(animation deformity)와 만성 통증의 해결에도 도움을 줄 수 있다고 알려져 있다.

3) 재건 실패

장기 추적 결과를 연구한 논문에 따르면 보형물 기반 재건과 방사선 치료가 이루어진 경우 시간이 갈수록 재건 실패율이 높아지며 약 20년간의 누적 재건 실패율이 80% 이상일 것으로 추정되고 있다. 그러나 이는 수술기법과 방사선 기법의 발달로 향후 변화가 있을 수 있다고 생각한다. 특히 젊은 환자의 경우 자가조직재건에 비해 보형물 재건을 원하는 경우가 많으므로 보형물 재건 이후 나중에 자가조직으로의 전환을 고려할 수 있다는 점을 환자에게 고지해야 할 것이다.

6. 결론

유방절제술 후 방사선 요법은 유방재건에서 수술부위 감염, 구형구축, 재건 실패 등의 합병증 비율을 증가시킨다. 그럼에도 불구하고 방사선 요법이 시행되는 환자에서 보형물을 이용한 유방재건은 계속 증가하고 있다. 이런 환자들의 장기 합병증을 줄이기 위해 전흉근 보형물 삽입술 무세포 진피의 이용, 지방이식 등 새로운 수술법과 방사선 요법, 확장기 교체 시기에 대한 연구, 약물요법에 대한 연구가 계속되고 있어 향후 장기 추적 연구의 결과를 주목할 만하다.

✅ 참고문헌

1. Anscher MS. The irreversibility of radiation-induced fibrosis: fact or folklore?. J Clin Oncol 2005;23(34):8551-2.

2. Clemens MW, Kronowitz SJ. Acellular dermal matrix in irradiated tissue expander/implant-based breast reconstruction: evidence-based review. Plast Reconstr Surg. 2012;130(5 Suppl 2):27S-34S.

3. Cordeiro PG, Albornoz CR, McCormick B, et al. What Is the Optimum Timing of Postmastectomy Radiotherapy in Two-Stage Prosthetic Reconstruction: Radiation to the Tissue Expander or Permanent Implant?. Plast Reconstr Surg 2015;135(6):1509-17.

4. Dicuonzo S, Leonardi MC, Radice D, et al. Long-Term Results and Reconstruction Failure in Patients Receiving Postmastectomy Radiation Therapy with a Temporary Expander or Permanent Implant in Place. Plast Reconstr Surg 2020;145(2):317-27.

5. El-Sabawi B, Carey JN, Hagopian TM, Sbitany H, Patel KM. Radiation and breast reconstruction: Algorithmic approach and evidence-based outcomes J Surg Oncol. 2016;113(8):906-12.

6. Frey JD, Salibian AA, Karp NS, Choi M. Implant-Based Breast Reconstruction: Hot Topics, Controversies, and New Directions. Plast Reconstr Surg 2019;143(2):404e-416e.

7. Graziano FD, Shay PL, Sanati-Mehrizy P, Sbitany H. Prepectoral implant reconstruction in the setting of post-mastectomy radiation. Gland Surg. 2021;10(1):411-6.

8. Hirsch EM, Seth AK, Dumanian GA, et al. Outcomes of tissue expander/implant breast reconstruction in the setting of prereconstruction radiation. Plast Reconstr Surg 2012;129(2):354-61.

9. Kim A, Bae J, Bang SI, Pyon JK. Optimal Timing of Expander-to-Implant Exchange after Irradiation in Immediate Two-Stage Breast Reconstruction. Plast Reconstr Surg 2022;149(2):185e-194e.

10. Kronowitz SJ. Current status of implant-based breast reconstruction in patients receiving postmastectomy radiation therapy. Plast Reconstr Surg 2012;130(4):513e-523e.

11. Lee KT, Mun GH. Prosthetic breast reconstruction in previously irradiated breasts: A meta-analysis. J Surg Oncol 2015;112(5):468-75.

12. Lee KT, Mun GH. Optimal Sequencing of Postmastectomy Radiotherapy and Two Stages of Prosthetic Reconstruction: A Meta-analysis. Ann Surg Oncol 2017;24(5):1262-8.

13. Lipa JE, Qiu W, Huang N, Alman BA, Pang CY. Pathogenesis of radiation-induced capsular contracture in tissue expander and implant breast reconstruction. Plast Reconstr Surg 2010;125(2):437-45.

14. Momoh AO, Ahmed R, Kelley BP, et al. A systematic review of complications of implant-based breast reconstruction with prereconstruction and postreconstruction radiotherapy. Ann Surg Oncol 2014;21(1):118-24.

15. Nelson JA, Disa JJ. Breast Reconstruction and Radiation Therapy: An Update. Plast Reconstr Surg 2017;140(5S Advances in Breast Reconstruction):60S-68S.

16. Oliver JD, Boczar D, Huayllani MT, et al. Postmastectomy Radiation Therapy (PMRT) before and after 2-Stage Expander-Implant Breast Reconstruction: A Systematic Review. Medicina (Kaunas) 2019;55(6):226.

17. Shah C, Kundu N, Arthur D, Vicini F. Radiation therapy following postmastectomy reconstruction: a systematic review. Ann Surg Oncol 2013;20(4):1313-22.

18. Sigalove S, Maxwell GP, Sigalove NM, et al. Prepectoral Implant-Based Breast Reconstruction and Postmastectomy Radiotherapy: Short-Term Outcomes. Plast Reconstr Surg Glob Open 2017;5(12):e1631.

19. Ricci JA, Epstein S, Momoh AO, Lin SJ, Singhal D, Lee BT. A meta-analysis of implant-based breast reconstruction and timing of adjuvant radiation therapy. J Surg Res 2017;218:108-16.

20. Santosa KB, Chen X, Qi J, et al. Postmastectomy Radiation Therapy and Two-Stage Implant-Based Breast Reconstruction: Is There a Better Time to Irradiate?. Plast Reconstr Surg 2016;138(4):761-9.

21. Tallet AV, Salem N, Moutardier V, et al. Radiotherapy and immediate two-stage breast reconstruction with a tissue expander and implant: complications and esthetic results. Int J Radiat Oncol Biol Phys 2003;57(1):136-42.

22. Woo KJ, Paik JM, Bang SI, Mun GH, Pyon JK. The Impact of Expander Inflation/Deflation Status During Adjuvant Radiotherapy on the Complications of Immediate Two-Stage Breast Reconstruction. Aesthetic Plast Surg 2017;41(3):551-9.

역형성대세포림프종에 대한 이해와 치료

Current understanding and management of BIA-ALCL

가톨릭대학교 부천성모병원 성형외과 **박민석, 이중호**

1. 소개

유방보형물 연관 역형성대세포림프종(breast implant-associated anaplastic large cell lymphoma, BIA-ALCL)은 유방보형물을 이용하여 미용 또는 재건수술을 시행하는 환자에게 발생하는 T세포 유래의 비호지킨성림프종(non-Hodgkin's lymphoma)이다. 일반적으로 표면이 거친 표면 보형물(textured implant)의 사용과 관련이 있다고 알려져 있으며, 보형물 주변의 장액종 발생을 특징으로 한다. 1997년 Keech 등은 유방보형물을 수술받은 환자에게서 발생한 ALCL의 첫 사례를 보고하였으며, 이후 2011년 미국 식품의약국(FDA)은 유방보형물을 수술받은 환자에게서 발생한 34건의 ALCL 사례를 보고하였고 이를 기반으로 ALCL 발병과 유방보형물 사이에 연관성이 있음을 발표하였다. 2016년 세계 보건 기구(World Health Organization, WHO)는 발표된 증례들을 바탕으로 보형물과 ALCL과의 상관 관계를 공식적으로 인정하고, BIA-ALCL을 anaplastic lymphoma kinase (ALK) 음성, monoclonal expansion CD30 단백질 양성을 나타내는 역형성대세포림프종의 하위 유형으로 새롭게 규정하였다.

2019년 8월 국내에서도 첫 BIA-ALCL 1건이 보고되었으며, 현재까지 총 3건의 BIA-ALCL이 공식적으로 보고되었고, 이와 관련하여 식품의약품안전처는 거친 표면 보형물(textured implant)의 사용 및 판매를 금지하였다.

현재까지도 BIA-ALCL의 보고가 전 세계적으로 이뤄지고 있고, 이와 관련하여 환자 및 임상 의사들의 우려가 증가하고 있는 바, 이 단원에서는 BIA-ALCL의 임상 양상, 발병률, 발병 기전, 진단 및 치료에 대한 최신 지견에 대해 소개하고자 한다.

2. 임상양상

BIA-ALCL은 유방에서 발생하는 림프종이지만 원발성유방림프종(primary breast lymphoma, PBL)과는 다른 질병이다. 원발성유방림프종은 유방 실질에서 발생하고 주로 B 세포 림프종(65~90%)인 것에 반해, BIA-ALCL은 유방보형물을 이용한 유방수술을 받은 사람에게만 발생하며 보형물을 둘러싼 피막내의 삼출액이나 피막 주변부의 종괴가 확인되는 T 세포 림프종이다. 확인된 모든 보고에서 BIA-ALCL은 anaplastic lymphoma kinase (ALK) 음성이며 CD30 세포 표면 단백질이 양성 소견을 보인다. 또한, 거친 표면 보형물을 이용하여 수술 받은 사람에게 발생하였기 때문에 보형물 표면이 질병 발생에 영향을 주는 것으로 여겨지고 있다.

보형물 수술 후 발병까지의 기간은 약 2년에서 32년까지로 보고되고 있으며, 대개 8~10년 정도에 호발하는 것으로 알려져 있다. 대부분의 환자가 수술 후 1년 이상 지난 상태에서 유방의 크기 변화 혹은 종괴를 주소로 병원에 내원하게 된다. 한 연구에 의하면 환자의 증상 중 약 60%는 장액종의 형태로 나타났으며, 17%는 종괴로, 20%는 장액종과 종괴 모두의 형태로 나타났다고 보고하였다. 일반적으로 증상이 장액종의 형태로 나타난 경우보다 종괴의 형태로 나타난 경우가 조기 진단이 어려워 예후가 불량한 것으로 알려져 있으며, 겨드랑이의 림프절로 전이된 경우에는 예후가 더욱 좋지 않다고 보고되고 있다. 대부분의 경우는 일측성으로 나타나지만, 약 5%의 환자에게서는 양측성으로 발생하기도 한다. 드물지만 피부 증상(염증, 구진)이 유일한 증상이었던 BIA-ALCL 증례가 보고되기도 하였다.

3. 역학

미국 FDA에서 발표한 바에 따르면 2020년 1월 기준으로 전 세계적으로 733건의 BIA-ALCL 사례가 보고되었고, 약 36건의 사망 환자가 확인되었다. 그러나 BIA-ALCL에 대한 의사와 환자들의 인식도가 높아지고 다국가기간의 협조도도 증가함에 따라 보고되는 사례가 증가하는 추세이다. MD Anderson 암 센터에서 BIA-ALCL이 발생한 각 국가에 질의하여 얻은 비공식 통계에 따르면 2022.6월 기준으로 1158건의 BIA-ALCL 환자가 발생했다고 집계하였다.

BIA-ALCL 발병률은 연구에 따라 상이하다. 2008년에 de Jong 등은 첫 번째 사례 대조 연구를 발표하였는데, BIA-ALCL의 발병률은 100,000명당 약 0.1~0.3명이었으며, 유방보형물이 있는 여성의 BIA-ALCL 발병 위험이 보형물을 사용하지 않은 여성보다 18.2배 더 높다고 보고하였다. Doren 등은 2017년 거친표면 유방보형물과 BIA-ALCL 사이의 중요한 연관성을 보여주는 최초의 미국 인구 기반 보고서를 발표했는데, 모든 증례에서 BIA-ALCL은 거친 표면 유방보형물에서만 발생하였고, 연간 발생률은 백만명 당 2.03명이었으며, 평생 유병률은 100만 명당 33명(30,000명당 1명) 이었다. 2016년 호주 의약품 관리국(Australian Therapeutic Goods Administration)은 60개 사례를 기반으로 거친표면 유방보형물을 사용한 여성의 평생 BIA-ALCL 유병률을 1,000명에서 10,000명당 1명으로 보고하였다. 또한 같은 거친 표면 보형물이더라도 제조 공법에 따라 표면 형태가 다르기 때문에 제조사별로 BIA-ALCL의 발생률은 큰 차이가 있음을 강조하였는데, 이에 따르면 표면이 거칠수록 BIA-ALCL의 발생률이 증가하였다. 한 예로 표면의 거침정도를 4개의 grade로 나누었을 때, grade 1 (smooth implant)은 발병 보고가 없는 반면, grade 2 (microtexture, siltex) 보형물은 약 82,000명 당 1명, grade 3 (macrotexture) 보형물은 약 3,200명 당 1명, grade 4 (polyurethane) 보형물은 약 2,800명 당 1명 꼴로 BIA-ALCL이 발생한다고 보고하였다.

2017년도에 McGuire 등은 Biocell texture 보형물(Natrelle410)로 수술을 받은 17,656명의 여성에 대한 연구를 발표했다. 해당 연구에서는 4건의 ALCL 사례가 확인되었고, 발병률은 약 4,000명 중 1명으로 보고하였다. 2019년 Cordeiro 등은 거친 표면 보형물로 수술받은 3,546명의 환자에 대한 전향적 전향적 연구를 시행하였는데, 10명의 환자에게 BIA-ALCL이 발병하였다. 또한, 해당 연구에 BIA-ALCL은 수술 후 약 11.5년 경과후 발생하였으며, 발생율은 355명 중 1명으로 가장 높았다. Santanelli di Pompeo 등은 2020년 유럽 성형 외과 의사 협회 연구 위원회(European Association of Plastic Surgeons Research Council)로부터 데이터를 수집하여 28개 EU 회원국에서 5,772,913명의 유방보형물을 이용한 수술을 시행한 환자 중 약 420건의 BIA-ALCL이 발생한 사례를 확인하였으며, 이는 1:13,745의 유병률을 보였다. 그러나 유방보형물 국가 데이터베이스가 있고 보고 체계가 잘 확립된 네덜란드에서는 BIA-ALCL의 유병률이 1:2,969로 보고되어, 아직 보고되지 않은 환자들이 상당수 있을 것으로 추측되고 있다.

아시아의 경우, 현재 시점까지 중국 1명, 일본 4명, 그리고 태국과 대만에서 각각 1명의 환자이 보고되었고, 사망한 환자는 없는 것으로 알려져 있다. 국내에서도 현재까지 세 명의 환자이 보고되었는 데 보고된 환자 모두 Allergan 사의 거친 표면 보형물을 이용하여 수술을 받은 환자였다. 유럽과 북미 지역보다 아시아 지역에서 환자 수가 적게 보고되는 정확한 이유는 아직 밝혀지지 않은 상태이다. 서구인들에 비해 아시아인들이 유전적으로 BIA-ALCL의 발병에 덜 취약할 수도 있다는 가설과 환자 보고 체계가 확립되지 않아 ALCL로 진단되었지만 보형물과의 연관성을 간과하였을 가능성, 그리고 무증상의 환자들이 보고되지 않았을 가능성 등이 제시되고 있다. 보다 정확한 유병율과 고위험군, 발병 원인 등을 파악하기 위해서는 국내에서도 유방보형물 레지스트리와 같은 전 국가 단위의 환자 등록 사업이 필요하며, 보형물 수술을 받은 환자들의 수술 후 전신/국소 합병증 발병 양상을 추적, 분석해야 한다.

4. 발생원인

BIA-ALCL의 발생률은 매우 낮고 증례들이 제공하고 있는 정보가 제한적이기 때문에, 유방보형물이 BIA-ALCL을 일으키는 정확한 기전은 현재까지 명확하게 밝혀져 있지 않다. 또한 질병의 특성(발병 지연, 비특이적 증상)과 질병에 대한 인식 부족으로 인해 질병의 역학과 관련된 요소(발생률, 유병률, 위험도 등)를 확인하는 것에 어려움이 있다. 하지만 BIA-ALCL의 발생기전은 앞으로 언급할 여러가지 요인들이 복합적으로 작용할 것으로 추측하고 있다.

1) 보형물의 표면

앞서 유병율 부분에서 밝혔듯이, 현재까지 알려진 BIA-ALCL의 발병과 연관된 가장 중요한 요인은 바로 유방보형물의 표면이다. 유방보형물은 크게 표면이 거친 보형물(textured implant)과 매끈한 보형물(smooth implant)로 나누어 볼 수 있다. 거친표면 보형물은 1980년대 후반에 구형구축을 예방하는 수단으로 처음 도입되었으며 1990년대에 그 사용이 크게 증가했다. 거친 표면 보형물은 매끈한 보형물에 비해 주변 조직과 유착이 잘 일어나기 때문에 수술 후 중력이나 운동과 같은 외력 또는 물리적 자극에 의해 유방보형물의 위치가 변하는 부작용을 줄일 수 있다는 장점을 가지고 있다. 특히 2000년대에 소개된 물방울 형태의 보형물은 기존의 원형 보형물과 달리 보형물이 회전되었을 때의 유방 모양이 심하게 변형될 수 있기 때문에, 거친 표면 보형물로 제작이 되어 사용이 되어왔다. 그러나, BIA-ALCL과 거친 표면 보형물과의 연관성에 대한 보고가 이어지면서 우리 나라를 비롯한 여러 국가에서 더 이상 macrotexture 보형물은 사용하지 않고 있다. 최근의 BIA-ALCL에 대한 733건의 미국 및 글로벌 의료 기기 보고서에 따르면, 496건은 표면이 거친 보형물 이력이 있었고 209건은 알 수 없었으며 28건은 매끄러운 보형물이었다. 그러나 이 28개의 매끈한 보형물 증례의 경우 대부분 이전에 거친 표면 보형물을 이용하여 수술을 받은 기왕력이 있거나 보형물 기록이 없는 경우여서, 현재까지 BIA-ALCL은 거친 표면 보형물과 밀접한 연관이 있는 것으로 알려져 있다.

2) 유전적인 소인

BIA-ALCL 종양 세포를 분석했을 때, JAK-STAT3, DNA methyltransferate 3 alpha (DN-MT3A), tumor protein p53 (TP53), programmed cell death 1 ligand 1 (PD-L1), 20q 염색체, carbonic anhydrase 9 (CA9) 유전자 등에서 비정상적인 돌연 변이를 보인다고 알려져 있다. 특히 JAK-STAT3 유전자 변형은 현재까지 보고된 유전자 분석 사례 중 약 44%에서 보이고 있어 BIA-ALCL의 발병에 밀접하게 관련되어 있을 것으로 여겨지고 있다.

또한 Li Fraumeni syndrome (LFS)는 TP53 유전자 변형으로 인해 암 발병 위험도가 증가하는 질병으로, LFS로 진단받은 환자들이 유방보형물 수술을 받은 뒤 BIA-ALCL이 발병한 사례들이 보고되면서 TP53 유전자 변형과 BIA-ALCL 발병과의 가능성이 제시되고 있다. 또한, BIA-ALCL 환자들의 피막 조직에 침윤된 종양 세포를 분석했을 때 PD-L1유전자의 비정상적인 과발현 사례들이 보고되면서 PD-L1유전자 변형도 질병 발현에 관여할 것으로 추측되고 있다.

이처럼 BIA-ALCL 종양 세포에서 다양한 유전자 변형 사례들이 보고되고 있지만, 아직까지 질병에 특이적인 유전자는 발견되지 않은 상태이다. 그러나 유방보형물 수술을 받은 환자들에게 BIA-ALCL 발생 가능성을 구체적으로 제시하기 위해서는 연관 유전자 분석이 필요하기 때문에, BIA-ALCL의 발생과 연관된 biomarker를 규명하려는 연구가 지속적으로 이어지고 있다.

3) 박테리아 감염(Biofilm)

BIA-ALCL 환자들의 보형물을 분석했을 때 대부분이 표면적이 넓은 거친 표면 보형물(textured implant)을 사용해 왔는데, 매끈한 보형물에 비해 거친 표면 보형물에서 bacterial growth가 높다는 점에서 BIA- ALCL과 박테리아 감염과의 가능성이 제시되고 있다.

또한 BIA-ALCL을 진단받은 유방의 피막 조직에서 BIA-ALCL이 발병하지 않은 피막 조직에 비해 박테리아의 양이 많았다는 연구결과 또한, BIA-ALCL의 발병과 박테리아 감염과의 연관성을 제시하는 근거로 작용하고 있다. 즉, 박테리아 감염으로 인해 T세포 등 면역 세포의 반응이 과도하게 일어나게 되고, 이러한 만성적인 면역 세포의 자극 과정에서 림프종과 같은 돌연변이가 발생한다는 것이 박테리아 감염과 BIA-ALCL 발생 간의 연결 고리로 여겨지고 있다.

이러한 가설은 이미 연관성이 입증된 Helicobacter pylori 감염과 림프종(mucosa-associated lymphoid tissue lymphoma)의 발생과 일정 부분 일맥 상통하는 부분이 있어 가능성 있는 가설로 여겨지고 있으며, 한 연구에서는 Ralstonia 균 감염과 BIA-ALCL 발병과의 연관성을 제시하기도 하였다. 그러나 후속 연구에서는 이러한 연관성이 부족한 것으로 보고하였으며, 아직 박테리아 감염과 BIA-ALC 발병간에 상관 관계에 대해서는 완전한 이론적 근거 및 동물실험 모델이 부족함으로 이에 대한 추가적인 연구가 필요하다.

4) 만성 염증

앞선 박테리아 감염뿐 아니라 실리콘 보형물 자체의 구조적 요인으로 인해 만성 염증이 발생할 수 염증이 발생할 수 있는데, 우선 보형물 표면에서 떨어져나온 실리콘 입자가 이물질로 작용하여 만성 염증을 일으킬 수 있다(입자 유발 가설). 이러한 이물질은 대식세포를 활성시키며, 림프구 화학주성(chemotaxis) 및 복제에 의해 T 세포 반응을 간접적으로 촉진하는 염증 인자를 방출하게 되는데, 만성적으로 T 세포의 분열 신호가 지속되면 림프종의 발병 위험도 증가되게 된다. BIA-ALCL은 거친 표면 보형물을 사용한 환자에게서 주로 발생하는데, 일반적으로 매끄러운 보형 물에 비해 표면이 거친 표면 보형물의 경우 더 큰 실리콘 입자들의 탈락이 되는 것은 입자 유발 가설에 의한 BIA-ALCL 발생 가능성을 뒷받침하는 것이다. 또한 BIA-ALCL의 발병 위험도가 보형물의 거칠기의 정도에 비례한다는 사실은 BIA-ALCL의 발병에 실리콘 입자가 관여할 가능성이 있음을 시사한다.

실리콘 입자 외에도 충전된 실리콘이 용해된 형태로 보형물 외부로 유출되어 만성 염증을 일으킬 수 있다는 가설도 제시되고 있다. 그러나, 유출된 siloxanes과 림프종의 발병과의 상관성이 아직은 명확하지 않기 때문에 이에 대한 추가 연구가 필요하다.

5. 진단

BIA-ALCL의 진단을 위한 영상 검사로는 초음파(US), 전산화 단층 촬영(CT), 자기 공명 영상(MRI), 양전자 방출 단층 촬영(PET-CT) 등을 시행할 수 있다(그림 3-6-1). BIA-ALCL의 초기 증상이 장액종인 경우, 진단에 대한 민감도는 초음파가 84%, 자기 공명 영상이 82%, 전산화 단층 촬영이 55%, 양전자 방출 단층 촬영이 38%인 반면, 초기 증상이 종괴일 경우에는 PET-CT의 민감도가 64%로 가장 높다.

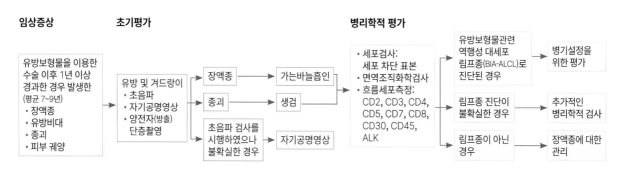

그림 3-6-1. 2022년 미국 종합 암 네트워크(NCCN) 가이드를 바탕으로 한 **BIA-ALCL** 환자의 진단 알고리즘

일반적으로 BIA-ALCL의 주 증상은 seroma인 경우가 많기 때문에, 초음파 검사가 질병의 screen이나 진단 목적의 기본 검사로 시행되며, 자기 공명 영상이나 양전자 방출 단층 촬영은 초음파로 진단이 불확실하거나 병변에 대한 추가적인 평가가 필요할 때 또는 staging 시행 시에 고려해볼 수 있다. 초음파 상 소량의 삼출액(5–10 mL)은 유방보형물 수술 후 흔히 관찰되는 소견이므로 추가적인 검사를 요하지는 않는다. 그러나 수술 후 1년 이상 경과된 환자에게서 30–1000 mL의 late seroma가 관찰된다면, 반드시 세침 흡인 세포 검사를 시행하여 BIA-ALCL 유무를 확인하여야 한다. BIA-ALCL의 진단을 위해서는 최소 30 mL (이상적

으로는 50 mL) 이상의 삼출액이 필요하며, 이보다 적은 양의 삼출액은 진단적 가치가 떨어질 수 있다. 또한 초음파를 이용하여 겨드랑이 등 국소 림프절에 대한 평가를 시행하고, 의심되는 병변이 있다면 전이 여부를 확인하여야 한다.

확보된 검체에 대한 병리학적 진단을 위해서는 우선 현미경 상에서 불규칙한 핵을 가진 다형성 대세포(polymorphic large cells with an irregular nucleus)를 확인해야 한다. 이러한 세포들의 핵은 수포가 형성되어 있거나, 핵소체(nucleoli)가 다른 세포들에 비해 뚜렷하게 보이기도 하고, 신장(kidney)나 말 안장(horseshoe) 모양을 띠기도 한다. 현미경 상에서 BIA-ALCL이 의심되는 경우 면역 화학 염색을 시행하게 되는데, ALK (anaplastic lymphoma kinase)는 음성, CD 30은 양성을 나타내는 경우 BIA-ALCL의 진단이 가능하다.

BIA-ALCL진단을 위해 유세포 분석(flow cytometry)을 실시할 수도 있는데, CD30이 강하게 발현되면서 forward scatter (FSC)가 높고 CD4의 발현은 관찰되나, 다른 T-cell antigen의 발현이 감소되어 있다면 BIA-ALCL을 의심해야 한다. BIA-ALCL 세포에서 거의 모든 경우 T cell receptor (TCR) 유전자의 재배열이 나타나기 때문에 진단을 위해 중합 효소 연쇄 반응(polymerase chain reaction) 기법을 이용하여 TCR 유전자 재배열 여부를 확인하기도 한다.

BIA-ALCL이 의심되는 환자에게서 피막 절제술 등을 시행할 때 가급적 피막은 온전히 보전하여 피막 내에 존재할 수 있는 종양 세포들이 주변 조직으로 퍼지는 것을 막아야 한다. 피막이 온전히 보전된 상태에서 보형물과 피막을 함께 제거한 뒤, 주사기 등을 이용하여 피막 내의 장액종을 채취하여 BIA-ALCL 진단을 위한 검체로 활용해야 한다. 이후 피막 내부를 확인하여 종괴 등 BIA-ALCL이 의심되는 부분은 모두 병리 검사를 의뢰해야 한다. 만약 장액 종도 없고, 의심되는 병변도 없는 상태에서 BIA-ALCL의 발병 여부를 확인하고 싶다면 6군데 (피막의 상부, 하부, 내측, 외측, 전면부 및 후면부)에서 최소 2개의 조직 표본을 채취하여 종양 세포 유무를 확인하여야 한다.

6. 병기설정

BIA-ALCL의 병기를 평가하는 방법으로는 Ann Arbor 병기의 Lugano 변형과 TNM 병기 두 가지가 있다. BIA-ALCL를 포함한 모든 유형의 림프종 환자는 전통적으로 Ann Arbor 병기를 사용해 왔다. 하지만 BIA-ALCL환자에게 Ann Arbor 병기를 사용할 경우 거의 모든 환자가 IE기(84%) 또는 IIE기(16%)의 두 단계 중 하나에 속하게 되어, 병기의 분류에 어려움이 있다. 따라서 NCCN에서는 BIA-ALCL환자의 병기를 설정하는데 TNM 병기를 사용할 것을 권고하고 있다. 이는 종양 세포의 피막으로의 침윤 정도, 국소 림프절 전이 정도, 원격 전이 유무에 따라 병기를 설정한 것이다(표 3-6-1, 그림 3-6-2).

표 3-6-1. BIA-ALCL의 TNM 정의		
TNM		**정의**
원발 종양 (T)	T1	종양 세포가 피막 침윤 없이 장액종 내에만 존재할 경우
	T2	종양 세포가 피막의 일부분을 침범한 경우
	T3	종양 세포가 피막 전층을 침범한 경우
	T4	종양 세포가 피막을 넘어 주변 조직을 침범한 경우
림프절 (N)	N0	림프절 전이가 없는 경우
	N1	1개의 림프절에서 종양세포가 관찰되는 경우
	N2	2개 이상의 림프절에서 종양세포가 관찰되는 경우
원격전이 (M)	M0	원격 장기 전이가 없는 경우
	M1	원격 장기 전이가 있는 경우

표 3-6-2. BIA-ALCL 환자의 병기 설정을 위한 TNM 병기	
병기	**정의**
I A	T1 N0 M0
I B	T2 N0 M0
I C	T3 N0 M0
II A	T4 N0 M0
II B	T1–3 N1 M0
III	T4 N1–2 M0
IV	T1–4 N1–4 M1

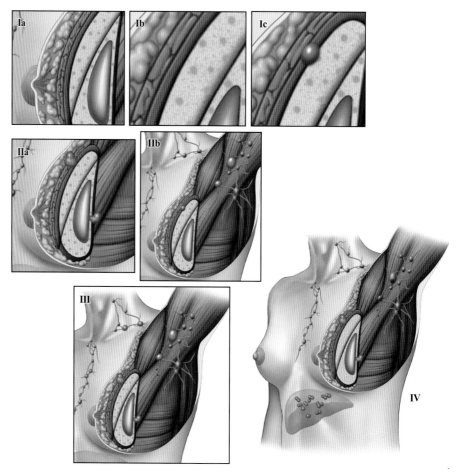

그림 3-6-2. BIA-ALCL 환자의 병기 설정을 위한 TNM 병기

7. 치료

일반적인 림프종의 치료 원칙이 항암제를 이용한 화학 요법인 것에 반해, BIA-ALC은 조기에 적절한 진단을 하여 수술을 통해 병변을 완전히 절제하는 것이 중요하다.

즉 국소 병변만 확인되는 환자의 경우(stage IIA 이하) 보형물과 피막, 피막 주변 조직을 포함하여 한꺼번에 절제하는 수술(en bloc resection)만으로도 완치를 기대할 수 있다. 또한, 최종 조직 검사상 악성 조직이 수술 절단면(surgical margin)을 침범하지 않고 완전히 제거되었다면, 항암 요법이나 방사선 치료는 시행하지 않아도 된다. 수술 시행 시 피막을 온전한 상태로 완전하게 절제하는 것이 중요한데, 대흉근 하방으로 유방보형물이 위치한 경우 흉곽과 후방 피막(posterior capsule)의 유착으로 인해 피막전체를 제거하는 것이 어려울 수 있으며 흉벽 근육 등의 천공으로 인해 기흉이 발생할 수 있다. 따라서 근육하 보형물 삽입 환자에게서 후방 피막을 제거를 용이하게 시행하기 위해서는 피막에 tumescent 용액을 주사하여 박리 공간을 확보하는 것이 필요하다. 액와 림프절 곽청술은 여러 림프절이 침범된 경우가 아니면 사용되지 않으며, 효과 또한 증명된 바가 없다. 약 2–4%의 사례에서 반대쪽 유방에도 BIA-ALCL이 확인되어 수술 시 반대쪽 보형물의 제거 또한 고려해 보아야 한다.

겨드랑이 림프절에 전이가 있는 경우, 술후 절단면이 양성이거나 흉벽 침범이 있다면 항암 요법이나 방사선 치료를 시도해볼 수 있지만, 효용성에 대해서는 논란이 있다. 항암치료를 위해서는 전신 역행성대세포림프종 치료의 가이드라인에 기반하여, CHOP (cyclophosphamide, hydroxydaunorubicin, vincristine, prednisolone)이 가장 흔하게 사용된다. 경우에 따라서는 CD30에 대한 표적 치료제인 brentuximab vedotin을 사용하기도 한다.

BIA-ALCL 환자의 예후는 병기 및 치료방법에 따라 달리 나타난다. MD Anderson 암 연구 센터에서 발표한 바에 따르면, 병변의 완전 절제를 시행하였을 경우 T1-T3 병기 환자의 재발률은 0%였으며, T4 병기 환자의 경우 14.3%로 보고되었다. 항암치료를 시행 받은 환자들 중 T4 병기의 60% 및 T1 병기의 13.3%에서 재발이 확인되었다. 방사선치료를 시행 받은 환자 중 T4 병기 환자의 56%에서 재발이 발생하였으며, T1-T3 병기 환자들에게는 재발하지 않았다. 완전 절제가 불가능한 경우에는 병기와 재발률은 차이가 없었다.

과거에 거친 표면 보형물을 이용하여 수술을 받았더라도 특별한 증상이 없다면 예방적으로 보형물을 제거하거나 피막 절제술을 시행하는 것은 추천되지 않는다. 이는 예방적 보형물 제거 수술로 인해 얻을 수 있는 BIA-ALCL의 예방 효과가 명확하지 않다는 점과 BIA-ALCL의 낮은 발병률, 출혈, 염증 등과 같은 수술 합병증 위험, 조기 치료 시 높은 완치율, 수술로 인해 발생할 수 있는 경제적/정신적 부담 등을 종합적으로 고려했을 때, 예방적 수술로 인해 유발되는 위험이 이익을 상회하기 때문이다. 만약 거친 표면 보형물을 이용하여 수술을 받았던 환자가 파열이나 구형 구축 등 다른 이유로 보형물 교체술 또는 제거술을 시행할 경우에도 예방적 피막 절제술은 권고되지 않는다. 그러나 보형물 교체 과정에서 피막 내부를 확인하여 구축이나 종괴 등 병적 변화가 관찰된다면 피막을 절제하여 진단 검사를 시행할 수 있다.

8. 결론

현재까지 보고된 바에 기초했을 때, BIA ALCL 발병률은 증가하고 있는 추세이며, 특히 Allergan사의 거친 표면 보형물을 수술받은 환자의 경우 위험도가 높다. 그러나 조기에 진단만 이루어지게 된다면 수술적 치료만으로도 완치를 기대할 수 있기 때문에, BIA-ALCL과 관련된 증상 발생 유무에 대해서는 환자와 의사 모두 경각심을 가져야 한다. 특히 수술 후 1년 이상 지난 상태에서 장액종으로 인해 유방의 크기가 변화되거나 종괴가 촉지되는 경우에는 반드시 조직학적 검사를 시행하여 BIA-ALCL을 감별해야 한다. 또한 국내와 아시아 BIA-ALCL 환자에 대한 정보가 극히 부족한 만큼 보형물 레지스트리와 같은 보고 체계를 확립하여 BIA-ALCL 발생 환자의 특성을 파악하고 위험 인자를 도출하기 위한 노력도 함께 필요하다.

☑ 참고문헌

1. Adams WP, Jr. Discussion: Breast Implant-Associated Anaplastic Large Cell Lymphoma in Australia and New Zealand: High-Surface-Area Textured Implants Are Associated with Increased Risk. Plast Reconstr Surg. 2017;140(4):663-5.

2. Adams WP, Jr., Culbertson EJ, Deva AK, M RM, Layt C, Jewell ML, et al. Macrotextured Breast Implants with Defined Steps to Minimize Bacterial Contamination around the Device: Experience in 42,000 Implants. Plast Reconstr Surg. 2017;140(3):427-31.

3. Barr S, Hill EW, Bayat A. Functional biocompatibility testing of silicone breast implants and a novel classification system based on surface roughness. J Mech Behav Biomed Mater. 2017;75:75-81.

4. Baxter RA. The Micromort Concept and its Applicability to Breast Implant-Associated Anaplastic Large Cell Lymphoma (BIA-ALCL) Risk Assessment. Aesthet Surg J. 2018;38(2):NP32.

5. Brown T. Breast Implant-Associated Anaplastic Large Cell Lymphoma in Australia and New Zealand: High-Surface-Area Textured Implants Are Associated with Increased Risk. Plast Reconstr Surg. 2018;141(1):176e-7e.

6. Campanale A, Spagnoli A, Lispi L, Boldrini R, Marletta M. The Crucial Role of Surgical Treatment in BIA-ALCL Prognosis in Early- and Advanced-Stage Patients. Plast Reconstr Surg. 2020;146(5):530e-8e.

7. Clemens MW, Brody GS, Mahabir RC, Miranda RN. How to Diagnose and Treat Breast Implant-Associated Anaplastic Large Cell Lymphoma. Plast Reconstr Surg. 2018;141(4):586e-99e.

8. Clemens MW, Horwitz SM. NCCN Consensus Guidelines for the Diagnosis and Management of Breast Implant-Associated Anaplastic Large Cell Lymphoma. Aesthet Surg J. 2017;37(3):285-9.

9. Clemens MW, Medeiros LJ, Butler CE, Hunt KK, Fanale MA, Horwitz S, et al. Complete Surgical Excision Is Essential for the Management of Patients With Breast Implant-Associated Anaplastic Large-Cell Lymphoma. J Clin Oncol. 2016;34(2):160-8.

10. Clemens MW, Miranda RN. Coming of Age: Breast Implant–Associated Anaplastic Large Cell Lymphoma After 18 Years of Investigation. Clinics in Plastic Surgery. 2015;42(4):605-13.

11. Cuomo R. The State of the Art about Etiopathogenetic Models on Breast Implant Associated-Anaplastic Large Cell Lymphoma (BIA-ALCL): A Narrative Review. J Clin Med. 2021;10(10).

12. Deva AK, Turner SD, Kadin ME, Magnusson MR, Prince HM, Miranda RN, et al. Etiology of Breast Implant-Associated Anaplastic Large Cell Lymphoma (BIA-ALCL): Current Directions in Research. Cancers (Basel). 2020;12(12).

13. Doren EL, Miranda RN, Selber JC, Garvey PB, Liu J, Medeiros LJ, et al. U.S. Epidemiology of Breast Implant-Associated Anaplastic Large Cell Lymphoma. Plast Reconstr Surg. 2017;139(5):1042-50.

14. Fleury EdFC, R go MM, Ramalho LC, Ayres VJ, Seleti RO, Ferreira CAP, et al. Silicone-induced granuloma of breast implant capsule (SIGBIC): similarities and differences with anaplastic large cell lymphoma (ALCL) and their differential diagnosis. Breast Cancer: Targets and Therapy. 2017;Volume 9:133-40.

15. Hu H, Jacombs A, Vickery K, Merten SL, Pennington DG, Deva AK. Chronic biofilm infection in breast implants is associated with an increased T-cell lymphocytic infiltrate: implications for breast implant-associated lymphoma. Plast Reconstr Surg. 2015;135(2):319-29.

16. Hu H, Johani K, Almatroudi A, Vickery K, Van Natta B, Kadin ME, et al. Bacterial Biofilm Infection Detected in Breast Implant-Associated Anaplastic Large-Cell Lymphoma. Plast Reconstr Surg. 2016;137(6):1659-69.

17. Ionescu P, Vibert F, Ame S, Mathelin C. New Data on the Epidemiology of Breast Implant-Associated Anaplastic Large Cell Lymphoma. Eur J Breast Health. 2021;17(4):302-7.

18. Kadin ME, Deva A, Xu H, Morgan J, Khare P, MacLeod RA, et al. Biomarkers Provide Clues to Early Events in the Pathogenesis of Breast Implant-Associated Anaplastic Large Cell Lymphoma. Aesthet Surg J. 2016;36(7):773-81.

19. Leberfinger AN, Behar BJ, Williams NC, Rakszawski KL, Potochny JD, Mackay DR, et al. Breast Implant-Associated Anaplastic Large Cell Lymphoma: A Systematic Review. JAMA Surg. 2017;152(12):1161-8.

20. Lee JH. Breast implant-associated anaplastic large-cell lymphoma (BIA-ALCL). Yeungnam Univ J Med. 2021;38(3):175-82.

21. McGuire P, Reisman NR, Murphy DK. Risk Factor Analysis for Capsular Contracture, Malposition, and Late Seroma in Subjects Receiving Natrelle 410 Form-Stable Silicone Breast Implants. Plast Reconstr Surg. 2017;139(1):1-9.

22. Nava MB, Adams WP, Jr., Botti G, Campanale A, Catanuto G, Clemens MW, et al. MBN 2016 Aesthetic Breast Meeting BIA-ALCL Consensus Conference Report. Plast Reconstr Surg. 2018;141(1):40-8.

23. Nava MB, Catanuto G, Rocco N. 22 Cases of Breast Implant-Associated ALCL: Awareness and Outcome Tracking from the Italian Ministry of Health. Plast Reconstr Surg. 2018;141(5):777e-9e.

24. Nelson JA, McCarthy C, Dabic S, Polanco T, Chilov M, Mehrara BJ, et al. BIA-ALCL and Textured Breast Implants: A Systematic Review of Evidence Supporting Surgical Risk Management Strategies. Plast Reconstr Surg. 2021;147(5S):7S-13S.

25. O'Neill AC, Zhong T, Hofer SOP. Implications of Breast Implant-Associated Anaplastic Large Cell Lymphoma (BIA-ALCL) for Breast Cancer Reconstruction: An Update for Surgical Oncologists. Ann Surg Oncol. 2017;24(11):3174-9.

26. Patzelt M, Zarubova L, Klener P, Barta J, Benkova K, Brandejsova A, et al. Anaplastic Large-Cell Lymphoma Associated with Breast Implants: A Case Report of a Transgender Female. Aesthetic Plast Surg. 2018;42(2):451-5.

27. Roberts JM, Carr LW, Jones A, Schilling A, Mackay DR, Potochny JD. A Prospective Approach to Inform and Treat 1340 Patients at Risk for BIA-ALCL. Plast Reconstr Surg. 2019;144(1):46-54.

28. Ronchi A, Montella M, Argenzio V, Lucia A, De Renzo A, Alfano R, et al. Diagnosis of anaplastic large cell lymphoma on late peri-implant breast seroma: Management of cytological sample by an integrated approach. Cytopathology. 2018;29(3):294-9.

29. Sieber DA, Adams WP, Jr. What's Your Micromort? A Patient-Oriented Analysis of Breast Implant-Associated Anaplastic Large Cell Lymphoma (BIA-ALCL). Aesthet Surg J. 2017;37(8):887-91.

30. Srinivasa DR, Miranda RN, Kaura A, Francis AM, Campanale A, Boldrini R, et al. Global Adverse Event Reports of Breast Implant-Associated ALCL: An International Review of 40 Government Authority Databases. Plast Reconstr Surg. 2017;139(5):1029-39.

31. Swanson E. A 1-Point Plan to Eliminate Breast Implant-Associated Anaplastic Large-Cell Lymphoma. Ann Plast Surg. 2018;80(5):465-6.

32. Swanson E. Breast Implant-Associated Anaplastic Large Cell Lymphoma (BIA-ALCL): Why the Search for an Infectious Etiology May Be Irrelevant. Aesthet Surg J. 2017;37(9):NP118-NP21.

33. Turton P, El-Sharkawi D, Lyburn I, Sharma B, Mahalingam P, Turner SD, et al. UK Guidelines on the Diagnosis and Treatment of Breast Implant-Associated Anaplastic Large Cell Lymphoma (BIA-ALCL) on behalf of the Medicines and Healthcare products Regulatory Agency (MHRA) Plastic, Reconstructive and Aesthetic Surgery Expert Advisory Group (PRASEAG). J Plast Reconstr Aesthet Surg. 2021;74(1):13-29.

34. Wolfram D, Rabensteiner E, Grundtman C, Bock G, Mayerl C, Parson W, et al. T regulatory cells and TH17 cells in peri-silicone implant capsular fibrosis. Plast Reconstr Surg. 2012;129(2):327e-37e.

반대측 유방의 성형

Balancing procedure
(contralateral augmentaiton and reduction)

고려대학교 안암병원 성형외과 **윤을식**

유방암 전절제술 또는 유방 보존 치료 후 재건술을 시행할 때, 반대측 유방에 어떤 수술을 시행할 지 논의하는 것은 매우 중요하다. 유방 부분 절제나 전절제 수술을 받은 많은 환자들에서 유방 복원 수술은 삶의 질을 향상시키는 중요한 역할을 하고 있다. 하지만 유방 양측이 대칭적이고 균형적이지 않은 경우에는 환자의 만족도는 떨어질 수밖에 없을 것이다. 비록 반대측 유방 수술이 실제 임상 현장에서 어느 정도 이루어지고 있는지에 대한 국내의 정확한 통계는 나와있지 않지만, 외국의 경우 유방전절제술 후 즉시 유방복원술을 시행한 경우 약 15-89% 정도까지 행해지는 것으로 알려져 있다. 흔히 행해지는 수술로는 반대측의 유방 축소술, 유방 확대술, 그리고 유방 고정술이 있다. 여기서는 반대측 유방의 수술 방법과 동측 유방의 이차적인 처치에 관해 다루어 볼 것이다.

1. 적응증

반대측 유방에 대한 유방축소술, 유방확대술과 유방고정술은 유방전절제술 후 유방복원술과 유방암성형수술(oncoplastic surgery)을 시행할 때, 양측 유방의 균형을 맞추는데 크게 기여해왔다. 유방의 크기에 큰 차이가 있는 경우 유방 축소술이 도움이 될 수 있으며, 모양의 불균형이 심한 경우 유방고정술로 좋은 결과를 가져올 수 있다. 반대측 유방이 작은 경우에는 보형물이나 지방이식 등을 이용한 유방확대술이 사용될 수 있을 것이다. 이때 어떠한 술기를 시행할지를 결정하는 문제는 환자 요소와 유방의 성상, 그리고 수술 시기, 암의 진행정도, 암조직이 경계부위에서 얼마나 침범했는지 여부 및 수술 후 방사선 치료를 시행했는지 여부 등을 근거로 판단해야 할 것이다. 반대측 유방에 대한 처치를 행하지 말아야 할 술기의 금기증으로는 환자의 수술에 대한 의지가 없는 경우, 반대측 유방의 악성화 가능성, 그리고 유방의 성상 등이 있을 수 있다(표 4-1-1).

표 4-1-1. 반대편 유방 성형의 적응증과 금기증

Indication (적응증)	Contraindication (금기증)
환자의 수술에 대한 기대	유방조영술이나 MRI에서 비정상소견을 보임
반대측의 정상 유방 검사	비대칭이 없는 환자
더 이상 유방암의 증거가 없음	수술 고위험군
모양과 크기의 비대칭	

2. 수술 전 고려해야 할 사항

반대측 유방성형수술을 계획하려고 하는 환자와 면담 시 다음과 같은 몇 가지 요소를 반드시 고려해야 한다. 첫 번째로, 의사는 환자가 유방암에 대해서 충분하고 철저하게 평가를 하였는지에 대해서 확인을 해야 한다. 그다음, 환자의 유방의 크기와 모양 그리고 유두유륜의 위치 등에 대한 환자 개인의 바람을 확인 후 그에 대해 함께 논의해야 한다. 유방이 큰 환자들의 경우에는 등이나 목 주위의 통증, 브래지어 끈으로 인한 함몰 혹은 감염 등에 대해서 궁금해할 것이기 때문에 이에 대해서도 고려해야 한다. 또한 조절되지 않는 당뇨나 흡연력 등과 같은 고위험 예후 인자들에 대해서도 충분히 검토해야 한다. 마지막으로 재건의는 반대측 유방의 유방암 위험성과 지속적 신체 검진과 정기적 영상의학적 검사의 필요성에 대해서 환자에게 충분히 교육시켜야 한다.

3. 환자선택

자연스러운 모양과 양측의 균형은 무척 중요하다. 환자군들은 30세 미만의 젊은 환자부터, 65세 이상의 고령 환자에까지 다양한 연령대에 모두 분포할 수 있지만, 많은 환자들은 자녀를 가진 중년 여성들이다. 중년 여성들의 유방은 면적이 넓고 볼륨이 많으며 처져있는 특징을 가질 수 있다. 이러한 환자들의 일부에 있어서는 원발성 종양을 제거한다고 했을 때 눈에 띄게 모양이나 크기 차이가 나지 않을 수 있다. 그런 경우에는 반대편 유방의 추가적인 처치가 군이 필요하지 않을 수도 있다. 그러나 종양절제술(lumpectomy)이나 부분절제술을 시행한 경우 양측 유방에 있어 눈에 띄는 차이를 만들어 낼 수 있고, 이러한 불균형을 해소하는 데에 있어 반대편 유방에 대한 성형외과적 술기가 매우 유용하게 사용될 수 있다.

유방암 절제술을 받은 후 반대편 술기를 받는 환자들은 다음과 같은 3가지 분류 중 하나에 해당되는 경우가 대부분이다. 이는 거대유방, 중등도의 유방하수 그리고 작은 유방으로, 수술 후 자연스럽고 대칭인 유방으로 복원하기 위해 환자가 원치 않더라도 시행되어야 하는 경우가 많다. 특히 저성장 유방 환자의 경우는 자가조직을 이용한 유방재건술로 자연스러운 유방을 만들 수 있지만, 보형물을 이용한 유방재건을 시행한 경우 반대측 유방의 모양이 보형물 모양과 비슷하지 않아 자연스러운 유방을 만들기 어렵고 특히 환자가 누웠을 때 보형물이 두드러져 보여 대부분 반대측 유방 확대술을 시행해야 좋은 결과를 얻을 경우가 많다. 유방암성형수술을 고려하는 모든 환자들은 반드시 양측의 영상의학적 검사를 시행해야 하며, 해당 검사로 유방조영술(mammography)이나 자기공명영상(magnetic resonance imaging; MRI) 등이 있다. 반대편 유방에 있어서 무엇인가 의학적 이상이 존재하는 경우에는 단순한 미적 측면에서만 수술을 시행해서는 절대 안되며, 반드시 종양학적 접근이 필요하다. 유방암성형수술을 시행 후 유방암이 발생하는 경우 환자들은 방사선치료를 시행하게 되는데, 이 경우 방사선 조사 후에 유방의 모양이 변형될 수 있음에 대해 충분히 숙지할 수 있도록 해야 한다. 또한 반대편 수술을 진행함에 있어서 이러한 문제도 사전에 고려해야 한다.

4. 반대측 유방성형수술의 시기

반대측 유방에 대한 술기를 시행하는 데 있어 수술 시기를 즉시 시행할 것인지, 추후에 2차적으로 시행할지에 대한 결정, 환자의 선호도와 원발성암의 완전 절제 가능 여부, 술후 방사선 치료의 진행 여부 및 종양외과와 재건외과의 동시 수술 진행 가능 여부 등 여러 가지 요소를 함께 고려해야 한다. 장기적인 관점에서 최종 결과는 크게 다르지 않다. 다만 단기적 관점에서 봤을 때 일정 기간, 양측 유방의 불균형이 존재한다는 차이점이 있을 뿐이다. 많은 환자들은 한 번에 모든 수술을 마무리하는 것을 선호하는 경향이 있는데, 가장 큰 이유는 양측 유방을 동시에 수술할 수 있다는 큰 장점이 있기 때문이다. 그러나 수술 후 방사선 치료를 계획하고 있는 일부 환자들에서 유방의 부피나 모양의 불균형이 생길 수 있기에, 그러한 불만족도 함께 고려해야 한다. 반대편 유방에 대한 수술적 술기를 시행함에 있어서 중요한 또 다른 한 가지는 원발성 종양 종괴를 완전히 제거할 수 있는지에 대한 부분이다. 만약 종양이 작고 국한되어 있다면 종양외과 의사는 충분하게 안전한 병변을 확보한 상태에서 종양의 제거가 가능하다. 이 경우 발생하는 2차적 변형은 재건 수술과 반대편 유방에 대한 술기를 통해 동시에 균형을 회복할 수 있다. 그러나 당초 예상보다 종양이 더 크거나 다발성이거나 정확한 병변의 경계가 불확실 할 경우, 반대편 유방에 대한 외과적 수술은 2차적으로 시행하는 것이 바람직하다. 이러한 방법의 장점은 경계에 대한 평가가 조직병리적으로 확진된 후에 진행할 수 있기 때문에 보다 안전하다는 것이다. 마지막으로 고려해야 할 점은 유방외과와 재건외과 의사 간의 수술 일정을 적절히 조정하는 것이다. 물론 2차적으로 수술하는 경우에는 큰 문제가 되지 않지만, 1차적으로 유방암 절제술 후 즉시 동시에 수술을 하기로 한 경우에는 중요한 문제가 될 수 있다. 중등도-고도의 유방비대 혹은 유방하수가 존재하는 경우에는 유방축소술이나 유방고정술이 필요할 수도 있다. 해당 경우에도 반대편 유방에 대해 수술을 어떻게 진행할 지도 함께 고민을 해야 한다.

5. 종양적 측면에서 고려해야 될 사항

유방암 다학제치료팀의 일원으로서 성형외과 의사는 유방암 치료를 앞둔 여성 환자의 유방암 발병 가능성에 대해서 숙지할 필요가 있다. 유방암 병력이 있는 경우, 반대편 유방에도 암이 생길 수 있는 중요 위험인자가 된다. 일측 유방암을 가진 환자의 경우 반대편 유방 또한 암이 발병할 위험도는 2-5배 증가한다고 보고되고 있다. 다른 연구에서는 새로운 암이 발생할 위험도가 연당 0.5-1% 가량 된다고 보고하였다. 일측 유방암을 가진 환자가 그녀의 일생에 있어서 반대편 유방에도 유방암이 발병할 위험성은 5-10% 가량 된다. 유방암 치료를 받은 후에도 환자들은 반드시 유방암 신체 검진 및 영상 검사 등을 통해 정기적 관찰을 하면서 경과를 지켜보아야 한다. 양측 유방의 균형을 위해 반대편 유방에 수술을 시행 받은 환자의 경우 수술 6개월 후에 새로이 유방조영술을 시행할 수 있게끔 해야 하며, 이를 기초자료로 삼아서 경과 관찰을 진행해야 한다. 유방축소술을 시행한 경우에는 유방 실질 조직을 변화시키기 때문에 미세석회화가 생길 수 있다. 그러나 이러한 소견들은 조직검사나 유방종괴절제술 등의 다른 시술 혹은 수술로 인해 발생할 수 있는 변화와 크게 다르지 않다. 이러한 변화들은 숙련된 영상의학 전문의에 의해 쉽게 감별할 수 있으며, 유방 축소술 자체가 유방암의 재발감시에 영향을 미치지 않는다고 보고된 바 있다. 의사는 반대편 유방을 수술했을 때 새로이 발생할 수 있는 유방 암과 그것을 발견하는 것의 위험도에 대해서 충분히 숙지하고 있어야 한다. 양측의 균형을 맞추기 위한 일련의 술기들은 새로이 발생할 수 있는 암을 조기 발견해 내는데 도움을 준다는 보고가 있다. 예를 들어 유방축소술을 시행할 경우 유방암 위험도가 28% 가량 감소한다는 보고가 있으며, 나아가 반대편 유방 축소술을 시행하게 되면 이에 대해 조직학적 검사를 시행할 수 있다는 이점이 있다. 양측 유방의 균형을 맞추기 위해 반대편 유방에 대해 유방 축소수술을 시행한 경우, 반대편 유방 조직에서 4.5% 가량의 잠재 종양이 발견되었다는 보고가 있으며, 해당 결과는 앞의 논리를 뒷받침해 줄 수 있다.

6. 수술 술기

1) 일측 유방 부분절제술 후 양측 유방축소술

종양 제거 수술을 시행할 때는 종양의 위치를 고려하게 된다. 만약 Wise pattern의 안쪽에 위치한다면 절개선은 그 패턴 위 혹은 안에서 이뤄지게 된다. 또한 만약 Wise pattern의 바깥 쪽에 절개선이 위치한다면, 종양의 절제를 잘 해내기 위해 절개선은 연장되어야 할 것이다. 이 경우 양측 유방 실질의 모양에 변화를 가져올 가능성이 있다. 역T자 반흔법을 이용하여 유방축소술을 시행할 수도 있으며 수직반흔축소술로 시행할 수도 있다. 흉터가 큰 합병증으로 눈에 띌 수 있으나, 대개 흉터가 성숙해짐에 따라 그 변화는 대개 받아들일 수 있는 수준 정도로 그치게 된다. 종양 및 주위 실질 조직의 제거 후 제거한 조직의 중량을 재고 부피 또한 평가를 해야 한다. 일반적으로 예측되는 제거 실질 조직의 크기가 600 g을 넘어서며, 유두유륜복합체가 6 cm 미만 수준으로 필요한 경우에는 내 측피판경(medial pedicle)이 선호된다. 만약 6 cm 이상으로 필요한 경우에는 내상방피판경(superomedial pedicle)이 선호되는 경향이 있다. 이는 피판경이 길수록 회전시키기가 훨씬 용이하기 때문이다. 짧은 피판경의 경우 대개 back-cut을 필요로 한다. 하방을 기저로 둔 피판경의 경우, 유두에서 유방 밑주름까지의 길이가 내측피판경의 길이보다 짧거나 유방실질조직의 대부분이 상측에 위치해 있을 때 사용되는 경향이 있다.

2) 일측 유방 부분절제술 후 반대측 지연유방축소술

2차적으로 재건을 시행하는 경우 이러한 유방축소술의 디자인에 조금 변화가 필요하게 된다. 이는 약간의 양측 유방의 불균형이 발생하기 때문이다. 암조직이 위치하는 유방에서는 이미 방사선치료가 시행된 후이기 때문에, 대개 동측의 재건이 필요하다. 그래서 흔히 반대편 유방 축소수술과 함께 광배근 피판수술 등을 같이 시행하게 된다. 수술 시에는 양측 유두유륜복합체가 동일 수평면상에 놓일 수 있도록 위치를 설정해두게 되는데, 대개의 경우 가측, 혹은 상측으로 위치하게 된다. 반대편 유방의 절제 양을 결정하기 위해서 동측 조직의 결손양을 우선적으로 파악해야 한다. 예를 들어, 동측 유두유륜복합체가 5 cm 미만일 경우에는 적어도 광배근피판의 피부 조직 부위를 5 cm 가량 확보해야 하는 것이다.

3) 일측 종양–성형술 후 양측 지연유방축소술

수술 전에 양측 유방이 거대한 경우 일측의 종양절제술 이후에도 양측 모두 유방 사이즈가 크게 남아있을 수밖에 없다. 이 경우 문제가 되는 것은 실제로 방사선 치료를 환측에 시행하게 되면 볼륨과 모양 모두에 불균형이 생기게 된다는 점이다. 이 경우 환자들은 양측 유방 축소술을 고려하게 된다.

4) 일측 종양-성형술 후 반대측 지연유방고정술

반대편 유방고정술은 양측 유방의 부피는 비슷하지만 모양의 차이가 있는 경우에 시행하게 된다. 이는 실제로 상측 유방에 대해 절제술을 시행하여 유두유륜복합체가 위로 끌려 올라갔지만, 실제로 큰 부피 차이는 없는 경우에 흔히 관찰할 수 있다. 수술 후 방사선치료의 영향도 반드시 고려해야 하는데 유방 실질의 수축과 변형을 필연적으로 일으키기 때문이다. 이때 유방고정술을 시행할 때 유방 하수량을 고려해서 방법을 결정하게 된다.

5) 유방보존술 또는 종양성형술 후 반대측 유방확대술

흔히 사용되지는 않으나 대개 유방이 작아 볼륨 증진을 하고 싶어하는 환자에 있어서 적응증이 될 수 있다. 이러한 수술은 지연 수술의 경우에 이뤄지게 되며, 대개 마지막 방사선 치료 후 2년이 경과해야만 시행을 고려해 볼 수 있다. 몇 가지 고려해야 할 점이 있는데, 그중 첫 번째는 환측 유방이 부분 절제가 이뤄지고 방사선 치료까지 행해졌으나 반대편 유방은 그렇지 않은 경우로, 이때에는 수술 후 불균형이 많이 발생하게 된다. 이때 볼륨 차이를 정확히 평가하여, 적절한 보형물을 선택해야 한다. 두 번째로 고려해야 할 것은 환자의 선택이다. 피부 및 피하 조직, 유방실질조직의 성상도 함께 고려를 해야 할 것이다. 술후 방사선 치료를 시행하게 되면 피부는 탄력성을 잃게 되고, 유방 조직의 contour 또한 변화가 생 기게 된다. 마지막으로 수술 후 지속적으로 유방암의 재발에 대 해 감시와 검진을 시행해야 한다는 교육 또한 지속적으로 강조되어야 한다.

6) 일측 유방절제술 후 동측 광배근피판술과 보형물을 이용한 재건술과 반대측 유방확대술

광배근피판과 보형물을 이용한 유방재건은 비교적 거상이 쉬운 피판으로서 종양이 제거된 유방에는 광배근을 이용하여 재건을 시행하며 이때 반대측 유방의 크기와 비교하여 보형물을 함께 사용해 줄 수 있을 것이다. 동시에 환자의 반대측 유방의 동시 유방확대를 진행하여 균형을 이루어 줄 수 있다. 수술절개부위의 회복 수개월 이후에 유두재건술을 시행하며 이후 유륜을 의료용 문신으로 재건해 줄 수 있다.

7. 반대측 유방성형술의 합병증

1) 유방축소술의 합병증

유방 축소술 후에 발생 가능한 합병증이 존재하지만, 적절하게 환자를 선택하고 수술 술기에 몇 가지 주의만 기울인다면 합병증을 최소화할 수 있다. 가장 흔한 합병증으로는 술후 출혈, 감염, 흉터, 지방괴사, 유두유륜 감각소실, 창상치유 지연, 양측 유방 불균형 등이 있다. 이러한 술후 합병증을 완전히 피해 갈 수 있다고 생각하는 것은 사실 비현실적인 바람이며, 이를 최소화하기 위해 노력해야 한다. 항상 유두유륜복합체로 가는 혈류를 최대한 보존해 주고, 만약 가장자리에서 오는 혈류에 문제가 있다고 판단된다면, free nipple graft 또한 고려해 보아야 한다. 때때로 부분 유두 괴사가 생길 수 있으며, 과증식성 흉터는 흔하지 않지만 재수술을 통한 교정이 필요하기도 하다. 아직 유두유륜복합체의 감각을 온전히 보장해 주는 술기는 정해지지 않았지만, 내측 혹은 하방 유경 inferior pedicle을 사용했을 경우 비교적 유지가 잘 된다는 보고가 있다. 술후 출혈 및 혈종을 방지하기 위해서는 수술 중 지혈을 충분히 해줘야 한다. 혈종 예방을 위해 배액관을 설치하기도 하는데 대개는 술후 24시간 내에 제거를 해주게 된다.

2) 유방고정술의 합병증

유방고정술은 유방축소술 후에 발생할 수 있는 합병증과 비슷한 합병증을 동반하는 경우가 많다. 그러나 가장 흔한 것은 대개 유두유륜복합체의 위치와 피부 표피의 괴사와 관련된 문제이다. 이에 수술을 시행함에 있어서 유두유륜복합체의 적절한 위치와 피부 제거량을 적절히 평가해야 한다. Tailor-tack 방법을 통해서 이를 안전하게 처리할 수 있는데, 해당 방법은 피부 긴장을 줄여준다. 그 외에 의사는 유방의 모양을 고려하기 위해 적절히 피부 피판을 이동시켜야 하며, 이는 적절한 피부 및 유방 실질 조직을 제거함으로써 가능하게 된다.

3) 유방확대술의 합병증

반대편 유방 성형술의 가장 큰 문제는 어떠한 보형물도 영원히 지속되지 않는다는 근본적 한계에서 출발한다. 대부분의 보형물은 환자의 일생에 있어 한 번 정도는 문제가 생기기 마련이며, 그중 가장 큰 합병증은 피막구축과 함께, 임플란트의 파열, 지속적 변형, 불균형 등이다. 피막구축의 경우 술후 경과 시간과 관련되어 있다고 보고되고 있는데, 보형물을 삽입하고 오랜 시간이 지날수록(대개 10년 이상) 문제가 생기기 쉽다. 이의 발생을 최소화하기 위해 매우 세심한 술 중 지혈과 멸균적 수술 기법, 충분한 항생제 세척, 그리고 적절한 항생제 사용을 시행해야 한다. 최근 임플란트의 경우 과거와 비교했을 때 많은 개선이 있어, 10

년에 10% 정도의 비율로 발생하는 경향이 있다. 식염수 보형물의 경우 파열의 위험이 종종 보고되는 특징이 있고, 실리콘 보형물의 경우 파열을 발견하기 쉽지 않기 때문에 수년에 한 번씩 주기적으로 MRI 촬영을 해보는 것을 추천한다. 유방암의 재발 등에 대한 주기적 관찰과 감시가 매우 중요하다. 유방 조직 내에 보형물이 있는 경우 30% 정도에서 유방조영술 이미지의 해석에 영향을 줄 수 있다는 보고가 있다. 이런 경우에는 MRI 촬영을 통해 도움을 받을 수 있다. 근육하에 보형물을 위치하는 경우에는 영상 검사에서 그 간섭도가 낮기 때문에 더 유리할 수 있다.

8. 수술 후 처치

수술 후 관리는 마지막으로 고려해 봐야 할 사항으로, 대개의 경우 수술 중 설치하고 나온 배액관을 관리하는 방법과 수술 후 일상생활 방법에 대한 교육을 잘 시행해야 한다. 대개의 경우 술후 2–3일 후에 샤워를 하도록 하며, 항생제는 5–7일 가량 복용할 수 있도록 한다. 조깅이나 무거운 것을 드는 등의 활동은 6주 정도 기다렸다가 시행할 수 있도록 한다. 약 한 달간은 약하게 지지해 주는 기능성 브래지어를 착용케 하며 유방조영술은 수술 후 최대 6개월 이전에 시행하여, 새로이 시작하는 유방암의 감시에 있어서 기초자료 및 지표가 될 수 있도록 한다.

9. 증례

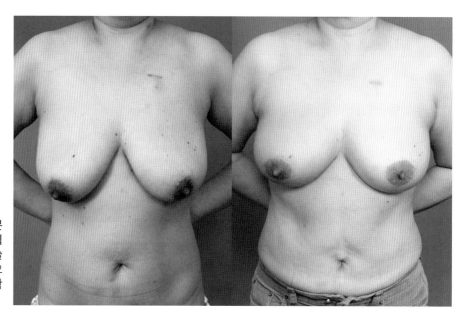

그림 4-1-1. 우측 유방암으로 부분 절제술 시행 후 내상방피판경과 수직 절개를 이용하여 양측 유방 축소술을 시행. 방사선 치료를 시행하였으며 수술 2년 후 경과가 양호함을 확인함.

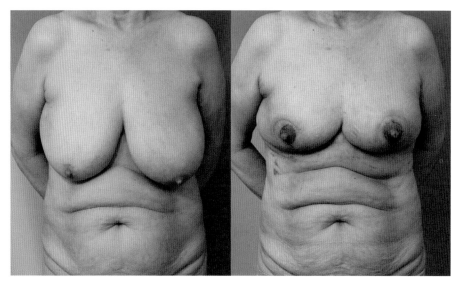

그림 4-1-2. 우측 유방암으로 부분 절제술 시행 후 내상방피판경과 Wise pattern 절개를 이용하여 양측 유방 축소술을 시행. 수술 후 경과가 양호함을 확인함.

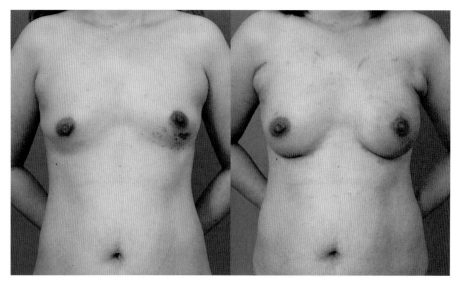

그림 4-1-3. 좌측 유방암으로 유방 절제술 후 보형물을 이용하여 재건 시행. 반대측 유방 확대술을 시행함. 수술 6개월 후 경과가 양호함을 확인함.

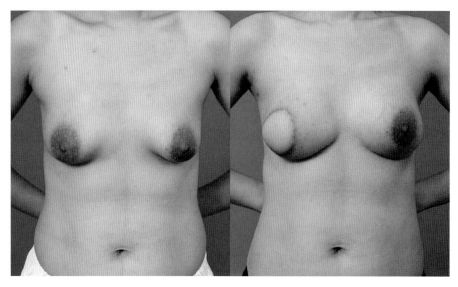

그림 4-1-4. 우측 유방암으로 유방 절제술 시행 후 광배근피판과 보형물을 이용하여 재건술을 시행. 반대측도 보형물을 이용하여 가슴확대를 시행하였으며 수술 6개월 후 경과가 양호함을 확인함.

참고문헌

1. Barone, M., Cogliandro, A., Signoretti, M. et al. Analysis of Symmetry Stability Following Implant-Based Breast Reconstruction and Contralateral Management in 582 Patients with Long-Term Outcomes. Aesth Plast Surg. 2018; 42: 936-940.

2. Chang, Edward I. MD; Lamaris, Grigorios MD; Chang, David W. MD Simultaneous Contralateral Reduction Mammoplasty or Mastopexy During Unilateral Free Flap Breast Reconstruction, Annals of Plastic Surgery. 2013;71(2): 144-148.

3. Chang, Edward I. MD; Selber, Jesse C. MD, MPH; Chang, Eric I. MD; Nosrati, Naveed MD; Zhang, Hong BS, PhD; Robb, Geoffrey L. MD; Chang, David W. MD Choosing the Optimal Timing for Contralateral Symmetry Procedures After Unilateral Free Flap Breast Reconstruction, Annals of Plastic Surgery. 2015; 74(1): 12-16.

4. H. Rizki, C. Nkonde, R.C. Ching, D. Kumiponjera, C.M. Malata, Plastic surgical management of the contralateral breast in post-mastectomy breast reconstruction, International Journal of Surgery. 2013; 11(9): 767-772.

5. Huang, Jung-Ju MD; Wu, Chih-Wei MD; Leon Lam, Wee MB, ChB, MPhil, FRCS (Plast); Lin, Chia-Yu MSc; Nguyen, Dung H. MD; Cheng, Ming-Huei MD, MHA Simultaneous Contralateral Breast Reduction/Mastopexy With Unilateral Breast Reconstruction Using Free Abdominal Flaps, Annals of Plastic Surgery. 2011; 67(4): 336-342.

6. Losken, Albert M.D.; Carlson, Grant W. M.D.; Bostwick, John III M.D.†; Jones, Glyn E. M.D., John H. Culbertson, M.D.; Schoemann, Mark B.A. Trends in Unilateral Breast Reconstruction and Management of the Contralateral Breast: The Emory Experience, *Plastic and Reconstructive Surgery*. 2002; 110(1): 89-97.

7. Marzia Salgarello, Giuseppe Visconti, Liliana Barone-Adesi, Gianluca Franceschini, Riccardo Masetti, Contralateral Breast Symmetrisation in Immediate Prosthetic Breast Reconstruction after Unilateral Nipple-Sparing Mastectomy: The Tailored Reduction/Augmentation Mammaplasty, Arch Plast Surg. 2015; 42(03): 302-308.

8. Nahabedian, Maurice Y. MD, FACS Managing the Opposite Breast: Contralateral Symmetry Procedures, The Cancer Journal. 2008; 14(4): 258-263.

9. Ryckie G. Wade, Francesco Marongiu, Elaine M. Sassoon, Richard M. Haywood, Rozina S. Ali, Andrea Figus, Contralateral breast symmetrisation in unilateral DIEP flap breast reconstruction, Journal of Plastic, Reconstructive & Aesthetic Surgery. 2016; 69(10): 1363-1373.

로봇을 이용한 유방재건술

Robot-assisted breast reconstruction

연세대학교 세브란스병원 성형외과 **이동원**

1. 배경

로봇을 이용한 수술은 여러 외과 영역에서 빠른 속도로 발전하고 있다. 이제까지 여러 형태의 수술용 로봇이 개발되었지만 현재 가장 널리 이용되고 있는 수술용 로봇은 da Vinci 로봇(Intuitive surgical, 미국)으로, 복강경을 발전시킨 형태의 최소침습수술의 수단으로 적용되고 있다. 기존의 복강경보다 섬세하고 광범위한 각도로 움직일 수 있는 로봇 팔과 삼차원으로 확대된 영상을 볼 수 있는 카메라를 이용하게 된다. 이러한 da Vinci 로봇의 기능은 조직의 손상을 최소화하여 출혈과 감염과 같은 합병증의 비율을 낮출 수 있으며, 수술 후 통증과 재원기간의 감소를 통하여 개선된 수술 결과를 기대해 볼 수 있게 한다.

최근 들어 유방재건술과 유방암 수술에도 da Vinci 로봇을 적용하고 있다. 2015년 유방암 수술에서는 Toesca에 의해 시행된 로봇을 이용한 유방절제술이 최초로 보고되었으며, 이후 로봇 유방절제술의 여러 증례들이 보고되고 있다. 현재 로봇을 이용한 유방암 수술이 대중화되었다고 할 수는 없지만 국내에서 로봇기술의 확산 속도가 매우 빠르며, 유방암 수술에서 로봇수술의 유효성과 안전성을 입증하기 위한 많은 연구들이 이루어지고 있다. 유방재건술과 관련해서는 2012년에 Selber가 로봇을 이용하여 거상한 광배근 피판으로 유방재건을 시행했던 증례들을 보고하였다. 그 이후에 광배근 피판 뿐만 아니라 심하복벽동맥천공지피판(deep inferior epigastric artery perforator flap, DIEP flap)의 거상 시에도 로봇을 이용한 증례들이 보고되고 있다. 광배근 피판술에서는 로봇을 이용하여 공여부의 흉터를 줄일 수 있으며, 심하복벽동맥천공지 피판술에서는 로봇을 통하여 수술 후 통증과 공여부의 이환율을 줄일 수 있다는 장점이 있다.

2. 로봇을 이용한 자가조직 유방재건술

1) 복부피판을 이용하는 유방재건술에서 로봇의 적용

(1) 로봇을 이용한 심하복벽동맥천공지피판술의 발전

복부조직을 이용하는 유방재건술의 방법은 과거에서부터 진화되어 왔다. 1980년 초, 복부조직을 이용한 재건술로 유경횡복직근피판술(pedicled transverse rectus abdominis myocutaneous flap, pedicled TRAM)이 최초로 시행된 이후로 횡복직근유리피판술(free TRAM flap), 근육을 보존하는 횡복직근유리피판술(muscle-sparing TRAM flap), 심하복벽동맥천공지피판술의 순서로 발전을 해왔다. 이러한 발전은 공여부 조직의 손상을 최소화함으로써 공여부의 이환율을 최소화하기 위한 방향으로 이루어져 왔다. 공여부인 복부조직의 손상이 줄어든다면 수술 후 통증을 줄이고 일상으로의 회복을 앞당길 수 있는 효과를 기대해 볼 수 있다. 현재 가장 널리 이루어지고 있는 복부피판술 중 하나인 심하복벽동맥천공지피판술이 복부 공여부의 조직을 최대한 보존할 수 있는 수술방법으로 받아들여지고 있다. 하지만 심하복벽동맥천공지피판술이라 할지라도 어느 정도의 조직 손상은 발생할 수밖에 없다. 유리피판술을 위해 길이가 확보된 혈관경(pedicle)을 얻으려면 혈관경을 덮고 있는 구조들이 견인되거나 박리되어야 하기 때문이다. 즉, 심하복벽동맥(deep inferior epigastric artery)을 덮고 있는 복직근(rectus abdominis muscle)과, 복직근을 덮고 있는 근막, 근육에 주행하는 신경들을 절단해야 혈관경을 노출시킬 수 있다. 따라서 심하복벽동맥천공지피판술이라 할지라도 어느 정도의 조직 손상은 피할 수가 없는 것이다.

심하복벽동맥천공지피판술을 비롯한 고식적인 복부피판술을 거상할 때 발생할 수 있는 조직 손상을 더 최소화하기 위해서는 복강경이나 로봇과 같은 최소침습수술 방법을 적용해 볼 수 있다. 혈관경을 덮고 있는 조직들을 절단하지 않고 보존하면서 복강경의 scope이나 로봇 팔을 이용하여 혈관경을 박리할 수 있다. 일부 술자들은 복강경을 이용하여 심하복벽동맥을 박리한 결과들을 보고하기도 하였지만, 혈관경의 박리와 같이 정교한 수술 테크닉을 요하는 수술에서는 복강경 보다는 섬세하고 광범위한 각도로 움직일 수 있는 로봇을 이용하는 것을 권해 볼 수 있다. 로봇과 같은 최소침습수술방법으로 혈관경을 얻게 될 경우 수술 후 통증을 줄이고 회복을 기간을 단축을 기대해 볼 수 있다. 이민정 외의 연구에 따르면 로봇을 이용하여 심하복벽동맥을 박리할 경우 수술 후 진통제의 사용량과 수술 부위 통증 정도가 유의하게 감소하였고, 환자자기결과(patient-reported outcome)에서는 복부 공여부에 대하여 편하게 느끼는 정도가 로봇을 사용한 군에서 유의하게 높았음을 보고한 바 있다.

(2) 로봇을 이용한 심하복벽동맥천공지피판술의 환자 선택

심하복벽동맥천공지피판의 혈관경은 외장골동맥(external iliac artery)에서 기시하여 복직근의 깊은 면인 후면에 접하면서 상방으로 주행하다가 복직근의 후면을 뚫고 다시 복직근 내에서 주행을 하게 된다. 근육 내에서 주행하는 혈관경은 전방복직근 근막을 관통하는 관통가지(perforator)를 내면서 피판 내로 들어간다. 혈관경과 복직근과의 관계에 따라 복직근 후면에서 주행하는 부분과 복직근 내에서 주행하는 부분으로 나누어 볼 수 있다. 심하복벽동맥천공지피판술을 거상 시 로봇을 적용하는 부분은 복직근 후면에서 주행하는 혈관경의 박리이다. 근육 내에서 주행하는 혈관경은 로봇을 이용하여 박리하기에는 힘들기 때문에 기존의 방법에 따라 손으로 직접 박리하게 된다. 따라서 근육 후면을 주행하는 혈관경의 길면 길수록 로봇을 적용하는 부분이 많아지게 된다. 로봇을 적용하는 효과를 충분히 얻기 위해서는 복직근 후면을 주행하는 혈관경이 길고 근육 내를 주행하는 혈관경이 짧아야 한다. 최재혁 등의 연구에서는 근육 내 주행하는 혈관경의 길이가 5 cm 미만인 경우 로봇을 적용했다고 보고하고 있다. 또한 한 개의 굵은 관통가지를 가지고 있는 혈관경일수록 로봇을 적용하기에 유리하다. 여러 개의 관통가지가 필요한 피판인 경우에는 그만큼 근육 내에서 주행하는 혈관경의 길이가 길어지게 되므로 로봇을 적용하기에 좋은 적응증이 아니다. 수술 전에 컴퓨터단층촬영과 같은 진단기술을 통하여 미리 혈관경의 해부학적 구조를 분석하여 로봇을 적용할 수 있는 적합한 적응증인지를 판단하는 과정이 필요하다.

(3) 로봇을 이용한 심하복벽동맥천공지피판술 방법

2012년에 Patel 외는 로봇을 이용하여 복직근을 거상하는 수술을 최초로 보고할 당시, 복강 내로 가스를 주입하여 부풀려서 복강 내를 작업공간(working space)으로 활용하는 transabdominal preperitoneal (TAPP) 접근법을 이용하였다. 그 이후에 로봇을 이용하여 심하복벽동맥천공지피판을 거상하는 보고들이 있었으며 마찬가지로 TAPP 접근법을 이용하였다. 2018년에 Hivelin 외는 복강경을 이용하여 심하복벽동맥천공지피판을 거상하는 수술에 대하여 보고를 하였는데, 이때 복직근과 복막(peritoneum) 사이의 잠재적 공간을 작업공간으로 하는 totally extraperitoneal (TEP) 접근법을 이용하였다. 이후에 최재혁 외는 TEP 접근법으로 단일공(single port) 로봇을 이용한 심하복벽동맥천공지피판술을 보고하였다.

TAPP 접근법은 넓은 복강 내를 작업공간으로 하므로 로봇 간의 충돌이 적어 로봇의 조작이 용이하다는 장점이 있지만, 복강 내에서 혈관경으로 접근하기 위해서는 복막에 절개를 하고 혈관경 박리 후에 다시 복막을 봉합해야 하는 단점이 있다. 또한 복강 내 공간이 익숙하지 않은 성형외과 의사에게 TEP 접근법이 부담으로 다가올 수도 있다. 반면에 TEP 접근법은 모든 수술이 복강 외에서 이루어지기 때문에 TAPP 방법에 비하여 덜 침습적이라는 장점이 있으며, 단점으로는 복직근과 복막 사이의 좁은 공간에서 수술이 이루어지기 때문에 난이도가 높아 익숙해지기까지 많은 경험을 필요로 한다(그림 4-2-1). 다중공(multiport) 로봇보다는 좁은 공간에서도 로봇 간의 충돌이 적은 단일공 로봇이 TEP 접근법에서 유리하다.

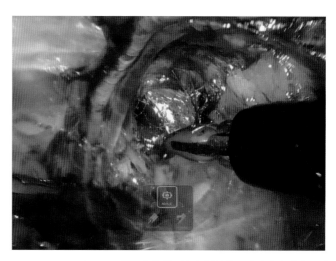

그림 4-2-1. Totally extraperitoneal 접근법에서는 복막과 복직근 사이의 잠재적 공간이 로봇수술의 작업공간으로 사용된다. 이 공간은 매우 좁기 때문에, 좁은 공간에서의 움직임이 최적화되어 있는 단일공 로봇의 사용을 우선적으로 고려할 수 있다.

동영상 4-2-1. Totally extraperitoneal 접근법을 통한 로봇 심하복벽동맥천공지피판술

① Totally extraperitoneal 접근법

근육 내에 혈관경이 주행하는 부분에서는 기존의 방법으로 근막에 절개를 가하여 근육 속에 있는 혈관경을 박리한다. 혈관경이 근육 내에서 근육 후면으로 이행되는 부위까지 박리를 시행하고, 그 이후에는 로봇을 docking하여 로봇을 이용한 박리를 준비한다. 복직근과 복막 사이에는 잠재적 공간이므로 CO_2를 이용한 가스주입법(gas insufflation)으로 부풀려서 실제 수술을 할 수 있는 공간으로 만들어주게 된다. 활꼴선(arcuate line)의 하방에는 후면복직근 근막(posterior rectus fasica)이 없기 때문에 가스를 주입할 때 어느 정도 확장이 가능하여 로봇수술을 위한 작업공간을 확보할 수 있다(그림 4-2-2). 이 공간으로 포트를 삽입하게 되는데, 새로 생성이 될 배꼽의 위치로 포트를 삽입하게 되면 포트 삽입으로 인한 흉터를 최소화할 수 있다. 로봇 팔과 환자의 얼굴의 충돌을 방지하기 위해 환자의 자세는 머리를 낮추는 trendelenburg 자세로 조정해야 한다. 로봇을 이용하여 혈관경이 외장골동맥에서 기시하는 부분까지 박리하게 되면 혈관을 결찰한 후 혈관경을 분리하게 되며, 로봇을 undocking한 이후에 혈관경 주변에 붙어있는 조직을 모두 박리하여 마무리하게 된다. 로봇을 이용하여 박리하는 혈관경의 길이는 6–10 cm 정도가 되며, 관통가지 근처에 가해지는 근막 절개선은 보통 4 cm 미만이 된다(그림 4-2-3). 경험 있는 술자의 경우 로봇을 이용하여 박리하는 시간은 보통 1시간 이내이다. 로봇 수술에서 발생할 수 있는 합병증으로 복막의 천공과 조절되지 않는 출혈 등이 있다. 로봇을 이용한 시야에서 해결이 되지 않는 합병증은 근막을 크게 절개하여 기존의 수술과 같은 접근으로 해결이 필요하다.

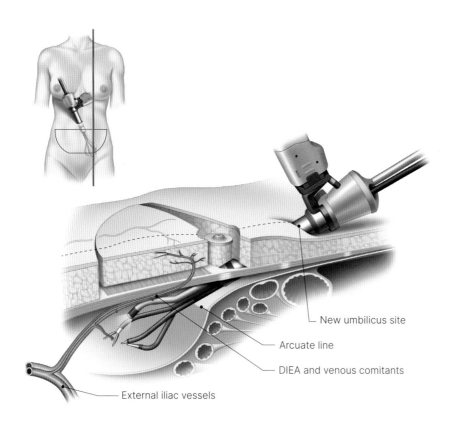

New umbilicus site

Arcuate line

DIEA and venous comitants

External iliac vessels

그림 4-2-2. 활꼴선의 하방에는 후면복직근 근막이 없기 때문에 가스를 주입 시 확장이 가능한 해부학적 구조를 가지고 있어, 로봇수술을 위한 작업공간을 확보할 수 있다.

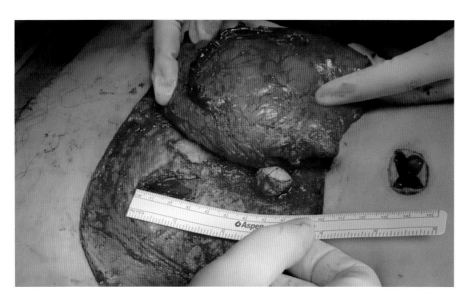

그림 4-2-3. 로봇을 이용하여 혈관경을 박리한 이후 근막의 절개선. 관통가지 근처에는 3 cm 미만의 근막 절개선만 남음.

② Transabdominal preperitoneal 접근법

Totally extraperitoneal 접근법과 마찬가지로 최소의 근막 절개를 통하여 기존의 방법으로 근육 내 주행하는 혈관경을 박리한다. 로봇을 docking 하기 위해 복강 내 가스를 주

입하여 복강을 팽창시키고 반대편 복부에 포트를 삽입한다. 다중공 로봇을 사용할 경우 포트는 앞겨드랑선(anterior axillary line)과 전상장골극(anterior superior iliac spine)을 연결하는 선상에 위치한다. 위쪽 포트는 늑골연(costal margin) 근처에 위치하고, 아래쪽 포트는 전상장골극 가까이 위치시킨다. 카메라포트는 두 개 포트 사이로 삽입한다. 로봇 docking 이후에 심하복벽동맥의 주행이 복막을 통하여 비춰지는 부위에 복막절개를 시행하여 혈관경을 노출시킨다. 로봇을 이용하여 혈관경을 박리하고, 외장골동맥 근처에서 혈관경을 결찰하고 분리한다. 절개된 복막은 로봇을 이용하여 봉합을 시행하며, 이때 가스의 압력을 낮추는 것이 봉합을 용이하게 하는데 도움이 된다.

2) 광배근피판을 이용하는 유방재건술에서 로봇의 적용

(1) 로봇을 이용한 광배근피판술의 발전

전통적으로 광배근피판술은 공여부인 등에 매우 긴 흉터를 남기게 되며, 이러한 흉터는 환자들에게 큰 부담으로 다가온다. 따라서 과거에서부터 최소침습수술적 접근을 통해 광배근피판의 흉터를 줄이기 위한 노력들이 있어 왔다. 1990년대부터 내시경을 이용하여 광배근을 거상하는 수술이 시도되었다. 하지만 구부러지지 않는 내시경 scope을 이용하여 광배근을 거상하는 방식은 매우 높은 수술 난이도를 요구했다. 특히 곡면으로 이루어진 등은 뻣뻣한 scope의 움직임을 제약하여 등정중선 근처의 광배근 기시부위에 scope이 도달하기가 매우 어렵게 만든다. 여러 술자에 의해 내시경을 이용한 광배근 거상술이 보고가 되었지만 높은 난이도로 인해 대중적인 수술이 되는 데는 실패했다. 광범위한 각도로 움직일 수 있는 로봇 팔은 내시경의 제한점을 극복할 수 있었으며, 2012년 Selber 외에 의하여 가스를 이용하여 작업공간을 만든 후 로봇을 이용하여 광배근을 거상하는 수술이 보고가 되었다. 2015년에는 정재호 외에 의하여 가스가 없이 견인에 의해 작업공간을 만들어서 로봇을 적용한 광배근피판술을 보고하였다. 2021년에는 주오영 외에 의하여 단일공 로봇을 이용하여 광배근피판술을 시행한 증례를 보고하였다. 단일공 로봇은 구부러질 수 있는 로봇팔을 사용하기 때문에 다중공 로봇보다 곡면인 공여부와 충돌을 최소화하면서 더 자유롭게 움직일 수 있다는 장점이 있다(그림 4-2-4).

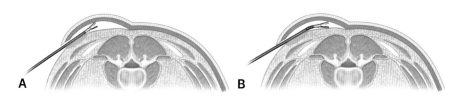

그림 4-2-4. **(A)** 구부러지지 않는 로봇팔을 사용할 경우 곡면인 등과 충돌이 일어나기 때문에 등의 정중선에 도달하기가 어렵다. **(B)** 반면에 구부러지는 로봇팔을 이용하면 곡면인 공여부와의 충돌을 최소화하기 때문에 등의 정중선까지 도달할 수 있다.

(2) 로봇을 이용한 광배근피판술의 환자 선택

로봇을 이용하여 거상하는 광배근피판술에서는 공여부에 피부절개 없이 겨드랑이 근처에서 접근을 하기 때문에 광배근에 피부조직을 포함시킬 수 없다. 따라서 로봇 광배근 피판술에서 얻을 수 있는 피판의 부피가 제한적이며, 근육만으로 이루어진 피판이 필요한 경우에만 적용할 수 있다. 유방재건 영역에서는 ① 매우 작은 유방의 유두보존전절제술(nipple-sparing mastectomy) 이후 유방재건술, ② 유방의 종양성형술(oncoplastic surgery)에서 부피대체술(volume replacement technique), ③ 방사선 조사된 보형물-재건유방에서의 구조술(salvage), ④ 보형물을 이용한 유방재건술에서 무세포동종진피(acellular dermal matrix)의 대체제, ⑤ Poland 증후군에서의 흉벽재건술에서 사용해 볼 수 있다. 매우 작은 크기의 유방재건술 시에라도 로봇 광배근피판을 단독으로는 충분한 부피를 제공하기 힘들기 때문에 추가로 지방이식이나 보형물 삽입을 고려해야 한다. 그리고 종양성형술의 부피대체술에 적용하기 위해서는 피판의 제한된 부피로 인하여 유방의 중심 또는 상외측에 결손을 있는 경우에서 고려해 볼 수 있다.

(3) 로봇을 이용한 광배근피판술 방법

환자를 수술대에 측와위자세로 눕히고, 같은 쪽 팔은 수술 시 움직일 수 있도록 준비한다. 절개는 중간겨드랑선(midaxillary line) 또는 후방겨드랑선(posterior axillary line)을 따라 세로로 약 4–5 cm의 절개선을 만든다. 단일공 로봇을 사용할 경우 이 절개선 하나만으로 가능하지만, 다중공 로봇의 경우에는 두 개의 포트를 삽입하기 위해 추가 절개가 필요하다. 세로 절개선 하방에서 약 8 cm와 16 cm 아래로 떨어진 부위에 각각 포트를 삽입할 절개선을 가한다(그림 4-2-5). 겨드랑이 절개선을 통하여 흉배(thoracodorsal) 혈관경을 찾아 박리하고,

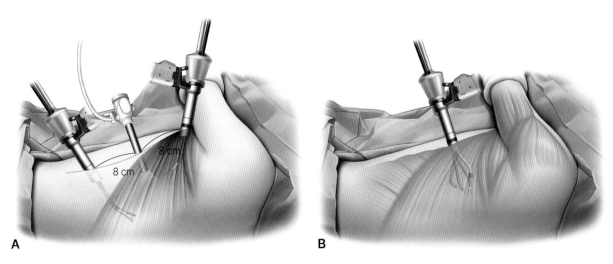

그림 4-2-5. 다중공 로봇은 한 개의 카메라와 2개의 로봇팔을 삽입하기 위하여 총 3개의 절개선이 필요하다. **(A)** 약 4-5 cm의 세로 절개선과 그 하방 8 cm와 16 cm 아래로 떨어진 부위에 각각 포트를 삽입할 절개선을 가한다. **(B)** 단일공 로봇을 사용할 경우 4-5 cm의 세로 절개선 하나만으로 충분하다.

최소한의 작업공간의 확보를 위해 피하박리를 시행한다. 작업공간은 CO_2를 이용한 가스주입법을 통하여 확보할 수 있으며, 또는 가스주입 없이 견인기를 통하여 작업공간을 확보할 수 있다. 가스주입법을 이용할 경우 겨드랑이 절개선을 임시로 봉합하여 공기가 새지 않도록 하거나 포트 주위로 공기가 새지 않도록 하는 장치를 이용한다. 로봇으로 박리가 진행됨에 따라 작업공간이 점점 넓어지게 되는데, 가스주입법에서는 작업공간을 자연스럽게 확보할 수 있는 반면, 견인기를 이용할 경우에는 작업공간이 넓어짐에 따라 견인기의 위치를 조정해야 할 필요가 있다. 하지만 가스주입법의 단점으로는 고이산화탄소혈증(hypercapnia), 호흡산증(respiratory acidosis), 피하기종(subcutaneous emphysema), 공기색전증(air embolism)과 같은 합병증을 유발할 수 있다.

작업공간이 확보되면 로봇을 docking 하여 로봇을 이용한 박리를 시행한다. 박리는 광배근의 깊은 부위와 얕은 부위에서 각각 이루어지게 된다. 가스주입법의 경우 광배근 얕은 면을 먼저 박리하면 가스의 압력으로 광배근이 흉벽쪽으로 밀리면서 압착이 되기 때문에 깊은 면의 박리가 힘들어진다. 따라서 광배근의 깊은 부위를 먼저 박리하고, 그 다음에 얕은 부위를 박리해야 한다. 로봇을 이용하여 광배근의 깊은 면과 얕은 면을 모두 박리하게 되면, 광배근의 기시 부위를 끊어주어 광배근을 분리시킨다. 다중공 로봇을 이용할 때 광배근이 기시하는 가장 윗부분과 아랫부분에서는 로봇 팔이 서로 평행해지면서 충돌이 일어날 수 있어서 조작이 쉽지 않게 된다. 단일공 로봇을 이용할 경우 로봇 팔 간 충돌을 최소화할 수 있기 때문에 다중공 로봇보다 유리하며, 또한 구부러지는 로봇 팔과 카메라를 이용하기 때문에 후방 정중선 근처 박리 시에 시야를 확보하기 용이하고 로봇팔 움직임이 자유로울 수 있다는 장점이 있다. 로봇으로 분리한 광배근은 undocking 이후에 보통 대원근(teres major muscle)과 견갑골 하부(inferior scapula tip)에 부착이 남아있으며, 겨드랑이 절개를 통하여 광배근을 견인하면서 부착이 남아있는 부위를 박리하여 마무리할 수 있다.

3. 로봇을 이용한 보형물 유방재건술

1) 로봇을 이용한 유방절제술 이후 보형물 재건

(1) 유방절제술의 발전과 유방재건술의 변화

과거에서부터 유방암 수술은 유방조직을 보존하는 방향으로 발전해왔다. 요즘에는 유방전절제술이 필요한 경우에 있어서 유두에 악성세포가 존재하지 않는다면 유두를 절제하지 않고 보전하는 술식이 일반적으로 이루어지고 있으며, 이에 따라 보형물을 이용하는 유방재건술도 맞추어 변하고 있다. 유두보존절제술(nipple-sparing mastectomy) 또는 피부보존절제술(skin-sparing mastectomy)이 시행되기 전 과거에는 유방암 수술 후 남아있는 피판(mastectomy flap)으로 보형물을 덮기에 부족했기 때문에 확장기를 통하여 피부조직을 확보하는 과정이 필요했다. 따라서 유방절제술 후에 확장기를 삽입하고, 이차수술로써 확장기와 보형물을 교체하는 수술을 시행하는 것이 일반적이었다. 요즘 일반적으로 이루어지고 있는 유두보존절제술에서는 확장기를 사용하지 않고 바로 보형물을 삽입하는 방법(direct-to-implant)을 시행할 수가 있다. 하지만 한 번의 수술로 보형물을 바로 삽입하기 위해서는 반드시 유방절제술 후 피판의 관류(perfusion)가 반드시 좋아야 한다. 그렇지 않고 바로 보형물을 삽입하게 되면 수술 후 유두 또는 피부괴사로 인하여 피부가 부족한 상황이 생길 수 있으며, 추가수술을 통하여 다시 확장기를 삽입해야 하는 상황을 초래할 수 있다. 결국 유방절제술 후 피판의 관류상태는 보형물 재건 방법을 결정하는 가장 중요한 요소 가운데 하나이다. 인도시아닌그린(indocyanine green) 혈관 촬영을 이용하면 피판의 관류상태를 시각적으로 파악할 수 있어서 수술 중에 사용하면 매우 유용하다.

(2) 로봇을 이용한 유방절제술의 발전

최근에는 유두보존절제술을 시행할 때 로봇을 이용해 눈에 덜 띄는 겨드랑이를 절개하여 수술하려는 시도들이 늘고 있다. 로봇을 이용하는 가장 중요한 이유는 기존 수술에서 유방 내에 남게 되는 수술 흉터를 피하고, 눈에 덜 띄어 감출 수 있는 겨드랑이에 수술 후 흉터를 남길 수 있다는 것이다. 흉터 관련된 미용적인 이점이 분명히 존재하지만 더 중요한 것은 로봇수술의 종양학적 안전성이며 이에 대한 근거는 현재 여러 기관들에서 마련 중에 있다. 그 외에도 로봇 유방절제술은 유두괴사의 합병증을 줄일 수 있다는 장점이 있다. 박형석 외의 다기관 연구에 따르면 로봇을 이용한 292명과 대조군 463명을 비교했을 때 수술 후 유두 괴사가 로봇군에서 2.2%, 대조군에서 7.8% 발생하여 유의한 차이가 있었다고 보고하였다. 반면 로봇수술의 단점은 비용적인 측면과 수술시간이 길어질 수 있다는 점을 들 수 있다. 현재 로봇 유방절제술에 대한 증례들이 국내외에서 활발하게 보고되고 있으며, 더 많은 근거들을 바탕으로 로봇수술의 안정성이 확보될 것으로 기대된다. 이에 로봇 유방절제술이라는 기존과는 다른 상황에서 재건술을 어떻게 시행을 할지에 대한 충분한 고려가 필요하다.

(3) 로봇 유방절제술 이후 보형물 재건에서의 고려사항

환자들은 미용적으로 우수하다는 장점을 기대하면서 로봇 유방절제술을 선택하게 된다. 하지만 유방재건술은 좁은 절개창을 통해서 시행되기 때문에 기존의 재건술보다는 어려운 상황에서 진행이 된다. 따라서 로봇 유방절제술 이후 보형물 재건술을 시행함에 있어서 반드시 고려해야 할 사항들이 있다. 첫번째로는 확장기를 이용한 단계적 수술을 할지 또는 보형물을 바로 삽입하는 일단계 수술을 할지에 대한 문제이다. 로봇을 이용하는 경우 상대적으로 유두와 피부의 괴사가 적기 때문에 보형물을 바로 삽입하는 일단계 재건술을 우선적으로 고려해 볼 수 있다. 인도시아닌그린 혈관촬영술로 피판의 관류상태를 파악하는 것이 도움이 되지만, 로봇 유방수술 시 tumescent 용액을 주입하는 경우가 많아서 피판의 관류가 저평가 될 수 있다. 충분한 경험을 가진 외과의에 의해 시행된 로봇 전절제술에서는 절제 후 피판의 관류에 문제가 없는 것이 대부분이지만, 만약 피판의 혈행이 좋지 않다고 판단되거나 피판의 일부분에서 수술 중 고온손상(hyperthermal injury)을 입어 피부괴사의 가능성이 높을 경우에는 확장기를 삽입하는 것으로 결정해야 한다. 또한 반대편 유방의 확대를 원하는 환자에 있어서도 우선적으로 확장기를 고려해 볼 수 있다. 두 번째로 고려할 사항은 유방재건술 시에도 로봇을 사용해야 할지에 대한 결정이다. 로봇을 이용한 유방절제술 후에는 유방 외 부위에 가해진 4-6 cm 정도의 짧은 절개선을 통하여 재건을 시행하기 때문에 재건술의 난이도가 높아지게 된다(그림 4-2-6). 좁은 절개창을 통해서 직접 손으로 재건을 완수할 수 있다면 재건술 시 로봇이 필요 없겠지만, 대흉근의 거상, 무세포동종진피의 고정, 유방밑주름(inframammary fold)의 재형성 등은 직접 손으로 수행하기가 쉽지 않아 로봇을 적용할 수 있다. 대흉근의 거상은 보형물을 근육 하에 위치(subpectoral placement)시킬 경우 필요한 과정이며 보형물을 근육 위에 위치(prepectoral placement)시킬 때는 대흉근을 거상할 필요가 없게 된다. 보형물을 근육 위에 위치시키는 방법은 무세포동종진피로 보형물을 덮는 방식에 따라 보형물 전체를 둘러쌓는 방법(complete coverage technique)과 보형물의 전면만을 덮는 방법(complete coverage technique) 두 가지로 나눌 수 있다. 후자의 방법은 보형물의 변위(malposition)가 생기지 않도록 무세포동종진피를 근육 위에 세심하게 봉합하여 고정을 해야 하므로 로봇의 사용이 불가피하다. 반면에 보형물 전체를 덮는 방법은 무세포동종진피의 윗부분만 고정을 하여도 되기 때문에 로봇 없이 술자의 손으로 직접 고정이 가능하다. 이렇듯

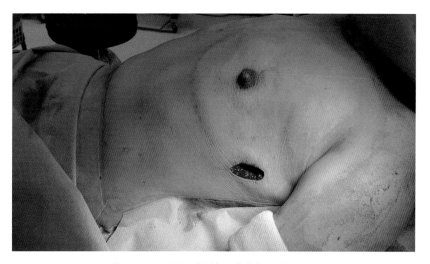

그림 4-2-6. 로봇을 이용한 유방절제술 직후 절개선.

이 구체적인 수술방법에 따라 로봇의 사용 여부가 결정이 되며, 술자들마다 선호하는 수술 방법이 다르기 때문에 로봇의 필요 여부도 달라지게 된다. 유방밑주름의 경우에는 로봇 유 방절제술 후 유방밑주름이 유지되어 있지 않다면 봉합을 통하여 다시 만들어 주어야 한다. 유방밑주름 전체를 다시 고정해 주어야 하는 상황이라면 로봇을 사용하는 것을 고려해 볼 수 있겠지만, 유방밑주름의 외측 부위만 다시 만들어주는 상황이라면 로봇 없이 좁은 절개 창을 통하여 직접 손으로 가능하다.

(4) 로봇 유방절제술 후 로봇 사용 없는 일단계 보형물 재건술

로봇 유방절제술 후 피판의 혈류가 풍부하고 괴사의 가능성이 낮을 경우에는 바로 보형 물을 삽입하는 일단계 보형물 재건술을 선택할 수 있다. 보형물을 근육 위에 위치시키고 무 세포동종진피로 보형물 전체를 덮는 방식을 이용하면서 동시에 유방밑주름이 보존되어 있 다면, 재건술 시에 로봇이 반드시 필요하지는 않다. 로봇 유방절제술 후에 fiberoptic 견인기 를 이용하여 수술영역에 출혈이 없는지를 관찰하고 세심하게 지혈을 시행한다. 사이저(sizer) 를 삽입하여 필요한 보형물의 크기를 결정하고, 무세포동종진피를 이용하여 보형물 전체를 쌓게 된다. 좁은 절개창을 통하여 무세포동종진피에 싸여진 보형물이 통과를 해야 하므로 보형물이 빠져나가지 않도록 무세포동종진피를 촘촘하게 봉합을 해야 한다. 그리고 좁은 절 개창에 보형물을 통과시킬 때는 funnel이 매우 유용하게 사용이 된다(그림 4-2-7). 피하 공간 내로 보형물이 들어가게 되면 보형물이 원하는 곳에 위치하도록 조정한 후에 fiberoptic 견 인기를 이용하여 보형물 윗부분의 무세포동종진피를 대흉근에 봉합하여 고정한다. 일반적 으로 3개 정도의 봉합이면 보형물이 변위 되지 않도록 위치를 유지할 수 있다. 배액관을 삽 입하고 겨드랑이 세로 절개를 봉합하여 수술을 마무리한다.

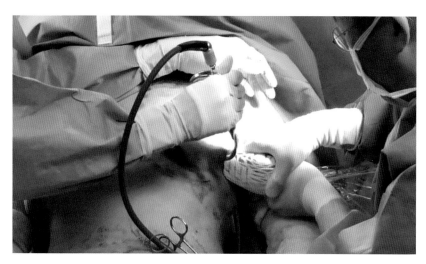

그림 4-2-7. 로봇을 이용한 유방절제술 이후에는 절개선이 매우 짧기 때문에, 보형물을 통과시키기 위해 서 funnel이 매우 유용하게 사용될 수 있다.

2) 보형물 유방재건술에서 로봇의 적용

로봇을 이용한 유방절제술을 시행하여 좁은 절개창으로 재건술을 해야 하는 상황에서만 재건술 시 로봇의 적용을 고려해 볼 여지가 생긴다. 기존의 수술과 같이 유방 내의 피부에 절개를 하는 경우에는 수술영역으로의 직접 접근이 용이하기 때문에 로봇을 사용할 이유가 없다. 로봇 유방절제술 이후 재건술에서 로봇을 적용해 볼 수 있는 술기는 대흉근의 거상, 무세포동종진피의 고정, 유방밑주름의 재형성을 들 수가 있다. 이러한 술기들에서는 좁은 겨드랑이 절개창을 통하여 손으로 직접 수술하기에 많은 한계가 따르게 된다.

미용수술 중에서는 겨드랑이 절개를 통한 유방확대술과 구형구축의 환자에서 피막절제술을 시행할 때 로봇을 적용해 볼 수 있다. 하지만 유방확대술의 경우에는 이미 내시경을 통한 방법이 확립되어 있기 때문에 내시경 수술보다 좋은 로봇수술만의 특별한 장점을 찾지 못하는 한 현실적으로 로봇을 적용하기는 어려울 것이다. 구형구축 시 피막절제술은 일반적으로 4 cm 이상의 유방밑주름 절개를 통하여 이루어지게 되며, 유방 위부분의 접근도 쉽지 않기 때문에 난이도가 높은 수술이다. 이러한 수술에 로봇을 적용한다면 절개선을 크게 연장할 필요가 없으며 로봇을 통하여 어느 수술영역 이든지 접근이 용이하게 되므로, 로봇을 적용한다면 그 장점을 충분히 살릴 수 있을 것이다. 하지만 미용수술에 로봇을 적용하기에는 많은 현실적 한계가 따르기 때문에 미용수술 영역에서 로봇이 대중화되기에는 어려운 실정이다.

(1) 로봇을 이용한 대흉근의 거상

대흉근의 거상은 대흉근 밑에 보형물 삽입하기 위해 필요한 과정이다. 최근에는 대흉근 위에 보형물을 위치시키는 술식이 많이 시행됨에 따라 상대적으로 보형물을 대흉근 밑에 위치시키는 경우는 적어지고 있다. 하지만 로봇 유방절제술 시행 후 피판의 관류가 좋지 않거나 또는 마른 체형을 가지고 있어 수술 후 rippling에 대한 우려가 큰 경우 대흉근 하 보형물 삽입술을 고려해 볼 수 있다. 로봇 유방절제술 후에 만들어진 작업공간을 유지하기 위해서 견인기를 이용하거나 가스주입법을 이용할 수 있다. 견인기를 이용할 경우 견인기에 닿는 피판에 압력이 가해지면서 조직 관류에 영향을 줄 수 있는 반면, 가스주입법에서는 피판에 균등한 압력을 가하므로 관류에 영향을 적게 준다. 작업공간이 확보된 후에 로봇을 이용하여 대흉근의 기시 부위를 절단하면서 상방으로 대흉근을 거상한다. 흉벽이 곡면이므로 내측으로 갈수록 카메라의 시야와 로봇 팔의 조작이 어려워지게 되므로, 대흉근의 내측 기시부 박리 시에 주의를 기울여야 한다. 특히, 갈비뼈 사이의 관통가지에서 출혈이 심할 경우 지혈이 어려울 수 있으므로 박리 시 소작이 필요하다면 bipolar coagulator를 이용하여 세심하게 출혈이 없도록 시행해야 한다. 로봇을 이용한 박리를 마친 다음 하방에 무세포동종진피를 로봇을 이용하여 고정하게 된다.

(2) 로봇을 이용한 무세포동종진피의 고정

로봇 유방절제술 후 재건술에서 무세포동종진피를 고정하는 것은 로봇의 도움 없이는 이루기가 어렵다. 특히, 흉벽의 외측에는 절개창을 통하여 직접 손으로 고정할 수 있지만, 내측 부위는 흉벽의 곡면으로 인하여 로봇 없이는 접근이 힘들다. 보형물을 근육 밑에 위치시킬 경우 로봇으로 대흉근을 거상하고 그 아래 부분에 무세포동종진피를 고정하게 된다. 보형물 또는 확장기를 미리 삽입하면 작업공간이 좁아지므로 이들을 넣기 전에 로봇 수술을 먼저 진행한다. 필요한 무세포동종진피의 양을 가늠하고 고정할 위치를 표시한 다음 로봇을 이용하여 무세포동종진피를 대흉근과 흉벽의 근육에 고정하여 보형물이 들어갈 공간을 마련한다. 무세포동종진피의 외측 부분은 봉합하지 않고 남겨두었다가 로봇의 undocking 이후 외측 부분을 통하여 보형물을 삽입한 후 봉합하여 마무리한다. 보형물을 근육 위에 위치시키면서 보형물의 전면만 무세포동종진피로 덮는 수술을 할 경우에도 로봇의 사용이 필요하다. 작업공간을 확보하고 필요한 무세포동종진피의 양을 가늠한 다음 로봇을 이용하여 흉벽에 고정한다. 보형물이 위치하는 상방에는 대흉근의 일부를 거상하여 무세포동종진피와 봉합함으로써 보형물의 위 부분 일부를 덮을 수 있도록 하여 보형물의 경계를 감추고 rippling을 예방할 수 있다. 봉합은 상방, 내측, 하방의 순서로 시행하며 외측은 undocking 이후 보형물을 삽입한 다음 직접 손으로 봉합하게 된다. 로봇이 익숙하지 않은 초심자는 로봇을 이용해 봉합하는 술기를 할 때 많은 시간이 소요될 수 있다. 그러므로 술자는 수술 전 충분한 연습을 통해 로봇에 익숙해질 수 있도록 준비하는 과정이 필요하다.

(3) 로봇을 이용한 유방밑주름의 재형성

외과의사의 수술 성향에 따라 유방절제술 후 유방밑주름이 보존되는 경우도 있고, 그렇지 않은 경우도 있다. 보존되지 않을 경우에는 재건술 시 유방밑주름도 같이 만들어 주어야 한다. 로봇 유방절제술 후에도 마찬가지이며, 유방밑주름 전체를 재건하기 위해서는 로봇의 사용을 고려해야 한다. 절개창과 가까운 외측의 유방밑주름만 고정한다면 로봇 사용 없이 직접 손으로 가능하지만, 내측의 유방밑주름을 피부 안쪽에서 고정하기 위해서는 로봇이 필요하다. 작업공간의 확보를 위해서는 가스주입법을 더 권장할 수 있으며, 가스로 피판을 내부에서부터 균일하게 확장시켜주기 때문에 유방밑주름이 봉합된 모양을 잘 알 수 있다.

4. 결론

자가조직을 이용한 유방재건 시 로봇을 이용하게 되면 흉터를 최소화하거나 공여부의 손상을 최소화할 수 있다는 장점이 있고, 보형물을 이용한 재건에서도 로봇을 이용하면 접근하기 어려운 부위에서의 수술이 효과적으로 이루어지도록 한다. 하지만 성형외과 영역에서 로봇수술의 적용이 정착되기 위해서는 해결해야 할 문제들이 많이 있다. 특히 로봇을 이용할 경우 소요되는 비용은 가장 큰 단점이자 로봇 상용화를 위해 해결해야 할 과제이다. 현재까지 유방재건술에서 로봇의 적용이 정착되었다고 보기는 아직 어렵다. 이를 위해서는 성형외과 의사가 쉽게 따라할 수 있는 표준화된 로봇 술기의 개발과, 로봇을 이용한 수술이 기존의 방법보다 우월한 결과를 얻을 수 있다는 근거를 마련하는 과정이 필요하다. 변화와 발전을 지속하고 있는 유방재건술의 경향을 미루어 볼 때 로봇 수술의 비중은 앞으로 높아질 것으로 예상이 되며, 합병증을 최소화하고 환자 만족도를 높일 수 있는 로봇 술기가 개발되도록 많은 논의가 필요한 시점이다.

☑ 참고문헌

1. Ahn SJ, Song SY, Park HS, et al. Early experiences with robot-assisted prosthetic breast reconstruction. Arch Plast Surg 2019;46(1):79-83.

2. Chang HP, Fan KL, Song SY, Lee DW. The traditional versus endoscopic-assisted latissimus dorsi harvest in oncoplastic surgery: A long term comparison of breast volume, aesthetics, and donor site outcomes. Asian J Surg 2020;43(12):1165-71.

3. Choi JH, Song SY, Park HS, et al. Robotic DIEP Flap Harvest through a Totally Extraperitoneal Approach Using a Single-Port Surgical Robotic System. Plast Reconstr Surg 2021;148(2):304-7.

4. Chung JH, You HJ, Kim HS, Lee BI, Park SH, Yoon ES. A novel technique for robot assisted latissimus dorsi flap harvest. J Plast Reconstr Aesthet Surg 2015;68(7):966-72.

5. Fine NA, Orgill DP, Pribaz JJ. Early clinical experience in endoscopic-assisted muscle flap harvest. Ann Plast Surg 1994;33(5):465-72.

6. Gundlapalli VS, Ogunleye AA, Scott K, et al. Robotic-assisted deep inferior epigastric artery perforator flap abdominal harvest for breast reconstruction: A case report. Microsurgery 2018;38(6):702-5.

7. Hivelin M, Soprani A, Schaffer N, Hans S, Lantieri L. Minimally Invasive Laparoscopically Dissected Deep Inferior Epigastric Artery Perforator Flap: An Anatomical Feasibility Study and a First Clinical Case. Plast Reconstr Surg 2018;141(1):33-9.

8. Jeon DN, Kim J, Ko BS, et al. Robot-assisted breast reconstruction using the prepectoral anterior tenting method. J Plast Reconstr Aesthet Surg 2021;74(11):2906-15.

9. Joo OY, Song SY, Lew DH, Park HS, Lee DW. Robotic harvest of a latissimus dorsi flap using a single-port surgical robotic system in breast reconstruction. Arch Plast Surg 2021;48(6):577-82.

10. Leal Ghezzi T, Campos Corleta O. 30 Years of Robotic Surgery. World J Surg 2016;40(10):2550-7.

11. Lee MJ, Won J, Song SY, et al. Clinical outcomes following robotic versus conventional DIEP flap in breast reconstruction: A retrospective matched study. Front Oncol. 2022;12:989231.

doi:10.3389/fonc.2022.989231

12. Manrique OJ, Bustos SS, Mohan AT, et al. Robotic-Assisted DIEP Flap Harvest for Autologous Breast Reconstruction: A Comparative Feasibility Study on a Cadaveric Model. J Reconstr Microsurg 2020;36(5):362-8.

13. Park HS. Basic principles of robotic mastectomy and immediate breast reconstruction. Republic of Korea Paju: Koonja; 2021.

14. Park HS, Lee J, Lai HW, et al. Surgical and Oncologic Outcomes of Robotic and Conventional Nipple-Sparing Mastectomy with Immediate Reconstruction: International Multicenter Pooled Data Analysis. Ann Surg Oncol 2022;29(11):6646-57.

15. Patel NV, Pedersen JC. Robotic harvest of the rectus abdominis muscle: a preclinical investigation and case report. J Reconstr Microsurg 2012;28(7):477-80.

16. Selber JC, Baumann DP, Holsinger FC. Robotic latissimus dorsi muscle harvest: a case series. Plast Reconstr Surg 2012;129(6):1305-12.

17. Selber JC. The Robotic DIEP Flap. Plast Reconstr Surg 2020;145(2):340-3.

18. Toesca A, Manconi A, Peradze N, et al. Preliminary report of robotic nipple-sparing mastectomy and immediate breast reconstruction with implant. 2015;51(3):S309-S309.

Breast :
Aesthetic Surgery

Reconstruction and Aesthetic
Breast Surgery

CHAPTER 1

확대 유방성형술: 일반적인 고려사항

Augmentation Mammoplasty : General Consideration

미고성형외과 **윤원준**

여성들이 아름다운 유방과 풍만한 유방을 갖기를 원하는 것은 당연한 것이며, 이에 대한 노력은 수백 년 수천 년 전에도 시도되었다. 그리고 약100여 년 전부터 현대의학의 노력으로 현실화되기 시작하였다. 의학적으로 처음 시도된 경우는, 1895년 독일의 외과의사 Vincenz Czerny가 종양이 제거된 유방의 대칭을 맞추고자 양성 지방종(benign lumbar lipoma)에서 얻은 자가지방조직(autologous adipose tissue)을 사용하여 유방확대수술에 대해 처음 시도하였고 이를 발표하였다. 이러한 인류역사상 처음으로 유방확대를 목적으로 의학적인 시도를 하였던 Vincenz Czerny는 'Father of cosmetic breast surgery'로도 불리운다.

그림 5-1-1. **(A)** Vincenz Czerny **(B)** Doctor Czerny in surgery

이후 20세기 초반에는 코끼리 상아, 유리구슬, ground rubber, 황소 연골, Terylene wool, gutta-percha, Dicora, polyethylene chips, Ivalon (polyvinyl alcohol-formaldehyde polymer sponge), a polyethylene sac with Ivalon, polyether foam sponge (Etheron), polyethylene tape (Polystan) strips wound into a ball, polyester (polyurethane foam sponge) Silastic rubber, teflon-silicone prostheses 등 다양한 물질들이 유방확대에 시험적으로 사용되었으며 이는 매우 불량한 결과들을 초래하였다. 1945년에 Morton I. Berson은 1945년에 Morton I. Berson이, 1950년에는 Jacques Maliniac가 flap-based breast augmentations을 적용한 바 있으며, 1950-1960년대에 미국에서는 액상실리콘을 주사하는 방식이 위험하다는 사실을 모른 채 수천 차례가 시술되었으며, 이로 인하여 silicone granuloma가 발생되었고 심한 경우에는 mastectomy가 필요한 경우도 있었다.

1961년 미국 성형외과 의사인 Thomas Cronin과 Frank Gerow가 다우코닝사와 첫 실리콘보형물을 개발하였고, 1962년에 'Cronin-Gerow implant'를 이용하여 Augmentation mammoplasty를 처음 시행하고 이를 논문으로 발표하였다. Thomas Cronin과 Frank Gerow의 처음 수술로부터 보형물을 사용한 유방확대수술의 역사가 시작되었고, 인류역사에서 미용유방수술과 재건유방수술의 새로운 장이 마련되었다.

그림 5-1-2. **(A)** Dr. Thomas Cronin **(B)** Dow Corning Cronin-Gerow Breast Implant

이후 대흉근 아래 보형물을 삽입하는 전체근육하방법을 1968년에 Dempsey와 Latham이 논문 발표를 하였고, 비슷한 시기인 1967년에 Griffiths가 암스테르담 학회에서 학술 발표를 하였고 이를 1969년에 논문을 발표하였다. 대흉근 아래, 즉 전체근육하에 보형물을 위치시키는 방법이 피막구축을 매우 크게 줄이는 결과를 보여서 많은 관심을 받는 수술이었으나, 유선하방법에 비하여 유방의 상부가 불룩하게 만들어지는 자연스럽지 않은 유방을 만들게 되어 부적절한 면이 있었다. 이후 Regnault가 개선된 방법인 부분근육하방법(partial submuscular breast augmentation)을 발표하여 현대적인 유방확대방법의 근간을 만들었다. Regnault가 제시한 부분근육하방법은 2001년 Tebbetts가 개선한 이중평면방법(dual plane breast augmentation)의 type I과 동일한 방법으로 보형물 유방확대성형수술의 큰 발전을 이룩한 것이라 할 수 있다.

겨드랑이절개 유방확대술은 1973년에 독일의 Hoehler가 처음 발표하였으며 이후 Eiseman 등이 많은 논문을 발표하면서, 이 새로운 방법이 많은 관심을 받았으며 많은 시도가 있었다. 한국에서도 1977년 조문제 등이 증례 발표를 한 바 있다. 이후 한국에서 보다 많은 발전이 이루어져서 유방확대수술방법 중 한국 등 동양에서 많이 사용되어왔다. 초기부터 사용되던 방법은 blind technique으로 둔적박리(blunt dissection)였으며, 이러한 방법으로 인해 혈종발생의 확률이 높고 정확한 공간박리가 어려운 점 등이 있어서 이러한 문제점을 해결하기 위해 내시경을 이용한 겨드랑이절개 유방확대술이 Ho와 Price 등에 의해 소개되기 시작하였다.

1970년대 우리나라에서 유방확대수술이 태동하던 시기에는 수술이 활발하지는 않았으나 겨드랑이절개법과 밑선절개법이 사용되어 다양한 수술방법이 시도되었던 것으로 알려져 있으며, 1990년대 전후에는 겨드랑이절개를 통한 둔적박리가 주로 시행되었고 2000년대 전후에는 유륜절개법으로 접근하여 시야를 확보하여 수술하는 방법도 많이 적용되었다고 알려져 있다. 2000년대 중반부터 미국 유럽에서 많이 사용되는 밑선절개법을 대한성형외과학회와 대한미용성형외과학회, 유방성형연구회의 학술대회에서 유럽과 미국의 초청연자들이 활발히 소개하였으며, 이때부터 우리나라에서도 밑선절개방법이 둔적박리 겨드랑이절개법을 대체하는 방법으로 많은 관심을 받게 되었고 적용빈도가 높아지기 시작하였으나 밑선절개위치를 정확히 디자인하는 것에 다소 어려움이 있었다.

우리나라에서는 90년대 말부터 겨드랑이절개 유방확대술에 내시경사용이 시작되었으며 2000년대에 들어서서 겨드랑이절개 내시경 유방확대술을 적용하는 술자들이 점점 증가하고 있는 추세이며 내시경의 사용으로 매우 좋은 결과를 얻고 있다. 겨드랑이절개법을 적용하는 경우에 내시경으로 하는 방법이 매우 적절한 방법임은 당연하다. 다만, 미국 유럽등지에서는 유방밑선절개방법을 선호하기 때문에 내시경 방법에 대한 관심이 높지 않으며, 유방밑선에 상처를 남기는 것을 싫어하는 동양여성에서 겨드랑이절개법을 이용하여 수술 후 상처가 겨드랑이 부분에 남게 하는 것은 적절한 방법이고 이때 내시경을 적용하는 것은 매우 유용하다.

21세기에 들어오면서 Tebbetts가 2001년에 이중평면유방확대술을 정리하여 발표하였다. Tebbetts가 정리하여 발표한 이중평면유방확대술은 유방의 연조직의 탄력과 두께 등을 고려하여 이에 적절한 방법을 세 가지 타입으로 나누어 적용할 수 있도록 정리한 매우 효과적이며 개선된 방법이다. 논문에서 Tebbetts는 dual plane II와 III 방법이 겨드랑이절개법으로는 불가능(impractical)하다고 기술하였으나, 저자는 겨드랑이절개 내시경 유선하터널접근 방법(axillary endoscopic subglandular tunneling approach)을 고안하여 2010년에 대한미용성형외과학회 학술대회에서 발표한 바 있으며 이를 2014년 미국 Aesthetic Plastic Surgery journal에 게재하여 겨드랑이절개로 이중평면법의 적용이 가능함을 보고한 바 있다. 앞으로도 수술방법에 대한 새로운 아이디어들이 지속적으로 연구되고 발표되어 수술방법에서 많은 발전이 있을 것을 기대한다.

1961년 실리콘보형물이 개발되어 사용되기 시작한 후부터 다양한 보형물이 개발되어 사용되어 왔으나, 1992년 미국 식품의약국(U.S. Food and Drug Administration)은 실리콘보형물이 전신면역질환이나 결체조직질환, 암 발생 등과 연관이 있을 수 있다고 하여 실리콘보형물의 사용을 금지하였으나, 오랜 연구와 검토 끝에 직접적인 인과관계가 없다는 결론으로 FDA는 2006년 실리콘보형물의 사용을 다시 허가하였다. 이후 국내에서도 2007년부터 한국 식품의약품안전처에서 국내 사용을 허가하여 이전에 사용되던 식염수보형물을 대체하여 주로 사용되는 현상을 보인다. 이 시기부터 표면이 매크로텍스처인 거친 표면을 가진 원형 보형물 상당 부분 사용되어왔고 2012년 Anatomical implant (물방울형 보형물)이 국내에 허가되어 다수 사용되었다. 물방울형 보형물은 좀 더 해부학적 구조의 형태를 가지고 있고 연부조직을 확장하는 힘을 가지고 있는 등 많은 장점이 있어 새로운 방향의 보형물로 적절하게 사용되고 있었으나, 2019년 국내에서도 BIA-ALCL (Breast Implant Associated Anaplastic Large Cell Lymphoma)환자가 보고되어 2020년부터는 한국 내에서 거친 표면의 유방보형물의 사용이 일부 판매중지되고 사용이 현격히 줄어드는 양상을 보이고 있다. 미국 FDA가 2011년 유방보형물과 BIA-ALCL 발생의 연관성을 확인한 이후로 2010년대 후반에 오면서 많은 통계 연구가 진행되고 사례발표가 많아졌다. 그러나 최근 들어 발생빈도가 상대적으로 낮고 일반적인 ALCL에 비해 예후가 비교적 양호하다는 보고들도 있어 학계가 너무 과도한 반응한 것이 아닌가에 대한 의견도 있으며, 추후 지속적인 연구와 통계가 진행되어야 할 것으로 보인다.

현대적인 보형물이 발명되고 사용되기 시작한 1961년부터 현재까지 많은 보형물이 개발되고 발전되어 왔으며, 해부학적 연구와 유방의 역동학적 기능적 연구, 보형물의 발전 등이 유방확대수술분야에서 많은 발전을 가져왔고 재수술영역에서도 더욱 좋은 결과를 보게 할 수 있는 이론적 바탕을 마련해 왔다. 국내에서는 대한성형외과학회를 중심으로 대한미용성형외과학회와 대한성형외과학회유방성형연구회가 유방성형분야의 발전에 중심이 되어 왔음에 큰 자긍심을 느끼며, 본 집필진들은 추후 지속적인 연구와 새로운 보형물 개발 등으로 유방수술분야가 좀 더 자연스럽고 안전한 영역의 수술로 발전될 것을 기대한다.

📋 참고문헌

1. 조문제, 임풍, 함기선. 액와부절개를 이용한 유방증대술, 대한성형외과학회지, 1977; 4:7-10.

2. Agris J, Dingman RO, Wilensky RJ. A dissector for the transaxillary approach in augmentation mammaplasty. Plast Reconstr Surg 1976;57(1):10-3.

3. Bondurant S, Ernster V, Herdman R. Safety of Silicone Breast Implants. Washington (DC): National Academies Press (US); 1999. p. 21.

4. Cronin TD, Gerow FJ. Augmentation mammaplasty: a new "natural feel" prothesis. Transactions of the Third International Congress of Plastic and Reconstructive Surgery, Washington, 1963. Excerpta Medica, Amsterdam; 1963. pp. 41-49.

5. Czerny V. Plastischer Ersatz der Brusthus durch ein Lipoma. Zentralblatt für. Chirurgie. 1895;27:72.

6. Czerny V. Plastic replacement of the breast with a lipoma. Chir Kong Verhandl. 1895; 2:216.

7. Eiseman G. Augmentation mammaplasty by the trans-axillary approach. Plast Reconstr Surg 1974;54(2):229-32.

8. Griffiths CO. The submuscular implant in augmentation mammaplasty. In: Translations of the Fourth International Congress of Plastic Surgery. Amsterdam: Excerpta Medica; 1967. p. 1009.

9. Hammond DC. Atlas of aesthetic breast surgery. Amsterdam: Elsevier;2009. p 19-38.

10. Hedén P, Boné B, Murphy DK, Slicton A, Walker PS. Style 410 cohesive silicone breast implants: safety and effectiveness at 5 to 9 years after implantation. Plast Reconstr Surg 2006;118(6):1281-7.

11. Hedén P, Jernbeck J, Hober M. Breast augmentation with anatomical cohesive gel implants: the world's largest current experience. Clin Plast Surg 2001;28(3):531-52.

12. Höhler H. Further progress in the axillary approach in augmentation mammaplasty: Prevention of incapsulation. Aesthetic Plast Surg 1976;1(1):107-13.

13. Hoehler H. Breast augmentation: the axillary approach. Br J Plast Surg 1973;26(4):373-6.

14. Ho LC. Endoscopic assisted transaxillary augmentation mammaplasty [published correction appears in Br J Plast Surg 1993 Dec;46(8):718]. Br J Plast Surg 1993;46(4):332-6.

15. Lee SH, Yoon WJ. Axillary endoscopic subglandular tunneling approach for types 2 and 3 dual-plane breast augmentation. Aesthetic Plast Surg 2014;38(3):521-7.

16. Malata CM, Feldberg L, Coleman DJ, Foo IT, Sharpe DT. Textured or smooth implants for breast augmentation? Three year follow-up of a prospective randomised controlled trial. Br J Plast Surg 1997;50(2):99-105.

17. Maxwell GP, Hammond DC. Breast implants: Smooth versus textured. Adv. Plast. Reconstr. Surg 1993;9:209-20.

18. Maxwell GP, Van Natta BW, Murphy DK, Slicton A, Bengtson BP. Natrelle style 410 form-stable silicone breast implants: core study results at 6 years. Aesthet Surg J 2012;32(6):709-17.

19. Park WJ. Endoscopic assisted transaxillary subpectoral augmentation mammaplasty. J Korean Soc Plast Reconstr Surg 1997;24(1):133-9.

20. Price CI, Eaves FF 3rd, Nahai F, Jones G, Bostwick J 3rd. Endoscopic transaxillary subpectoral breast augmentation. Plast Reconstr Surg 1994;94(5):612-9.

21. Regnault P. Partially submuscular breast augmentation. Plast Reconstr Surg 1977;59(1):72-6.

22. Spear SL, Elmaraghy M, Hess C. Textured-surface saline-filled silicone breast implants for augmentation mammaplasty. Plast Reconstr Surg 2000;105(4):1542-54.

유방밑주름 절개를 이용한 유방확대술

Inframammary Approach to Breast Augmentation

물방울 성형외과 **이영대**

유방확대술에서 성공적인 결과를 얻기 위해서는 수술자가 수술 전 디자인 과정과 수술 과정에서 의사결정을 잘 해야 하고, 환자의 심미적 요구사항과 환자마다 다른 흉곽, 유방의 해부학적인 특징을 숙지하여 정확하게 수술을 시행하여야 한다.

유방확대술에 사용되고 있는 경로는 유방밑주름 절개법, 유륜절개법, 겨드랑이 절개법, 배꼽 절개법 등 네 가지가 있다. 이중 유방밑주름 절개법은 최근 선호도가 증가하였고, 오늘날 가장 일반적으로 시행되고 있는 방법이 되었다. 이중 유방밑주름 절개법은 2000년대 초반까지 이 방법은 장점이 많은 방법임에도 절개 반흔이 눈에 잘 보인다는 잘못된 편견으로 국내에서는 사용빈도가 매우 적었으나, 최근 10년간에 걸쳐 선호도가 증가하여 현재는 널리 사용되는 방법이 되었다. 이번 장에서는 유방밑주름 절개법의 장단점, 수술전 디자인 및 수술방법에 대해 자세히 알아보고자 한다.

1. 수술 전 계획

성공적인 유방확대술을 하기 위한 가장 중요한 단계 중 하나는 수술 전 평가이다. 수술 전 평가해야 할 항목으로는 사용할 보형물의 종류, 포켓의 위치, 환자의 연부조직 두께, 유방, 흉벽과 유두-유륜복합체의 대칭성, 새로운 유방밑주름(절개선)의 위치 등이 있다 (그림 5-2-1).

수술 전 환자의 흉곽에 표시한 수술 디자인은 정확한 박리를 위한 설계도가 된다(그림 5-2-2).

피부 및 유방 조직의 상태, 유방 실질의 양, 유방 위치 및 하수 정도를 포함한 연부조직 양의 측정은 보형물을 삽입할 최적의 포켓을

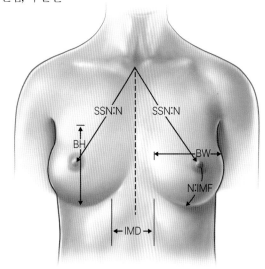

그림 5-2-1. 수술 전 유방 계측. 흉골상절흔(suprasternal notch)과 유두중심과의 거리(SSN:N), 유두중심과 유방하주름(IMF, inframammary fold)까지의 거리(N:IMF), 유방너비(BW, breast width), 유방높이(BH, breast height), 유방간 거리(IMD, intermammary distance)를 측정한다.

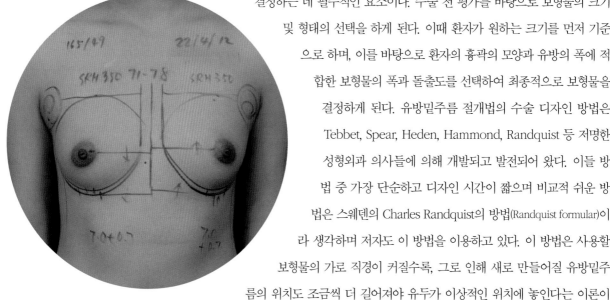

그림 5-2-2. 수술 전 디자인

결정하는 데 필수적인 요소이다. 수술 전 평가를 바탕으로 보형물의 크기 및 형태의 선택을 하게 된다. 이때 환자가 원하는 크기를 먼저 기준으로 하며, 이를 바탕으로 환자의 흉곽의 모양과 유방의 폭에 적합한 보형물의 폭과 돌출도를 선택하여 최종적으로 보형물을 결정하게 된다. 유방밑주름 절개법의 수술 디자인 방법은 Tebbet, Spear, Heden, Hammond, Randquist 등 저명한 성형외과 의사들에 의해 개발되고 발전되어 왔다. 이들 방법 중 가장 단순하고 디자인 시간이 짧으며 비교적 쉬운 방법은 스웨덴의 Charles Randquist의 방법(Randquist formular)이라 생각하며 저자도 이 방법을 이용하고 있다. 이 방법은 사용할 보형물의 가로 직경이 커질수록, 그로 인해 새로 만들어질 유방밑주름의 위치도 조금씩 더 길어져야 유두가 이상적인 위치에 놓인다는 이론이다. Charles Randquist가 제안한 보형물의 폭에 따라 필요한 유두에서 새로운 유방밑주름까지의 거리는 본인의 경험적 데이터에 따른 것이다(표 5-2-1).

이 방법에서 보형물 선택 시 가장 중요한 측정값은 환자 유방의 폭(base width)이다. 환자의 해부학적 특징과 조직의 두께를 고려하여 환자의 유방 폭에 비해 너무 넓지 않은 보형물을 선택함으로써 리플링, 밑빠짐, 보형물 윤곽돌출(implant visibility) 같은 부작용의 발생을 줄일 수 있다. 핀치 테스트를 통해 연부조직두께가 3 cm 이상인 경우 근육 위 또는 근막하 포켓을 고려해볼 수 있으며, 그 이하인 경우에는 근육 아래 이중평면 포켓(dual plane pocket)을 주로 사용한다. 이 방법은 보형물 선택과 수술 디자인을 최대한 단순화시킨 것으로 초심자도 쉽게 사용할 수 있고, 또한 저자가 2009년부터 사용해본 경험으로 보아 매우 일정한 결과를 낼 수 있는 좋은 방법이라 생각한다.

보형물을 선택하고 나면 디자인 펜을 이용하여 흉골 가운데에서 배꼽에 수직으로 좌우를 나누는 중심선을 그린 후 이를 중심으로 좌우 각각 1.5 cm 떨어진 곳에 중심선과 평행하게 paramedian line을 그린다. 다음으로 환자의 유방밑주름을 표시한다. 이 두 paramedial line은 양쪽 유방의 내측 경계가 되며, 내측 경계 안쪽 폭 3 cm 부위는 신경과 혈관 그리고 대흉근의 기시부가 위치하는 중요한 해부학적 기준이 되는 곳이므로 수술 시 그 경계를 지키도록 노력하여야 출혈, 신경손상, 애니메이션 변형, 합유증 등의 부작용을 피할 수 있으므로 "No Touch Zone"으로 불린다.

다음으로 전방 액와선을 따라 수직선을 그려 감각 신경과 혈관을 표시하는 유방의 외측 경계를 잡는다. 외측경계를 넘어 과도하게 박리하게 되면 특히 smooth 보형물을 사용하는 경우 옆빠짐 현상이 발생하기 쉬우므로 주의해야 한다. 그 다음 양측의 sternal notch에서 유두까지의 거리, 쇄골의 중앙부에서 유두까지의 거리를 측정하여 유두의 위치에 비대칭이

표 5-2-1. The Randquist Guidelines

While patient is standing, measure with maximum stretch from the nipple to new IMF

Implant width		Ideal positioning of IMF
11.0	Smooth	7.0cm ± 0.5
	Textured	7.5cm ± 0.5
11.5	Smooth	7.5cm ± 0.5
	Textured	8.0cm ± 0.5
12.0	Smooth	8.0cm ± 0.5
	Textured	8.5cm ± 0.5
12.5	Smooth	8.5cm ± 0.5
	Textured	9.0.cm ± 0.5
13.0	Smooth	9.0cm ± 0.5
	Textured	9.5cm ± 0.5

있는지 관찰한다. 환자의 유방 base width는 paramedian line에서 전방 액와선을 따라 수직으로 그린 외측경계까지의 직선거리를 측정하고 삽입할 보형물의 가로 직경을 정하는 기준으로 삼는다. 측정한 환자 유방의 base width에 따라 삽입할 보형물의 가로 직경의 기준이 정해지면 환자에게 꽉 끼는 티셔츠를 입힌 후 사이저(sizer)나 시제품 보형물을 크기 별로 그 옷 속에 넣어 환자가 입어본 후 본인이 원하는 사이즈를 결정하도록 한다. 이때 수술자의 역할은 환자의 체형에 맞는 보형물의 범위(예를 들면, 유방의 base width가 12 cm인 환자에서 폭이 11–12 cm 정도 되면서 돌출도에 따라 다른 사이즈, 250 cc에서 350 cc 사이)를 정해주고, 그 안에서 특정 사이즈는 환자가 취향에 맞게 직접 선택하게 하는 것이 향후 사이즈로 인한 불만족을 줄이는 방법이다. 이런 과정을 통해 환자는 수술 전에 수술 후 변화될 유방의 크기에 대한 충분한 정보와 직접적인 볼륨감을 미리 경험할 수 있으므로 사이즈에 대한 확신을 가지게 된다.

유방밑주름 절개선은 새로 만들어지는 유방의 밑주름에 정확히 위치해야 하는 것이 매우 중요하다. 이를 위해서 Randquist는 보형물의 폭(implant width)은 새로운 유두-밑주름(New N-IMF) 거리와 새로운 유방 밑선(New IMF)의 위치에 대한 값을 결정한다고 하였다.

예를 들어, 폭이 12 cm인 스무스 보형물은 유방 피부를 최대한 신연 시켰을 때 (그림 5-2-3) 유두 하연에서 8.0 cm 하방으로 거리를 재어 새로운 유방밑주름으로 정하고, 이곳에 절개선을 디자인한다. 그리고 보형물의 폭이 0.5 cm 씩 길어짐에 따라 유두에서 새로운 유방밑주름까지 거리도 0.5 cm 씩 길어지게 디자인 할 때 유두가 유방의 가장 아름다운 위치에 놓이게 되고 유방의 상부와 하부의 조화가 이루어지는 위치에 유방밑주름이 생성된다고 하였다(표 5-2-1).

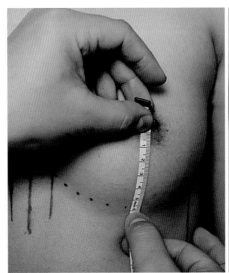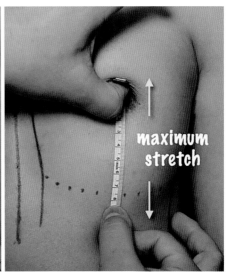

그림 5-2-3. 새로운 유방밑주름의 위치는 줄자의 한 쪽 끝을 유두 하연에 두고 최대한 신연시켰을 때 (maximum stretch)의 거리로 정한다.

또한 환자가 유방 상단부(upper pole)에 약 4 cm 이상의 실질 조직(parenchyma)이 있는 경우, 환자의 피부가 타이트하여 잘 늘어나지 않는 경우(수축형유방 등)에는 추가로 0.5 cm를 추가해야 한다. 반대로 환자의 피부가 헐겁고 과도하게 늘어나는 경우 0.5 cm를 빼야 한다. 다만 기준이 합산되더라도 0.5 cm 이상 더하거나 뺄 때는 주의해야 한다.

보형물의 돌출도(projection)가 다르더라도 보형물의 폭이 동일하다면 새로운 유방밑주름의 위치는 동일하게 디자인하면 된다.

유두에서 새로운 유방밑주름이 될 부위까지의 거리를 측정하여 일정한 포인트에 표시한 후 기존 유방밑주름과 평행하며 내측과 외측의 양쪽 끝에서 자연스럽게 수렴하는 새로운 유방밑주름을 그려서 표시하고 이선을 내측으로는 정중선 1.5 cm 외측선과 그리고 외측으로는 전방 액와선의 연장선과 만나도록 하여 새로이 만들어질 유방의 아래쪽 경계를 디자인한다. 그리고 보형물의 높이에 맞추어 새로이 만들어질 유방밑주름부터 상부까지의 거리를 측정하여 사용하려는 보형물에 따라 보형물 삽입에 필요한 윗쪽 박리범위를 정하여 그려준다. 절개선을 새로운 유방밑주름의 가로방향 어느 위치에 정할지는 저자마다 의견이 다르다. 저자는 유두의 내측 끝에서 내린 수직선이 새로운 유방밑주름과 만나는 지점에서 시작하여 외측으로 3-3.5 cm 정도의 반 곡선 형태의 절개선을 사용한다. 이 부위는 수술 시 유방의 내측과 외측으로 접근이 용이하고, 서 있을 때 유방에 의해 가장 짙은 그늘이 생기는 곳이므로 수술 반흔을 가장 잘 가려주는 위치이기도 하기 때문이다. 환자의 흉벽에 대한 세심한 측정 및 표시를 포함한 수술 전 계획이 끝나면 환자를 수술실로 이동시킨다.

2. 수술과정

환자는 반듯이 누운 자세(supine position)로 수술대 위에 눕힌다. 팔은 45° 정도로 벌린 후 앞보드에 탄력붕대나 고정장치를 이용하여 단단히 고정한다. 이는 가슴 근육을 이완시켜 보형물의 위치를 보다 정확하게 평가할 수 있게 한다. 일부 저자들은 수술대 위에 환자의 옆구리를 따라 팔을 붙여 놓는 것을 선호하기도 하고 팔을 완전히 펴서 수술하기도 한다. 다만 팔을 90°로 완전히 펴는 것은 유방의 위치를 올리게 되어 유방을 정확하게 평가할 수 없기 때문에 피하는 것이 좋다.

수술 전 소독을 위하여 환자의 상체 전체를 베타딘과 클로로핵시딘 용액으로 소독한 후 전체 수술포를 덮은 다음 먼저 환자의 유두와 유륜에서 물기를 제거한 후 유륜을 다 덮을 정도의 크기인 테가덤(Tegaderm®)이나 오피사이트(OpSite®)를 이용하여 유두를 완전히 밀폐시킨다. 어떠한 소독법으로도 해결할 수 없는 유관에서 유두를 통하여 분비될 수 있는 상피상재균이나 오염원들을 수술범위에서 완전히 제거하는 것은 매우 중요하다.

동영상 5-2-1. 유방밑주름절개를 이용한 유방확대술.

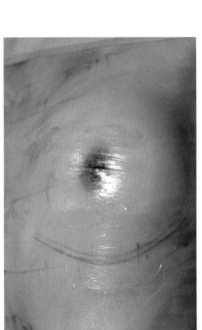

그림 5-2-4. 유두유륜과 절개선은 테가덤(Tegaderm®)을 이용하여 덮어준다.

유방밑주름 절개의 크기는 일반적으로 가능한 한 짧으면서도 보형물이 들어갈 포켓을 박리하고 보형물을 변형이나 손상 없이 안전하게 삽입할 수 있을 만큼은 되어야 한다. 일반적으로 보형물의 크기, 젤 응집력, 보형물표면의 거칠기가 증가함에 따라 절개 길이가 길어진다. 너무 짧은 절개를 사용할 경우, 해부학적 보형물(anatomic implant)의 경우 젤 파열(gel fracture)이 발생할 수 있고 실리콘겔 보형물은 젤의 변형이 일어나기도 한다.

수술을 진행하기 전에, 이제 최대 신전(maximal stretch)하에서 N-IMF의 거리를 다시 확인하고, 수술 후 통증을 줄이기 위해, 아드레날린과 함께 약 5 cc의 리도카인을 대흉근의 상부 깊숙이 주입한다.

유방밑주름을 통한 유방 확대 수술 절차는 다음과 같이 8단계로 나눌 수 있다.

① 피부절개

② 깊은 진피와 피하지방을 통한 절개

③ 대흉근의 확인

④ 대흉근 아래로 진입

⑤ 대흉근 아래 보형물 포켓 박리

⑥ 보형물 삽입

⑦ 절개 봉합

⑧ 압박붕대 드레싱

1) 피부절개

오른손잡이 수술자를 기준으로 환자의 오른쪽에 서서, 15번 메스를 사용하여 수술 전 표시에 따라 피부를 mid-dermis 레벨로 절개하고, 초기 박리는 needle tip 전기 소작기로 시행한다(그림 5-2-5). 절개선의 길이는 보통 4 cm 정도가 권장되는데 절개선의 길이를 줄여서 흉터의 길이를 짧게 하기 보다는 보형물의 크기에 적당한 충분한 길이의 절개를 넣는 것이 견인(traction)으로 생기는 절개창의 손상이나 보형물 삽입 시 생기는 피부의 좌상(maceration)을 예방함으로써, 조직 손상으로 생기는 비후성 반흔이나 색소침착을 예방할 수 있다. 다만 수술의 숙련도가 올라가고, 보형물삽입 시 깔대기(Funnel)와 같은 기구를 사용한다면 절개 길이는 300 cc, 보형물까지는 3 cm, 350-450 cc, 임플란트의 경우 3.5 cm 길이 절개로 흉터의 질을 떨어뜨리지 않고 수술이 가능하다.

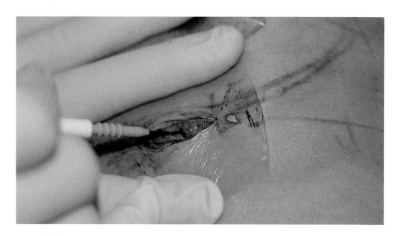

그림 5-2-5. Needle tip monopolar coagulator를 이용한 초기 피하 박리.

하지만 절개 길이가 3.0 cm 미만으로 줄이는 것은 권장하지 않는데, 이 절개 길이는 정확한 수술을 위한 시야 확보가 충분하지 않아 유방밑주름 접근법의 기본 원칙인 "직접보고 수술(direct vision)"을 하기 힘들고 또 절개부위 손상을 피하기 어렵기 때문이다.

2) 깊은 진피와 피하지방을 통한 절개

진피 절개 후 피하지방을 수직으로 하방으로 절개해 나간다. 이후 superficial fascia가 보이게 되고 이를 절개한 후 견인기구를 이용하여 유방하극(lower pole)을 당겨 초기 박리를 즉시 45도 정도 환자 머리쪽으로(cephalad dissection) 시행하는 것이 매우 중요한데, 이는 새로운 유방밑주름의 아래쪽이 박리되어 유방밑주름이 원래의 계획보다 낮아지는 것을 예방할 수 있기 때문이다(그림 5-2-6).

3) 대흉근의 확인

피하의 절개를 마치면 절개창의 외측연 근처에 대흉근의 외측연이 보이는데 절개창의 상부 피판을 견인 기구를 이용하여 앞쪽으로 당기면 상부의 흉부 피판에 붙어서 상부 피판과 함께 앞으로 들려 올라오는 것은 대흉근이고(그림 5-2-7), 바닥인 흉골에 붙어있는 것은 앞톱니근, 외사근, 혹은 늑간 근육이므로 확연히 구분된다. 유방 하극 쪽 피판을 앞쪽 위쪽으로 당기면서 대흉근을 momoplolar forcep을 이용하여 잘라준다. 이때 대흉근의 늑골 기시부에서 0.5–1.0 cm 정도의 여유를 두고 대흉근을 절개하는 것이 좋은데 그 이유는 근육 섬유 조각을 남겨두면 늑간 혈관의 천공지가 대흉근으로 들어가는 초입에서 잘리게 될 경우 동맥의 탄성에 의해 혈관이 늑간 공간으로 딸려 들어가 지혈에 어려움을 겪는 것을 방지할 수 있기 때문이다.

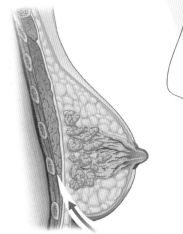

Initial dissection angle 45°

그림 5-2-6. 피부절개후 환자 머리방향으로 45도 각도로 올라가면서 깊은 박리를 진행한다.

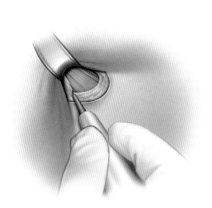 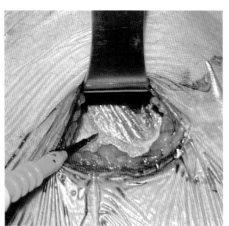

그림 5-2-7. 박리를 깊이 하다 보면 대흉근을 만나게 되는데 견인기로 당겼을 때 위로 tenting 되어 올라오는 것이 대흉근의 특징이다. 늑간 근육이나 톱니근은 tenting 되지 않으므로 구별된다.

4) 대흉근 아래로 진입

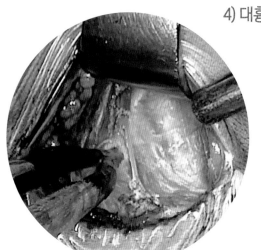

그림 5-2-8. 대흉근의 늑골기시부를 자르고 들어가면 loose areolar tissue가 보이고 이곳이 대흉근 아래 공간 (subpectoral space)이다.

대흉근이 확인되고 측면을 절개하면, 대흉근 아래의 공간으로 들어가는 것은 비교적 어렵지 않다. 대흉근의 외측면 가장자리에서 내측으로 이동하면서 근육 아래 공간으로 들어가면 된다. 대흉근의 외측면을 위쪽으로 견인했을 때 아래쪽으로 하얀 loose areolar tissue가 보이면 이곳이 근육 아래로 들어가는 입구이다(그림 5-2-8). 이때 대흉근을 통한 입구는 견인 기구의 끝이 들어갈 수 있도록 충분히 넓게 만들어야 한다. 정교한 박리를 위쪽으로 진행함에 따라 대흉근 아래에서 견인 기구는 점점 더 상방으로 이동한다. 견인 기구는 대흉근을 지속적으로 견인하면서 바닥쪽, 연골막의 접촉을 피해야 불필요한 출혈을 막을 수 있다.

이중평면 포켓을 만들 때 대흉근과 유방실질을 먼저 박리하느냐, 아니면 대흉근 아래를 먼저 박리 하느냐에 대해서는 이견이 있는데 필자는 원하는 이중평면의 레벨까지 대흉근과 유방실질을 먼저 박리한 후 대흉근 아래 포켓을 박리하는 것이 좀 더 정확하고 빠르다고 생각한다. 왜냐하면 대흉근의 늑골 기시부를 먼저 자르고 대흉근 아래를 박리하고 나면 대흉근이 위쪽으로 수축해 올라가서 이후에 대흉근과 유방실질을 박리하려면 대흉근의 추가적인 견인이 필요하므로 다소 번거롭기 때문이다.

5) 대흉근 아래 보형물 포켓 박리

대흉근의 늑골에서의 기시부를 절개하면서 견인기구를 이용하여 외측으로 박리해 나가면 다른 대흉근의 근섬유보다 길게 더 복부 쪽으로 내려오는 대흉근의 복부 부분(abdominal part of pec.major)을 만나게 된다. 그 부분을 자르고 나가면 외측으로 앞톱니근과 외복사근이 박리된 공간의 외측 바닥에 놓이게 되고 더 외측으로는 5, 6, 7번째 외측 늑간신경과 lateral thoracic artery의 분지들을 만나게 된다. 이 신경과 혈관들을 만나면 더 이상 외측으로 박리하는 것을 멈추거나 조심스럽게 해야 한다. 간혹 심하게 외측 늑간신경이 내측으로 위치하여 보형물이 들어갈 공간에 있는 경우 가능하면 skeletonization을 하여 신경을 보존하기도 하나 신경이 심하게 신연 되거나 손상되어 오히려 계속적인 통증이나 자극의 원인이 같은 경우에는 아예 절단하는 것이 좋다. 이에 대해서는 환자에게 수술전에 미리 설명하는 것이 중요하다. 이후 절개창의 내측으로 박리해 나가면 대흉근이 늑골에서 기시하다 점점 흉골로 이행되는 것을 볼 수 있는데 이 지점에서는 절대 대흉근이 흉골에서 전체가 다 박리되지 않도록 하여야 한다. 만약 이 지점을 지나 대흉근이 흉골 기시부에서 박리되면 animation deformity, window shade deformity 그리고 심하게는 양쪽 유방이 붙어버리는 합유증이 발생할 수 있으므로 주의해야 한다. 그러므로 일단 우측 유방 4시 방향(좌측 8시)에 박리가 이르게 되면 대흉근을 자르는 두께를 서서히 줄여서 4시에서 3시로(좌측 8시에서 9

시) 이어지는 부위에서는 자연스럽게 전체의 대흉근이 흉골에 붙어있도록 release만 해주어야 한다.

이제 박리는 내측에서 유방위쪽으로 진행하여 보형물 포켓의 가장 윗부분을 공간을 만들게 된다. 여기 조직은 loose areolar tissue로 이루어져 매우 느슨하다. 따라서 위쪽으로 위쪽 공간이 너무 넓어지게 되면 향후 삽입될 보형물이 상방으로 이동할 수 있으니 주의해야 한다. 이때 수술 전 표시해 놓은 박리 범위의 경계는 여기서 매우 유용하며 반드시 준수해야 한다.

보형물 포켓의 위쪽 공간 박리가 끝나면 포켓의 외측으로 충분한 폭을 만들기 위해 위쪽에서 아래쪽으로 내려오면서 앞톱니근(anterior Serratus m.)의 바로 위에 있는 결합조직들의 박리를 시행한다. 여기서 외측으로 너무 넓게 전방 액와선 밖으로는 하지 않는 것이 중요한데 이는 보형물의 외측 위치 이상(옆 빠짐)을 유발할 수 있기 때문이다. 양쪽의 보형물 포켓의 박리가 끝나면 수술자는 포켓안으로 검지를 넣어 계획한 범위대로, 또 양쪽이 대칭되게 박리가 잘 이루어졌는지 포켓을 검사해 본다. 마지막으로 완벽하게 지혈이 되었는지 확인한 후 생리식염수와 베타딘 희석액을 이용하여 세척을 시행한다. 세척을 마친 후 장시간에 걸쳐 진통효과를 나타내는 Ropivacaine (Naropine 0.75%) 10 cc를 양측 포켓 내로 뿌려준다. 이는 수술직후 통증을 줄이는데 큰 효과가 있다.

6) 보형물 삽입

보형물이 들어있는 멸균 패키지를 조금만 열어 세파졸린 1.5 g과 젠타마이신 80 mg의 이중 항생제 용액을 상자에 주입한 후 가볍게 흔들어준다. 이렇게 하면 항생제 성분이 골고루 보형물 표면에 묻게 되어 급성 세균감염 예방에 도움이 된다. 보형물 삽입 전 수술자는 새 수술용 장갑으로 갈아껴야 하며 삽입 중에는 보형물 이외의 어떤 것도 만지지 않도록 주의해야 한다.

그 다음 멸균된 Keller Funnel® (그림 5-2-9)을 개봉하여 입구를 보형물의 크기에 따라 정해진 만큼 자른 후 생리식염수를 funnel 안쪽에 50 cc 정도 뿌려 안쪽 표면을 미끄럽게 만들어준다. 수술자가 funnel의 입구를 펴서 들고 있고 수술간호사로 하여금 보형물의 패키지 뚜껑을 완전히 열어 보형물을 funnel 안으로 바로 부어 넣듯이 집어넣으면 보형물을 직접 터치하지 않고 삽입할 수 있게 된다. 이렇게 함으로써 보형물이 오염될 수 있는 가능성을 최소화할 뿐 아니라 피부에 찰과상을 방지할 수 있고, 과도한 힘으로 보형물을 밀어 넣을 때 생기는 보형물의 외피 손상 및 내부 겔의 파손을 방지하며 짧은 시간 내에 보형물을 비교적 쉽게 삽입할 수 있다. 보형물 삽입이 끝나면 환자를 앉은 자세로 하여 양측의 대칭을 살피고 손가락으로 보형물의 뒷면, 내측과 외측을 검사하여 접힘현상이 없는지, 뒤집어 들어가지는 않았는지 반드시 확인한다.

그림 5-2-9. Keller Funnel®

7) 절개 봉합

보형물 삽입이 끝나고 나면 환자를 sitting position으로 하여 보형물의 위치, 유방밑주름의 위치, 좌우대칭 등을 최종 확인하고, deep fascial suture를 끝낼 때까지 sitting position을 유지한다. 이렇게 하면 curvilinear한 IMF line을 살릴 수 있어 초기에 boxy한 IMF line의 형태를 피할 수 있다(그림 5-2-10).

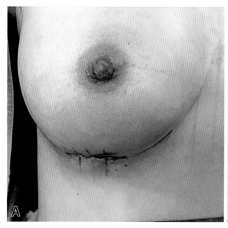
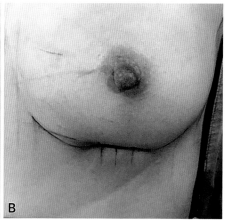

그림 5-2-10. **(A)** 사진 환자를 앉혀서 봉합한 경우, **(B)** 눕혀서 봉합한 경우

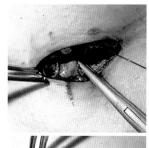

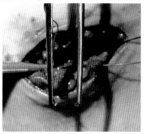
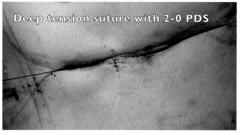

그림 5-2-11. 2-0 PDS 봉합사를 이용하여 Deep tension suture를 하는 장면

절개창은 다음과 같이 세 층으로 닫아준다. 먼저 가장 깊은 층은 2-0 PDS® 실을 이용하여 2개(절개가 4 cm 이상이면 3개)의 봉합을 해준다. 바늘은 먼저 흉벽 표면의 깊은 근막을 가로방향으로 통과하도록 하는데 봉합사에 의해 조직이 잘리는 일이 없도록 근막과 근육조직을 잘 잡는 것이 중요하다(그림 5-2-11). 그러나 너무 깊이 들어가서 흉막에 손상을 주지 않도록 조심한다. 깊은 층에서 사용 가능한 조직의 양은 환자의 체형에 따라 다르며, 매우 마른 환자에게는 골막 표면의 그립이 필요할 수 있다. 바닥 쪽에 가로 방향의 견고한 그립이 걸리고 나면 이 실을 다시 절개창의 하부 피판의 얕은 근막을 깊은 곳에서 얕은 방향으로 세로 방향으로 뜨고 다시 이 실을 잡아 절개창의 상부 피판의 얕은 근막을 다시 깊은 곳에서 얕은 방향으로(figure of 8) 약 1 cm 정도의 많은 양의 조직을 물어 뜬 다음 매듭을 4-5회 만들어 준 후 봉합사를 잘라준다.

이때 근막부위에서 모든 절개창의 긴장력을 거의 다 잡아 주어야 다음에 진피에 걸리는 긴장력이 많이 줄어들게 되어 상처 회복 시 반흔의 과형성이 예방된다. 깊은 층 근막의 봉합이 다 이루어진 다음 진피의 봉합은 3-0 V-Loc® 봉합사를 이용하여 충분히 진피에 걸리는 긴장도를 유지하면서 피부의 층을 정확히 맞추면서 연속 매몰법을 이용하여 봉합해준다.

두번째 층의 봉합이 끝나면 이미 피부의 각 층이 충분히 잘 맞으면 이미 양측으로 벌어지려는 장력은 상쇄됐으므로 3M Steri-strip® 반창고를 이용하여 피부 봉합을 대신할 수 있다.

8) 압박붕대 드레싱

유방밑주름 절개를 이용한 접근법은 직접 시야를 통해 수술하고 지혈이 용이하며 박리 범위가 넓지 않으므로 수술이 정확하게 이루어졌다면 배액관은 넣지 않아도 된다. 다만 수술직후 발생할 수 있는 소량의 출혈이나 장액종을 예방하기 위해 수술 후 1일 동안은 탄력붕대를 가볍게 감아주는 것이 좋다. 다음날 외래 방문 시에 혈종이나 장액종의 소견이 없으면 붕대를 제거하고 보정 브래지어와 유방의 상방부에 압박 밴드를 착용하도록 한다.

3. 수술 후 관리

술 후 1일째, 1주, 2주, 1개월, 3개월, 6개월, 1년의 술후 관찰을 하며, 가슴의 모양과 보형물의 위치에 따라 상부 압박 밴드와 보정 브래지어를 착용시켜 더욱 더 정확한 유방밑주름과 가슴의 모양을 잡아준다. 상부압박밴드는 수술 후 1~2달까지 착용하는 것이 일반적이다. 이는 보형물의 상방 이동을 방지하고 유방 하극의 신전이 잘 일어나도록 도와주어 보형물이 계획한 위치로 자리잡는데 도움을 준다. 유방밑주름 절개 흉터는 대부분의 경우 1년 정도가 지나면 반흔의 숙성과 리모델링을 거쳐 점점 색깔은 옅어지고 점점 가느다란 선으로 남는다. 저자는 반흔의 개선을 위해 모든 환자에게 수술 후 2주부터 실리콘 겔시트(RenoSigel®)를 이용한 압박 요법을 3개월간 실시한다. 비후성 반흔이나 켈로이드가 발생한 환자에게는 국소 스테로이드 병변내 주사요법을 이용하기도 하나 간혹 반흔 주위 조직이 얇아지거나 함몰될 수 있으므로 주의하여 사용하도록 한다. 색소침착이 발생하는 환자의 경우 NdYag laser (REBEAM®)를 사용하여 치료해준다.

✅ 참고문헌

1. Adams WPJr, Rios JL, Smith SJ. Enhancing patient outcomes in aesthetic and reconstructive breast surgery using triple antibiotic breast irrigation: six-year prospective clinical study. Plast Reconstr Surg 2006;117(1):30-6.

2. Blackburn VF, Blackburn AV: Taking a history in aesthetic surgery: SAGA - the surgeon's tool for patient selection. J Plast Reconstr Aesth Surg 2008;61:723-9.

3. Blount AL, Martin MD, Lineberry KD, Kettaneh N, Alfonso DR. Capsular contracture rate in a low-risk population after primary augmentation mammaplasty. Aesthet Surg J 2013;33(4):516-21.

4.   Campbell CF, Small KH, Adams WPJr. The inframammary fold (IMF) fixation suture: proactive control of the IMF in primary breast augmentation. Aesthet Surg J 2016;36(5):619-23.

5.   Cash TF, Duel LA, Perkins LL. Women's psychosocial outcomes of breast augmentation with silicone gel-filled implants: a 2-year prospective study. Plast Reconstr Surg 2002;109:2112-21.

6.   Crerand CE, Franklin ME, Sarwer DB. Body dysmorphic disorder and cosmetic surgery. Plast Reconstr Surg 2006;118:167e-180e.

7.   Deva AK, Adams WPJr, Vickery K. The role of bacterial biofilms in device-associated infection. Plast Reconstr Surg 2013;132(5):1319-28.

8.   Giordano S, Peltoniemi H, Lilius P, Salmi A. Povidone-iodine combined with antibiotic topical irrigation to reduce capsular contracture in cosmetic breast augmentation: a comparative study. Aesthet Surg J 2013;33(5):675-80.

9.   Hedén P, Jernbeck J, Hober M. Breast augmentation with anatomical cohesive gel implants: the world's largest current experience. Clin Plast Surg 2001;28(3):531-52.

10.   Jewell M. Form-stable silicone gel breast implants. Clin Plast Surg 2009 ;36:75-89.

11.   Rohrich RJ, Hartley W, Brown S. Incidence of breast and chest wall asymmetry in breast augmentation: a retrospective analysis of 100 patients. Plast Reconstr Surg 2006;118:7S-13S.

12.   Sarwer DB. The psychological aspects of cosmetic breast augmentation. Plast Reconstr Surg 2007;120:110S-117S.

13.   Solvi AS, Foss K, von Soest T, et al. Motivational factors and psychological processes in cosmetic breast augmentation surgery. J Plast Reconstr Aesth Surg 2010;63:673-80.

14.   Stevens WG, Pacella SJ, Gear AJ, et al. Clinical experience with a fourth-generation textured silicone gel breast implant: a review of 1012 Mentor MemoryGel breast implants. Aesth Surg J 2008;28:642-7.

15.   Tebbetts JB. Achieving a predictable 24-hour return to normal activities after breast augmentation: Part II. Patient preparation, refined surgical techniques, and instrumentation. Plast Reconstr Surg 2002;109:293-305.

16.   Tebbetts JB, Adams WP. Five critical decisions in breast augmentation using five measurements in 5 minutes: the high five decision support process. Plast Reconstr Surg 2005;116(7):2005-16.

17.   Tebbetts JB. Dual plane breast augmentation: optimizing implant-soft-tissue relationships in a wide range of breast types. Plast Reconstr Surg 2001;107(5):1255-72.

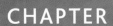

겨드랑이절개 내시경 유방확대술

Transaxillary endoscopic approach

JW정원 성형외과 **설철환**

1. 서론

유방확대술에 있어 겨드랑이절개법은 절개 흉터가 눈에 잘 띄지 않고 젖샘조직을 손상하지 않는 장점이 있지만 양쪽에 정확한 대칭으로 포켓을 만들기 어렵고 시야확보가 되지 않아 맹목박리(blunt dissection)를 해야 하고 그로 인해 정확한 층(plane)을 찾기가 쉽지 않으며 지혈이 어렵다는 단점이 있다. 또한 다른 절개 방법에 비해 수술 후 통증이 심하고 회복이 늦다.

이에 비해 겨드랑이절개 내시경 수술법은 시야를 확실하게 확보할 수 있어 정확한 층으로 박리할 수 있으며 지혈이 용이하다. 또한 포켓의 범위를 정확하게 조절할 수 있고 통증이 덜하다. 그리고 내시경 수술법을 이용하면 겨드랑이절개로도 이중평면(dual plane)법을 사용할 수가 있어 유방의 모양을 좀 더 자연스럽게 만들 수 있고 경한 정도의 유방하수교정에도 효과를 볼 수 있다.

겨드랑이절개 내시경 수술법은 이중평면법 외에 유선조직하(subglandular), 근막하(subfascial), 대흉근하(subpectoral) 박리에도 활용할 수 있고, 대다수의 재수술 경우에 있어서도 새로이 유륜절개나 유방밑주름절개를 하지 않고 기존의 겨드랑이절개로 재수술을 할 수 있도록 해준다. 본 단원에서는 저자가 시행하는 겨드랑이절개 내시경 유방확대 첫수술과 재수술 방법들을 기술하고자 한다.

2. 겨드랑이절개 내시경 유방확대술(첫수술)

1) 수술 전 디자인

환자를 세운 상태에서 복장뼈패임(suprasternal notch), 중앙선(midline), 전액와선(anterior axillary line), 유방밑주름(inframammary fold)을 표시한다(그림 5-3-1). 복장뼈패임-유두, 쇄골-유두, 중앙선-유두, 유방밑주름-유두 간 거리, 조직의 두께, 유방의 탄력성 및 처진 정도, 키, 몸무게, 가슴둘레, 가슴밑둘레 등을 측정한다. 중앙선에서 양측으로 1.5 cm 외측에 수직선(paramedian line)을 그어 합유증 예방을 위한 3 cm의 안전구역을 확보하고 이 선과 전액와선까지의 폭을 측정하여 흉곽폭으로 간주한다. 흉곽폭에서 유방상부 조직두께를 뺀 숫자가 적정 보형물 지름이 되고 이 지름에 따라 아랫쪽(caudal) 박리 범위 즉, 수술 후 새로운 유방밑주름이 형성될 위치를 표시한다. 12 cm 보형물을 사용할 경우 유두를 상방으로 최대로 당긴 후 유두 하방 8 cm에 새로운 유방밑주름 위치를 표시한다. 사용할 보형물의 지름의 증감에 따라 아랫쪽 박리 범위를 증감한다. 유두를 지나는 수평선을 좌우측에 각각 그리고 팔을 수평으로 들게 한 상태에서 또 수평선을 그린다. 그 수평선들 사이에 점1을 찍고 그 점에서 적정 보형물의 반지름만큼 하방(12 cm 보형물을 사용하는 경우 6 cm 하방)에 점2를 찍는다. 새로운 유방밑주름 수준과 점2의 수준이 차이 나는 경우 점2를 참고하여 새로운 유방밑선수준을 조정한다. 겨드랑이의 가장 깊은 곳(apex)의 주름을 따라 3~4 cm의 절개선을 표시한다.

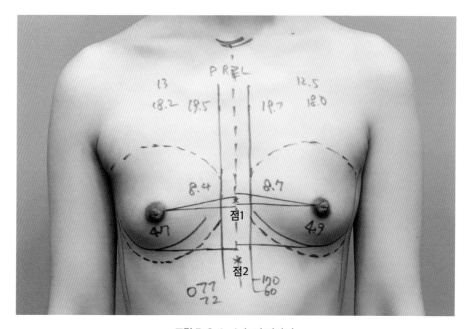

그림 5-3-1. 수술 전 디자인

2) 내시경 장비

내시경 장비에는 수술에 직접적으로 사용되는 내시경 기구들(A)과 광원을 공급하고 영상을 처리하여 화면에 보여주고 녹화하는 영상 장비들(B)이 있다. 저자가 사용하는 Richard Wolf 장비의 구성은 그림 5-3-2와 같다.

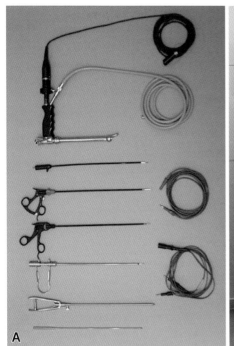

그림 5-3-2. 내시경장비. **(A)** 위로부터 Endoscope, L-hook electrode dissector, forceps, scissors, bipolar coagulator, needle holder, knot pusher. **(B)** 위로부터 monitor, image processing unit, light source, video recorder

3) 수술방법

먼저 겨드랑이절개부위와 내유동맥(internal mammary artery)의 관통동맥(perforating artery)들이 나오는 부위에 0.5% 리도케인용액과 0.25% 부피바케인용액에 에피네프린이 1:100,000의 농도로 혼합된 혼합액을 한쪽 가슴 당 20 cc 주사한다. 그 다음 생리식염수 500 cc에 2% 리도케인 40 cc, 1:1000 에피네프린 1 cc를 혼합한 용액을 박리할 부위에 한 쪽 가슴 당 80-100 cc 주사한다. 수술 전에 디자인한 대로 겨드랑이절개를 시행하고 대흉근의 외측 경계가 보일 때까지 피하박리를 한다. 대흉근하 또는 이중평면법으로 보형물 공간을 만들기 위해서는 대흉근막을 열고 근막과 근섬유 사이를 박리하여 대흉근 아래로 접근한 다음 대흉근과 소흉근 사이의 층을 찾아야 한다. 이 층을 찾아 박리기(spreader)로 벌린 후 조명 견인기(illuminated retractor)를 걸어 안쪽을 보았을 때, 위쪽에 대흉근의 아랫면과 흉견봉동맥(thoracoacromial artery)이 보이고 바닥쪽에 소흉근이 보이고, 그 사이에 성긴 결합조직(loose areolar tissue; angel's hair) 층이 보이면 대흉근 아래로 잘 진입한 것이다(그림 5-3-3). 초심자들의 경우, 소흉근 밑으로 박리가 되지 않도록 주의하여야 한다. 이렇게 된 경우 바닥 쪽에 소흉근이 보이지 않고 늑골들이 보인다. 대흉근 위 근막하로 보형물 공간을 만드는 경우 대흉근의 외측경계부위에서 대흉근막을 열고 대흉근 위로 접근하여 대흉근막과 대흉근 사이를 박리하면 된다.

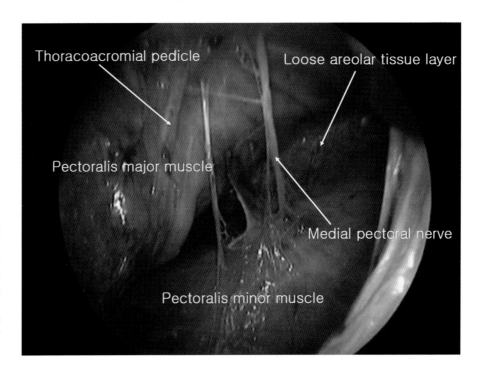

Thoracoacromial pedicle

Loose areolar tissue layer

Pectoralis major muscle

Medial pectoral nerve

Pectoralis minor muscle

그림 5-3-3. 우측 겨드랑이로 내시경 진입 후 입구의 모습. Thoracoacromial pedicle of pectoralis major muscle, medial pectoral nerves, pectoralis minor muscle, and loose areolar tissue between pectoralis major and pectoralis minor muscle.

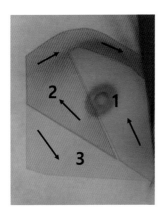

그림 5-3-4. 박리 순서(우측 유방). Zone 1 : 중앙과 외측 박리. Zone 2 : 내측 박리 후 대흉근 절단(이중평면법 type 1 시행). Zone 3 : 내측과 두부측(cephalic) 박리.

박리층이 확인되면 검지 손가락을 넣어 내시경이 들어갈 수 있을 만큼만 손가락 박리를 시행한다. 이때 손가락 박리를 너무 많이 하면 출혈로 인해 박리층이 물들어 정확한 층으로 박리하기가 어려워진다. 유방수술용 내시경을 삽입하고 내시경의 내강(lumen)을 통해 끝이 L자 모양인 지혈박리기를 넣어 박리를 시작한다. 지혈박리기는 Bovie 기계와 연결되어 있는데 발스위치로 조절하여 전류를 흘린다. 저자가 선호하는 박리순서는 그림 5-3-4와 같다. 대흉근과 소흉근 사이를 박리한 후 외측을 먼저 박리하는데 그 이유는 외측에는 소흉근 외측경계, 대흉근 외측경계, 전거근(serattus anterior muscle), 외사복근(external oblique muscle of abdomen), 늑간신경 등 확인하고 박리해야 하는 구조물들이 복잡하게 이어지므로 이 부위의 박리가 중요한데 다른 부위를 먼저 박리하다가 혹시라도 출혈이 일어나서 이 부위까지 혈액이 묻게 되면 구조물들이 잘 보이지 않아 정확한 박리가 어려워지기 때문이다. 대흉근과 소흉근 사이를 박리한 후(그림 5-3-5) 성긴 결합조직층을 먼저 외측으로 박리하면서 내려가면 대흉근의 외측경계를 확인할 수 있다. 소흉근의 외측에서는 전거근과 외사복근 위로 박리하되 늑간신경들의 손상을 최소화하기 위해 표시하여 둔 전액와선(anterior axillary line)보다 외방으로는 박리하지 않도록 한다. 전액와선 근방에서는 지혈 박리기에 전류를 흘리지 않은 상태로 박리하거나 내시경용 겸자(endoscopic grasper)를 벌려가면서 박리하여 늑간신경들의 손상을 예방한다(그림 5-3-6). 그 다음 내측을 박리하는데 늑골에 붙어있는 대흉근의 기시부들을 지혈박리기로 절단하면서 내려간다(그림 5-3-7). 이중평면법 type 1박리를 위해 유방밑선 근처 박리범위의 최하단에 도달하여 대흉근 늑골 기시부를 완전히 절단하면 대흉근막(prepectoral fascia)이 보이게 된다(그림 5-3-8). 이때 대흉근막까지 절단하면 피하지방층이 보이게 되는데 이렇게 되면 그 부위에서 보형물이 더 만져질 수 있고 보형물 하방변위 가능성도 높아질 수 있기 때문에 대흉근막은 가급적이면 절단하지 않는 것이 좋다. 필요에 따라 대흉근의 흉골기시부 일부(pinnate origin)들도 절단하는데(그림 5-3-9) 합유증(symmastia)과 리플링(rippling)을 예방하기 위해서는 중앙선에서 1.5 cm 거리에 그은 평행선보다 내측으로는 박리하지 않는 것이 좋다.

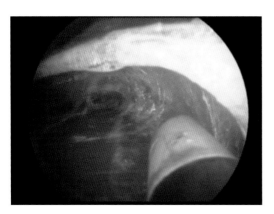

그림 5-3-5. Zone 1에서 대흉근과 소흉근 사이 박리(우측 유방)

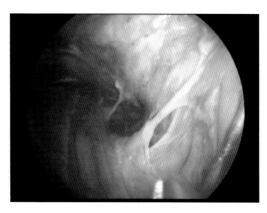

그림 5-3-6. Zone 1에서 소흉근의 외측경계와 늑간신경

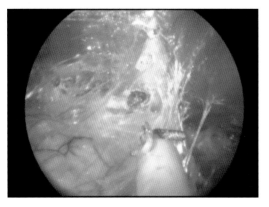

그림 5-3-7. Zone 2에서 대흉근 늑골 기시부 박리

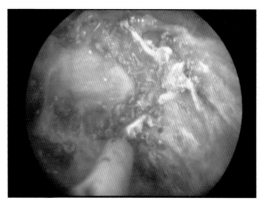

그림 5-3-8. Zone 2 유방밑선 주위에서 대흉근 늑골기시부 절단 (type 1 이중평면법 시행)

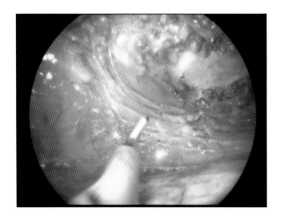

그림 5-3-9. Zone 3에서 대흉근 흉골 기시부쪽 박리

박리가 끝난 다음 크기측정용 보형물(sizer)을 삽입하고 수술전에 계획했던 보형물 크기 정도의 식염수를 주입하여 지혈에 도움이 되게 한 다음 반대쪽의 절개와 박리를 같은 방법으로 시행한다. 반대쪽도 박리가 끝나면 크기측정용 보형물을 삽입하고 수술대를 일으켜 환자를 앉힌다. 식염수의 양을 증감하여 보아서 최적의 보형물 크기를 측정하는데 수술 전 양쪽 가슴의 크기가 달랐던 경우 양쪽에 주입하는 식염수의 양을 달리하여 양쪽가슴의 크기를 같도록 하는 보형물의 크기를 알아낸다. 이때 박리가 부족한 부분이 있으면 그 부분을 표시해 놓았다가 나중에 내시경을 이용해서 추가적인 박리를 시행한다. 크기측정용 보형물에 식염수를 주입했을 때, 같은 용적의 코헤시브 겔 보형물을 삽입했을 때보다 약 10% 정도 더 크고 볼록하게 보이므로 이를 감안해서 코헤시브 겔 보형물의 크기를 결정하여야 한 다. 즉 크기측정용 보형물에 식염수를 주입하면서 최적의 보형물 크기를 측정해 보았을 때 300 cc 정도가 적당하다고 판단된다면 코헤시브 겔 보형물은 그 보다 10% 정도 더 큰 330 cc 정도의 제품을 사용하여야 비슷한 크기를 얻을 수 있다. 지방이식을 동시에 시행하는 콤비네이션 유방확대를 하는 경우에는 이때 지방이식을 할 부위를 디자인한다. 크기측정용 보형물을 빼내고 나서 보형물이 들어갈 공간을 베타딘:생리식염수 1:1 용액으로 세척한 다음 생리식염수로 세척한다. 그 다음 생리식염수 500 cc에 2% 리도케인(리도카인염산염수화물, 휴온스) 40 cc, 1:1000 에피네프린(에피네프린 주, 제일제약) 1 cc를 혼합한 용액으로 한쪽 유방당 100 cc 정도씩 세척한다. 마지막으로 이 용액 50 cc에 2% 메피바케인(엠카인 주, 이연제약) 10 cc, 세파졸린(세파졸린 주, 유한양행) 1 g, 젠타마이신(젠타프로 주, 휴메딕스) 80 mg을 혼합한 용액으로 한쪽 유방당 25 cc씩 세척한다. 수술대를 내려 환자를 다시 누운 자세로 한 다음 수술부위 전체와 수술기구들을 소독용 에탄올로 다시 소독한다. 바로벡(Evacuator Barovac, 세운메디칼) 라인을 겨드랑이절개 아래서 빼내어 고정하고 안쪽으로 들어갈 쪽의 라인 끝을 내시경 겸자(grasper)로 문 다음 내시경을 이용하여 밀어 넣어 공간의 가장 아래쪽(dependent position)에 위치시킨다. 바깥으로 나와 있는 라인의 끝은 200 cc 바로벡에 연결한다. 리차드슨 견인기(Richardson retractor)의 날을 더 길게 변형한 견인기를 겨드랑이절개부위에 걸고 베타딘액(10% Povidone Iodine)을 묻혀 윤활이 잘 되게 한 코헤시브 겔 보형물을 펀넬(funnel)을 이용해서 삽입한다. 보형물이 들어간 다음 보형물이 뒤집히지 않았는지 손가락으로 확인하고 계획했던 위치까지 보형물을 더 밀어 넣는다. 4-0 Vicryl로 피하층을 단속봉합하고 5-0 Maxon 진피하 연속봉합을 한 후 스테리 스트립(Steri strip)을 피부에 붙인다. 절개부위를 드레싱하고 수술대를 올려 환자를 앉힌 다음 탄력테이프를 부착하여 보형물 위치를 잡아준다. 가슴 위에 수술용 패드를 대고 탄력붕대를 감는다. 수술 전 또는 수술 중 1회, 수술 후 1-2회 정맥으로 예방적 항생제를 투여한다. 수술 다음 날 드레싱 때 바로벡에 받아진 액체의 성상이 완전히 혈성인 경우가 아니면 바로벡을 제거한다. 수술 후 2-3일째 압박붕대를 풀고 보정브라를 착용시킨다. 수술 후 7일째 절개부위의 스테리 스트립과 보형물 주변부 탄력테이프를 제거한다.

4) 고찰

　내시경을 이용한 겨드랑이절개 유방확대법은 일반적인 겨드랑이절개 유방확대법과 비교해 보았을 때 많은 장점들을 가지고 있다. 겨드랑이 접근법은 직접 수술부위를 들여다보면서 수술할 수 없는 '맹목수술(blind surgery)'이지만 내시경수술법은 수술부위를 정확히 볼 수 있기 때문에 포켓을 만들기 위해 조직을 벌릴 때 정확한 층으로 박리할 수 있고 박리의 범위를 정확하게 조절할 수 있다. 지혈이 쉬우며, 박리할 때 무리한 힘을 가할 일이 없고 주변 조직의 손상이 적어 통증이 적고 회복이 빠르다. 내시경으로 보면서 지혈박리기를 이용하여 대흉근의 기시부를 필요한 만큼 절단할 수 있기 때문에, type 1 이중평면법을 시술하기에 매우 용이하다. 일반적으로 이중평면법은 겨드랑이절개로는 시술하기 어렵고 유륜절개나 유방밑주름 절개를 통해 이루어지지만 내시경을 이용하면 겨드랑이절개로도 정확하게 이중평면법을 시술할 수 있으며, 대흉근의 늑골 기시부를 절단해 줌으로서 유방아랫쪽의 조직이 잘 늘어날 수 있어 자연스러운 가슴모양을 만들기 용이해지고 경한 정도의 유방하수의 교정에도 도움이 된다. 또한 필요에 따라 type 2나 type 3 이중평면법도 시술할 수 있다.

　본 단원에서는 type 1 이중평면법(dual plane)으로 수술하는 방법과 그 증례들(그림 5-3-10, 그림 5-3-11, 그림 5-3-12)에 대해 기술하였지만 겨드랑이절개 내시경 수술법은 이중평면법 외에도 유방조직하(subglandular) 박리나 근막하(subfascial) 박리에 활용할 수 있다.

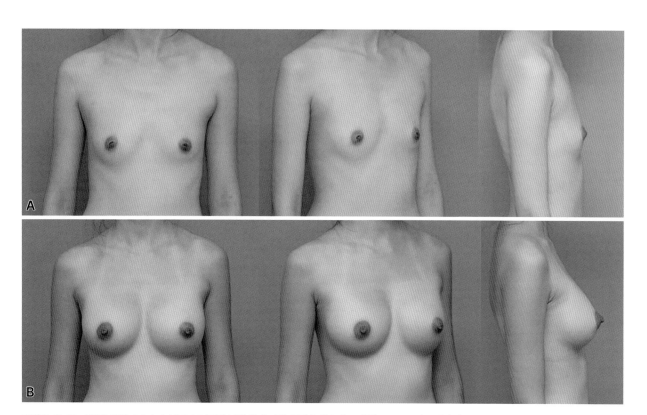

그림 5-3-10. 28세 여환. (A) 수술 전 (B) 겨드랑이절개 내시경 유방확대술 후 6개월. Type 1 이중평면법, Allergan style 10 300

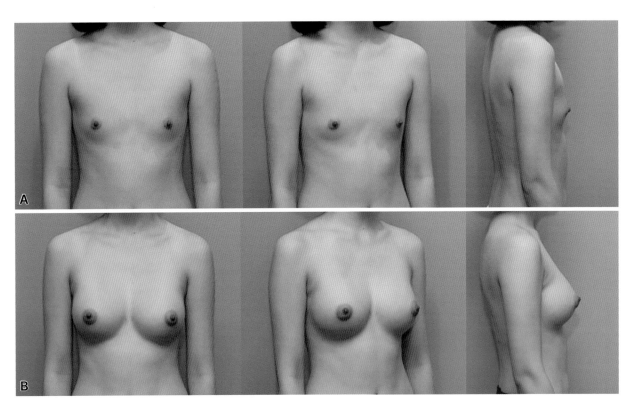

그림 5-3-11. 31세 여환. (A) 수술 전 (B) 겨드랑이절개 내시경 컴비네이션 유방확대술 후 1년. Type 1 이중평면법, Bellagel MM310, 지방이식 우측 78 cc, 좌측 65 cc

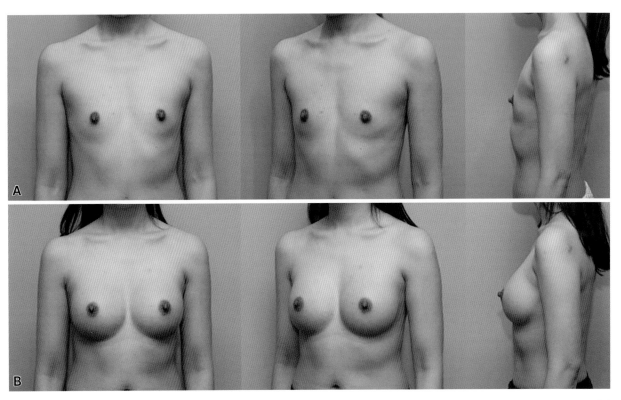

그림 5-3-12. 35세 여환. (A) 수술 전 (B) 겨드랑이절개 내시경 컴비네이션 유방확대술 후 1년. Type 1 이중평면법, Motiva-ERSF 335Q, 지방이식 우측 74 cc, 좌측 69 cc

대흉근의 근막하(subfascial)에 공간을 만들어 보형물을 삽입하는 방법의 경우 회복이 좀 더 빠르고 대흉근 수축으로 인한 애니메이션 변형(animation deformity)이 거의 없다는 장점이 있지만 이중평면법에 비해 보형물을 덮는 조직두께가 얇아 유선조직과 지방조직이 얇은 환자에게는 적용하기 곤란하다.

내시경을 이용한 유방확대술에는 여러 가지 장점들이 있으나 고가의 장비를 갖추어야 하고 기술을 숙련하는데 시간이 필요하며, 내시경을 사용하지 않는 경우보다 수술시간이 조금 더 걸린다는 단점도 있다. 그리고 늑간신경의 해부학적 위치를 고려하여 최대한 보호해야 하는데 이 점을 유념치 않고 지혈박리기로 늑간신경들을 완전히 절단해 버리면 내시경을 사용하지 않고 무딘 박리를 시행한 경우 이상으로 유방의 피부감각저하가 발생할 수 있다는 것을 기억해야 할 것이다.

3. 겨드랑이절개 내시경 유방확대 재수술

1) 개요

유방확대술은 전세계적으로 가장 많이 시행되는 성형수술들 중 하나이다. 다른 수술들과 마찬가지로 유방확대술 후에도 다양한 합병증이 발생할 수 있으며 이를 해결하기 위한 재수술이 요구되는 경우들이 있다. 이러한 합병증에는 피막구축(capsular contracture), 보형물 변위(implant malposition), 합유증(symmastia), 비대칭(asymmetry), 보형물 보임(implant visibility), 보형물 만져짐(implant palpability), 리플링(파문, rippling), double bubble deformity, 보형물 파열(rupture of implant) 등이 있다. 유방확대술 이후 재수술률은 3-17% 정도 되는 것으로 보고되고 있다. 다른 부위의 재수술과 마찬가지로 흉조직 형성(scarring)과 해부학적 변형(anatomical distortion) 등으로 인해 유방확대재수술은 매우 까다로운 수술로 여겨진다.

피부특성상 흉터가 우려되는 동양인들의 유방확대술에는 흉터를 비교적 잘 숨길 수 있는 겨드랑이절개법이 많이 사용되어 왔고 한국도 마찬가지이다. 물방울 보형물 출시, 텍스처드 보형물의 판매중단 등의 이슈가 있은 후 유방밑주름절개(inframammary fold incision)를 이용하는 유방확대수술 건수가 점차 증가하긴 했다. 하지만 재수술을 필요로 하는 환자들의 경우 아직은 겨드랑이절개로 수술받았던 분들이 많다. 이렇게 첫 수술을 겨드랑이절개로 수술받았는데 재수술이 필요하게 된 대부분의 환자들은 기존 절개를 재활용하여 수술받기를 희망한다. 그러나 일반적으로 유방확대재수술(revisional breast augmentation)은 유방밑주름절개나 유륜절개(periareolar incision)를 통해서 수술한다. 단순한 보형물 교환은 겨드랑이절개를 통해서도 가능하지만 피막절개술(capsulotomy), 피막절제술(capsulectomy), 피막위 박리(supracapsular dissection), 피막봉합술(capsulorrhaphy), ADM (Acellular Dermal Matrix) 이식 등의 수술은 시야가 확보된 상태에서 확실한 지혈 하에 정확한 층을 찾아 정교하게 수술해야 하기 때문에 겨드랑이절개를 통한 맹목 무딘 방법(blind, blunt method)으로는 제대로 시행할 수 없다.

이에 저자는 첫 수술을 겨드랑이절개로 수술받았고 재수술이 필요한 환자들에게 유륜절개나 유방밑주름절개를 추가적으로 가하지 않고 기존 겨드랑이절개를 통해 수술하기 위해 내시경과 내시경수술기구들(그림 5-3-2)을 이용한 다양한 수술법들을 개발하였고 피막절개술(capsulotomy), 전체 또는 부분 피막절제술(total or partial capsulectomy), 피막위 박리(supracapsular dissection), 피막소작술(cauterization of capsule), 피막봉합술(capsulorrhaphy), ADM (Acellular Dermal Matrix) 이식 등을 성공적으로 시행하였기에 이러한 술기와 경험들을 소개하고자 한다.

먼저 재수술을 필요로 하는 합병증 종류들과 이를 해결하기 위한 술기들을 언급하고, 겨드랑이절개를 통해 내시경을 활용하여 각 술기들을 시행하는 구체적인 방법들을 기술한다.

2) 재수술을 필요로 하는 유방확대 합병증들 및 필요한 술기

(1) 피막구축(Capsular contracture)

보형물 주변에 과도하게 두껍게 형성된 피막이 보형물을 조여서 유방의 촉감과 모양이 부자연스러워지는 현상을 피막구축(capsular contracture)이라고 하며 유방이 공모양으로 변형될 정도로 심한 피막구축을 구형구축(spherical contracture)이라고 한다.

경한 피막구축의 경우 보형물을 조이고 있는 피막을 터준다(capsulotomy). 피막구축이 심한 경우 피막 일부 또는 전체를 제거하거나(partial or total capsulectomy), 보형물 삽입층을 바꾸어준다(plane change).

(2) 보형물 변위(Malposition of implant)

보형물이 너무 윗쪽으로 이동했거나(superior malposition), 아랫쪽으로 내려갔거나(inferior malposition), 내측으로 이동해(medial malposition) 합유증(symmastia)이 발생했거나, 바깥쪽으로 이동해서(lateral malposition) 유방사이 간격(intermammary span)이 너무 먼 경우들이 해당된다.

보형물 공간(implant pocket)이 좁은 곳에는 피막절개술(capsulotomy) 또는 피막절제술(capsulectomy)을 시행하여 넓히고, 과도하게 넓은 곳에는 전기소작술(electrocauterization)이나 피막봉합술(capsulorrhaphy)을 시행하여 좁힌다. 또는 아예 새로운 층에 적절한 위치와 크기로 새로운 공간을 만든다(plane change).

(3) 비대칭(Asymmetry)

피막구축(capsular contracture)이나 보형물 변위(implant malposition)로 인한 비대칭은 전술한 방법들을 활용하여 이러한 문제들을 해결함으로써 비대칭을 교정할 수 있다.

수술 전 유방의 크기, 모양, 처진 정도가 달랐거나 흉곽의 비대칭이 있었는데 이러한 문제들이 유방확대술 후에도 적절히 교정되지 못하여 비대칭이 계속 있는 경우에는 재수술 시에 양측에 다른 보형물을 사용, 자가지방이식, 다른 정도의 유방고정술(mastopexy) 등의 술기를 시행하여 해결한다.

(4) 조직의 얇아짐 및 리플링(파문, Rippling)현상

조직이 얇아져서 보형물의 가장자리가 우글쭈글하게 보이거나 만져지는 현상을 리플링현상이라고 한다.

자가지방이식이나 ADM (Acellular Dermal Matrix) 이식을 통해 연부조직두께를 보완하거나, 기존 보형물이 들어 있던 층보다 더 깊은 층에 공간을 새로 만들어 리플링이 적은 새 보형물을 삽입하여 개선한다.

(5) 사이즈 불만족

엄밀히 말하여 합병증이라 할 수는 없지만 유방확대술 후 재수술을 시행하게 되는 원인 중 하나이다.

환자가 희망하는 사이즈가 나올 수 있도록 새 보형물을 선택하여 재수술하되 환자의 신체조건에서 벗어나 합병증이 발생하지는 않게 적절한 범위 안에서 선택해야 한다.

(6) 보형물 파열

파열된 기존 보형물의 외피와 내용물을 적절한 시야확보 하에 완전하게 제거하고 피막구축 등 피막의 이상소견이 있는 경우 피막을 제거한 후 내구성과 안전성이 입증된 새 보형물을 삽입한다.

이러한 합병증들을 해결하기 위한 술기들은 확실한 시야확보 하에 출혈을 최소화하면서 정확하게 시행되어야 하기 때문에 유방밑선 절개나 유륜절개가 주로 활용되어 왔는데 저자가 시행하는 내시경수술법을 사용하면 겨드랑이절개로도 시행이 가능하다.

3) 겨드랑이절개 내시경 재수술에 시행되는 술기들

(1) 피막절개술(Capsulotomy)

경한 정도의 피막구축(Becker Grade 2)의 해결이나 malposition의 해결을 위해 보형물 공간을 넓힐 때 필요한 술기이다. 기존 겨드랑이 절개를 통해 내시경을 삽입하고 기존 보형물이 있는 층을 확인한 후 기존 보형물 외측(lateral)에 정확한 층으로 확장공간을 만든다. 피막을 열고 기존 보형물을 제거한 후 필요한 방향으로 피막에 절개를 가하되 첫수술을 시행한 의사가 정확한 층에 공간을 만들지 못했다는 가정하에 재수술 때에는 정확한 층에 확장공 간을 만드는 것이 중요하다. 이렇게 해야 다시 유착되고 공간이 줄어드는 확률을 줄일 수 있다(그림 5-3-14).

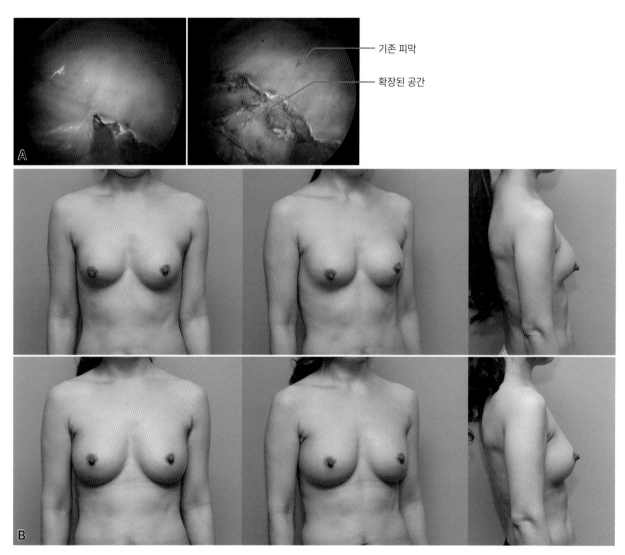

그림 5-3-14. **Transaxillary endoscopic capsulotomy. (A)** Capsulotomy 시의 내시경 화면, **(B)** Capsulotomy 전과 10개월 후. Capsular contracture와 superior malposition이 교정됨. Allergan style 10 300 cc smooth round implant 사용.

(2) 피막절제술(Capsulectomy)

심한 피막구축(Becker Grade 3~4)의 경우에 적용된다. 가능하면 전체피막절제술(total cap-sulectomy)을 시행하는데 조직이 너무 얇은 부위가 있는 경우 그 부위 피막은 남기고 부분피막절제술(partial capsulectomy)을 시행할 수도 있다.

Total capsulectomy 수술방법을 기술하면, 먼저 기존 겨드랑이절개를 통해 내시경과 기구들을 삽입하고 anterior capsule과 조직사이를 박리한다. 기존 보형물 공간이 subglandular였으면 anterior capsule과 glandular tissue 사이를 박리하게 되고 기존 보형물 공간이 subpectoral이었으면 anterior capsule과 pectoralis major muscle 사이를 박리하게 된다. Anterior capsule의 lateral과 medial쪽까지 충분히 박리한 후 posterior capsule밑을 박리한다. 기존 보형물 공간이 subglandular였으면 posterior capsule과 pectoralis major muscle 사이를 박리하게 되고 기존 공간이 subpectoral이었으면 posterior capsule과 chest wall 사이를 박리하게 된다. 이 경우 박리가 너무 깊게 되면 늑간근을 뚫게 되어 기흉(pneumothorax)을 만들 수 있으니 각별히 주의하여야 한다.

보형물이 방해되어 더 이상 박리를 진행하기 어려울 때 피막을 열고 기존 보형물을 제거한다. 보형물 제거 후 박리를 더 진행하여 피막을 완전히 분리, 제거한다(그림 5-3-15). 보형

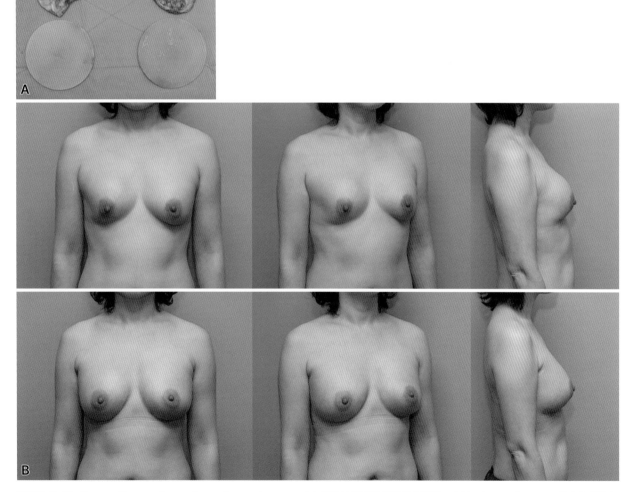

그림 5-3-15. Transaxillary endoscopic total capsulectomy. (A) 완전히 제거된 피막과 보형물. (B) Total capsulectomy 전과 6개월 후. Grade 4 Capsular contracture와 Superior malposition이 교정됨. 우측; Allergan style 115 272 cc 좌측; style 110 240 cc textured round implant 사용.

물을 제거하고 나면 피막에 장력이 소실되어 박리가 어렵게 되는데 이런 경우 endoscopic grasper를 이용하여 피막의 free end를 잡고 counter traction하면 박리에 도움이 된다.

(3) 보형물 공간 전환(Plane change ; Implant pocket conversion)

피막구축(capsular contracture), 보형물 변위(implant malposition), rippling 등의 해결을 위해 적용되는 술기이다. 기존 pocket이 subglandular나 subfascial에 있었던 경우에는 새 pocket을 subpectoral 또는 dual plane으로 만들게 된다(그림 5-3-16). 기존 pocket이 subpectoral 또는 dual plane이었던 경우 subglandular나 subfascial plane으로 바꾸어 줄 수 있는데 이렇게 했을 때 조직이 너무 얇아져 rippling이 우려되는 경우에는 anterior capsule과 pectoralis major muscle사이를 박리하여 supracapsular neosubpectoral pocket을 만들어 새 보형물을 삽입할 수 있고(그림 5-3-17) 상황에 따라서 posterior capsule과 chest wall 사이를 박리하여 subposterior capsular pocket을 사용할 수도 있다.

Superficial plane에서 deep plane으로 바꿀 때 기존의 피막이 두껍고 질긴 경우 조직 팽창이 잘 이루어지지 않아 새 공간에 새 보형물을 삽입하고 나서도 유방모양이 어색한 경우가 발생할 수 있는데 이런 경우 기존 피막에 대한 capsulotomy 또는 capsulectomy가 필요하다.

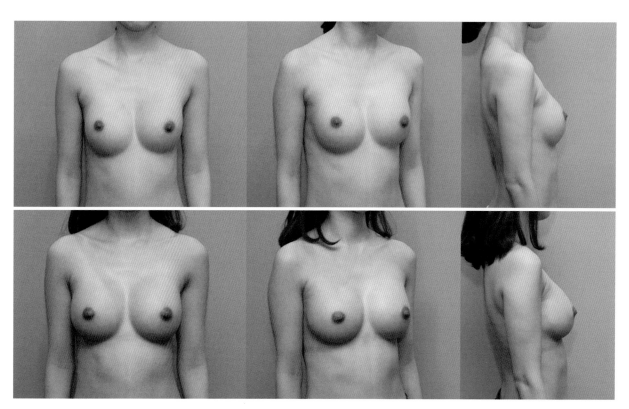

그림 5-3-16. **Plane Change; Subglandular to Dual plane type 1.** Subglandular plane에서 Dual plane type 1으로 바꾸기 전과 13개월 후. Inferomedial malposition과 Rippling이 개선됨. Polytech TMS 280 cc anatomic implant 사용.

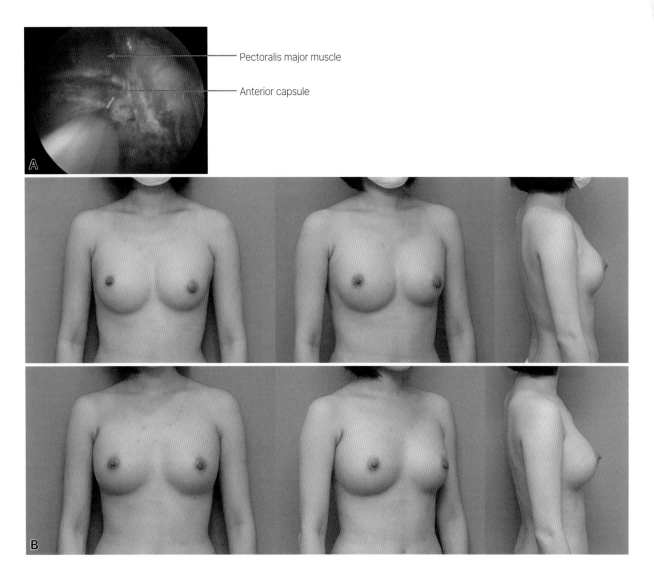

그림 5-3-17. **Plane change; Subpectoral to Supracapsular neosubpectoral. (A)** Transaxillary Endoscopic Supracapsular neo-subpectoral Dissection. Anterior capsule과 Pectoralis major muscle 사이에 공간을 만듦. **(B)** Subpectoral plane에서 Supracapsular neosubpectoral plane으로 바꾸기 전과 9개월 후. Grade 3 Capsular contracture와 implant malposition이 교정됨. Allergan style 115 272 cc textured round implant 사용.

(4) Closure of the Excess Space

Pocket이 과도하게 넓어서 닫아야 할 곳이 있는 경우 그 부위의 피막을 제거하고 봉합하여야 한다.

피막이 매우 얇은 경우에는 Bovie를 이용해서 cauterization하면 피막의 일부가 타면서 수축되어 공간이 작아진다(그림 5-3-18). 이렇게 피막이 얇고 좁혀야 할 공간이 적다면 cauterization만 시행하고 capsulorrhaphy (피막봉합술)는 시행하지 않을 수도 있는데 이런 경우 taping이나 보정브라 등을 활용하여 공간이 다시 열리는 것을 잘 예방할 필요가 있다 (그림 5-3-19).

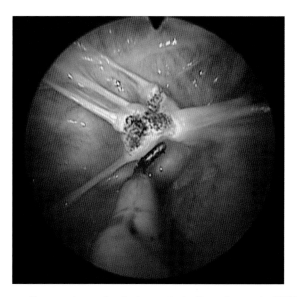

그림 5-3-18. **Transaxillary endoscopic electrocauterization of capsule.** 피막이 매우 얇은 경우에는 Bovie를 이용해서 cauterization하면 피막이 수축하면서 공간이 작아짐.

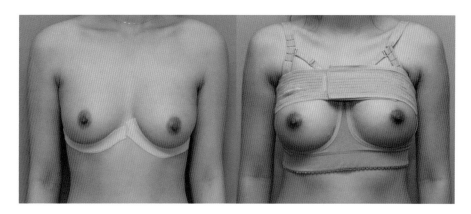

그림 5-3-19. **Taping과 보정브라를 이용한 implant malposition 재발 예방**

피막이 얇지 않거나 좁혀야 할 공간이 넓은 경우에는 cauterization을 시행해도 피막이 잘 수축되지 않고 공간이 다시 열릴 확률이 높기 때문에 capsulorrhaphy를 시행하여 보강을 해야 한다.

과도한 공간을 닫아준 경우 새 보형물은 textured surface의 보형물이 추천되었다. Classic Smooth 보형물의 경우 표면이 미끄러워서 닫은 공간을 다시 열고 들어갈 가능성이 높은 반면, textured 보형물은 표면에 마찰력이 발생하기 때문에 malposition의 재발 가능성이 상대적으로 적다. 그러나, macrotextured 보형물의 ALCL (Anaplastic Large Cell Lymphoma) 관련성이 제기된 후 macrotextured 보형물은 사용이 불가해졌기 때문에 그 대안으로 microtextured 보형물이나 표면처리 된 smooth 보형물(nanotextured)들이 추천된다. Macrotextured 보형물 만큼의 마찰력은 아니지만 classic smooth 보형물보다는 좀 더 높은 마찰력을 가지므로, smooth 보형물을 사용한 경우에 비해 malposition 재발 가능성이 약간 낮을 것으로 예상되기 때문이다.

과도하게 넓은 공간을 닫기 위해 시행되는 capsulorrhaphy를 겨드랑이절개를 통해서 시행하는 것에 대한 문헌은 저자가 처음 시행할 당시 찾을 수 없었다. 저자가 겨드랑이 절개를 통해 capsulorrahphy를 처음 시도할 때 이 용도를 위한 성형외과용 기구가 따로 있지 않았기 때문에 산부인과 laparoscopic needle holder와 knot pusher를 사용하게 되었고 현재도 이를 사용하고 있다.

2-0 Vicryl 봉합사의 needle을 needle holder에 물리고 내시경과 needle holder를 겨드랑이절개를 통해 넣은 후 posterior capsule을 뜨고 anterior capsule을 뜬다. Needle을 겨드랑이절개 밖으로 꺼낸 다음 hand tie를 한번 하고 그 knot를 내시경과 knot pusher를 이용하여 밀어 넣는다. 같은 과정을 반복해서 tie를 3~4번 하는데 이때 knot가 너무 느슨해지지 않도록 주의한다. 그 다음 endoscopic scissors를 이용하여 봉합사를 자른다.

닫아야 할 범위에 따라 capsulorrhaphy의 개수가 달라지는데 일반적으로 한쪽 유방에 3~7개 정도를 시행한다(그림 5-3-20, 그림 5-3-21).

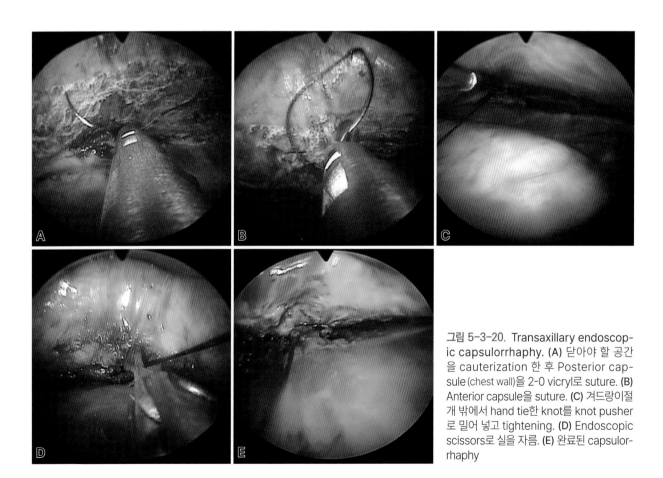

그림 5-3-20. Transaxillary endoscopic capsulorrhaphy. (A) 닫아야 할 공간을 cauterization 한 후 Posterior capsule(chest wall)을 2-0 vicryl로 suture. (B) Anterior capsule을 suture. (C) 겨드랑이절개 밖에서 hand tie한 knot를 knot pusher로 밀어 넣고 tightening. (D) Endoscopic scissors로 실을 자름. (E) 완료된 capsulorrhaphy

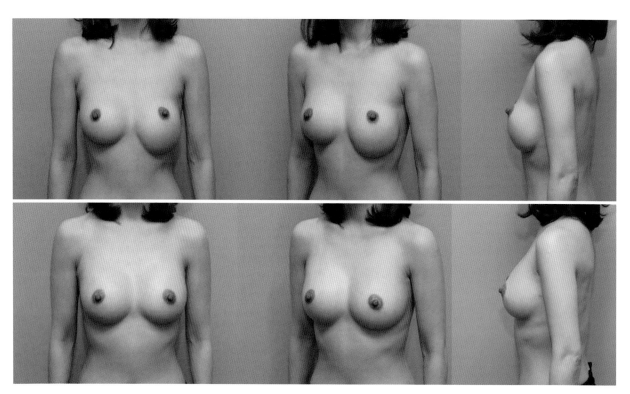

그림 5-3-21. **Transaxillary endoscopic closure of excess space.** Transaxillary endoscopic cauterization & capsulorrhaphy 전과 12개월 후. Inferior malposition이 교정됨. Allergen style 115 272 cc implant 사용

(5) ADM (Acellular Dermal Matrix) 이식(graft)

조직이 너무 얇아 보완이 필요할 때 ADM graft를 고려할 수 있다. ADM graft가 잘 생착되려면 봉합에 의한 고정 및 immobilization이 중요한데 겨드랑이절개를 통해서 이러한 작업을 하는 것이 불가능하다고 여겨져 왔기 때문에 주로 유방밑선절개나 유륜절개 또는 mastectomy incision을 통해 시행되어 왔다. 저자는 이러한 ADM graft도 겨드랑이절개를 통해 가능케 하기 위하여 내시경과 pull-out suture방법을 사용한다.

동결건조된 ADM을 적절한 크기와 모양으로 자른 후 식염수에 담가 수화시키거나 수화된 ADM 제품을 적절히 자른다. ADM의 가장자리를 2-0 Vicryl로 봉합하고 needle이 달린 쪽 실을 길게 늘어뜨린다. ADM의 가장자리 6~8군데에 각각 새 봉합사를 사용하여 이 과정을 반복 시행하는데 ADM의 크기에 따라 그 개수가 달라진다. 2-0 Vicryl의 needle을 곧게 편 다음 endoscopic needle holder에 물리고 겨드랑이절개를 통해 내시경과 함께 넣는다. Needle의 끝을 미리 표시해 놓은 지점으로 통과시켜 피부 밖으로 뽑아낸다. 이 과정들을 실의 개수만큼 반복한다. 피부 밖으로 나온 실들을 당기면서 ADM을 겨드랑이절개를 통해 밀어 넣고 의도했던 부위에 위치시킨다. 보형물 삽입 후 실을 다시 당긴 다음 Steri strip으로 고정한다. 피부에 붙인 Steri strip을 Tegaderm으로 밀봉한다. 이 실들은 수술 후 10일경에 잘라서 제거한다(그림 5-3-22, 그림 5-3-23).

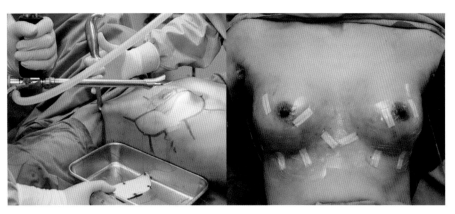

그림 5-3-22. **Transaxillary endoscopic ADM graft.** ADM의 가장자리를 2-0 Vicryl로 8군데 봉합하고 needle의 끝을 피부에 미리 표시해 놓은 지점으로 내시경을 이용하여 뽑아낸다. 실들을 당기면서 ADM을 겨드랑이절개를 통해 밀어 넣고 위치시킨다. 보형물 삽입 후 실을 다시 당긴 다음 Steri strip으로 고정한다. 피부에 붙인 Steri strip을 Tegaderm으로 밀봉한다.

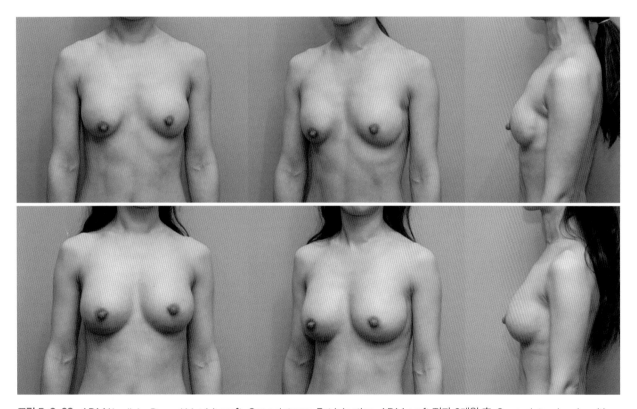

그림 5-3-23. **ADM** (Acellular Dermal Matrix) **graft.** Capsulotomy, Fat injection, ADM graft 전과 6개월 후. Superolateral malposition, Rippling, Implant palpability가 개선됨. Silimed 275 MD anatomic implant 사용

대부분의 문헌에서는 유방확대재수술은 유방밑선절개나 유륜절개를 통해서 시행해야 하고 겨드랑이절개로는 불가능하다고 설명하고 있다. 그러나 저자가 소개하는 Transaxillary Endoscopic Revisional Surgery 방법들을 사용하면 거의 모든 종류의 재수술들을 겨드랑이절개로도 시행할 수 있기 때문에 첫 수술을 겨드랑이절개를 통해 받은 환자가 재수술을 받는 경우 기존의 겨드랑이절개를 재사용 할 수 있고 유륜이나 유방밑선에 새로운 절

개흉터를 만들 필요가 없다. 또한 첫수술을 유륜절개나 유방밑선절개, 또는 배꼽절개로 수술받았으나 재수술은 겨드랑이절개를 통해 받고 싶은 환자들에게도 이 방법들을 적용할 수 있다.

다만 이러한 Transaxillary Endoscopic Revisional Surgery 방법들은 고난이도 수술이라서 내시경수술에 경험이 많지 않은 의사들이 시행하기에는 어려움이 있다. 그러나 Transaxillary Endoscopic Breast Augmentation을 많이 시행해가면서 유방의 내시경적 해부학 구조를 익히고 내시경 조작에 익숙해진다면 저자가 소개하는 재수술방법들도 빨리 습득할 수 있을 것이다.

4. 결론

기존의 겨드랑이절개 유방확대술에 비해 내시경적 방법은 수술부위의 시야확보가 잘 되기 때문에 박리가 정확하고 박리 범위의 조절이 용이하며 지혈이 쉽다. 또한 수술 후 회복이 빠르며 수술결과에 대한 예측성과 안전성이 우수하다. 내시경적 방법은 다양한 층의 박리에 활용될 수 있고 여러 경우의 재수술에도 이용할 수 있는 유용한 방법이다.

☑ 참고문헌

1. 윤원준. 내시경 유방확대술. 서울: 범문에듀케이션; 2017.
2. Cunningham BL, Lokeh A, Gutowski KA. Saline-filled breast implant safety and efficacy: A multicenter retrospective review. Plast Reconstr Surg 2000;105:2143 -9.
3. Foad N, Renato S, Henry D: Endoscopic plastic surgery. 2nd ed, St. Louis: Quality Medical Publishing; 2008:462-500.
4. Gabriel SE, Woods JE, O'Fallon M, Beard M, Kurland LJ,Melton JM III. Complications leading to surgery after breast implantation. N Engl J Med 1997;336;677 -82.
5. Gutowski KA, Mesna GT, Cunningham BL. Saline-filled breast implants: A Plastic Surgery Educational Foundation multicenter outcomes study. Plast Reconstr Surg 1997;100:1019 -27.
6. Hammond D, Hidalgo D, Slavin S, Spear S, Tebbets J. Revising the unsatisfactory breast augmentation. Plast Reconstr Surg 1999;104:277 -83.
7. McGhan Medical Corporation. Saline-Filled Breast Implant Surgery: Making an Informed Decision. Santa Barbara, Calif: McGhan Corporation; 2000. P. 10 -8.
8. Mentor Corporation. Saline-Filled Breast Implant Surgery: Making an Informed Decision. Santa Barbara, Calif: Mentor Corporation; 2000. P. 11 -9.
9. Scott LS, Glyn EJ, Foad N. Surgery of the breast. 2nd ed, Philadelphia: Lippincott Williams & Wilkins; 2006. P. 1313.
10. Seul JH. Plastic surgery of the breast. 1st ed, Seoul: Koonja Publishing; 2005. P. 24.
11. Tebbets JB: Dual plane breast augmentation: Optimizing implant-soft tissue relationships in a wide range of breast types. Plast Reconstr Surg 2001;107:1255.

CHAPTER 4

유륜절개 가슴확대술

Augmentation Mammoplasty: Periareolar Approach

BIO 성형외과 **심형보**

1. 개요

가슴확대수술 시 사용하는 절개선에는 겨드랑, 가슴 밑선, 배꼽 그리고 유륜절 개선이 있다. 여러 가지 절개선을 자유롭게 사용할 있어야 각 환자의 해부학적 특성 이나 선호도에 맞추어 최적의 결과를 얻을 수 있다. 유륜절개선은 크게 두 가지로 나뉘어 유륜 하부(inferior areolar) 절개선과 유륜 횡단(trans-areolar) 절개선이 있으며, 주로 유륜 하부 절개선을 유륜절개선이라 통칭한다(그림 5-4-1).

여타 절개선들과 마찬가지로 유륜절개선을 사용하여 보형물의 삽입 위치를 유 선 밑, 근육 밑, 근막 밑, 이중평면 등으로 선택할 수 있다. 저자의 경우 유륜절개선 을 통해 주로 근막밑 평면(subfascial plane)이거나 이중평면(dual plane)을 사용한다 (그림 5-4-2).

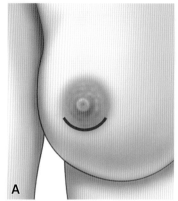
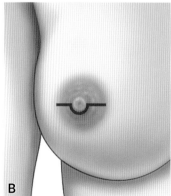

그림 5-4-1. **(A)** 유륜 하부 절개선과 **(B)** 유륜 횡단 절개선.

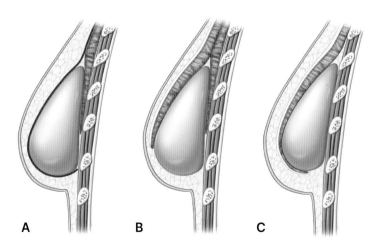

그림 5-4-2. **(A)** 근막하 평면, **(B)** 이중 평면, **(C)** 근육하 평면.

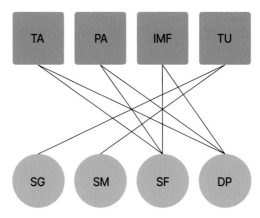

그림 5-4-3. 저자의 절개선과 연결된 평면. (TA: 겨드랑절개, PA: 유륜절개, IMF: 밑선절개, TU: 배꼽절개, SG: 유선하, SM: 근육하, SF: 근막하, DP: 이중평면)

유륜절개선을 통해 유선조직에 접근하는 방식도 3가지 방식이 있다. 수직강하(perpen-dicular) 방식, 피하 경유(subcutaneous tunnel) 방식, 그리고 사선형(oblique) 방식이다. 이 중 수직강하 방식은 유선조직과 유관 손상 가능성이 높으며, 이로 인한 감염과 유륜부 함몰 변형의 원인이 될 수 있다. 따라서 가능하면 피하 경유 방식이나 사선형 방식을 사용하는 것이 안전하다(그림 5-4-4).

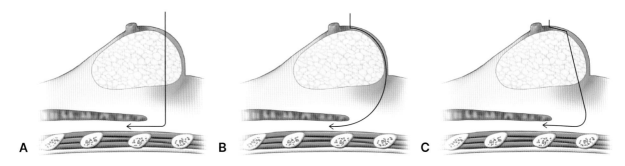

그림 5-4-4. (A) 수직강하 방식, (B) 피하 경유 방식, (C) 사선형 방식

2. 수술방법

반드시 유두 가리개(nipple shield)를 사용한다. 술식은 유륜절개선 중 피하 경유 방식에 따른다. 유륜 하방 피부 경계면을 3~4 cm 물결치듯(wavy) 절개하여 피하지방층을 노출시켜 하방으로 전진한 다음, 유방실질 최하단에 도달한 후 유선조직을 보존하며 들어올리면 대흉근막에 도달한다. 여기에서 다시 수술 방법이 근막하 평면과 이중평면으로 나뉠 수 있다. 통상 윗가슴 집기(upper pole pinch test)가 3 cm이 되어야 근막하 평면을 사용하는데 무리가 없다(그림 5-4-5).

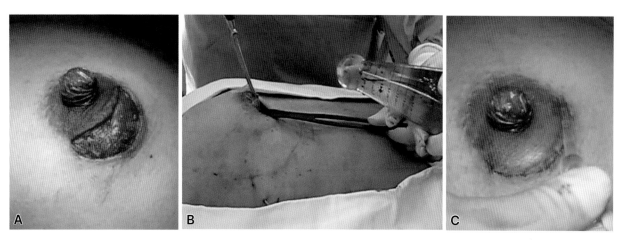

그림 5-4-5. **(A)** 피하 경유 방식, **(B)** 펀넬로 보형물 삽입, **(C)** 더마본드 봉합

1) 근막하 평면

대흉근막을 절제한 다음, 먼저 하반부를 예리한 전기소작 박리로 예정된 가슴 밑선까지 박리한다. 경우에 따라 하반부의 박리는 유선하(subglandular) 박리가 필요할 경우도 있다. 대개 유방하부 수축이나 튜브형 변형(tuberous deformity) 등을 동반한 경우인데, 이럴 경우 보형물의 상부는 근막하에, 보형물의 하부는 유선하에 위치하게 된다. 하부 박리를 마친후, 유방 상부의 근막하 박리를 예정된 상부 박리선까지 다다른다. 상부 근막하 박리의 범위는 가슴의 족적(foot print)을 벗어나지 않는 범위 내에서 시행하여야 보형물의 촉지나 비침현상을 최소화할 수 있다. 근막하 평면은 혈관이 적고 박리가 용이하여 짧은 시간에 수술을 마칠 수 있다.

2) 이중평면

대흉근막을 절제한 다음, 먼저 하반부를 예리한 전기소작 박리로 예정된 가슴 밑선까지 박리한다. 경우에 따라 하반부의 박리는 근막하 박리나 유선하 박리가 필요할 경우도 있다. 대흉근의 최하단부를 찾아 견인하고 근육밑 평면을 확인한 다음, 대흉근의 늑골 기시부를 전기소작으로 외측으로 내측을 향하여 유륜의 하연 높이까지 분리시킨다. 환자의 유방하수나 하부수축의 정도에 따라 분리의 범위는 달라질 수 있다. 상부 근육밑 평면을 박리하여 이중평면을 완성하고 지혈한다. 대흉근의 늑골 기시부(costal origin)에 근육 일부(stump)를 남기고 잘라야 지혈이 용이하며, 흉골 기시부(sternal origin)는 박리하지 않는다(그림 5-4-6).

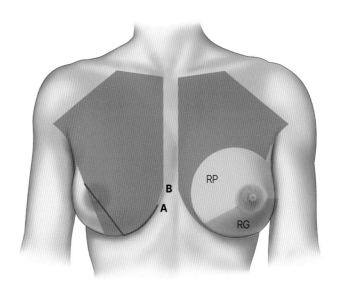

그림 5-4-6. 이중평면시 늑골 기시부의 분리 정도. 하수나 수축의 정도가 심할수록 더 높은 위치(B)까지 분리하여야 한다.

    일회용 시험용 보형물(disposable sizer)을 삽입한 후 환자를 앉힌 자세로 보형물의 크기와 위치를 최종 결정한다. 실제 보형물 삽입시에는 켈러펀넬(Keller Funnel2)을 사용하여 no-touch 삽입이 되도록 한다. 배액관은 대부분 사용할 필요가 없으며, 유방실질 조직과 피하지방층 및 피부를 단계적으로 해부학적 봉합하고 스포츠 브라를 착용시킨다.

    보형물의 선택을 수술 전 환자와 충분한 상담 및 설명이 이루어진 다음, 결정하도록 한다. 3세대나 6세대 스무드보형물을 사용하는 것이 보편적이다. 유륜절개 수술 후 마사지는 유관을 자극할 가능성이 있으므로 피하는 것이 좋다.

3. 장단점과 적응증

1) 유륜절개 접근법의 장점

- 흉터가 잘 눈에 띄지 않는다.
- 수술 시야가 좋다.
- 밑선절개를 사용하기 어려울 경우에 대안이 될 수 있다.
- 재수술 절개선으로 유용하다.
- 유방하수나 튜브형 변형(tuberous deformity) 수술이 용이하다.
- 유륜 주위 피부절제술 등으로 하수교정 변환이 용이하다(versatility).

2) 유륜절개 접근법의 단점

- 유관 손상 가능성이 존재한다.
- 유륜부 손상이나 잘못된 봉합으로 유륜부 함몰 변형이 생길 수 있다.

3) 적응증(그림 5-4-7, 그림 5-4-8)

- 환자가 원할 경우
- 일반 가슴확대수술 및 확대 재수술
- 유방 하수 및 유방 하부수축(inferior pole constriction), 튜브형 변형

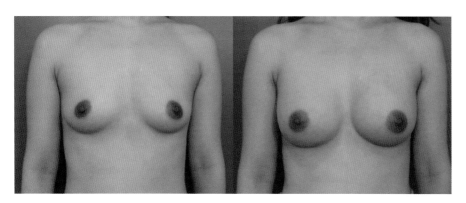

그림 5-4-7. 유륜절개 근막밑 가슴확대술 Motiva 285/285

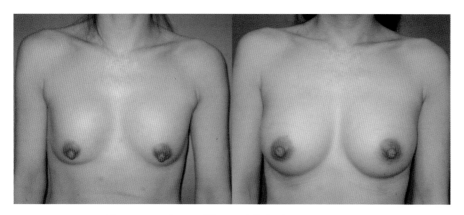

그림 5-4-8. 구축으로 인한 유륜절개 재수술 Motiva 265/245

4) 부적응증

- 유륜 직경 < 30 mm
- 켈로이드나 비후성 반흔
- 단단하고 두터운 유선조직의 경우(firm nodular parenchyma)
- 유두 분비물

4. 특징과 주의점

유륜절개 접근법은 겨드랑이나 밑선 접근법을 거부하는 여성들에게 좋은 대안이 될 수 있다. 그러나 태생적으로 유관의 손상 가능성이 존재하므로 유륜 접근법을 꺼리는 의사들도 있다. 유관의 손상은 수술 필드의 불결을 초래하여 구축 발생률을 증가시킬 수 있다. 따라서 유두 직하방의 유관 밀집부 박리를 피하여야 하며, 가능하면 피하경유 방식을 사용하는 것이 안전하다. Jacobson (2012), Strutman (2012)의 보고에 따르면 밑선절개 접근법에 비하여 구축발생률이 더 높다는 증거는 나타나지 않는다. 하지만 접근 방식을 비롯하여, 보형물 삽입시 슬리브(sleeve) 사용 등 no-touch maneuver를 반드시 사용해야 하며, 수술 후 마사지를 하지 않는 등 손상된 유관을 자극하는 것을 피하여야 한다.

그 밖에 주의점으로는 특히 유선하 박리나 근막하 박리의 경우, 유방의 족적(foot print)을 초과하는 과도한 크기의 보형물을 사용한다면 유두유륜체의 혈행에 지장을 줄 수 있으므로 주의를 요한다.

☑ 참고문헌

1. Fayman MS, Potgieter E, Becker PJ: Outcome study: periareolar mammaplasty patients' perspective. Plast Reconstr Surg 2003;111:676.
2. Ferreira MC: Evaluation of results in aesthetic plastic surgery: Preliminary observations on mammaplasty. Plast Reconstr Surg 2000;106:1630.
3. Jacobson JM, Gatti ME, Schaffner AD, et al. Effect of incision choice on outcomes in primary breast augmentation. Aesthet Surg J 2012;32:456-62.
4. Regnault P: Partially submuscular breast augmentation. Plast Reconstr Surg 1977;59: 72.
5. Sim HB, Revisiting Prepectoral Breast Augmentation: Indications and Refinements. Aesthet Surg J 2019;39(5):NP113-NP122.
6. Sim HB, Transaxillary endoscopic breast augmentation. Arch Plast Surg 2014;41(5):458-65.
7. Sim HB, Sun SH. Transaxillary Endoscopic Breast Augmentation with Shaped Gel Implants. Aesthet Surg J 2015;35(8):952-61
8. Spear SL, Carter ME, Ganz JC: The correction of capsular contracture by conversion to "dualplane" positioning: technique and outcomes. Plast Reconstr Surg 2003;112:456.
9. Stoff-Khalili MA, Scholze R, Morgan WR, Metcalf JD: Subfascial periareolar augmentation mammaplasty. Plast Reconstr Surg 2004;114:1280.
10. Stutman RL, Codner M, Mahoney A, et al. Comparison of breast augmentation incisions and common complications. Aesthetic Plast Surg 2012;36:1096-104.
11. Tebbetts JB: Dual plane Breast Augmentation: Optimizing implant-soft-tissue relationships in a wide range of breast types. Plast Reconstr Surg 2001;107:1255.

유방확대거상술

Augmentation mastopexy

더 성형외과 **옥재진**

1. 서론

급격한 체중감소를 겪은 후 또는 출산 후 여성에서 가슴 볼륨이 모자라면서도 처짐이 동반되는 경우를 볼 수 있다. 이때 가슴의 볼륨을 키우기 위해 유방확대수술을 하거나, 처짐을 해소하기 위해 유방거상술을 단독으로 한다고 하여 미용적으로 만족스러운 결과를 얻기 어렵다. 유방확대수술만 했을 경우 보형물은 상대적으로 위쪽에 위치하고, 유방조직과 유두유륜복합체(nipple areolar complex)는 아래에 위치하여 미용적으로 이상한 모양이 된다(그림 5-5-1). 거상술을 단독으로 수술한 경우 유두유륜복합체의 위치는 교정이 되더라도 가슴의 볼륨이 늘어난 breast envelop을 충분히 채우지 못하여 여전히 팽팽하지 않고 바람 빠진 듯한 가슴모양이 된다(그림 5-5-2). 따라서 이런 한계를 극복하기 위해 유방확대와 거상을 동시에 시행하는 유방확대거상술을 시행하게 된다.

유방확대거상술은 미용유방수술 중 가장 어려운 수술이라 할 수 있으며 그 이유는 다음과 같다.

① 유방확대수술에서 보형물을 삽입하면 기존의 breast envelop은 늘어나게 되는데 유방거상술에서는 breast envelop의 양을 줄여서 유방내용물의 양과 맞추어야 한다. 이 두 가지 수술은 서로 반대되는 방향으로 breast envelop에 영향을 주게 되고 이것이 적절하게 균형을 이

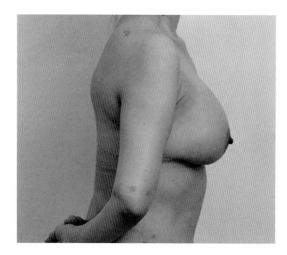

그림 5-5-1. 유방보형물삽입 후 보이는 waterfall deformity

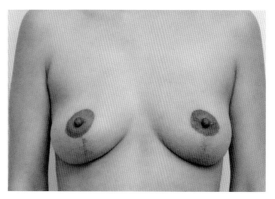

그림 5-5-2. 거상술 단독으로 시행한 후 breast envelop이 남는 모습

룰 수 있도록 수술이 계획되야 한다.

② 가슴의 지지조직이 약화되어 처짐이 발생한 가슴에 보형물을 삽입하여 더 부담을 가중시키게 되고 이것은 수술의 결과가 유지되는데 어려움으로 작용한다.

③ Breast envelop을 줄이기 위해 피부의 절개가 필요하여 흉터는 필연적으로 생기게 되는데 환자들은 적은 흉터로 최대한 개선된 효과를 원한다.

④ 피부절제로 인하여 주변에서 유두유륜복합체로 가는 혈행이 줄고 보형물을 삽입하면 아래에서 올라오는 혈행도 차단되게 되는 상황에서 유두유륜복합체의 위치를 이동시켜야함으로 조직괴사의 위험이 있다.

⑤ 보형물을 사용함으로 인한 합병증의 위험이 있으며 수술당시에 보형물의 삽입 외에 다른 조작을 같이 해야함으로 감염이나 구축의 발생위험이 상대적으로 많다.

이렇듯 유방확대거상술은 변수가 많고 어렵고 복잡한 수술이므로 수술 전 여러 가지 사항을 충분히 고려하여 주도 면밀하게 수술계획을 잡아야 할 것이다.

2. 임상적 특징

유방확대거상술의 적용대상이 되는 환자들은 대부분 다음과 같이 가슴 모양과 위치의 변화를 가진다.

① 유두가 하방으로 이동된다.

② 조직의 위쪽 경계선이 내려간다.

③ 유방조직이 하방으로 쏠려서 아래쪽이 볼록하게 된다.

④ 유방밑주름 위치의 유동성이 커지거나 하방으로 내려간다.

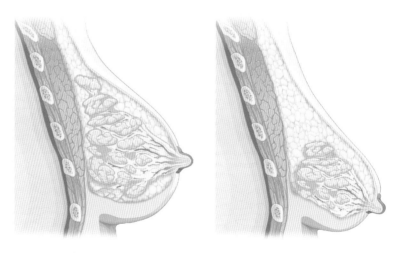

그림 5-5-3. 임신과 출산 또는 급격한 체중감소후 유방조직의 변화

3. 수술전 평가

수술전에는 가슴의 크기와 처진 정도, 피부상태를 평가한다.

1) 가슴크기 평가

3D technology를 이용한 계측과 simulation program, external sizer set을 이용하여
현재 가슴크기와, 수술 후 원하는 가슴크기를 가늠한다.

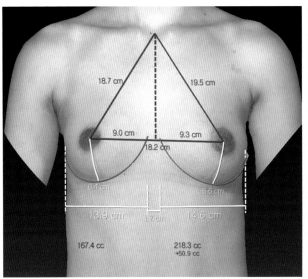

그림 5-5-4. 3D technology를 이용한 크기 측정

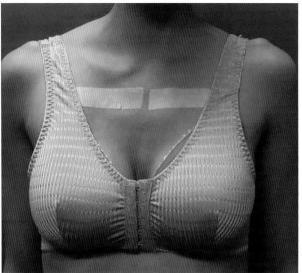

그림 5-5-5. External sizer set을 이용한 simulation

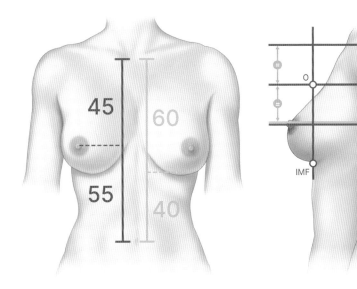

그림 5-5-6. 유두와 유방밑주름, 유방
상연의 이상적인 위치(sternal notch에
서 배꼽에 이르는 선을 기준으로함)

2) 처짐정도 평가

유두와 유방밑주름, 유방상연의 수직적 위치를 파악하고 유방상연에서 유두, 유두에서 유방밑주름까지의 수직적 길이를 잰다. 상체에서 유두, 유방밑선의 상대적 위치를 파악하기 위해 sternal notch와 배꼽을 연결하는 수직선상에서의 상대적 위치를 계산한다(그림 5-5-6). Sternal notch와 배꼽을 기준으로 수직적 위치를 계산하는 것은 수술전과 수술후의 위치 변화를 표현할 수 있는 객관적인 지표로 생각하여 저자는 유용하게 사용하고 있다. 가슴구조물의 이상적인 수직적 위치로 이 기준선에서 sternal notch로부터 계산하면 유두의 상대적 위치는 45%, 유방밑선의 상대적 위치는 60% 정도이다. 확대거상을 하는 환자들에게서 유두의 위치는 대부분 하방에 위치하고(그림 5-5-7), 유방밑선의 위치는 하방에 위치하는 경우와 상대적으로 이상적인 위치에 있는 경우, 가슴조직의 수축이 있을 때처럼 오히려 상방에 위치하는 경우도 볼 수 있다. 가슴 상연은 sternal notch와 유두의 수직적 위치의 중간지점에 위치하는 것이 이상적이다(그림 5-5-6). 확대거상을 원하는 환자들은 대부분 유두의 위치가 하방에 있음에도 불구하고 유방상연의 위치가 유두와 sternal notch의 중간지점보다 하방에 위치한다(그림 5-5-7).

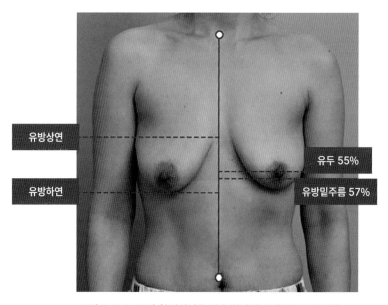

그림 5-5-7. 유방 확대거상을 받을 환자의 유방구조물의 위치

3) 피부상태

탄성을 잃고 이완된 상태로 그 정도를 파악하기 위해 stretch test를 시행한다.

- Stretch test: 이완된 상태와 당겨진 상태에서 유두와 유방밑주름까지의 거리를 측정하고 그 차이를 계산한다. 거리의 차이가 3 cm 이상이면 피부가 탄성을 잃고 많이 늘어진 상태라고 할 수 있다(그림 5-5-8).

그림 5-5-8. Stretch test

4. 수술 계획

1) 가슴의 수직적 위치 설정

가슴 확대 거상술에서 수직적 위치의 기준은 유방밑주름으로 수술 전후 이 위치는 변화시키지 않는다고 생각하고 유두와 유방상연의 위치를 정하게 된다.

유두의 위치를 결정할 때 고려하는 요소는 3가지가 있다.

① 유두의 상대적 위치는 45~50% 정도로 하며 처짐이 심할수록 낮게 잡고, 연령이 젊을 수록 높게 잡는다.

② 정면에서 가슴의 넓이를 기준으로 유두와 유방하연까지의 수직 길이가 40%에서 45%가 되도록 한다(그림 5-5-9).

③ 유두는 정면에서 보았을 때 가슴의 가장 넓은 부위에 해당하는 수직선 상에 위치해 야 한다(그림 5-5-9).

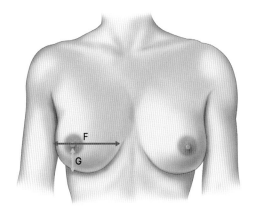

그림 5-5-9. 유방 넓이와(F) 유두에서 유방 하연까지의 거리(G) : G/F= 0.4 ~0.45

2) 보형물의 선택

보형물의 직경은 환자의 흉부가 정면에서 다 차고 가슴상연이 sternal notch와 유두의 중간 정도에 위치할 수 있는 직경을 선택한다. 보형물의 돌출정도는 술전상담에서 환자와 논의한 것을 바탕으로 원하는 볼륨을 선택하며, 확대거상을 하는 환자들의 대부분은 breast envelop의 여유가 많기 때문에 low projection 보형물보다 medium projection이나 full projection의 보형물을 선택해야 절제할 피부 양을 줄일 수 있다.

3) 피부 절제선의 선택

거상술을 시행해야 하는 환자들은 지지조직만 약화되어 있는 것이 아니고 잉여의 피부가 존재한다. 잉여의 피부를 절제하지 않으면 유방조직은 위치와 모양이 원하는 대로 유지될 수 없다. 따라서 어느 부위에서 어느 정도의 피부절제를 할지 결정하는 것은 흉터의 양상뿐만 아니라 수술후의 결과에 매우 중요한 영향을 끼친다고 할 수 있다.

피부 절제방법을 결정하기 위해서는

a. 잉여피부량을 계산하고

b. 그 양에 따라 절개법을 결정한다.

잉여의 피부량은 수직적인 잉여량과 수평적인 잉여량으로 나누어 측정해야 한다.

수직적 피부의 잉여량은 유두를 중심으로 유두 상방의 수직 잉여량과, 유두 하방의 수직 잉여량으로 나눌 수 있다. 수술 전 디자인 시 보형물 삽입 후 변화되는 유두의 위치를 미리 가늠할 필요가 있다. 이는 정면에서 유두 사이를 그은 수평선과 손을 뒤통수에 올린 상태에서 유두 사이를 잇는 선의 중간지점이 보형물을 넣은 후의 유두 위치가 될 것으로 가늠한다(그림 5-5-10). 그러나 이러한 예측은 환자의 상태에 따라 변동이 있을 수 있으므로 실제 수술에서는 보형물 삽입 후 sitting position에서 다시 한번 확인해야 한다.

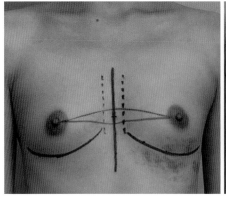 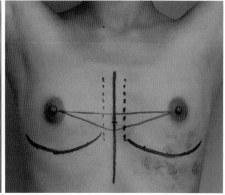

그림 5-5-10. 보형물 삽입 후 예상되는 유두의 위치(Grand rapid point). 직립자세에서 양쪽 유두를 연결한 선과 양손을 뒤통수에 대고 까지를 낀 상태에서 바로선 자세에서 양쪽 유두를 연결한 선의 중간지점이 수술후 예상되는 유두 위치이다.

수술 후 상방으로 이동시키고자 하는 유두의 위치를 정한 뒤 그 위치에서 보형물 삽입
하여 예상되는 유두까지의 거리를 재면, 이것이 유두 상방의 수직 잉여량이다(그림 5-5-11).
수술 전 유두에서 유방수술밑선까지의 거리를 긴장상태에서 측정한다. 수술 후의 바람직한
측정치는 가슴 크기에 따라 7.5 cm에서 9.5 cm 정도이므로 계측치와의 차이가 유두 하방의
수직적 잉여량이다.

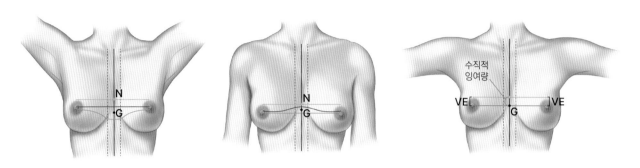

그림 5-5-11. 유두 상방의 수직피부잉여량

비슷한 방법으로 유두 내측과 외측의 잉여 피부량을 계산할 수 있다. 수술 후 이동시킬
유두의 수직적 위치에 해당하는 수평선 상에서 예상되는 가슴의 내측, 외측 경계점을 표시
하고 해당 지점에서 유두까지의 거리를 긴장상태에서 잰다. 이 길이와 수술 후 예상되는 유
두부터 유방밑선까지의 거리를 비교하면 수평적 잉여량을 계산할 수 있다(그림 5-5-12). 물론
이것은 가슴의 돌출정도와 흉곽의 모양에 따라 조정해야 한다(그림 5-5-13).

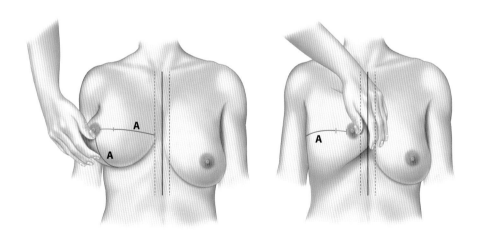

그림 5-5-12. 가슴 내외측의 수평피부잉여량

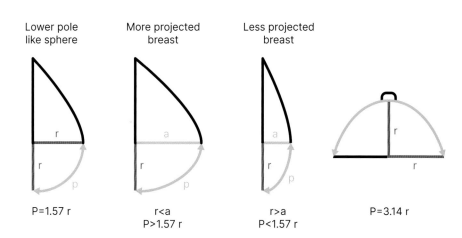

Lower pole like sphere	More projected breast	Less projected breast	
P=1.57 r	r<a P>1.57 r	r>a P<1.57 r	P=3.14 r

그림 5-5-13. 유방하방의 수직적 잉여량과 가슴돌출과의 관계

가슴피부의 수직적 잉여량과 수평적 잉여량은 피부 절제 방법에 따라 줄일 수 있다 (그림 5-5-14).

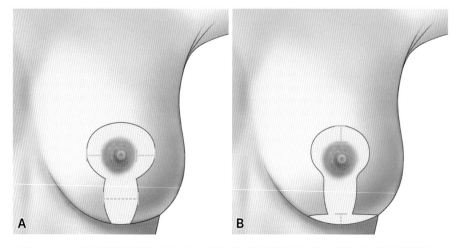

그림 5-5-14. 피부잉여량의 절제 부위. **(A)** 수평적 피부 잉여량의 제거 **(B)** 수직적 피부 잉여량의 제거

4) 수술 순서

실제 수술에서는 보형물을 삽입하는 수술을 먼저하고 거상수술을 하는 것이 유리하다. 거상수술을 먼저한다면 보형물 삽입 후 가슴 모양이나 위치의 변화가 달라지게 되는데, 예측이 정확하지 못했을 때 교정이 어렵고 거상수술 중에 유두유륜이나 유선 조직을 많이 만지게 되면 감염의 위험이 증가하기 때문이다.

5. 수술디자인과 수술방법

1) 유륜주위 반흔 절제법

유륜 주위로 피부를 절제하여 봉합하는 방법은 큰 원을 오그라뜨려서 작은 원에 봉합하는 것이지만, 두 원의 지름 차이가 크다면 주름이 많이 생기게 되고 tension이 많이 걸려서 시간이 지남에 따라 유륜이 늘어나게 된다. 저자는 수직적 피부잉여량과 수평적 피부잉여량의 합이 많아도 유륜직경의 2배 이하여야 하며, 1.5배 이하일 때 바람직하다. 수술 전 유두 위치, 보형물 삽입 후 예상되는 유두 위치, 수술 후 이동시킬 유두 위치, 유방밑주름 위치를 표시한다. 수술 전 유륜을 팽창시킨 상태에서 유륜의 직경을 4 cm 내외로 디자인한다. 수술 후 유륜의 상단이 될 부분인 A를 표시하고 유륜하단부에 B, 유륜의 변연부에 C와 D를 잡는다. 단, 유두 상방의 피부잉여량이 많지 않아서 유두의 상방이동이 많이 필요하지 않으면(유륜직경의 1.5배 이내) B, C, D의 점을 이동시켜서 더 많은 잉여피부량을 절제할 수 있게 도안할 수 있다. A, B, C, D의 점을 잇는 곡선은 완전한 타원형보다 윗부분을 좁게 해서 수술 후 피부 절제창과 수술 후 유륜의 크기 차이가 크지 않게 해야 술후 주름이 적고 반흔에도 유리하다(그림 5-5-15).

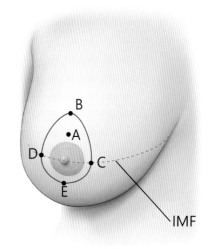

그림 5-5-15. 유륜절개 반흔법의 디자인

수술은 보형물을 삽입하는 수술을 먼저하고 거상 수술을 그 다음에 진행한다. 보형물은 유륜절개창을 이용해 삽입할 수도 있으나 수술과정 중에 보형물이 유선조직이나 NAC와의 접촉이 있어서 감염의 위험이 높고 처진 가슴에서는 유방밑선이 가리워져 있어 유방밑선의 수술반흔이 잘 감추어지기 때문에 저자는 유방밑주름 절개를 이용하여 보형물을 삽입하는 것을 선호한다. 보형물 공간은 유선조직 성형술을 하지 않을 경우는 type 2, 유선조직 성형술을 계획하는 경우는 type 1의 이중평면법을 사용한다. 거상술을 위하여 디자인 선에 따라 탈 상피 작업을 한 후 2 mm 정도의 피부 마진을 남기고 진피층을 절개한다. 타원형의 디자인선이 원형이 되고 유륜 주위의 긴장이 많이 생기지 않을 만큼 피하 박리를 시행한다. 피부 절제 봉합만 계획하는 경우 피하박리를 하여 타원형이 원형이 되고 유륜주위의 tension이 과하지 않을 정도만 피하박리한다.

유선 조직의 하강이 심한 경우 단순한 보형물 삽입과 피부 절제만으로는 원하는 가슴 모양을 만들 수 없으므로 유선조직 성형술을 병행한다. 먼저 central mound technique으로 가슴 조직을 완전히 피하 박리한다. 가슴 조직의 상연이 내려와 있는 경우 유방조직의 상연을 원하는 위치의 대흉근에 4~5군데 고정한다. 유륜하방의 가슴 조직이 많아서 하부의 돌출이 있는 경우 내측과 외측의 가슴 조직을 결찰하면 하부의 돌출을 감소시키고 조직을 상방으로 이동시키는 효과가 있다. 하부조직의 양이 과도한 겨우 일부 조직을 절제하고 결찰을 하기도 한다(그림 5-5-16). Breast envelop과 가슴 조직이 완전히 분리된 상태에서 sitting position으로 자세를 바꾸고 가슴 조직의 모양과 위치가 유지될 때까지 늘어난 가슴 조직을 결찰하고 분리된 피부는 재배치하여 봉합한다.

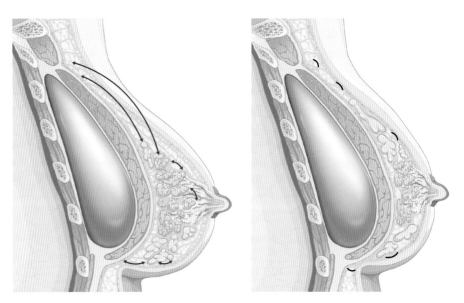

그림 5-5-16. 중심피판경을 이용한 유선조직의 재배치

유륜의 봉합은 Goretex를 이용하여 cart wheel interlocking purse string suture하거나 V lac을 이용한 continuous suture로 원하는 유륜의 직경이 될 만큼 오그라뜨려서 봉합한다(그림 5-5-17).

그림 5-5-17. Cart wheel interlocking purse string suture with Goretex

2) 수직반흔절개법과 역T자형반흔절개법

수술 전 유두 위치, 보형물 삽입 후 예상되는 유두 위치(A), 수술 후 이동시킬 유두 위치(B), 유방밑주름 위치를 표시하고 수술 전 유륜을 팽창시킨 상태에서 유륜의 직경을 내측과 외측의 수직절개선을 작도한다. 수술 후 위치시킬 유륜 크기가 4 cm 내외가 되도록 해당하는 높이에 유륜절개선의 상연과(C) 과 하연을(C, D) 위치시킨다. 유륜절개창의 총 길이는 13.5 cm 내외가 되도록 한다. 유두 위치의 수평적 피부 잉여량이 많다면 유륜절개창의 하부도 넓어져야 하고 유륜절개창의 윗부분은 원형보다 좁게 하여 수술 후 절개창과 유륜의 둘레 길이가 비슷하도록 한다. 유륜하연은 수직절개선의 범위보다 1.5 cm 정도 좁게 디자인한다. D, E점에서 수직절개선에 선을 연결하여 적당한 긴장상태에서 그 길이가 가슴 크기에 따라 5~7 cm 정도 되는 지점을 확인한다(E, F). 저자는 E, F점이 유방밑선과 2 cm 이내의 차이를 보이면 수직 절개선을 좀 더 둥글게 바꾸어 수직 절개반흔으로 디자인하고, 2 cm 이상 차이가 나면 역T자 반흔으로 디자인한다(그림 5-5-18).

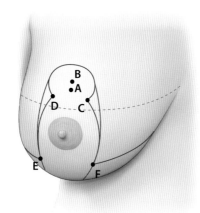

그림 5-5-18. 수직반흔절개법과 역T자형반흔절개법의 디자인

결과적으로 수평적 피부 잉여량과 유두 상방의 피부 잉여량이 많고 유두 하방의 수직적 피부 잉여량은 많지 않은 경우(2 cm 이내)에 수직절개반흔법을 사용하고, 유두 상방, 유두 하방의 수직적 피부 잉여량과 수평적 피부 잉여량이 모두 많다면 역T자형절개반흔법을 사용한다. 수직절개선 안쪽으로 절개하여 type 1 이중평면법으로 보형물공간을 만든다. 보형물을 삽입한 후 표층막까지 봉합하여 보형물이 다른 수술 영역으로부터 분리되도록 한다.

기존 디자인으로 stapler를 이용하여 임시 결찰하고 가슴의 모양을 다시 확인하여 필요하면 수정하고 거상술을 시행한다.

유선조직 성형술이 필요한 경우 유두 절개창 상방의 피하박리를 시행하여 유륜절개반흔법처럼 유방상연을 고정할 수 있고 유방하부는 수직절개창을 통해서 결찰하거나 조직절제를 할 수 있겠다.

6. 토론

1) 수술결과의 유지

유방확대거상술에서 중요한 고려사항은 '수술의 결과를 얼마나 유지할 수 있는가'이다. 기본적으로 지지조직이 약하고 피부는 이완되어 있으며 보형물의 무게가 더해지면서 지지조직과 피부가 지탱해야 할 부담이 증가하였기 때문이다.

주요한 고려사항은

① 가슴의 이완된 지지조직을 최대한 조이고

② 유방조직의 분포가 한곳에 치우치지 않게 재배치하거나 절제하며

③ 잉여피부량이 생기지 않게 절제하고

④ 보형물은 흔들림이 적게 가급적 충전율이 높은 것을 사용한다.

⑤ 보형물의 공간이 크지 않게 보형물과 딱 맞도록 만든다.

⑥ 피부의 탄성이 약해진 경우 수술 후 가슴 크기가 너무 커지지 않게 한다.

기존의 가슴조직이 충분함에도 더 큰 가슴을 원하여 보형물을 삽입하는 경우 필요한 보형물 크기보다 좀 더 큰 보형물을 사용하고 그만큼 조직을 절제하는 것이 하수의 재발을 줄일 수 있다. 다만 조직 절제로 수술 조작이 많아질 경우 보형물로 인한 염증이나 감염의 위험도 높아질 수 있으니 보형물 공간을 거상수술 공간과 철저히 분리하는 것이 필요하다.

2) One stage 수술 vs Two stage 수술

유방확대거상술을 한번에 시행할지 아니면 두 번에 나누어 할지에 대해서는 많은 논란이 있어왔다. 2 stage 수술을 선호하는 사람들은 변수가 많아 결과의 예측이 어렵기 때문에, 두 번에 나누어 수술하는 것이 오차를 줄이고 더 예측 가능한 결과를 도출하며 결과적으로 합병증이 적다고 주장한다. 이 경우 거상술을 먼저하고 보형물확대술을 2차로 시행하는 경우가 일반적이다. 그러나 환자들의 입장에서는 두 번의 수술을 받는 번거로움과 여러 가지 비용의 증가, 심리적 부담으로 가급적 one stage 수술을 원하며 최근에는 one stage 수술로도 만족스러운 결과를 얻었다는 보고들이 많이 있다. 저자는 합병증의 대부분이 약화된 지지조직으로 인한 결과 유지의 어려움과 보형물 삽입에 따른 문제이므로, 이를 고려하여 한번에 수술하는 방법을 선호하고 있다. 만일 미용적 문제가 발생해서 재수술을 한다면 결국 two stage 수술이 되는 것이고, two stage 수술을 한다고 미용적 문제가 완전히 없다고 할 수도 없기 때문이다.

☑ 참고문헌

1. Adams WP Jr. The process of breast augmentation: Four sequential steps for optimizing outcomes in patients. Plast Rescontr Surg. 2008;122:1892-900.

2. Ahmad J, Lista F. Vertical scar reduction mammoplasty: the fate of nipple-areola complex position and inferior pole length. Plast Recontr Surg. 2008;121:1084-91.

3. Aire G. Una nueva tecnica de mastoplastia. Rev Latinoam Cir Plast. 1957;3:23-31.

4. Calobrace BM, Herdt DR, Cothhron KJ. Simultaneous augmentation/mastopexy: A retrospective 5-year review of 332 consecutive cases. Plast Reconstr Surg. 2013;131:145-56.

5. Dennis C. Hammond. Atlas of aesthetic breast surgery. Philadelphia: Elsevier. 2009.

6. Gallent IM, Pons MR, Drever M. Vertical scar mastopexy with an implant. Aesthet PLast Surg. 2003;27:406-10.

7. Gonzalez-Ulloa M. Correction of hypertrophy of the breast by exogenous material. Plast Reconstr Surg Transpla Bull. 1960;25:15-26.

8. HJ Lee, JJ Ock. An ideal female breast shape in balance with the body proportions in Asians. Plast Reconstr Surg Glob Open 2019;7:e2377.

9. Hoffman S. Some thoughts on augmentation/mastopexy and medial malpractice. Plast Reconstr Sugr. 2004;113:1892-3.

10. Karnes J, Morrison W, Salisbury M, Schaeferle M, Beckham P, Ersek RA. Simultaneous breast augmentation and lift. Aesthet Plast Surg. 2000;24:148-54.

11. Lassus C. A 30-year experience with vertical mammaplasty. Plast Reconstr Surg. 1996;97:373-80.

12. Lee MR, Son BS, Park YR, et al. The relationship between psychosocial stress and allergic disease among children and adolescents in Gwangyang Bay, Korea. J PrevMed Public Health 2012;45:374-80.

13. Lee MR. Unger JB, Adams WP. Process approach to aug-mentation mastopexy: The tissuebased triad algorithm (Submitted for publication). Nahai F, Fisher J, Maxwell PG, Mills DC Ⅱ. Augmentation mastopexy: To Stage or not. Aesthetic Surg J. 2007;27:297-305.

14. Persoff MM. Mastopexy with expansion-augmentation. Aesthet SurgJ. 2003;23:34-9.

15. Pitanguy I. Breast hypertrophy. In : Wallace AB, ed. Plastic Surgeons. Edinburgh: Livingstone;1960:509.

16. Regnault P. The hypoplastic and ptotic breast: A combined operation with prosthetic augmentation. Plast Reconstr Surg. 1966;37:31-7.

17. Scott L. Spear. Surgery of the breast. VolumeⅡ. 3rd ed. Philadelphia: Lippincott Williams & Wilkins. 2011.

18. Spear SL. Augmentation/mastopexy: "Surgen beware." Plast Reconstr Surg. 2003;112:905-6.

19. Spear SL, Boehmler JH, Clemens MW. Augmentation/mastopexy: A 3-year review of a single surgeon's practice. Plast Reconstr Surg. 2006;118:136S-147S; discussion 148S-149S, 150S-151S.

20. Spear SL, Giese SY. Simultaneous breast augmentation and mastopexy. Aesthet Surg J. 2000;10:155-63.

21. Spear SL, Pelletiere DV, Menon N. One-stage augmentation combined with mastopexy: Aesthetic results and patient satisfaction. Aesthet Plast Surg 2004;28:259-67.

22. Stevens WG, Freeman EM, Stoker DA, Quardt SM, Cohen R, Hirsch EM. One-stage mastopexy with breast augmentation: A review of 321 patient. Plast Reconstr Surg.2007;120:1674-9.

결절형 유방(수축형 유방)

Tuberous breast and other anomalies

박진석성형외과 **박진석**

1. 소개

유선 주변의 섬유 조직, 표재성 근막, 쿠퍼씨 인대 등이 늘어나지 않은 상태에서 유방의 2차 성징이 나타나면서 유선의 발육으로 인해 유방의 기저부가 좁고 돌출된 모양이 되는 것을 결절형 유방 또는 수축형 유방이라고 한다(그림 5-6-1).

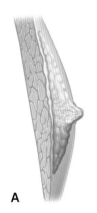
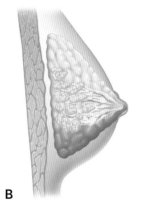
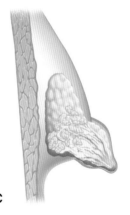

A B C

그림 5-6-1. **(A)** 유방의 발육 전. **(B)** 정상적 발육 시 유방. 유방의 2차 성징 시 모든 방향으로 팽창된다. **(C)** 결절형 유방의 경우 표재성 근막이나 주변 결체조직이 부분적으로 늘어나지 않아 섬유지지조직이 없는 유륜을 통해 볼륨이 밀려나온 결과 유륜이 크고 돌출되어 있다.

이런 수축형 유방은 늘어나지 않은 부분이나 유방의 발육 정도에 따라 모양이나 변형의 정도가 다양하다. 그 상황과 모양에 따라 다양한 이름으로 불려져 왔는데, constricted breast, tuberous breast, tubular breast, areolar hernia, caprine breast, lower pole hypoplasia, narrow based breast 등이다.

결절형 유방을 잘 이해하기 위해선 유선을 지지하는 섬유조직들의 해부학적 구조를 이해하는 것이 중요하다. 유방조직을 지지하는 표재성 근막(superficial fascia)은 표재층(superficial layer)과 심부층(deep layer), 두 층으로 나뉘어 있다. 유선조직은 이 표재성 근막의 두 층 사이에 싸여 있는 구조이며, 이 두 층은 쿠퍼씨 인대(Cooper's ligament)로 서로 연결되어 있는 구조이다. 또한 표재성 근막의 표재층은 유륜의 경계를 따라서 원형의 superficial fascia ring을 형성하고 유륜 부위에는 표재성 근막이 없이 유륜 피부로만 덮여 있다(그림 5-6-2).

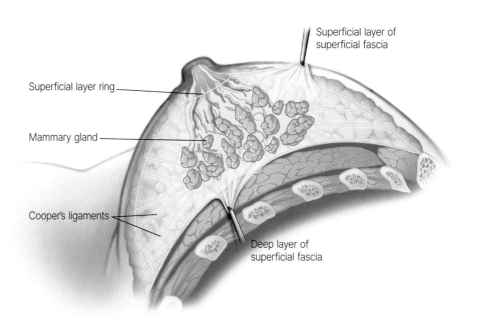

Superficial layer of superficial fascia

Superficial layer ring

Mammary gland

Cooper's ligaments

Deep layer of superficial fascia

그림 5-6-2. 표재성 근막. 표재성 근막(superficial fascia)은 표재층(superficial layer)과 심부층(deep layer), 두 층으로 나뉘어 있다. 유선조직은 이 표재성 근막의 두 층 사이에 싸여 있는 구조이며, 이 두 층은 쿠퍼씨 인대(Cooper's ligament)로 서로 연결되어 있는 구조이다. 또한 표재성 근막의 표재층은 유륜의 경계를 따라서 원형의 superficial fascia ring을 형성하고 유륜 부위에는 표재성 근막이 없이 유륜 피부로만 덮여 있다.

유방발육이 잘 되는 서구의 경우 Grolleau에 의하면 통계적으로 환자의 89% (73~100%)에서 양측성을 보이며, 양측성 환자의 70%에서 100 g 이상의 비대칭을 보인다. 유방의 한 개 이상의 사분면에서 발육부전을 보이는 것이 특징이지만 수축형 유방의 27%에서만 크기가 부족한 양상을 보이고 28%에서는 유선비대증을 보이기도 한다고 하였다.

2. 분류(classification)와 치료 계획

수축형 유방은 늘어나지 않은 부분이나 유방의 발육정도에 따라 모양이나 변형의 정도가 다양하다. 또한 각 증례 별로 문제를 파악해서 각 문제를 해결하면서 원하는 결과를 갖기 위한 개인별 맞춤 계획을 세워야 하기에 수축이 일어나는 위치에 따른 분류만으로는 임상적 의미가 크지는 않다. 수축형 유방의 분류법은 von Heimburg, Grolleau, Meara 등 여러 가지가 제안되었으나 Kolker 외(2015)는 수축형 유방의 문제가 되는 각 요소를 좀 더 섬세히 나누고 치료 방법에 대한 algorithm을 제시하였다(표 5-6-1).

표 5-6-1. Kolker 분류 : Meara의 분류를 Kolker가 다시 정리함.

Type	Base	IMF	피부여유	유방용양	처진 정도	유륜
1형	약하게 수축	내측이 약간 들림	충분	상관없음	상관없음	약간 커져 있음
2형	중간 정도 수축	내, 외측이 들림	아래쪽 불충분	부족함	없거나 약함	다양함
3형	심하게 수축	전제적으로 들림	전체적으로 불충분	많이 부족함	경증 또는 중등도	심하게 커져 있음

TYPE I　　　　TYPE II　　　　TYPE III

한편 Hammond는 위의 분류보다는 피부, 밑주름선, 유륜모양과 크기, 유방의 크기와 모양의 비대칭 등 문제에 초점을 맞춰서 접근하는 것을 제시하였다. Tebbetts은 임상적으로 수축이 보이는 유방의 하반구에서 유선이 수축된 모양에 따라 radial cut (방사상 유선절개)으로 먼저 lower pole constriction (하방수축)을 이완시켜서, 부족한 경우 concentric cut (동심형 유선절개)를 제시하였다. 이러한 유선절개를 후방에서 진행하면서 저항이 없어지는 정도에 따라 절개의 깊이에 변화를 주었다.

심한 수축형 유방의 경우 glandular flap을 일으켜 모양이나 coverage를 개선하려는 노력들이 외국 논문에는 많이 거론되고 있다. 대표적인 방법으로 보형물을 이용하는 방법으로 Puckett's technique이 있다. 유두 아래쪽으로 피하층을 따라 박리하여 내려간 후 유선하층을 따라서 유두 위치까지 올라가 유두 위치에서 유선절개를 한 뒤 근육 뒤에 보형물을 넣는 방법이다. 이렇게 유선피판을 사용하면서 보형물을 넣는 경우 혈행장해에 대한 주의를 요한다. 특히 유선피판을 일으켜서 접어서 고정해주는 Muti 방법 등은 혈행장해 가능성이 증가한다.

3. 결절형 유방의 임상적 의의

출산 경험이 없는 경우 상대적으로 살이 더 단단하고 잘 늘어나지 않는 경향이 있다. 임상에서 심한 경우는 흔히 볼 수는 없지만, 유방확대를 위해 병원을 찾는 분들 중에 이렇게 중등도의 수축형 유방을 보이는 경우는 드물지 않게 접할 수 있다. 이때 수축형 유방의 모양을 만드는 요소들을 잘 분석하고 고민하여야 한다. 밑주름선을 내리고 수술하는 과정에서 수축된 조직을 잘 이완하지 못하면 폭포수 변형이나 이중주름 변형을 유발할 수 있으며 수술 후 분쟁의 원인이 될 수 있다(그림 5-6-3).

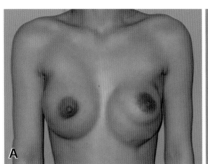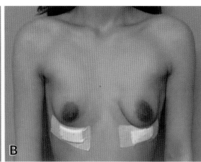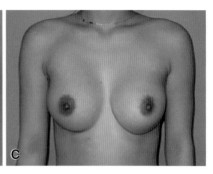

그림 5-6-3. 수축형 유방의 주의점. (A) 타 병원에서 수술 후 심한 2중주름 상태 발생. (B) 보형물 제거 후 좌측 수축형 유방이 관찰됨. (C) 재수술 3년 후.

임상에서 우리 나라 환자들 중 드물지 않게 접하는 수축형 유방은 lower pole constriction으로 유선 기저부의 직경이 좁고 유두-밑주름거리가 짧으며 유방 용적에 비해 형태를 갖추고 있는 경우이다(그림 5-6-4).

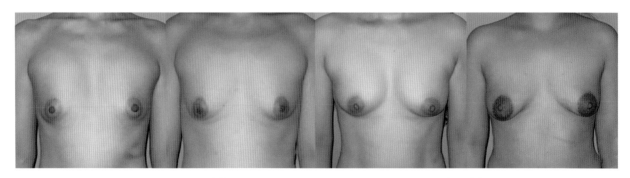

그림 5-6-4. 임상에서 드물지 않게 접하는 수축형 유방은 lower pole constriction으로 유선 기저부의 직경이 좁고 유두-밑주름거리가 짧으며 유방 용적에 비해 형태를 갖추고 있는 경우이다.

유방의 하반구가 수축되어 있어서 수축형 유방 분류에는 제2형에 해당한다. 유두 아래쪽 모양을 예쁘게 만들기 위해선 밑주름선을 내려야 하며, 이때 수축된 조직을 잘 이완시키는 계획을 세워야 한다. Kolker AR 외(2015)가 발표한 vertical lower pole expansion과 Tebbetts (2010)이 기술한 단계 별 lower pole expansion을 고려하여, lower pole expansion이 충분한 지 수술 중 확인할 필요가 있다. 결과적으로 보형물이 lower pole을 미는 힘과 이에 반응하는 피부 조직이 균형을 맞춰야 한다(그림 5-6-5).

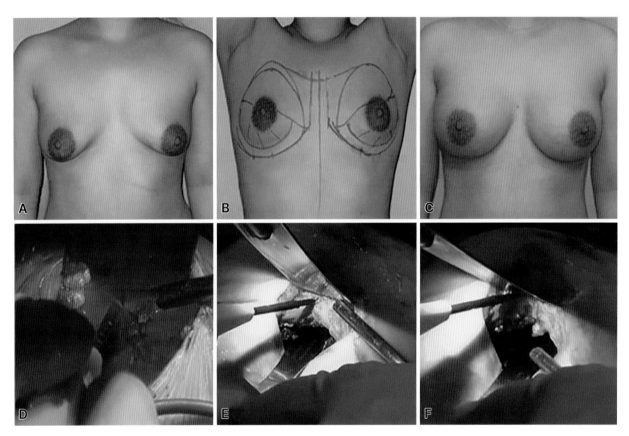

그림 5-6-5. (A) 2형 tuberous breast으로 유륜이 크고 유두 밑주름선이 짧고 유방의 기저부 직경이 좁은 상태이며 유륜 아래 밑주름선 사이에 피부가 정면에서 보이지 않음. (B) 제3형 이중평면법과 수직 유선절개를 디자인. (C) 둥근형 400 cc 보형물로 수술 후 8개월 된 모습. (D) 유선절개 (E) old IMF 부위 연부조직 절개 전. (F) 절개 후 이완된 모습. 저항을 확인하면서 필요한 부분을 이완시키는 것이 중요하다.

한편 보형물에 의해 미는 힘이 expanded lower pole 조직에 잘 전달되도록 밑주름선 절개를 한 경우 절개선의 위쪽 피판을 흉벽에 타이트하게 고정해주는 것이 좋다(anchoring 봉합). 수술 중 또는 수술 후 일시적인 이중주름을 보이는 경우도 있는데, 효과적으로 lower pole expansion과 anchoring 봉합이 적절하게 이루어 진 경우 3개월 정도 시간이 지나면 이중주름이 자연스럽게 개선된다(그림 5-6-6).

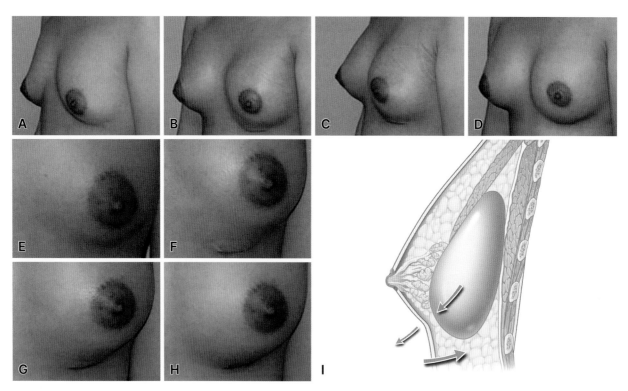

그림 5-6-6. 보형물의 old IMF를 미는 힘과 절개선의 흉벽 고정이 old IMF를 효과적으로 이완시킨 예. 제2형 수축형 유방환자로 3형 2중평면법으로 Allergan MF335 g을 삽입한 환자의 경과. (A), (E) 수술 전. (B), (F) 수술 1주 후 2중주름의 증상이 보임. (C), (G) 수술 3주 후 2중주름이 많이 완화되었으나 약간 남아있음. (D), (H) 수술 2개월 후 2중주름이 완전히 소실. (I) 모식도

수술 전 정상적인 유방의 모양을 가지고 있는 경우에도 유선지지조직이 강한 경우 잠재적 결절형 유방이라고 할 수 있다. 출산을 경험하면서 유선조직이 팽창될 때 유선 주변 지지 조직이 원활히 늘어나지 않는 경우 수축형 유방의 양상을 보이기도 한다(그림 5-6-7).

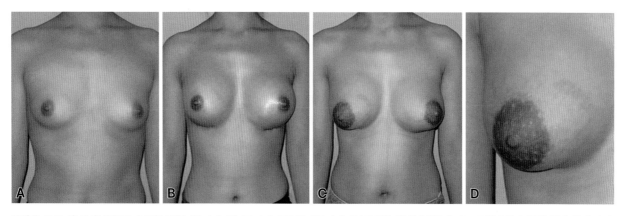

그림 5-6-7. 출산 후 강조된 수축형 유방. (A) 수술 전. (B) 수술 3주 후. (C) 수술 1년 2개월, 출산 1개월 후. (D) 그림 C의 오른쪽 유방 확대 사진. 출산을 경험하면서 부풀은 유선이 유륜 쪽으로 빠져나오면서 유륜이 커지고 유륜 아래 이중주름이 보이고 있다.

한편 유선조직이 어느 정도 있으면서 수축형 유방이 발생한 경우는 처진 가슴 모양을 하고 있는 경우가 많고 이런 경우는 유방거상술로 모양을 교정할 수 있다(그림 5-6-8).

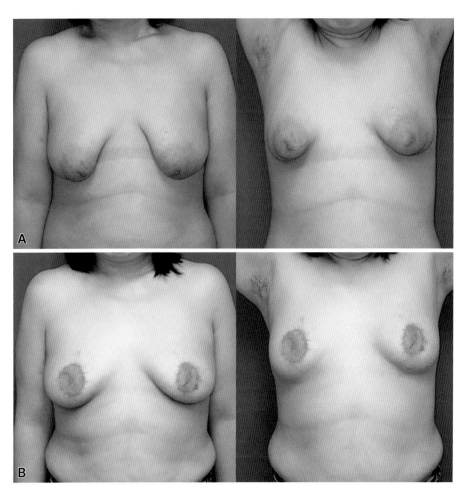

그림 5-6-8. 1형 수축형 유방을 보이면서 유륜탈출증(areolar hernia)을 보이는 환자로, 유륜둘레 유방고 정술(periareolar mastopexy)로 교정하였음. **(A)** 수술 전, **(B)** 수술 1년 후.

결절형 유방의 경우 심한 정도가 각 예마다 다르고 출산 여부와 유선과 지방의 분포도에 따라서도 많은 차이가 있으므로 각각의 예마다 문제가 되는 부위를 잘 파악하고 치료 방법을 접근하는 것이 필요하다.

☑ 참고문헌

1. 박진석. 결절형 유방. 미용성형외과학 제 3권. 서울: 군자출판사; 2018. P. 147-54.
2. Grolleau JL, Lanfrey E, Lavigne B, et al. Breast base anomalies: Treatment strategy for tuberous breasts, minor deformities, and asymmetry. Plast Reconstr Surg 1999;104:2040.
3. Hammond D. Atlas of aesthetic breast surgery. Philadelphia: Saunders Elsevier Inc; 2009. p183.

4. Heimburg DV, Kruft ES, Lemperle G: The tuberous breast deformity: classification and treatment. Brit J Plast Surg 1996;49:339.

5. Kolker AR, Collins MS: Tuberous breast deformity: classification and treatment strategy for improving consistency in aesthetic correction. Plast Reconstr Surg 2015;135:73.

6. Meara JG, Kolker A, Bartlett G: Tuberous breast deformity: principles and practice. Ann Plast Surg 2000;45:607.

7. Rehnke RD, Groening RM, Buskirk ERV, Clarke JM: Anatomy of the Superficial Fascia System of the Breast: A Comprehensive Theory of Breast Fascial Anatomy. Plast. Reconstr. Surg 2018;142:1135.

8. Tebbetts JB. Augmentation Mammaplasty. Maryland Heights: Mosby Elsevier Inc. 2010.

구형구축의 치료

Management of Capsular Contrature

그레이스오앤영 성형외과 **최문섭**

1. 서론

구형구축은 유방확대수술에서 가장 문제가 되는 부작용 중에 하나이며, 재수술이 필요한 경우가 흔하다. 인공 보형물 주위에 생기는 피막은 이물질(foreign body)이 우리 몸에 끼치는 영향을 방어하기 위하여 자연적으로 발생하는 현상이다. 하지만 임상적으로 문제가 되는 구형구축은 피막을 만드는 섬유세포가 과증식하여 발생한다. 이렇게 발생된 피막은 유방보형물을 구형으로 둘러싸며, 수축이 계속 일어나 보형물의 일부분을 접히게 하거나 모양을 일그러지게 하여 파열의 위험을 올리기도 한다. 또한 유방은 굉장히 부드러운 조직이어야 하나 수술로 삽입된 보형물이 구형구축으로 인해 딱딱하게 되어버리면, 전반적인 촉감이 매우 떨어지고 통증이 생기기도 하며 그 정도가 심해질수록 유방의 모양도 자연스럽지 않게 된다.

보형물을 이용한 유방확대 수술과 관련된 구형구축이 발생되는 원인으로 세균의 오염 또는 바이오필름(biofilm)의 형성, 혈종, 보형물 자체의 특성 및 실리콘 겔블리딩(gel bleeding), 주위 조직의 손상, 환자 자체의 요인 등이 있으며, 수술자는 이를 극복하기 위하여 노력을 해야 한다. 특히 보형물과 관련해서, 많은 연구자들이 표면의 형태에 대해 연구해왔다. 초창기 보형물의 표면은 스무스(smooth) 타입이었으나, 이후 폴리우레탄(polyurethane)이 씌워진 제품이 출시되었다. 또한 발전하여 거친 표면의 텍스쳐드(textured) 타입이 개발되어 오랫동안 사용되어 왔으나 예상치 못한 역형성대세포암(BIA-ALCL)의 원인으로 지목되면서 결국 시장에서 퇴출되었다. 최근에는 나노텍스쳐드(nanotextured)라고 불리는 보형물이 또 개발되었고 임상에서 많이 사용 중에 있다. 나노텍스쳐드는 현재의 보형물의 분류 체계(ISO 14607:2018)에 따르면 스무스 타입의 보형물에 속해 있어, 결국 스무스 타입의 보형물을 사용하는 시대로 다시 돌아온 상태이다. 돌이켜 보면 텍스쳐드 보형물이 과연 구형구축의 발생을 많이 줄였을까 라는 의구심이 든다. 사실 수술 후 발생하는 구형구축을 줄이는 중요한 요인들은 수술실의 환경의 개선하고, 수술 전 후의 감염의 위험성을 줄이며, 출혈 및 혈종의 발생 위험을 최소화하여 수술을 진행하는 것이다.

2. 구형구축의 치료

1975년 Baker는 구형구축을 아래와 같이 4단계로 나누었으며, 간편하고 직관적이어서 현재에도 임상에 적용하기 편하다.

- Class I : Breast absolutely natural; no one could tell breast was augmented
- Class II : Minimal contracture: I can tell surgery was performed but patient has no complaint
- Class III : Moderate contracture: patient feels some firmness
- Class IV : Severe contracture: obvious just from observation.

위에서 보는 바와 같이 4단계의 구형구축의 정의 중, 일반적으로 수술적 치료가 필요한 경우는 III과 IV 단계이다. 이 단계에 이르면 의료진 및 환자가 보고 느끼기에도 유방이 단단하다는 것을 쉽게 알 수 있으며, 심미적인 문제가 흔히 발생되기도 하고, 환자가 종종 통증을 느끼기도 한다. 앞서 언급한 것처럼 구형구축은 보형물을 둘러싸고 있는 피막에 문제가 발생된 것이므로, 수술적 치료의 목적은 새롭게 삽입되는 보형물이 기존의 피막과의 접촉이 사라지고, 건강하고 부드러운 조직으로 감싸지게 하는 것이다. 이 챕터에서는 그러한 다양한 방법을 설명하고자 한다.

1) 비 수술적인 치료

앞서 언급한 것처럼 구형구축은 여러 가지 원인을 가지고 있으나 염증반응(inflammation response)이 보형물 주위에서 일어나고 결국 섬유화(fibrosis)가 발생하는 것이다. 이러한 염증 및 섬유화 과정을 억제한다면 구형구축을 예방하고 치료할 수 있을 것으로 여기고 많은 연구가 있어 왔다. Leukotriene antagonist인 montelukast (Singulair)와 zafirlukast (Accolate)가 그러한 역할을 하며, 이들은 cysteinyl leukotrienes의 억제 및 myofibroblast의 수축을 막는다고 알려져 있다. 많은 연구들이 이러한 약물의 사용이 구형구축의 발생을 억제한다고 밝히고 있지만 예방적으로 모든 환자에게 사용해야 하는지에 대해서는 논란이 있다. 또한, 일부 연구자들은 이전 구형구축 발생의 과거력이 있는 등 위험인자가 존재하는 경우에 한하여 쓰는 것이 낫지 않을까 생각하고 있다. 더불어 2020년 미국 FDA는 이러한 약물들이 자살의 충동 또는 실행을 할 위험성이 있다는 경고를 함으로써, 현재는 이 약물의 사용에 조

금 더 주의를 기울여야 한다. 저자 또한 텍스쳐드 보형물을 사용하면서 leukotriene antag-
onist를 처방해왔지만, 최근에는 보형물의 종류에 따라 피막이 매우 얇게 생기기도 하고 구
형구축의 발생확률이 현저하게 낮기 때문에 일차 유방확대수술 후 약물을 일상적으로 처방
하고 있지 않다.

2) 피막절개술(Capsulotomy) 또는 피막절제술(Capsulectomy)

(1) 피막절개술(Capsulotomy)

1970, 80년경에 폐쇄적(closed) 또는 개방적 피막절개술(open capsulotomy)이 시도되었다.
특히 폐쇄적 피막절개술은 구형구축이 발생된 유방을 힘으로 쥐어짜서 피막을 터트리고자
했던 시술로, 출혈 및 보형물의 파열 위험이 증가되고 재발률이 높기 때문에 현재는 사용되
고 있지 않은 방법이지만, 개방적 피막절개술은 현재도 가끔 사용한다. 그러나 피막절개술
만으로는 보형물을 건강한 조직만으로 감싸이게 할 수 없기 때문에 근본적인 구형구축의
해결책이 될 수는 없다. 따라서 구형구축이 발생된 쪽의 유방이 전반적으로 심하게 단단하
지 않고, 부분적으로 구형구축이 일어났으며, 주로 유방보형물의 상방 변위만 관찰될 경우
해당 방법을 적용해볼 수 있다. 수술은 올라가 버린 보형물이 삽입되어 있는 공간(cavity)을
원하는 곳까지 내려갈 수 있도록 조심스럽게 터 주면 된다. 하지만 박리 공간의 아래 부분
만 터 줄 경우, 남아 있는 단단한 피막으로 인해 자칫 이중유방변형(double bubble deformity)
이 발생될 수 있다. 따라서 피막의 상면을 방사상 모양으로 빗금(hatching)을 충분히 깊게 넣
어 구형구축으로 발생된 장력(tension)을 충분히 풀어 보형물의 하방으로의 원하는 정도까지
내려갔을 때, 유방 아래부분이 충분히 잘 팽창될 수 있도록 한다. 하지만 앞서 언급한 것처
럼 구형구축으로 발생한 딘딘힘은 근본적으로 치료할 수 있는 방법은 아니기 때문에, 술자
가 제한적으로 이 방법을 환자에게 적용해야 한다(그림 5-7-1).

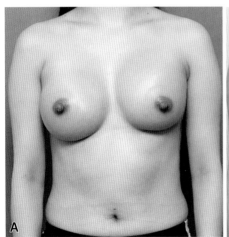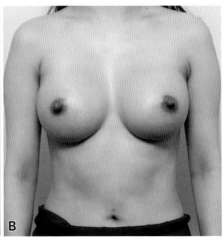

그림 5-7-1. **(A)** 30세 여성환자로
좌측 유방밑선의 상방 이동 및 유방
아랫부분에 심하지 않은 구형구축이
있어, **(B)** 환측의 개방적 피막절개술
을 시행한 후 사진.

(2) 피막절제술(Capsulectomy)

피막의 일부분만을 절개해서 모양을 교정하는 피막절개술과는 달리 구형구축이 발생한 문제의 요소를 모두 제거하는 방식이다. 이는 모든 피막을 제거한다는 의미에서 가장 이상적인 구형구축의 치료방법이라고 할 수는 있으나, 그 과정에 있어 많은 어려움이 있다. 특히 일차 유방확대수술의 재료로 비교적 단단한 타입의 코히시브겔(cohesive gel) 보형물을 사용했을 때, 보형물이 흉곽을 심하게 압박하게 된다. 이렇게 생성된 피막은 흉벽에 매우 강하게 부착되어 있을 때가 있는데, 이 경우 피막절제술로 인해 늑간근(intercostal muscle)이 손상이 되어 자칫 기흉(pneumothorax)을 만들 위험성이 있다. 그렇기 때문에 피막 박리 시 유의하면서 진행을 해야 하며, 너무 무리해서 제거하지 않는 것이 좋다. 또 주의해야 할 점은 피막주위는 작은 혈관들이 매우 발달되어 있기 때문에, 세심한 지혈을 하여 혈종이 생기지 않도록 노력해야 한다(그림 5-7-2).

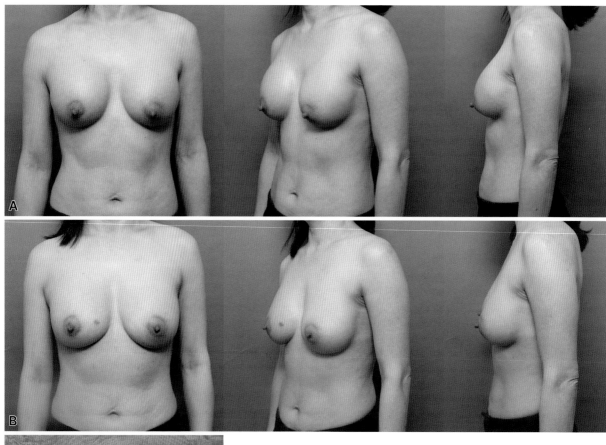

그림 5-7-2. 51세 여자 환자로 양측 유방에 발생한 구형구축을 유방밑선절개를 통해 전체피막절제(total capsulectomy)를 한 후 새로운 보형물을 삽입한 수술 전 후 사진. (A) 텍스쳐드 보형물을 이용한 유방확대 수술 후 발생한 양측 유방의 구형구축. (B) 전체피막절제수술 및 새로운 보형물 삽입 후 1년째 사진. (C) 전체피막절제를 시행하여 제거된 보형물을 둘러싸고 있는 피막.

3. 보형물 삽입 위치 변경(Site change)

1) 대흉근 아래로의 전환

유방보형물이 유선조직 아래에 삽입된 상태에서 구형구축이 일어난 경우 적용할 수 있다. 수술은 보형물을 제거한 다음, 대흉근 아래에 보형물이 들어갈 공간을 만들어 새로운 보형물을 삽입하면 된다. 그런데 이러한 방법만으로는 수술 후 아름다운 가슴이 모양을 만드는데 제약이 있다. 기본적으로 보형물의 앞쪽에 위치하는 연부조직은 흉터가 없이 모두 부드럽고 건강해야만, 보형물에 의해 연부조직의 팽창이 일어날 수 있다. 그렇기 때문에 피막을 남겨둔 채 보형물만 제거한다면, 새롭게 삽입된 보형물에 의해 팽창이 일어날 수 없다. 이러한 문제가 일어나지 않게 구형구축의 원인이 되는 유선조직 아래에 위치한 피막을 모두 제거(total capsulectomy) 해야만 한다.

보형물이 들어가 있었던 공간은 대흉근과 유선조직이 분리된 곳이기 때문에 대흉근의 위치만 따진다면 grade 3 이상의 이중평면(dual plane)의 양상을 띤다. 이로 인해 원하는 이중평면을 만들기 위해서 대흉근의 하단부를 유선조직과 봉합해서 붙여줘야 하는데, 이때 주의해야 할 점은 대흉근의 끝단을 피하층과 너무 단단하고 얕은 층에 고정하면 그 부위를 따라 패임(dimpling) 현상이 나타날 수 있기 때문에 고정이 너무 강하고 깊지 않게 해야 한다.

2) 대흉근 위로의 전환

유방보형물이 가장 흔히 삽입되는 대흉근 아래에서 구형구축이 일어난 경우 적용할 수 있다. 앞선 경우 보다는 비교적 쉽게 수술을 할 수 있는데, 보형물을 제거한 후 유선조직 아래에 보형물이 들어간 공간을 정확하게 만든 다음 새로운 보형물을 넣어주면 된다. 하지만 보형물의 어느 한 부분도 대흉근에 의해 덮이지 않기 때문에, 환자의 피부가 얇거나 큰 보형물을 선택되었다면 수술 후 확대된 유방에서 삽입된 보형물의 실루엣이 보일 수 있는 단점이 있다.

3) 새로운 대흉근 아래 공간(Neosubpectoral pocket)으로의 전환

유방확대수술 시 보형물이 대흉근 아래에 위치하게 하는 방법이 현재까지 가장 일반적으로 사용되는 수술 방법이다. 많은 여러 가지 의견이 있지만, 대흉근 아래에 놓여서 이중평면이 만들어진다면, 유방 조직의 팽창이 용이해서 좀 더 아름다운 모양을 만들 수 있다. 또한, 보형물의 상부가 대흉근에 의해 덮이기 때문에 보형물이 비쳐 보이는 문제를 줄일 수 있다. 이러한 장점들을 살리기 위해 재수술 시에도 새롭게 삽입되는 보형물이 구형구축이 발생된 피막 안에 들어가지 않고 여전히 대흉근 아래에 놓이게 2008년 Maxwell 등이 neosubpectoral pocket을 만들어 사용하는 방법을 고안하였다.

수술의 기본 원리는 대흉근과 구형구축이 일어난 피막 사이를 분리하여 보형물이 들어갈 공간을 만드는 것이다. 절개는 유방밑선, 유륜 또는 내시경 이용 겨드랑이를 선택할 수 있으나 일반적으로는 유방밑선 또는 유륜절개 중 한 곳을 사용한다. 겨드랑이 절개와 내시경을 이용하여 neosubpectoral pocket을 만들 수 있으나 내시경의 사용에 익숙하지 않으면 난이도가 높은 수술이 된다. 절개는 이전에 사용되었던 곳을 사용하는 것이 일반적이며, 조심스럽게 피막과 대흉근 사이를 조심스럽게 박리하면서 피막이 찢어지지 않도록 한다. 박리는 기존 삽입되어 있는 보형물을 미리 제거하지 않고 진행하는 것이 수월하며, 피막에는 대흉근이 붙어 있기 때문에 지혈을 세심하게 시행해야 한다. 충분한 박리를 완성하고 기존에 삽입되어 있던 보형물을 제거한 후, 전면의 피막을 바닥으로 내려 바닥 즉, 흉벽에 붙어 있는 피막 또는 흉벽에 직접적으로 두 세 군데 봉합을 하여 고정한다. 이러한 방법으로 전면의 피막이 바닥에 붙어 최대한 움직여지지 않게 하여 neosubpectoral pocket을 안정적으로 만든 후 새로운 보형물을 삽입하도록 한다. 주의해야 할 점은 이전에 삽입되어 있던 보형물이 하방변위(inferior displacement or bottoming out)상태라면 유방밑선 절개선 하방에 위치한 피막의 전 후 면을 모두 제거해서 닫아야 하고, 상방으로는 구형구축을 이루고 있는 피막의 경계보다 대흉근 아래로 더 박리하여 보형물이 들어갈 공간을 확보해줘야 한다.

사실 이 수술법은 대흉근 아래에 새롭게 보형물이 들어갈 공간을 만든다는 점에서 구형구축이 케이스 외에 유방합체증(symmastia), 보형물 변위의 교정 등 폭넓게 사용이 가능하다. 하지만, 피막에 석회화가 심하게 있거나 건강하지 않은 피막의 상태를 보인다면 피막 절제술(total capsulectomy)을 고려해야 한다(그림 5-1-3, 그림 5-7-4, 그림 5-7-5).

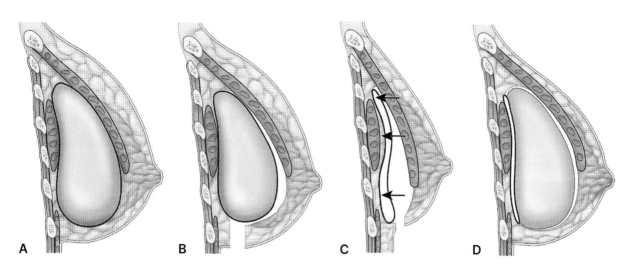

그림 5-7-3. 유방밑선 절개를 통한 neosubpectoral pocket 공간에 새로운 보형물을 위치시키는 방법. (A) 수술 전 구형구축이 있는 유방의 측단면, (B) 유방밑선 절개를 통해 neosubpectoral pocket을 만듦, (C) 보형물을 제거한 후 피막의 전면을 바닥으로 내려 고정, (D) 새로운 보형물을 neosubpectoral pocket에 삽입(Courtesy of Hong-Ki Lee).

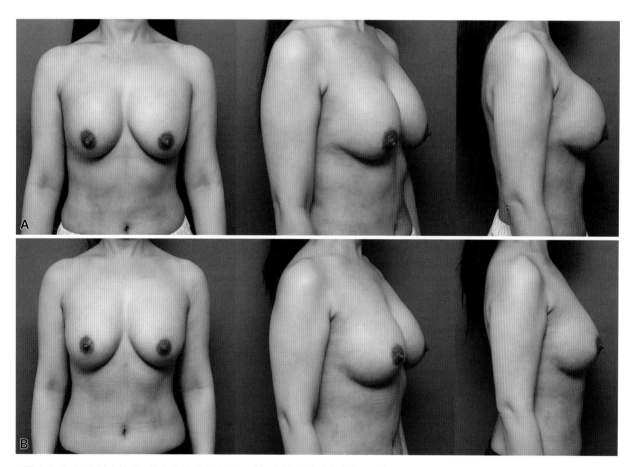

그림 5-7-4. 37세 여자 환자로 양측 유방에서 발생한 구형구축을 유방밑선 절개를 통해 neosubpectoral pocket을 만든 후, 새로운 보형물을 삽입한 수술 전 후 사진. (A) 텍스쳐드 보형물을 이용한 유방확대 수술 후 발생한 양측 유방의 구형구축. (B) Neosubpectoral pocket을 이용한 2차 수술 후 6개월 뒤 사진.

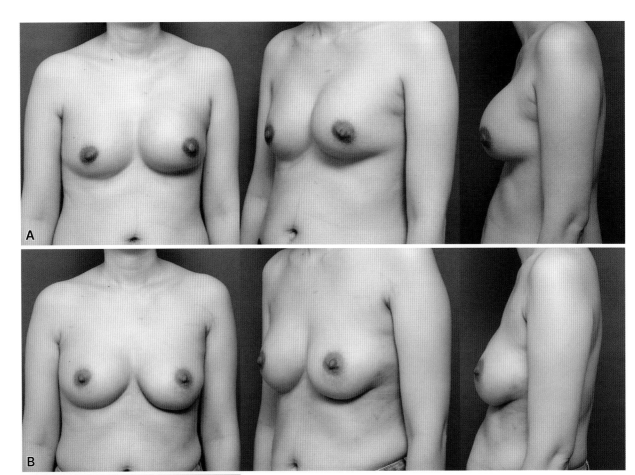

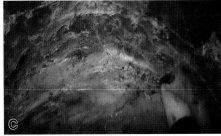

그림 5-7-5. 41세 여자 환자로 양측 유방에서 발생한 구형구축을 내시경 사용 및 겨드랑이 절개를 통해 neosubpectoral pocket을 만든 후, 새로운 보형물을 삽입한 수술 전 후 사진. **(A)** 텍스쳐드 보형물을 이용한 유방확대 수술 후 발생한 양측 유방의 구형구축. **(B)** Neosubpectoral pocket을 이용한 2차 수술 후 5개월 뒤 사진. **(C)** 내시경을 이용하여 neosubpectoral pocket을 만드는 모습.

동영상 5-7-1. 41세 여자 환자로 양측 유방에서 발생한 구형구축을 내시경 사용 및 겨드랑이 절개를 통해 neosubpectoral pocket을 만든 후, 새로운 보형물을 삽입한 수술(그림 5-7-5).

4. 보형물 교체(Implant exchange)

몇몇의 문헌보고에 따르면 구형구축에 대한 수술 시 보형물을 교체하지 않을 경우 재발률이 33-54%까지 이를 정도로 높으나, 보형물만 교체하여 기존의 공간(pocket)에 넣었을 때의 재발률은 0-26%, 새롭게 교체한 보형물을 새로운 공간에 넣었을 때 0-12%의 재발률을 보인다. 이러한 문헌보고들을 미루어 보아 구형구축에 대한 수술을 할 때는 보형물을 교체해야 만족할 만한 결과를 낼 수 있을 것으로 여겨진다.

또한 텍스처드 보형물보다 스무스 보형물로 교체를 하는 것이 구형구축 재발률을 더 낮출 수 있는 보고도 있다. 뿐만 아니라 최근에 보형물의 표면을 여러 타입에 따른 모형 보형물을 제작하여 동물 실험을 한 연구 결과에서도 텍스처드 보형물보다 일명 나노텍스처드를 포함한 스무스 타입의 보형물에서 섬유모세포 및 구형구축과 관련된 유전자의 발현이 적다고 보고하고 있다. 이러한 여러 연구 결과 등을 종합해 보면 기존에 삽입된 보형물의 타입에 상관없이 스무스 타입의 보형물로 교체하는 것이 구형구축의 재발률을 낮출 수 있다고 여겨진다.

1) 무세포동종진피(Acellular dermal matrix)의 사용

문헌에 따르면 동종진피(acellular dermal matrix)를 사용한 경우 구형구축의 재발률이 0-7% 정도라고 한다. 이러한 이유로 환자의 유방 조직이 너무 얇거나 밑 빠짐 현상(bottoming out)이 있을 경우, 무세포동종진피를 유방의 아래 부분을 해먹(hammock)처럼 삽입하여 지지의 역할을 해주거나, 보형물을 직접 싸서 삽입하는 수술하는 방법 등에 적용될 수 있다. 하지만 무세포동종진피에 싸여진 보형물이 삽입될 공간은 이미 피막제거술을 시행한 곳이어야 하며, 구형구축이 줄어드는 이유는 보형물이 사람의 면역 시스템과의 관계에서 단절이(antigen-free barrier between new implant and capsule reformation) 일어나기 때문이다.

5. 예방

유방확대 수술 후 재수술 시행의 가장 많은 원인을 차지 하는 것이 구형구축이라고 할 수 있기 때문에, 예방하는 것이 구형구축의 치료의 시작이라고 말하지 않을 수 없다. 구형구축의 발생에는 수많은 요인(표 5-7-1)들이 있기 때문에 수술 과정을 점검하여 문제의 발생 소지를 미연에 방지하여야 한다.

수술의 과정 중에 출혈을 일으킬 만한 요소가 있는지 세심하게 찾아 지혈을 해야 한다. 특히 perforator 혈관의 파열은 대량출혈을 일으키는 대표적인 요인이므로 미연에 충분히 전

표 5-7-1. 구형구축의 발생 요인들

- Infection
- Pocket contamination
- Hematoma/blood in implant pocket
- Seroma
- Silicone gel bleed
- Foreign material in pocket (talc, gauze)
- Implant surface
- Excessive implant size relative to soft tissues
- Trauma
- Failure of postoperative massage
- Delayed contamination – local, systemic
- Pocket location
- Implant type

기 소작(electrocauterization)을 하도록 한다. 또한 수술 후 발생하는 급작스럽게 유방이 부풀어 오르는 대부분의 출혈은 동맥혈관의 파열이다. 따라서 임상적인 경험의 판단 또는 초음파검사 등을 통하여 혈종이 있다고 진단이 되면 절개 부위를 열어 혈종을 모두 제거하고 출혈점을 찾아 소작을 하도록 한다. 이렇게 유방보형물 주위에 혈종이 남지 않아야 구형구축의 발생을 예방할 수 있다.

또한 감염을 예방하는 것이 중요하다. 특히 세균에 의해 발생되는 biofilm이 보형물의 표면에서 발생되면, 만성감염의 양상을 띠게 되며 구형구축을 발생시키는 큰 요인이 된다. Biofilm의 원인은 Staphylococcus epidermidis 등에 의한 세균성감염이다. 이를 예방하기 위하여 환자의 외적 또는 내적 감염의 요인을 항생제 사용 및 수술실의 환경 개선, 적절한 소독제의 사용으로 예방을 해야 한다. 특히 보형물을 삽입하기 전, 들어갈 공간을 항생제, 소독제 등으로 세척을 하고, 수술용 글러브를 교체한 후 보형물 삽입용 펀넬(funnel)을 이용하여 보형물을 삽입하도록 한다. 이는 보형물을 포장 상자에서 개봉한 후 환자에게 삽입될 때까지 환자의 피부 표면 및 수술포에 접촉되지 않게 하고 의료진에 의해 보형물이 직접적으로 만져지는 것을 최소화하는 일명 노터치방법(no touch technique)을 사용하여 감염을 위험을 최소화하는데 신경을 써야 한다.

역사적으로 유방보형물도 계속 변화 발전해 왔다. 특히 보형물 표면의 특성은 계속 변화해 왔고, 초창기 사용된 유방보형물의 표면은 스무스 타입이었으나 구형구축을 줄이고 수술한 유방의 변형을 줄이기 위해 텍스쳐드 보형물이 개발되어 오랫동안 사용해 왔었다. 물론 역형성대세포암(BIA-ALCL) 발생의 원인으로 지목되면서 현재는 사용되고 있지 않지만, 당시에는 구형구축의 확률을 줄인다고 알려지면서 활발하게 사용되었다. 하지만 텍스쳐드 보형물을 사용하지 않고 다시 스무스 타입의 보형물을 사용하는 최근의 상황을 보면, 스무스 보형물을 다시 활발하게 사용하여도 구형구축이 증가하지는 않는 것을 알 수 있다. 돌이켜보면 텍스처드 보형물이 구형구축을 현격하게 줄였는지 의문스러운 점들도 많다. 최근에는 표면거칠기(surface roughness)에 따른 보형물 분류 기준(ISO 14607:2018)으로 스무스 보형물에 속해 있는 일명 나노텍스처드 보형물의 사용이 각광을 받고 있다. Doloff J. 등 연구에 따르면 표면거칠기가 4 μm 정도의 표면을 가진 보형물에서 피막의 두께가 얇고 관련 유전자의 발현이 현저히 낮다고 언급하고 있어, 이러한 보형물의 사용이 구형구축 발생의 낮추는데 기여를 한다고 생각할 수 있다. 하지만 이러한 표면의 거칠기를 가진 보형물을 사용하는 것이 거칠기가 없는 고전적인 스무스 보형물을 사용할 때와 임성적으로 구형구축의 발생율에 유의미한 차이가 있는지는 좀 더 연구되어야 할 부분이다.

마지막으로 구형구축의 발생을 줄여 의료진과 환자 서로에게 만족할 만한 결과를 내는 지름길은 출혈과 감염 등 앞서 언급한 구형구축 발생의 중요한 요인들을 착실하게 줄여가며 수술하는 것이다.

☑ 참고문헌

1. Ajdic D, Zoghbi Y, Gerth D, Panthaki ZJ, Thaller S. The Relationship of Bacterial Biofilms and Capsular Contracture in Breast Implants. Aesthetic Surgery Journal 2016;36(3):297-309.

2. Bachour Y, Bargon CA, de Blok CJM, Ket JCF, Ritt M, Niessen FB. Risk factors for developing capsular contracture in women after breast implant surgery: A systematic review of the literature. J Plast Reconstr Aesthet Surg 2018;71(9):e29-e48.

3. Baker Jr JL. Augmentation mammaplasty. In: Owsley Jr JQ, Peterson RA, eds. Symposium on Aesthetic Surgery of the Breast. St Louis: Mosby; 1978.

4. Baker Jr JL. Classification of Spherical Contractures. Presented at the Aesthetic Breast Symposium, Scottsdale, Arizona; 1975.

5. Calobrace MB, Stevens WG, Capizzi PJ, Cohen R, Godinez T, Beckstrand M. Risk Factor Analysis for Capsular Contracture: A 10-Year Sientra Study Using Round, Smooth, and Textured Implants for Breast Augmentation. Plast Reconstr Surg 2018;141(4S Sientra Shaped and Round Cohesive Gel Implants):20S-28S.

6. Dancey A, Nassimizadeh A, Levick P. Capsular contracture - What are the risk factors? A 14 year series of 1400 consecutive augmentations. J Plast Reconstr Aesthet Surg 2012;65(2):213-8.

7. Doloff JC, Veiseh O, de Mezerville R, Sforza M, Perry TA, Haupt J, et al. The surface topography of silicone breast implants mediates the foreign body response in mice, rabbits and humans. Nat Biomed Eng 2021;5(10):1115-30.

8. Galdiero M, Larocca F, Iovene MR, Francesca M, Pieretti G, D'Oriano V, et al. Microbial Evaluation in Capsular Contracture of Breast Implants. Plast Reconstr Surg 2018;141(1):23-30.

9. Ganon S, Morinet S, Serror K, Mimoun M, Chaouat M, Boccara D. Epidemiology and Prevention of Breast Prosthesis Capsular Contracture Recurrence. Aesthetic Plast Surg 2021;45(1):15-23.

10. Gossner J. Sonography in capsular contracture after breast augmentation: value of established criteria, new techniques and directions for research. J Ultrasound 2017;20(1):87-9.

11. Headon H, Kasem A, Mokbel K. Capsular Contracture after Breast Augmentation: An Update for Clinical Practice. Arch Plast Surg. 2015;42(5):532-43.

12. Jick H, Hagberg KW, Egger P. Rate of suicide in patients taking montelukast. Pharmacotherapy 2009;29(2):165-6.

13. Kang SH, Bengtson BP, Heo CY. Various Properties of Silicone Breast Implant Surfaces and Multimodal Techniques for the Functional Surface Modification. Clin Plast Surg 2021;48(1):87-99.

유방보형물 변위의 처치

Management of Implant Malposition

이을성형외과 **임중혁**

유방보형물 변위(implant malposition)는 유방재수술(breast revisional surgery)의 가장 흔한 원인 중 하나이다. 지금까지 발표된 논문들에 의하면 평균적으로 primary augmentation 시 약 5%, secondary augmentation 시 약 10%의 발생률을 보이는 것으로 알려져 있다. 특히 BIA-ALCL (Breast Implant Associated-Anaplastic Large Cell Lymphoma)에 대해 널리 알려지고 2019년 Allergan 회사의 Biocell®textured implant가 미국과 한국에서 사용 금지된 이후, 보형물과 주변 조직의 tissue integration이 거의 없는 smooth 혹은 microtextured 보형물만을 사용하게 된 요즘 보형물 변위는 더욱 많은 주의를 요하는 부작용으로 자리 잡게 되었다. 이번 chapter에서는 보형물 변위의 종류, 보형물 변위에 영향을 미치는 요소들, 그리고 치료법에 대해 알아본다.

1. 보형물 변위(Implant malposition)의 정의와 종류

보형물 변위는 보형물이 정확하지 않은 곳에 위치함(incorrect position)을 의미한다. 여기서 정확한 위치란 유두와의 위치 관계, 흉곽 위에서의 위치 등의 관점에서 생각해볼 수 있을 것이다.

1) 하방변위(inferior malposition)

보형물 변위 중 가장 흔하다. 보형물 위치가 원래 있던 가슴밑주름(inframammary fold) 아래로 처진 상태이다. 흔히 'bottoming out'이나 'double-bubble deformity'의 형태로 나타나게 된다. 'Bottoming out'이란, 가슴밑 주름이 파괴되고(disrupt), lower pole support가 모자를 때 발생한다. 유두에서 가슴밑선까지의 거리가 길어진 형태를 띠게 되고, 'high-riding nipple'의 모양으로 나타난다.

'Double-bubble deformity'란 유방 lower pole에 2개의 평행한 주름이 잡히는 현상이다. 위쪽 주름은 원래 있던 가슴밑주름이고 아래쪽 주름은 보형물이 하강하여 형성하게 된 주름이다. 주로 constricted breast나 tubular breast deformity처럼 유두와 원래 있던 가슴밑주름 거리가 짧은 경우(short nipple to IMF) 잘 발생할 수 있다.

2) 내측변위(medial malposition)

보형물의 내측경계가 너무 가까운 상태이며, midsternal fascia가 손상되어 보형물이 흉곽 중심선을 넘어설 정도로 연접해 있는 경우는 'symmastia'라고 칭한다. 'Symmastia'는 흔하지는 않지만 교정하기 무척 어려운 경우에 속하며 재발도 흔하다.

3) 상방변위(superior malposition)

상방변위는 보형물이 원래 있어야 될 위치보다 머리쪽(cephalic)에 위치한 상태를 말하며, 'high-riding implant'라고도 불린다. 겨드랑이 절개로 내시경을 이용하지 않는 blunt dissection으로 subpectoral plane으로 수술하는 경우, 그리고 dual plane pocket으로 수술하다가 pectoralis major muscle이 완전히 절단되지 않은 경우 발생할 수 있다. 또한 적절히 수술된 경우라도 세월이 흘러 유방조직의 하수가 온 경우도 상방변위와 유사한 형태를 보이기도 한다.

4) 외측변위(lateral malposition)

외측으로 과박리(overdissection) 시 나타나며 특히 누웠을 때 더 뚜렷이 보이기도 한다. 'telemastia'라고 표현하기도 한다.

2. 보형물 변위(Implant malposition)의 원인 혹은 영향을 미치는 요소들

보형물 변위는 기본적으로 보형물이 유방조직 혹은 흉곽과의 관계에서 정확하지 않은 곳에 위치하는 것인 만큼, 보형물이 위치하는 방(pocket)이 적절하게 형성되지 않을 때 발생하게 된다. 즉, pocket이 과하게 박리되었거나 불충분하게 박리된 경우가 큰 원인을 차지한다.

보형물 변위에 영향을 끼치는 요소는 크게 환자 측면에서 영향을 끼치는 요소와, 수술을 진행하는 과정에서 발생할 수 있는 요소로 나눌 수 있다.

1) 환자측 요소(patient factors)

우선 환자의 흉곽의 형태가 보형물 변위에 영향을 끼치는 경우가 있다. 새가슴 변형(pectus carinatum)인 경우 외측으로 과박리가 동반된 경우 외측 변위가 올 가능성이 높아진다. 반대로 오목가슴(pectus excavatum)인 경우, 내측변위의 가능성이 높아진다. 오목가슴이 아니더라도 흉곽이 각이 진 경우(rectangular thorax), 지름이 큰 보형물을 사용하는 경우, 내측변위의 가능성이 높아진다.

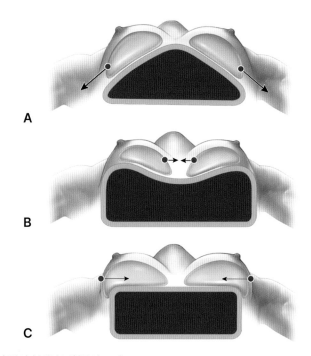

그림 5-8-1. 흉곽의 형태와 보형물의 크기(chest wall & implant size). **(A)** Pectus carinatum: 유방간거리(IMD)를 충분히 가깝게 하기 위해서는 흉곽쪽에 맞추어 충분한 지름의 보형물을 사용해야 한다. 이때 외측부의 fascial system의 손상을 최소화해야 외측변위를 막을 수 있다. **(B)** Pectus excavatum: 보형물의 지름이 흉곽폭보다 작고, 내측박리를 보수적으로 진행하여도 흉곽의 각도에 따라 보형물은 내측으로 이동하려는 경향을 띤다. **(C)** Rectangular chest: 흉곽폭보다 큰 보형물을 사용하는 경우, 외측박리를 충분히 해주어도 연부조직의 탄력에 의해 보형물을 내측으로 이동시키는 방향으로 작용한다.

흉곽의 하부쪽에 함몰이 있는 경우 하방변위의 가능성이 높아지는 양상을 보인다. 또한 가슴밑주름(inframammary fold)을 포함한 가슴조직 및 연부조직이 보형물 변위에 영향을 끼치기도 한다.

Tubular breast deformity나 constricted breast, 유두와 가슴밑주름이 짧은 경우 기존에 있는 가슴밑 주름의 위치를 내려야 하는 경우가 있다. 이때 기존 가슴밑주름이 과하게 손상된 경우 bottoming out의 가능성이 높아지며, 가슴밑주름에서의 superficial fascial system과 dermis 사이의 연결이 남아 있는 경우 double-bubble deformity의 가능성이 높아진다는 견해도 있다. 그 외에 체중변화, 임신, 노화에 따른 연부조직 위축이 보형물 변위에 영향을 끼치기도 한다.

2) 수술적 요소(surgical factors)

(1) 수술 시 피부절개(skin incision)의 선택

겨드랑이 절개(axillary incision)로 수술한 경우, 특히 내시경을 사용하지 않고 대흉근밑으로 방을 만드는 경우(total subpectorial pocket으로 수술하거나), 이중평면(dual plane pocket)으로 수술을 진행하여도 대흉근(pectoralis major muscle)이 적절히 절단이 안되는 경우, 상방변위의 가능성이 높아진다.

반대로 가슴밑주름절개(inframammary incision)의 경우, 가슴밑주름 부위의 해부학적 구조의 손상을 동반하기 때문에 하방변위의 가능성이 높아질 수 있다. 따라서 가슴밑주름 절개의 경우 수술 중 가슴밑주름을 복구해주는 것이 필요하다. 그러나 가슴밑주름절개가 겨드랑이절개나 유륜절개보다 보형물 변위의 발생률이 적다는 논문도 있다.

(2) Pocket의 선택

보형물 변위는 근육하(subpectoral), 근막하(subfascial), 유선하(subglandula), 이중평면(dual plane) 등 모든 pocket에서 발생가능하다. 특히 유선하 pocket의 경우, 보형물 변위의 발생률이 가장 높다는 보고가 있다. 반면 double-bubble deformity는 대흉근밑으로 보형물이 위치한 경우에 조금 더 많이 발생하는 것으로 알려져 있다. 내측변위의 경우, 근육하나 이중평면 pocket보다는 유선하 pocket에서 잘 발생한다고 알려져 있다.

(3) 보형물의 선택

우선 적절한 크기의 보형물을 선택하는 것이 중요하다. 지름이 너무 큰 보형물은 pocket의 해부학적 구조물을 손상시켜서 적절하지 않은 결과를 낳기 쉽다. 특히 오목가슴의 경우, 흉곽폭에 비해 큰 크기의 보형물을 사용하는 경우, 보형물 내측변위의 가능성이 상당히 높아진다. 또한 보형물 표면의 texturing 여부도 영향을 미친다. Textured surface/ 물방울형태의 /highly cohesive 실리콘 보형물이 smooth surface / 원형의 / 실리콘 보형물에 비해 보형물 변위의 발생률이 낮다는 논문이 있다.

여러가지 수술적 요소 중에 가장 중요한 것은 주변의 해부학적 조직의 손상을 최소화하는 정확한 pocket dissection이 가장 중요하다고 하겠다. 때로는 수술 중에 사용하는 sizer의 inflation이 과다한 경우 pocket의 overdissection을 유발하는 경우도 있기 때문에, sizer의 사용시에도 주의가 요구된다. 그 외 혈종(hematoma)이나 장액종(seroma)의 경우 보형물 변위를 유발할 수 있으며, 구형구축(capsular contracture)이 발생한 경우 보형물의 상방변위 양상을 보이는 경우가 많다.

3. 보형물 변위에 대한 처치
(Management of implant malposition)

보형물 변위의 처치는 크게 1) Existing pocket adjustment와 2) Pocket change 로 나눌 수가 있다. 이에 더해 ADM (Artificial Dermal Matrix)나 synthetic mesh, autologous dermal graft 등을 보조적으로 사용하기도 한다.

1) Existing pocket adjustment

(1) Capsulorrhaphy

1988년 Spear & Little이 처음 발표한 방법이다. Capsulorrhaphy를 한 반대 방향으로 mirror image capsulotomy를 해주는 경우도 있으며, symmastia의 경우 재발이 드물지 않다. 겨드랑이절개로 수술한 경우 내시경적으로도 수술이 가능하다 (endoscopy-assisted capsulorrhaphy).

(2) Thermal Capsulorrhaphy

2014년 Harris 외는 electraautery를 suture capsulorrhaphy 시행 전에 사용하였다. Cautery가 Suture 해주어야 할 면적을 줄여주고 capsule tissue를 두껍게 해줌으로써 suture가 좀 더 효과적으로 수행되게 도와준다.

그림 5-8-2. Endoscopy-assisted capsulorrhaphy

(3) Popcorn Capsulorrhaphy

Randquist에 의해 알려진 popcorn capsulorrhaphy는 2020년 Calobrace 외에 의해 발표되었다. Thermal capsulorrhaphy가 capsule에 electrocautery를 direct하게 apply했다면 popcorn capsulorrhaphy는 capsule를 집은 forceps에 전기를 가함으로써 full thickness injury를 주어 capsule을 두껍게 하고 보다 안정적으로 만든다. Pocket이 충분히 줄어들지 않을 때는 suture capsulorrhaphy를 추가적으로 적용하거나, 재발가능성이 높을 때는 ADM이나 mesh로 보강을 할 수 있다.

(4) Capsular flap

2001년 Voice와 Carlsen은 capsular flap을 이용하여 capsulorrhaphy를 보강하였다. Capsular flap의 장점은 비교적 간단하게 vascularized tissue sling을 만들어 줌으로써 capsulorrhaphy sutrure에 걸리는 무게를 덜 가게 해주는 점이다. Capsular flap은 anterior capsule 혹은 posterior capsule에서 일으킬 수 있고 내측변위, 하방변위, 외측변위 등에 두루 사용이 가능하다.

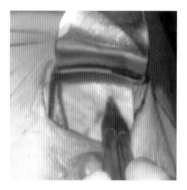

그림 5-8-3. Popcorn capsulorrhaphy

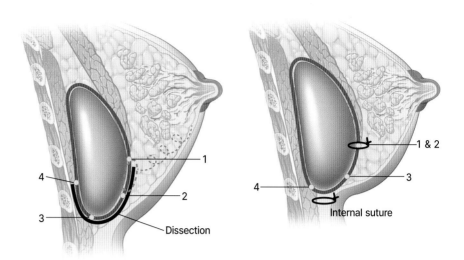

그림 5-8-4. Inferior malposition correction with capsular flap

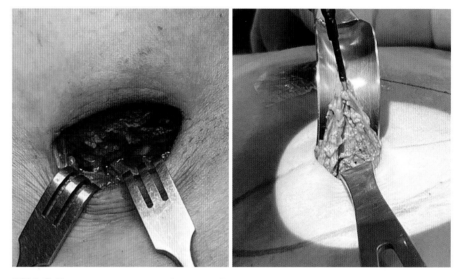

그림 5-8-5. Intraoperative view of capsular flap

단점으로는 사용되는 flap의 조직이 너무 약하고 양이 충분히 않은 경우가 많아서 일정한 결과를 얻지 못할 수도 있다는 것이다. Voice와 Calsen은 capsule이 얇은 경우와 steroid를 사용할 경우 충분한 결과를 얻지 못하였다고 보고하였다. 필요에 따라 ADM이나 synthetic mesh 혹은 autologous dermal graft가 도움이 될 수도 있다.

2) Pocket change

Pocket change의 장점은 문제가 발생한 pocket을 사용 안하고 정확한 dimension의 새 pocket을 만들 수 있다는 점이다. 필요에 따라 ADM이나 synthetic mesh 같은 재료로 보강을 해줄 수도 있다.

(1) Subpectoral → subglandular / subfascial

보형물 변위의 교정뿐만이 아니라 대흉근 수축에 의한 animation deformity의 교정효과도 누릴 수 있다. 단, 만족스러운 결과를 위해서는 보형물의 위쪽에 충분한 연부조직이 필요하다. Double-bubble deformity 시에는 원래 있는 가슴밑주름(native IMF)의 fascial와 dermis 사이의 조직을 유지하면서 subglandular / subfascial로 pocket change 하는게 좋은 결과를 얻었다는 보고도 있다.

(2) Subpectoral → dual plane

보형물이 subpectoral pocket에 있으면서 상방변위되어 있는 경우 dual plane pocket으로 변환해줌으로써 보형물의 위치를 정상화시킬 수 있다. 하방에 capsulotomy를 해주고, 절단되지 않은 대흉근의 muscle belly가 남아 있는 경우 이의 절단도 시행해주면 된다.

(3) Subpectoral → neosubpectoral

Pectoralis major muscle 밑과 기존에 있던 anterior capsule 사이로 새로운 pocket을 만드는 기술이다. Maxwell과 Gabriel이 2008년 처음 발표하였는데, bottoming out과 symmastia 환자에서 만족할 만한 결과를 얻었다고 발표하였다.

Double-bubble deformity 시 subglandular로 pocket change하기에 상부 연부조직이 충분하지 않은 경우에 neosubpectoral pocket으로 교체하고, capsulorrhaphy로 보형물의 inferior margin을 정하여 좋은 결과를 얻었다는 보고도 있다.

이번 방법의 장점은 capsulectomy 보다 덜 traumatic하고, 정확한 박리가 더 쉽고, 대흉근이 새 pocket 위에 위치하기 때문에 심부연부조직이 모자란 경우에도 rippling, implant palpability, implant edge visibility의 가능성을 줄일 수 있다. 반면, capsule이 매우 thin한 경우 섬세한 박리가 요구된다.

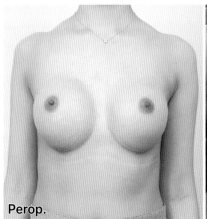
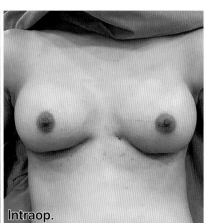
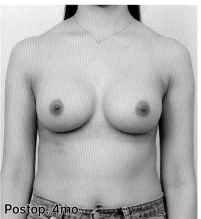

Perop. / Intraop. / Postop. 4mo.

그림 5-8-6. 31세 여성 환자. 반복된 양측 하방변위(inferior malposition). 가슴밑선절개로 기존의 보형물 사용. 가슴밑선은 3.5 cm (L), 4.0 cm (R) 상승, capsular flap + capsulorrhaphy 사용.

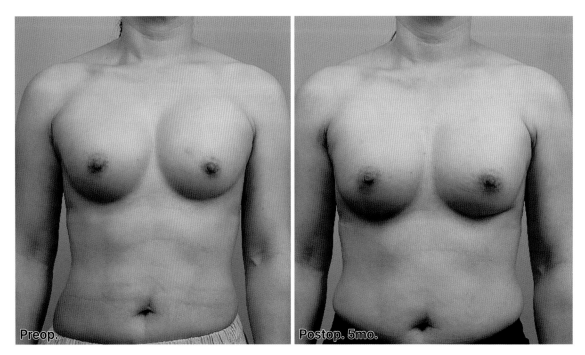

그림 5-8-7. 54세 여성 환자. 양측 상방변위(superior malposition). 내시경을 이용한 겨드랑이 절개로 가슴밑선 하강(양측 각 1.0 cm). Capsulotomy + 같은 볼륨의 좁고 돌출도 높은 보형물로 교체

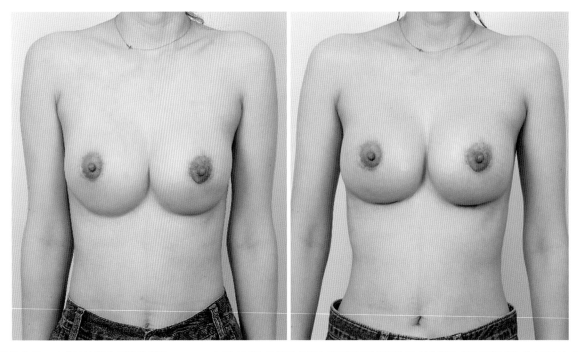

그림 5-8-8. 45세 여성 환자. 유방의 변형, symmastia의 교정을 원하며 더 큰 보형물로 교체 원함. 가슴밑선 절개를 통해 좌우 가슴밑선 높이차이 교정. Symmastia는 Thermal Capsulorrhaphy + mirror image capsulotomy 시행. 보형물은 돌출도가 높은 보형물로 교체

✅ 참고문헌

1. Bayati S, Seckel BR. Inframammary crease ligament. Plast Reconstr Surg 1995;95(3):501-8.

2. Brown MH, Somogyi RB, Aggarwal S. Secondary breast augmentation. Plast Reconstr Surg 2016;138(01):119e-135e

3. Chopra K, Gowda AU, Kwon E, Eagan M, Grant Stevens W. Techniques to repair implant malposition after breast augmentation: a review. Aesthet Surg J 2016;36(06):660-71.

4. Frame J. The waterfall effect in breast augmentation. Gland Surg 2017;6(02):193-202.

5. Fisher J, Handel N. Problems in Breast Surgery: A Repair Manual. Leipzig: Thieme; 2014. p. 329-34.

6. Handel N. The double-bubble deformity: cause, prevention, and treatment. Plast Reconstr Surg 2013;132(6):1434-43.

7. Harris R, Raphael P, Harris SW. Thermal capsulorrhaphy: a modified technique for breast pocket revision. Aesthet Surg J 2014;34(7):1041-9.

8. Hidalgo DA, Spector JA. Breast augmentation. Plast Reconstr Surg 2014;133(04):567e-583e.

9. Kolker AR, Austen WG Jr, Slavin SA. Endoscopic-assisted transaxillary breast augmentation: minimizing complications and maximizing results with improvements in patient selection and technique. Ann Plast Surg 2010;64(05):667-73.

10. Maxwell GP, Birchenough SA, Gabriel A. Efficacy of neopectoral pocket in revisionary breast surgery. Aesthet Surg J 2009;29(5):379-85.

11. Maxwell GP, Van Natta BW, Bengtson BP, Murphy DK. Ten-year results from the Natrelle 410 anatomical form-stable silicone breast implant core study. Aesthet Surg J 2015;35(02):145-55.

12. Maxwell GP, Gabriel A. The neopectoral pocket in revisionary breast surgery. Aesthet Surg J 2008;28(4):463-7.

13. McGuire P, Reisman NR, Murphy DK. Risk factor analysis for capsular contracture, malposition, and late seroma in subjects receiving Natrelle 410 form-stable silicone breast implants. Plast Reconstr Surg 2017;139(01):1-9.

14. Namnoum JD, Largent J, Kaplan HM, Oefelein MG, Brown MH. Primary breast augmentation clinical trial outcomes stratified by surgical incision, anatomical placement and implant device type. J Plast Reconstr Aesthet Surg 2013;66(09):1165-72.

15. Salgarello M, Visconti G. Staying out of double-bubble and bottoming-out deformities in dualplane breast augmentation: anatomical and clinical study. Aesthetic Plast Surg 2017;41(05):999-1006.

16. Spear SL, Little JW 3rd. Breast capsulorrhaphy. Plast Reconstr Surg 1988;81(02):274-9.

17. Spear SL, Murphy DK, Slicton A, Walker PSInamed Silicone Breast Implant U.S. Study Group. Inamed silicone breast implant core study results at 6 years. Plast Reconstr Surg 2007;120(07, Suppl 1):8S-16S.

18. van Straalen WR, Hage JJ, Bloemena E. The inframammary ligament: myth or reality? Ann Plast Surg 1995;35 (3):237-41.

19. Voice SD, Carlsen LN. Using a capsular flap to correct breast implant malposition. Aesthet Surg J 2001;21(05):441-4.

CHAPTER

9

Breast : Aesthetic Surgery >> **SECTION 5. Augmentation mammoplasty**

보형물 주위 감염 및 이물질

Management of infection, foreign body

나나 성형외과 **황동연**

1. 보형물 주위 감염

1) 서론

미용 및 재건 목적의 가슴 성형 후 보형물 주위에 발생하는 감염은 드물게 발생하지만 적절한 진단과 치료에 따라 예후가 달라지는 까다로운 합병증의 하나이다. 수술 술기의 개선과 항생제의 발달에도 불구하고 가슴 보형물 주위 감염은 주요한 합병증의 하나로 내과적, 외과적 치료를 병합하여 접근하여야 하는 경우가 많으며, 경우에 따라 장기간 치료가 필요로 하기도 한다. 따라서 이에 대한 이해와 함께 수술 중의 오염에 대한 철저한 관리와 수술 전, 후 항생제 투여 등 감염을 줄이려는 노력이 무엇보다 중요할 것이다.

2) 원인

(1) 역학 및 발생빈도

무균 상태에서 가슴 보형물을 삽입하기 위하여 임상에서 수많은 노력을 기울임에도 불구하고 유즙(breast milk), 유관 및 피부 상재균 등에 의해 수술 중 보형물이 오염될 가능성이 존재한다. 가슴 보형물의 표면 텍스처 타입과는 무관하게 이러한 오염으로 인하여 보형물 표면에 세균이 쉽게 옮겨질 수 있다. 보형물 표면에 옮겨진 세균은 보형물 표면에 바이오 필름을 형성하고 증식하면서 보형물 주위에 염증 반응을 유발할 수 있다.

이러한 염증 반응이 만성적으로 진행되는 경우 구형구축의 주요 원인으로 알려져 있으며, 경우에 따라 보형물 주위 급성 감염으로 진행되기도 한다.

가슴 보형물 삽입 후 감염의 발생율은 미용 목적의 1차 가슴확대의 경우 0.3–2.9%로 보고되고 있다. 이 중 급성 감염(acute infection)은 1.7%, 지연성 감염(late infection)은 0.8%의 빈도로 발생하고 있으며, 가슴 재건수술의 경우 미용 목적의 수술보다 높게 나타나 평균 5.8% 의 빈도로 발생하나 일부에서는 29%까지 발생하는 것으로 보고된 바 있다.

(2) 위험인자

가슴 보형물 수술에서 수술 후 감염의 발생을 증가시키는 여러 위험 인자가 알려져 있으며 이를 수술 전, 후에 따른 요소로 나누어 구분해볼 수 있다.

수술 전 위험 인자로는 보조 화학 요법, 방사선 치료, 당뇨, 흡연, 유륜절개법, 비만 (BMI > 30), 유방의 크기 등이 알려져 있다. 그러나 최근에는 당뇨, 흡연, 비만은 수술 후 감염률 증가에 있어 통계학적 유의성이 부족한 것으로 보고되고 있다.

수술 중 위험 인자는 유륜절개 및 이에 의한 유관내 상재균의 오염, 액와부 림프절 절제, 재건 목적의 보형물 삽입 등이 있다. 재건 목적의 보형물 삽입 수술에서 더 높은 감염률을 보이는데, 이는 환자의 전신 상태, 조직 혈류, 수술시간 및 보형물 노출시간 등의 차이에 기인한다.

수술 후 위험 인자는 장액종, 혈종, 수술 후 화학요법, 외상, 유두 피어싱 등이 있다. 이 중 장액종, 혈종의 발생은 세균 배양의 배지로 작용하여 급성 감염의 발생 빈도를 높인다.

이러한 여러 요인 중 무엇보다 가장 중요한 큰 영향을 미치는 인자는 환자의 전신 상태 및 수술적 술기이다. 따라서, 수술 전 환자 상태 대한 충분한 체크와 함께 수술 시에는 감염 가능성을 줄이기 위하여 다양한 노력을 기울여야 할 것이다.

(3) 상재균

유선 및 유관 내에는 상재균이 존재하며 유선 및 유관은 피부 표면과 연결되어 있기에 그 구성에 있어 피부 상재균과 유사하다. 유즙을 세균 배양하는 경우 발견되는 균주는 *Staphylococcus epidermidis* 67%, *Bacillus subtilis* 8%, *Diphteroids* 8% 빈도로 발견된다. 혐기성 세균이 발견되는 경우는 흔치 않으나 이 중에는 Propioni bacterium acnes가 가장 많이 검출된다.

(4) 원인

감염의 경로는 여러가지 원인이 있을 수 있으나 가장 많은 것은 수술 중 세균에 오염된 보형물이 삽입되는 것으로 수술 중 환자의 피부 및 유관 상재균에 의한 오염이 가장 많은 빈도를 차지하는 것으로 알려져 있다. 이 외에도 전신적 감염, 치과 치료, 외상, 피부 염증 등에 의한 2차 감염에 의하여 보형물 주위 감염이 발생된다.

호기성 세균, 혐기성 세균, 마이코박테리움 및 진균류 등 모든 균주가 보형물 주위 감염의 원인이 될 수 있으나 대부분의 감염은 소수의 몇몇 균주들에 의한다. 가장 많이 알려진 원인균으로는 *Staphylococcus aureus*와 CNS로 전체 보형물 감염의 37–68%에서 발견되어 가장 흔한 원인균으로 알려져 있으며, *Pseudomonas aeruginosa*를 포함한 gram negative bacteria는 많지 않은 것으로 보고되고 있다.

염증 소견이 있는 경우 보형물 주위 세균 배양 시 *S. aureus*가 53%로 가장 많이 검출되는 균주였으며, CNS와 enterococci가 그 뒤를 이었다. 반면에 염증 소견이 없는 상태에서 보형물 주위 세균 배양 시 세균이 검출되는 경우에는 CNS가 가장 많이 검출되었으며 *Propioni bacteria*와 *S. aureus*가 그 뒤를 이어 염증 소견이 있는 경우와 없는 경우 발견되는 균주가 다소 다른 것으로 알려져 있다.

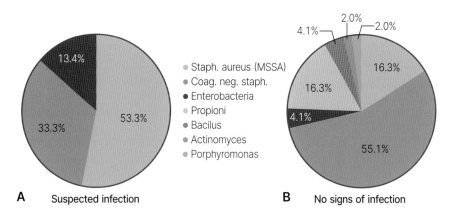

그림 5-9-1. **(A)** 감염소견이 있는 경우 배양되는 균주, **(B)** 감염소견이 없는 경우 배양되는 균주

3) 병리

(1) 급성 감염(acute infection)

급성 감염은 보형물 주위 감염의 가장 흔한 형태로 평균적으로 수술 후 10-12일에 증상이 나타나며 대부분의 경우 1-6주 사이에 시작된다. 증상으로 발열, 통증, 피부발적, 편측 가슴의 부종 등 전형적인 염증 증상이 관찰되는 경우가 대부분이다.

급성 감염의 일반적인 증상 외에 설사, 근육통, 피부 발진 등의 전신적 증상이 동반되는 경우, 독성쇼크증후군(toxic shock syndrome)을 의심하여야 한다. 독성쇼크증후군은 생명을 위협하는 합병증의 하나로, 보형물 삽입 후 12-24시간 내에 증상이 시작된다. 수술 부위에는 일반적인 염증 증상이 없는 경우가 많으며 38.9℃ 이상의 높은 고열, 근육통, 구토, 설사 등의 전신 증상이 나타난다. 적절한 치료가 이루어지지 않는 경우 호흡곤란(respiratory distress), 저혈압, 응고장애를 동반한 다발성 장기 부전으로 진행될 수 있다. 따라서 이에 대해 의심이 되는 경우 즉각적인 양측 가슴의 보형물 제거와 함께 항생제 치료를 시작하여야 한다.

(2) 지연성 감염(late infection)

지연성 감염은 수술 후 수개월에서 수년이 지난 후에 감염이 발생하는 것을 의미하며, 급성 감염에 비하여 경미한 증상을 나타내는 경우가 많다. 지연성 감염을 의심할 수 있는 증상으로 약한 열감 및 발적, 전신 쇠약감, 피로감, 보형물 위치 이동 등이 있다.

지연성 감염의 주요한 원인으로 혈류를 통한 세균의 이동이 알려져 있으며 세균 이동 및 부착에 따라 보형물 삽입 후 오랜 시간이 지난 후에도 보형물 주위 감염이 발생할 수 있다. 증상은 급성 감염과는 달리 양측 유방에서 증상을 보이는 경우가 다수 있다. 따라서 가슴 보형물을 삽입한 상태에서 균혈증을 유발할 수 있는 침습적 처치를 하는 경우에는 예방적 항생제 투여를 반드시 하여야 할 것이다.

(3) 희귀 감염

비정형성 마이코박테리움(atypical mycobacterium)에 의한 감염은 급성 및 지연성 감염의 증상을 모두 나타낼 수 있다. 가슴 확대 수술 후 0.013%의 빈도로 발생하는 것으로 알려져 있으나, 실제로 진단에 이르지 못한 것을 감안하면 실제로는 이보다 높은 빈도를 가질 것으로 예상된다. 증상은 수술 후 2주에서 1년 후 나타나는 경우가 많으며, 증상으로 가슴의 발적과 부종은 동반되나 일반적인 보형물 주위 감염에서 흔하게 보이는 발열 등의 전신 증상은 흔하지 않아 약 10%에서만 나타난다. 원인 균주의 60-80%는 *M. fortuitum* 등의 RGM (rapidly growing mycobacterium)이 차지하며 *M. chelonae, M. abscessus* 등이 그 뒤를 잇는다. 일반적 균 배양검사에서 음성으로 나타나면서 감염의 전형적인 증상을 보이지 않는 경우 마이코박테리움 감염을 의심하여 Ziehl-Neelsen staining 및 mycobacterial culture를 고려하여야 한다.

진균류에 의한 감염은 매우 드물며, 면역억제 환자 등에서 주로 나타나고 대부분 지연성 감염으로 발생한다. 원인 균주로는 *Trichosporon, Aspergillus flavus, Candida albicans* 등이 알려져 있다.

4) 진단

(1) 진단 및 임상소견

보형물 주위 감염에 대한 진단은 일반적으로 임상 증상에 의하여 이루어지며 발적, 부종, 통증, 발열의 증상을 동반하는 경우 보형물 주위 감염을 진단할 수 있다. 그 외 화농성 분비물, 상처의 벌어짐, 흉부 홍반 또는 장액종 등의 증상이 있는 경우 보형물 주위 감염을 의심할 수 있다.

지연성 감염 또는 희귀 감염의 경우 비특이적인 다양한 증상을 나타내는 경우가 많다. 보형물 삽입 부위의 통증 및 불편감을 호소하는 경우가 많고, 발적이 대부분의 경우에 동반된다. 발열이 일반적으로 동반되나 항상 동반되는 것은 아니어서 적절한 진단에 이르지 못할 수 있으므로 주의 깊은 관찰을 요한다.

(2) 검사

대부분의 경우 혈액 검사 상 백혈구 증가(leukocytosis), CRP 상승 등이 관찰되나 감염 초기 또는 무증상 감염(subclinical infection)에서는 정상 수치를 나타내기도 하여 병리검사는 감염의 13%에서만 진단에 도움이 된다. 초음파 검사를 시행함으로써 보형물 주위 액체(fluid collection)를 확인하는 것이 진단에 도움이 될 수 있으며 초음파 유도 배액을 통하여 검사를 진행하는 것이 감염 진단과 항생제 감수성 검사에 도움이 된다.

5) 예방

(1) 수술 전 준비

보형물 감염의 가장 주요한 감염원은 환자의 피부 및 절개 부위이므로 수술 준비 과정에서 이에 대하여 철저히 관리하여야 한다. 수술 필드에 대한 스크럽시 클로르헥시딘(chlorhexidine) 용액을 이용하는 경우 감염 가능성을 낮추어 줄 수 있다는 보고가 있으나 아직 통계적 유의성이 부족하며, 수술 전 클로르헥시딘, 포디돈요오드액, 알코올 등을 적절하게 이용하여 수술 부위에 대한 소독을 해야 할 것이다.

수술 전 항생제 투여는 대부분의 문헌에서 미용 및 재건 목적의 가슴 보형물 삽입 수술 모두에서 보형물 주위 감염 발생 빈도를 낮추는 것으로 알려져 있다. 투약 횟수와 기간을 비교한 결과 수술 전 1회 투약에 비하여 수술 전 후의 지속적 투여가 감염률을 낮추는데 유의미한 효과는 보이지 않아 술 전 1회 권장한다. 마취 유도와 함께 항생제를 1회 정맥 투약하며, 수술 시간이 3시간이 넘는 경우 수술 중 추가적으로 투약한다. 약제는 세파졸린(cefazolin) 등 1세대 또는 2세대 세파계열 항생제(cephalosporin)를 사용하며, 환자가 베타-락탐(beta lactam) 계열의 항생제에 알러지가 있는 경우 클린다마이신(clindamycin)을 사용하도록 한다.

그 외 수술 전 MSSA 및 MRSA에 대한 스크리닝(screening)과 함께 치료를 진행하는 것이 가슴 재건 수술에 있어 감염 가능성을 줄여준다는 보고가 일부 있다.

(2) 수술 중 예방

니플 쉴드에 대한 균배양 검사 시 33−34.9%에서 세균이 배양되는 것으로 여러 문헌에서 보고된 바 있다. 따라서, 수술 준비 시 절개부위와 상관없이 유륜 부위에 니플 쉴드를 부착하여 수술 중 유즙 및 상재균에 의하여 수술 필드가 오염되는 것을 예방해야 한다.

여러 문헌에서 수술 장갑(surgical glove)을 2겹 착용하는 것이 1겹 착용에 따른 천공이 발생하는 빈도를 줄여주는 것으로 보여주고 있어 수술 장갑을 2겹 착용하는 것이 감염 예방에 도움이 될 수 있다. 수술 장갑은 2겹으로 착용하고 수술시간이 90분이 초과하는 경우 및 보형물을 다루기 전에 바깥쪽 글러브를 교체하는 것을 추천한다.

유륜주위 절개법(periareolar incision) 수술 중에는 유선 조직을 관통하는 박리는 가능한 최소한으로 하여 유관 내에 존재하는 상재균에 의한 오염을 줄여야 한다. 혈종의 예방을 위한 철저한 지혈과 함께 조직 허혈을 감소시키기 위한 여러 노력을 기울여야 할 것이다.

보형물 삽입 전 포켓을 세척하는 것은 수술 후 감염 및 구형구축의 빈도를 낮추는 것으로 알려져있다. 세척시 사용하는 용액의 구성에 대해서는 여전히 논의가 여전히 진행 중이나 삼중 항생제(triple antibiotic) 용액, 50% 포비딘-이오다인 용액을 이용하여 세척하는 것은 수술 후 감염을 낮출 수 있는 방법 중의 하나이다.

(3) 기타

수술실에 대한 철저한 관리 또한 수술 후 보형물 주위 감염의 빈도를 줄이는데 반드시 필요할 것이다. 통계적 유의성은 부족하나 수술실 내의 공기흐름에 대하여 라미나플로우(laminar air flow)시스템을 구축하는 것이 감염의 빈도를 낮추는 데 도움이 될 수 있으며, 이와 함께 수술 중 의료진 및 보조 인력의 이동에 대해 관리를 함으로써 공기를 통한 세균 감염의 가능성을 낮추어야 한다.

6) 치료

(1) 기본

감염이 의심되는 경우 즉시 경험적 항생제 치료를 시작하여야 한다. 가능하다면 보형물 주위 체액에 대한 항생제 감수성 검사를 함께 시행하는 것이 좋으며, 검사 결과에 따라 균주 특이적인 항생제로 변경한다. 항생제 투여 후 초기 염증 반응이 호전됨을 관찰하며 증상이 호전되는 경우 2주간의 약물 치료를 시행하나, 증상이 지속되거나 악화되는 경우 수술적 접근을 계획하여야 한다.

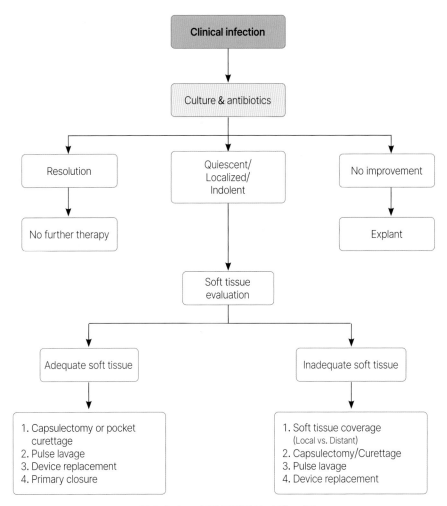

그림 5-9-2. 보형물 주위 감염 시 알고리즘

(2) 항생제 치료

가슴 보형물 주위 감염이 의심되는 경우 적극적인 항생제 투여가 필수적이다. 감염의 임상 징후가 명확하고 보형물이 체외로 노출되는 등 화농성 감염인 경우에는 항생제 단독 투여로는 치료 성공 가능성이 낮으나, 일반적인 경우 감염 발생 초기에 항생제 투여가 적절히 이루어진다면 좋은 결과를 얻을 수 있다. 염증의 증상이 심하지 않고 항생제 선택이 적절하게 이루어진 경우 수술적 접근 없이 항생제 단독 투여만으로 11–51%의 치료 성공률을 나타내는 것으로 보고되고 있다.

항생제 투여 시에는 균주에 맞는 적절한 항생제 선택을 하여야 성공적으로 감염을 억제할 가능성이 높아지므로 균주에 대한 예측을 바탕으로 항생제 선택이 되어야 한다. 경험적 항생제를 우선적으로 투여하며, 균 배양 및 항생제 감수성 검사 결과에 따라 가장 효과적인 항생제로 변경하여야 한다. 보형물 주위 감염의 주요 균주는 Gram positive 균주이므로 이에 효과적으로 대응할 수 있는 항생제가 기본이 되어야 한다. Gram negative 균에 의한 감염 또한 배제할 수 없으므로 이를 감안하여 항생제를 선택한다.

전통적으로 cefazolin이 *S. epidermidis* 등 CNS 및 *S. aureus*에 효과적인 항생제로 여겨져 왔으나 일부 문헌에서는 70%에 달하는 내성율로 인하여 감염에 대한 치료 효과가 감소하는 것으로 보고된 바 있다. Weichman 외는 보형물 주위 감염에서 vancomycin 투여할 것을 권장하였다. Lohmeyer 외 역시 Vancomycin이 어떤 내성도 없이 모든 균주에 효과가 있었던 유일한 항생제로, 80% 이상의 치료 효과를 나타내었음을 보고한 바 있다. Gram negative 균주에 대해서는 gentamicin과 cefepime의 항생제 사용을 추천하고 있으며 Cohen 외에 의하면 보형물 주위 감염 시 이 항생제는 모든 gram negative 균주에 대해 효과를 보였다고 보고한 바 있다.

따라서 보형물 주위 감염 소견이 명확하고 급성 감염 진단이 이루어진 경우 초기 경험적 항생제 투여로써 vancomycin과 gentamicin을 병행하여 2주간 정맥 투여하여야 하며, 균 배양 및 항생제 감수성 결과에 따라 추후 항생제를 변경할 것을 추천한다.

명확한 염증 증상 없이 국소 발적 등의 경미한 소견만 있는 경우 cefazolin과 gentamicin을 사용한 경구 항생제를 처방한다. 2일 후 재평가 시 개선이 있는 경우 2주간 경구 투약을 지속하나, 증상이 개선되지 않거나 악화되는 경우 vancomycin과 gentamicin의 병행 투여를 하여야 한다.

(3) 수술적 접근

보형물 주위 감염 시 항생제 투여로 증상의 호전이 없는 경우 수술적 접근을 시도하는 것이 필요하다. 수술적 방법으로는 보형물 제거 후 2차 삽입법과 보형물을 유지하는 수술법으로 나눌 수 있다. 수술법의 선택은 감염의 경중도와 더불어 의사의 치료법 선호도, 환자의 수술에 대한 적극성 등에 따라 달라질 수 있다.

보형물 제거 및 2차 삽입법은 일차적으로 보형물을 제거하고 감염 치료가 완료된 후 2차적으로 보형물을 재삽입하는 방법으로써 보형물 주위 감염에 대한 수술적 접근 시 전통적으로 가장 많이 시행되는 방법이다. 항생제 치료에 반응하지 않는 경우 수술적으로 감염된 보형물을 제거하며, 3-6개월 후 감염의 증상이 완전히 소실되면 보형물을 재삽입한다. 보형물 제거 시 감염된 보형물 제거와 함께 보형물이 삽입되었던 공간 주위의 죽은 조직(necrotic tissue)을 제거하고 생리식염수를 이용하여 보형물 포켓에 대하여 충분한 세척을 함으로써 감염 조직을 적극적으로 제거해야 한다. 재삽입 시기는 조직의 반흔 형성의 정도에 따라 차이는 있으나 평균적으로 보형물 제거 후 6개월에 시행하며, 이러한 경우 95%의 감염 치료 성공률을 나타낸다. 수술이 간단하고 감염 치료 성공률은 높으나, 이차 수술의 필요성과 함께 보형물 제거 시기에 가슴의 수축, 반흔 반응, 환자의 심리적 상실감 등이 동반될 수 있는 단점이 있다. 또한 보형물 제거 및 치료에 동반되는 환자의 신체적, 심리적 스트레스로 인하여 최종적으로 보형물을 실제 재삽입하는 빈도는 미용적 목적에서 39%, 재건 목적 수술에서 37%로 상당히 낮게 나타난다.

보형물 보존 수술법(implant salvage surgery)은 보형물 제거 후 치료에 따른 단점을 보완하기 위하여 최근들어 다양하게 시도되고 있다. 보형물 보존 수술은 세부적인 방법 차이는 있으나 대부분 기존 감염된 보형물을 제거하면서 기존 보형물 주위의 감염 조직을 적극적으로 제거하고 곧바로 새로운 보형물을 삽입하는 방법이다. 적극적인 소파술(aggressive curettage) 및 조직 절제술(debridement)을 시행함으로써 감염된 연부 조직을 최대한 제거하며, 캡슐이 확인되는 경우 세균 수를 줄이기 위하여 오염된 캡슐을 제거한다. 감염된 조직을 제거한 후에는 다량의 생리식염수, 베타딘 용액 및 항생제 용액 등을 이용하여 포켓을 철저히 세척하여야 한다. 이때 펄스 세척(pulse lavage) 등을 활용하면 도움이 된다. 마지막으로 세척된 깨끗한 포켓을 형성한 후 보형물 주위 조직에 과도하게 긴장이 가해지지 않는 것을 확인한 후 새로운 보형물을 삽입한다. 추가적으로 보형물 삽입 시 보형물 주위에 항생제 함유 PMMA 삽입 등을 동반하여 좋은 결과를 얻은 보고가 있다. 보형물 보존의 수술적 접근 방식은 보고에 따라 차이는 있으나 62-94%의 성공률을 보이는 것으로 보고되고 있다.

2. 가슴 이물질 주입

1) 서론

가슴에 이물질을 주입함으로써 가슴의 볼륨을 인위적인 방법으로 주입하여 좀 더 풍만하고 매력적인 아름다운 가슴을 얻으려는 노력은 오래 전부터 시행되었다. 1899년 Gersuny는 파라핀을 가슴의 피하지방층에 주입하였으며 이후에도 꾸준히 여러가지 이물질 주사가 시도되어 바셀린, 에폭시 레진, 밀랍 등 다양한 물질 등이 가슴에 직접적으로 주입되는데 사용되었다. 1950년대 초에는 액상 실리콘을 직접 주입하는 방식 등이 흔하게 시행되었으며, 가장 최근에는 HA 및 PAAG 필러를 주입 사용함으로써 보형물을 사용하지 않는 가슴 확대의 방법으로 시행되고 있다. 이 중 HA 필러 외에는 예상치 못한 부작용을 초래하여 현재는 대부분 사용이 금지되었다.

적절한 연구 및 효과에 검증 없이 사용된 대부분의 이물질 주입은 미용적 개선의 효과가 제한적일 뿐 아니라 대다수에서 예상하지 못한 부작용들을 동반하게 된다. 또한 이물질 주입과 관련된 부작용은 치료가 어렵고 치료된 이후에도 만성염증, 반흔 및 구축, 유방소실 등 돌이키기 어려운 후유증을 유발할 수 있어 이에 대한 깊은 이해가 필요할 것이다.

2) PAAG

(1) 서론

　　PAAG (polyacrylamide hydrogel)은 acrylamide와 methacrylamide로 구성된 중합체로, 물에 녹는 성질(water soluble)을 가지고 있는 생체 비분해성 필러이다. Interfall, Amagingel, Aquagel 등의 상품명으로 러시아, 중국 등의 국가에서 승인을 받은 후 2000년대 들어 매우 활발하게 사용되어 왔으며 10년간 중국에서만 약 200,000명 이상의 환자가 주입을 받은 것으로 알려져 있다. 주입 후 여러 합병증의 발병이 보고되어 현재는 중국, 러시아 등 대부분 국가에서는 사용 허가를 철회한 상태이나 여전히 일부 국가에서는 암암리에 주입이 이루어지고 있다.

(2) 합병증

　　주입 후 약 18%의 환자에서 다양한 합병증을 동반하는 것으로 보고되어 있다. 수술 직후 합병증과 연관된 증상을 나타내는 경우는 흔치 않으며 대부분 주입 후 수년이 지나서 증상이 나타나기 시작하며, 늦게는 주입 10년 넘어서 증상이 시작되는 경우가 흔하다. 가장 흔한 합병증은 종괴 형성이며 이 외에도 통증, 체내 이동, 피부 경화, 감염, 패혈증 등 다양한 합병증이 보고되고 있다.

　　여러 합병증 중 체내 이동은 PAAG가 다른 이물질에 비하여 흔하게 보고되는데, 이는 PAAG가 친수성이면서 입자의 크기가 작고 수분 함유량에 따라 물성의 변화하는 특성을 갖고 있어 다른 부위로의 이동이 쉽게 되기 때문이다. 중력과 근육 움직임의 영향을 받아 복부, 등, 회음부 및 대퇴부까지 이동하는 사례가 여럿 보고되었다. 체내 이동이 발생하는 경우 가슴 밑선의 비대칭을 유발하는 등 전체적인 가슴 모양 변화를 유발하며, 주입 부위에서 먼 곳에 종괴가 형성되고 신체 비대칭을 유발하기도 한다. 주입된 층으로부터 피하층으로의 이동 또한 쉽게 발생하며 이러한 경우 필러 주위 연부조직 감염을 동반하게 될 가능성이 높으며 누공을 형성하기도 한다. 이 외에도 최초에 주입된 층이 너무 얕거나 피하층으로 이동한 경우 지속적으로 피부 및 주위 연부조직에 만성적인 염증 반응을 유발함으로써 피부 경화를 포함한 광범위한 섬유성 조직의 증식을 유발하기도 한다.

　　최근에는 주입부위에서 발병한 유방암의 사례가 보고된 바 있으며 WHO에서는 PAAG를 발암의심물질로 분류하고 있다. PAAG는 주입 후 시간 경과에 따라 체액 및 다양한 체내 효소 등에 의하여 acrylamide 단량체(monomer)로 분해되며 이 단량체가 신경계 및 생식계에 독성을 가질 뿐 아니라 암을 유발할 수 있다.

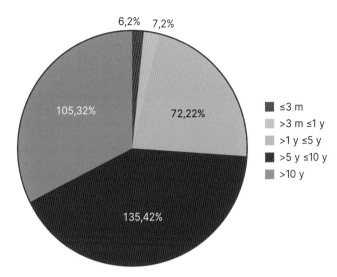

그림 5-9-3. PAAG를 주입부터 합병증 연관 증상이 나타나기까지의 기간

(2) 치료

치료는 PAAG의 주입 및 침투 범위에 따라 달라진다.

주위 조직으로의 침투 없이 유선조직 하에 덩어리로 뭉쳐서 관찰되는 경우는 필러를 쉽게 제거할 수 있다. 캡슐 형성이 두꺼운 경우는 캡슐까지 함께 제거하는 것을 추천하며, 필러 제거 후 필요시 보형물을 삽입할 수 있다. 보형물을 동시에 삽입하는 경우 기존 필러가 주입되지 않은 층에 삽입하는 것을 추천한다. 필러 제거 시 대흉근 하층까지 광범위하게 필러가 침투되어 있거나 주위 조직에 염증 소견이 동반된 경우 일차적으로 필러를 제거한 뒤 수개월 후 이차 삽입하는 것을 고려하여야 한다.

그림 5-9-4. 제거된 PAAG

유선조직 및 대흉근 내 산발적으로 위치한 경우에는 조직 사이 사이에 여러 개의 공동을 형성한 경우가 많아 수술 시 이를 고려하며 최대한 제거하기 위한 노력을 기울여야 할 것이다. 적극적인 소파술과 함께 다량의 식염수 세척을 통하여 최대한의 필러를 제거해야 한다. PAAG는 친수성이기 때문에 생리식염수 세척 시 점도가 낮아짐에 따라 다량의 생리식염수 세척을 한 이후 필러 침투 부위를 마사지 및 압착하고 흡입하는 방법으로 효과적으로 제거할 수 있다.

필러 제거 시 주위 조직에 종괴 형성이 동반된 경우에는 필러 제거와 함께 종괴에 대한 완전 절제를 시행해야 하며 유방암에 대한 감별진단을 위한 병리 검사를 진행하여야 한다.

과거 흡입술을 시행하여 필러를 제거하려는 시도가 시행된 적 있었으나 흡입 시의 캐뉼라 움직임에 따라 PAAG가 오히려 주위 조직으로 침투를 유발할 뿐 아니라, 주위 조직에 흡입에 따른 추가적인 손상과 함께 섬유 조직의 증식을 유발하는 등 이차 합병증을 유발할 가능성이 높다.

3) 실리콘

(1) 서론

가슴 부위에 미용적 목적을 위한 액상 실리콘(polymethylsiloxane) 주입은 약 60여년 전부터 흔하게 시행되어 왔으며, 대부분은 허가 받지 않은 비의료용 실리콘이 비의료인에 의하여 주입되는 경우가 많다. 가슴을 포함하여 신체 여러 부위에 액상 실리콘 주입 후 다양한 합병증의 발생이 보고된 바 있어, 현재 망막박리의 치료를 위한 액상 실리콘 외의 모든 액상 실리콘 주입은 허가되지 않았다.

(2) 합병증

액상실리콘 주입 후 초기에 합병증이 나타나는 경우는 드물며 대부분의 경우 주입 후 평균 6–10년 후 합병증과 연관된 증상이 나타나게 된다. 동반되는 합병증으로는 피부 변색, 피부 궤양 및 누공, 유선염, 실리콘의 타부위 이동, 모양변형, 실리콘종을 포함한 종괴 형성 등 매우 다양한 합병증이 보고된 바 있다.

실리콘종(siliconoma)은 실리콘 주입 후 실리콘에 대한 이물반응으로 생성된 종괴와 같은 양상을 띤 것을 의미한다. 한 부위에 다량의 볼륨의 실리콘 주입 시 발생 가능성이 높아지며 주입된 가슴의 크기 및 모양 변화를 유발한다. 현재까지 실리콘은 유방암 발병률을 높인다는 증거는 없으나 실리콘 주입 후 종괴가 발생한 경우 실리콘종과 유방암을 감별하기 위한 감별 진단 검사는 반드시 시행하여야 한다.

실리콘 유선염(silicone mastitis)은 실리콘 주입 후 발생한 가슴 부위의 염증 증상을 일컬으며 대부분의 경우 주입 수년 후 가슴 통증과 피부 변색 등의 증상을 호소하며 실리콘종이 동반되는 경우도 있다.

그림 5-9-5. 공업용 실리콘 주입 후 제거된 실리콘종

(3) 증상이 동반되는 경우 치료

실리콘의 침범 부위의 정도 따라 치료의 방법 및 예후가 달라진다. 염증 증상 발생시 전신적 항생제투여와 함께, NSAIDs제제, 항히스타민제, 스테로이드를 투여와 함께 대증적 처치를 한다. 국소 실리콘종이 발생하는 경우 1일 300 mg의 알로퓨리놀(allopurinol) 투여로 육아종 형성을 억제하여 증상 호전에 도움을 줄 수 있다. 주위 조직의 침투가 없는 실리콘종은 국소적 절제술이나 피하 유방절제술 등을 통하여 제거할 수 있다. 그러나 광범위하게 연부조직의 침투가 있거나 피부괴사, 농양, 근막염 등이 동반된 경우 유방전절제술과 필요할 수 있으며 함께 재건술을 시행한다. 재건 수술 시행 시 제거되지 않은 유리 실리콘(free silicone)은 주위 연부조직의 혈류를 감소시키고 수술 후 합병증을 높일 수 있으므로 최대한의 실리콘을 제거한 후 재건수술을 시행하여야 한다. 실리콘의 주변 조직 침투에 의하여 건강한 연부조직이 부족한 경우가 대부분이므로 보형물을 이용한 재건은 수술 후 보형물 감염

및 구형구축 등 합병증이 동반될 가능성이 높아 자가조직을 사용하여 재건 수술을 시행하는 것이 일반적이다.

침범 부위에 따라 고려하여야 할 사항으로 피부 침범이 있는 경우 피하 유방절제술 시 피부 혈류장애로 인한 피부괴사로 이어질 가능성이 높다. 대흉근 침범이 있는 경우 보형물을 사용하게 되면 수술 후 근육 움직임 시 통증이 악화될 가능성이 있다. 그 외 액와신경총 등을 침범한 경우 수술 후 더 심각한 후유증을 막기 위하여 접근하지 않는 것이 좋아 보존적으로 접근하여야 한다.

4) 파라핀

(1) 서론

액상 파라핀은 무색의 탄소복합체로 높은 점도를 가졌으며 다루기가 쉽고 주입에 별다른 술기를 요하지 않아 1903년 처음 가슴 주입이 시행된 이래 전 세계적으로 많이 시행된 바 있다. 1970년대까지 흔하게 시행되어 왔으나 현재에는 이와 관련된 합병증이 의료인 및 일반인에게 많이 알려져 거의 사용되지 않지만, 여전히 불법적으로 시술이 진행되는 경우가 있다.

(2) 합병증

주입 받은 환자의 대부분은 주입 초기에는 별다른 증상을 보이지 않으나, 평균적으로 19.1년이 경과한 후 증상을 나타내기 시작한다. 주입한 68%의 환자는 단순 종괴의 양상을 나타내며, 10%는 통증을 동반한 종괴를 보인다. 그 외 피부 변색, 궤양, 피부괴사 등을 동반하기도 하며 주입 직후 혈류내 주입에 따른 실명, 뇌색전증 등이 보고된 바 있다.

파라피노마(paraffinoma)는 파라핀 주입에 따른 만성 육아종성 염증(chronic granulomatous inflammation)에 의하여 발생하며 유육아종성 유방염(oleogranulomatous mastitis)로 불리기도 한다. 일반적으로 양측성으로 나타나며 가슴의 통증과 모양의 변형을 동반하면서 단단하고 널리 퍼진 종괴 형상을 유발한다. 경우에 따라 피부의 궤양 및 만성 누공 등을 동반하는 경우도 있다.

(4) 치료

가슴에 전체적으로 퍼져 있으면서 피부 궤양 등 염증 증상을 동반한 환자에서는 대부분 유방절제술을 시행하여야 한다. 크기가 작고 국소적인 경우 국소절제술을 시행할 수도 있으나, 이러한 경우는 드물다. 흡입술을 통한 제거는 파라핀 주입에 따라 조직의 섬유화가 동반된 경우가 많아 치료 효과가 제한적이다.

참고문헌

1. Barr SP, Topps AR, Barnes NL, et al. Infection prevention in breast implant surgery - A review of the surgical evidence, guidelines and a checklist. Eur J Surg Oncol 2016;42(5):592-9.

2. Bravo BS, de Balassiano LK, de Bastos JT, et al. Siliconoma: Report of Two Cases. Aesthetic Plast Surg 2016;40(2):290-1.

3. Cohen JB, Carroll C, Tenenbaum MM, Myckatyn TM. Breast Implant-Associated Infections: The Role of the National Surgical Quality Improvement Program and the Local Microbiome. Plast Reconstr Surg 2015;136(5):922-9.

4. Dessy LA, Corrias F, Marchetti F, et al. Implant infection after augmentation mammaplasty: a review of the literature and report of a multidrug-resistant Candida albicans infection. Aesthetic Plast Surg 2012;36(1):155-7.

5. Echo A, Otake LR, Mehrara BJ, et al. Surgical management of silicone mastitis: case series and review of the literature. Aesthetic Plast Surg 2013;37(4):738-44.

6. Henderson JR, Kandola S, Hignett SP, et al. Infection Prophylaxis for Breast Implant Surgery: Could We Do Better? Eplasty 2017;17:172-8.

7. Jin R, Luo X, Wang X, et al. Complications and Treatment Strategy After Breast Augmentation by Polyacrylamide Hydrogel Injection: Summary of 10-Year Clinical Experience. Aesthetic Plast Surg 2018;42(2):403-8.

8. Kanapathy M, Faderani R, Arumugam V, Haque S, Mosahebi A. Management of periprosthetic breast infection: a systematic review and meta-analysis. J Plast Reconstr Aesthet Surg 2021;74(11):2831-4.

9. Lohmeyer JA, Jakob VL, Keck M, Wittig K. Antibiotic treatment and prophylaxis of periprosthetic infections: Evaluation of 666 consecutive breast implant removals. J Plast Reconstr Aesthet Surg 2021;74(7):1487-92.

10. Ozturk CN, Ozturk C, Sigurdson SL, et al. Broad-Spectrum Antibiotics for Breast Expander/ Implant Infection: Treatment-Related Adverse Events and Outcomes. Ann Plast Surg 2021;87(4):396-7.

11. Pittet B, Montandon D, Pittet D. Infection in breast implants. Lancet Infect Dis 2005;5(2):94-9.

12. Qian B, Xiong L, Guo K, et al. Comprehensive management of breast augmentation with polyacrylamide hydrogel injection based on 15 years of experience: a report on 325 cases. Ann Transl Med 2020;8(7):2-7.

13. Rubino C, Brongo S, Pagliara D, et al. Infections in breast implants: a review with a focus on developing countries. J Infect Dev Ctries 2014;8(9):1089-93.

14. Spear SL, Howard MA, Boehmler JH, Ducic I, Low M, Abbruzzesse MR. The infected or exposed breast implant: management and treatment strategies. Plast Reconstr Surg 2004;113(6):1634-42.

15. Weichman KE, Levine SM, Wilson SC, Choi M, Karp NS. Antibiotic selection for the treatment of infectious complications of implant-based breast reconstruction. Ann Plast Surg 2013;71(2):140-3.

16. Yen Kok KY, Tripathi S, Telisinghe P. Breast paraffinoma: An obsolete but still important condition - Experience with 60 cases and the literature review. Asian J Surg 2023;46(1):1-7.

유방으로의 자가지방이식과 하이브리드 가슴성형

Autologous fat grafting to breast and Hybrid breast surgery

봉봉 성형외과 **박성수**

유방을 확대하기 위한 방법에는 유방보형물 삽입술과 자가지방이식술, 필러 주입술이 있으며, 각 방법마다 적절한 적응증과 목표가 있다. 일반적으로는 보형물 삽입을 통한 유방 수술이 보편적인 유방확대 방법으로 알려져 있다. 하지만 유방보형물 삽입만으로 촉감과 모양의 자연스러움을 실현하기에는 부족한 경우들도 있다. 상체의 피부 및 연부조직이 얇거나 골격의 좌우 비대칭, 또는 늑골과 흉골의 함몰이나 돌출과 같은 흉곽의 이상 굴곡이 있을 경우, 적절한 보형물을 삽입해주고 동시에 자가지방이식이나 동종 진피 주입을 통한 연부조직의 보강이 필요하다. 유방성형은 집이나 빌딩을 짓는 건축과도 매우 흡사하다. 건물의 설계에서 대지의 면적과 그에 따른 건물의 바닥면적, 전체 층수를 설계하듯 유방보형물의 직경과 돌출, 용적을 정하게 된다. 유방보형물을 삽입하는 것은 건물의 뼈대, H-beam을 세워주고 전체적인 틀을 잡아주는 작업에 해당한다. 지방을 이식하는 것은 시멘트를 붓고 살을 붙여주는 작업에 비유할 수 있을 것이다. 건물을 지을 때 콘크리트만을 부어서 높은 층의 건물을 안정적으로 올리기는 어려운 것처럼 지방이식만으로 유방의 크기와 돌출을 원하는 만큼 키우는 데에는 한계가 있다.

유방에서의 지방이식은 지방흡입을 통한 체형 변화와 동시에 유방의 소규모 확대를 원하는 경우, 이미 보형물 삽입을 통한 가슴확대 이후 연부조직 보강을 통한 촉감 및 모양 개

표 5-10-1. 유방에서의 지방이식 적응증

1. 지방흡입을 통한 체형 변화와 동시에 유방의 소규모 확대를 원하는 경우
2. 이미 보형물 삽입을 통한 가슴확대 이후 보형물 비침현상(Implant rippling)이 있어 연부조직 보강을 통한 촉감 및 모양 개선이 필요할 경우
3. 이미 보형물 삽입을 통한 가슴확대 이후 가슴골이 벌어진 경우
4. 보형물 삽입과 지방이식을 함께하는 하이브리드 가슴확대 수술로 보형물 비침 현상에 선제적으로 대응하고 가슴 골을 깊고 좁게 만들고자하는 경우

선, 가슴골의 폭과 깊이 조절을 통한 가슴 골의 자연스러움 연출 등을 목표로 환자의 현실적인 니즈와 더불어 의사의 적절한 설명과 안내가 만족스러운 결과를 만드는 데에 대단히 중요하다.

1. 유방의 구조와 자가지방이식에서 이식의 대상층
("어느 층에 이식해야 하나?")

1) 유방의 구조

그림 5-10-1의 유방의 단면도에서 보듯, 유방에는 두개의 지방층이 존재한다. 첫째는 피부 밑 지방층이다. 유방이 큰 여성의 경우 유선조직이 잘 발달되어 있어 유방이 큰 경우도 있고 피부 밑 지방량이 풍부하여 유방이 큰 경우도 있다. 또는 유선조직과 지방조직 모두가 고르게 잘 발달되어 유방이 큰 경우도 있다. 두번째 지방층은 유선 조직 하 지방층이다. 비교적 소량의 지방이 유선조직을 싸고 있는 섬유성 막 주변에 존재한다. 유선 조직을 보호하고 대흉근의 움직임에 대한 윤활층 역할을 담당하는 지방층이다.

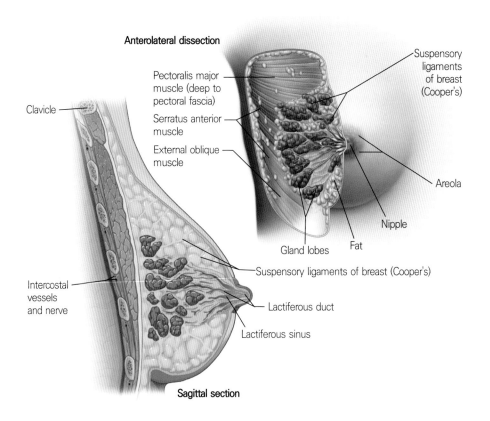

그림 5-10-1. 유방의 단면도

2) 자가지방이식의 대상층("지방은 어느 층에 넣어야 하나?")

위에 기술한 바와 같이 유방에서 해부학적으로 존재하는 지방층은 피부 밑 지방층과 유선조직 후면의 얇은 지방층이다. 따라서 안전한 지방이식의 대상층은 바로 피부 밑 지방층과 유선조직 후면이 된다.

저자는 유방으로의 지방이식술을 시행할 경우 해부학적으로 본래부터 존재하고 있는 지방층에 지방을 주입하는 것이 합당하다고 본다. 근육조직 내부나 근육조직 주변에 지방을 주입해 주는 것이 혈행이 풍부한 근육조직 덕분으로 지방의 생착률을 높여줄 수 있다고 보는 견해도 있었다. 하지만 저자는 유방에 있어서 큰 가슴 근육 내부나 큰 가슴 근육과 작은 가슴 근육조직의 사이 층에 이식하는 것이 원치 않는 합병증, 즉 출혈과 유착, 섬유화를 유발할 수 있다고 본다. 또한 이미 근육층에 지방이식술을 받았던 환자가 추후에 보형물 삽입술 등 다른 유방성형술을 시행하게 되었을 때 박리의 어려움이나 출혈을 비롯한 부작용의 가능성을 높일 수 있다고 본다.

2. 지방 주입 전 투메슨트 용액의 사용

지방을 피부 밑 지방층에 주입하는 경우와 유선조직 후면에 이식하는 경우 이식할 층에 대해 미리 투메슨트 용액(tumescent solution)을 주입한다. 이는 이식과정에서 혈관손상으로 인한 혈종 발생과 혈관 내 주입으로 인한 색전증을 방지하여 시술의 안전성을 확보한다. 투메슨트 용액의 주입량은 피부 밑 지방층에 대하여는 100–150 cc, 유선조직 후면에 대하여서는 50–100 cc 정도가 적절하다.

표 5-10-2. 스탠다드 투메슨트 용액은 0.9% 정상 생리식염수 1 L에 1 g의 리도카인, 1 mg의 에피네프린, 10 mEq 중탄산나트륨 10 mL를 섞어 사용한다. 전체 용액량이 1,110 mL이고 1 g의 리도카인이 함유되므로 리토카인 농도는 0.9 g/L, 즉 0.09%가 된다.

"Tumescent (Klein's Solution)" 레시피
normal saline 1 Li (0.9 % NaCl)
1% lidocaine 100 mL (10 mg/mL) = 1000 mg
1:1000 epinephrine 1 mL (1 mg/mL) = 1 mg
8.4% sodium bicarbonate 10 mL = 10 mEq

Final amount in the bag (in mg)
1000 mg lidocaine
1 mg epinephrine (1:1,000,000)
10 mEq bicarb

3. 유방으로의 지방이식에서 사용하기에 적절한 캐뉼라

지방 주입은 반드시 끝이 뭉뚝한 캐뉼라를 이용해 작은 입자로 여러 번에 나누어 이식하여 뭉터기로 주입되는 것을 방지해야 한다. 또한 지방조직이 주변 조직으로부터 원활하게 산소와 영양을 공급받을 수 있도록 해야 한다.

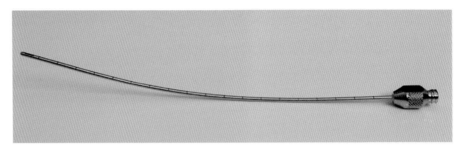

그림 5-10-2. 저자가 유방으로의 지방이식 시 사용하는 굽어진 캐뉼라(지름 2 mm, 길이 20 cm)

그림 5-10-3. Tulip medical corporation이 보형물이 있는 유방에 지방을 이식할 때 보형물 손상을 피하기 위한 목적으로 고안한 ball tip cannula.

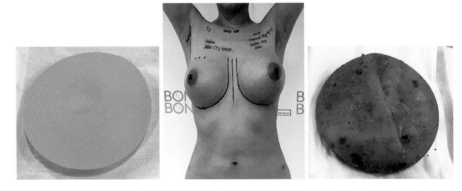

그림 5-10-4. 사례 : 유방보형물 삽입 후 부주의한 지방이식으로 보형물 껍질의 천공과 보형물 내부로의 지방주입이 발생됨

동영상 5-10-1. 하이브리드 가슴성형에서 겨드랑이절개를 통한 유방보형물 삽입 후 자가지방이식.

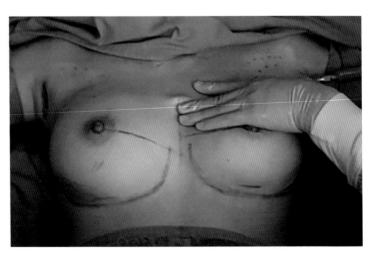

그림 5-10-5. 하이브리드 가슴성형 수술 중 겨드랑이 절개창을 통해 지방을 주입하는 모습

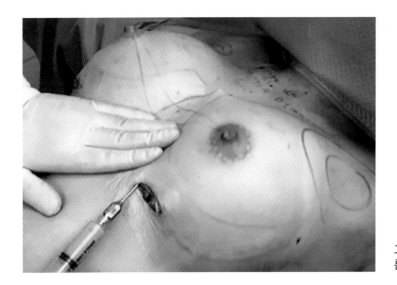

동영상 5-10-2. 하이
브리드 가슴성형 보
형물 삽입 이후 밑주
름을 통한 자가 지방
이식.

그림 5-10-6. 하이브리드 가슴성형 수술 중 유방밑주
름선 절개창을 통해서 지방을 주입하는 모습

그림 5-10-7. 가슴 골 피하층 지방 주입 후 가슴골이 좁고 깊어진 모습

4. 지방을 흡입 채취하는 방식

　지방을 흡입 채취하는 방식 중에서 지방이식을 염두 한다면 채취과정에서 지방 조직에 대한 손상을 최소화하는 것이 좋다. 시린지 테크닉은 정확한 흡인량 산정 및 원심분리를 통한 정제가 쉬우며, 워터젯 지방 흡입법은 수압 박리를 통한 출혈의 감소, 지방조직에 대한 손상 감소의 장점이 있다. 그러나 흡입하는 시간이 길고 흡입된 지방이 다량의 수분을 함유하고 있어 이식을 하기 전 충분한 시간 침전시켜 수분을 제거하거나 원심분리를 통해 수분을 제거하는 것이 필요하다. 전동지방 흡입법의 경우 다량의 지방을 적은 육체적 노력으로 얻을 수 있는 장점이 있다. 초음파나 레이저를 이용한 지방흡입법의 경우 다른 방법에 비해 지방 조직이 레이저나 초음파 에너지에 의해 손상되고 오일화 되는 가능성이 높으므로 이식할 지방의 흡입법으로는 적절하지 않다.

5. "얼마나 주입할 것인가?"

적절한 지방 주입의 양은 피부 밑 지방층에서는 유방의 체표면 세제곱 센티미터당 0.8 cc를 넘지 않는 것이 좋다. 유선조직 후면에 주입되는 양은 100 cc 정도가 적합하며 150 cc 를 넘지 않는 것이 좋다(단, 하이브리드 가슴성형을 하는 경우라면 유선조직 후면에 지방을 주입하지 않으며 오직 피부 밑 지방층에만 지방을 이식한다).

표 5-10-3. 가슴으로 지방주입 시 주입 목표지점에 따른 주입구 위치와 주입하는 지방량

목표지점	주입구 위치	주입하는 지방량(일측)
피하 지방층	유륜 주변	180 cc
유선조직 후방	전 액와선의 겨드랑이측 또는 예상되는 유방아래주름 선의 외측부	100–150 cc

6. 지방이식 전 체외 조직확장기의 사용

피부와 연부조직이 타이트할 경우 지방이식 시 지방이 주입될 피하층과 유선조직 후면도 여유공간이 적어 이식된 지방의 뭉침 현상이 생길 가능성이 높아진다. 이런 경우 이식 전 유방의 연부조직이 3차원적 구조로 확장되어 준비된다면 보다 쉽게 충분한 양의 지방을 고르게 층층이 이식할 수 있게 된다. 체외 유방조직확장기는 돔의 형태로 디자인되어 있고 피부와 접촉하는 부분은 부드러운 실리콘 재질로 되어있다. 그러나 음압이 가해졌을 경우 피부가 보호될 수 있도록 보호제를 도포하여 관리해주는 것이 필요하며 피부의 타이트한 정도에 따라 음압 펌프의 강도와 펌핑 주기를 잘 조절해주는 것이 중요하다. 일정 기간 동안 적정 방식으로 유방의 연부조직을 확장한 이후에는 지방이식이 보다 용이해지며 원하는 양의 지방을 합병증을 줄이면서 주입하는 데 도움을 준다.

7. 기저혈관분획과 혼합한 지방의 이식

추출된 지방조직의 효소 처리와 원심 분리를 통해 기저혈관분획(stromal vascular fraction, SVF)을 추출할 수 있다. 이를 이식할 지방과 혼합하여 주입해줌으로써 지방조직으로 신생혈관이 조속히 개통되는 것을 촉진할 수 있다. 또한 보다 많은 지방 생착 및 지방 괴사로 인한 기름 낭종(oil cyst)이나 석회화(calcification)와 같은 합병증을 줄일 수 있다. 다만 기저혈관분획을 얻기 위해서는 50–100 cc의 추가적인 지방조직이 필요하므로 체내 지방조직을 풍부하

게 가지고 있는 환자에서 적용하는 것이 좋다.

표 5-10-4. 기저혈관 분획(SVF)이나 지방유래 줄기세포와 지방의 혼합 주입 후 지방 생착률 결과 보고 메타데이터(Archives of craniofacial surgery)

Study (year)	Enriched cells	No. of patients	Age (yr)	No. of operations	Injected volume (mL)	Volumetric measurement method	Volume gain (mL)	Fat survival rate (%)	Follow-up period (mo)
Sasaki (2015) [44]	SVF	9	65.5 (52–77)	1	9.0 ± 2.0	3D scan	NA	72.9 ± 50.0	12
Gentile et al. (2014) [43]	SVF	10	23–67	2 in 40%	NA	MRI, US	NA	63[a]	12
Chang et al. (2013) [42]	SVF	10	27.5 (19–35)	2 in 30%, 3 in 20%	34.4 ± 13.7	CT	NA	68.3 ± 1.7	6
Li et al. (2013) [41]	SVF	26	29.5 ± 6.8	1	17.5 ± 7.3	CT	11.5 ± 5.3	64.8 ± 10.2	6
Tanikawa et al. (2013) [40]	SVF	7	12.1 ± 2.2	1	27 ± 7	3D CT	NA	88.0 ± 13.0	6
Lee et al. (2012) [39]	SVF	9	43.3 ± 14.7	1	NA	Photography	NA	NA	3
Koh et al. (2012) [38]	ASC	5	28[a]	1	29.9 ± 6.7	3D CT, 3D scan	18.1 ± 5.2	61.1 ± 13.7	15
Sterodimas et al. (2011) [37]	SVF	10	43.9 ± 17.0	1	74.3 ± 47.0	Subjective satisfaction	NA	NA	18
Tiryaki et al. (2011) [36]	SVF	5	NA	1	29.2 ± 16.2	Photography	NA	NA	10
Yoshimura et al. (2008) [33]	SVF	3	38.7 ± 8.1	1	100 ± 10	Photography	NA	NA	10.3

Values are presented as mean (range) or mean±SD.
SVF, stromal vascular fraction; ASCs, adipose-derived stem/stromal cells; NA, not available; 3D, three-dimensional; MRI, magnetic resonance imaging; US, ultrasound; CT, computed tomography.
a) Mean.

8. 시술 전 유방 초음파 검진의 목적과 방법

유방에 지방이식을 하기 전 반드시 맘모그래피와 유방초음파 검진을 시행하도록 한다. 이는 유방의 연부조직을 부위에 따라 살펴보고 피하지방층의 두께를 측정하여 지방이식이 필요한 부위를 파악할 수 있으며 유선조직내 양성 및 악성 종양의 유무를 확인하기 위함이다.

만약 수술 전 검사에서 유선 조직 내 종물이 발견된 경우에는 종물에 대한 조직 검사 및 제거수술을 우선하는 것이 권장된다. 수술 전 맘모그래피와 초음파 검사는 추적검사 시에도 전후 변화를 확인하는 근거 지표가 된다.

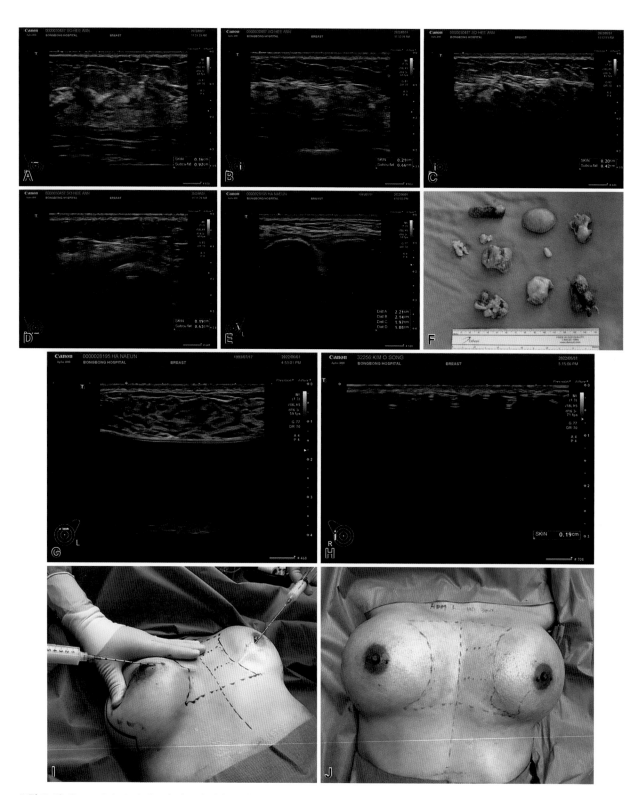

그림 5-10-9. (A) 우측 유방 상부의 피부 및 피하지방층 두께 측정. (B) 우측 유방 내측부의 피부 및 피하지방층 두께 측정. (C) 우측 유방 외측부의 피부 및 피하지방층 두께 측정. (D) 우측 유방 하부의 피부 및 피하지방층 두께 측정. (E), (F) 뭉터기로 지방이식 후 발생한 오일 낭종의 초음파소견과 제거된 지방종과 기름낭종. (G) 유방보형물 삽입 이후의 초음파 검진에서 유방 상부에서는 풍부한 유선조직으로 보형물의 피복이 양호하다. (H) 유방보형물 삽입 이후 보형물 비침현상(리플링, rippling)이 있는 경우 초음파 검진을 통해 비침현상이 나타나는 부위에 대한 피부 및 피하지방층의 두께를 측정해 보면 0.5 cm 이하인 것을 확인할 수 있다. 바로 이 부위가 지방이식을 통한 연부조직 보강이 필요한 부위가 된다. (I), (J) 마른 환자에서 이식할 지방량이 부족할 경우 동종진피와 히알유론산을 적절하게 주입해주어 가슴골의 벌어짐과 비침현상을 해결할 수 있다.

9. 하이브리드 가슴성형

마른체형에서 피부가 얇고 탄력이 적으며 피하지방이 적은 경우에는 보형물의 외연이 비쳐지거나 만져지는 리플링(rippling)현상이 나타나게 된다. 가슴 근육 하에 보형물을 삽입하는 수술을 할지라도 연조직의 피복이 충분하지 않은 가슴의 아래쪽이나 내-외측 부위에서 보형물이 촉지될 수 있다. Spear 등은 흉골의 위치와 흉근이 정상이면서 (1) 일측성 전흉부 함몰, (2) 유방의 형성저하, (3) 상방전위 된 유두-유륜복합체를 가진 환자군을 전흉부 형성저하(anterior thoracic hypoplasia)이라 정의하였다. 이러한 흉곽변형이 있는 경우 유방보형물 삽입수술 후 비대칭이 증폭되어 보이고 함몰부위의 저교정(under correction)으로 인해 만족할 만한 결과를 얻기 힘들므로 수술방법의 선택 시 어려움이 있다고 보고하였다. 저자는 이와 같이 피부 및 연조직이 얇아 보형물 삽입 후 비칠 가능성이 있는 경우, 흉곽의 함몰이나 좌우 흉곽의 비대칭이 있는 경우, 유선조직을 포함한 연조직 부피의 좌우 비대칭이 있는 경우, 유방하부의 피부 및 연조직의 제한(constriction)이 있는 경우, 그 밖에 보형물을 이용한 가슴성형을 원하지만 보다 자연스러운 외관과 촉감을 희망하는 환자에서 보형물 삽입을 통한 유방확대술과 동시에 자가지방이식을 하였으며, 이를 하이브리드 가슴확대술(Hybrid Augmentation Mammoplasty)이라 명명하였다. 하이브리드의 의미는 성질이 서로 다른 재료를 융합하여 만든 부재를 일컫는 말로, 다양한 산업분야에 제품의 성능이나 효율을 높이기 위한 방법으로 사용되고 있다.

보형물이 만져지는 이물감과 비치는 리플링 현상은 유방확대술 후 흔히 발생되는 불만사항 중 하나이며 특히 체형이 마른편이며 피부와 연조직이 얇은 환자에게 나타날 가능성이 높다.

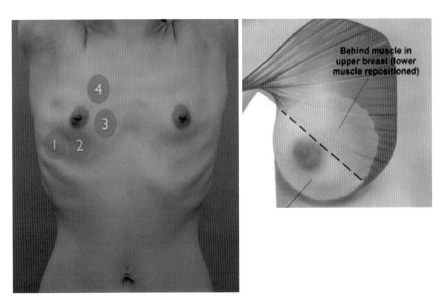

그림 5-10-10. 1. infero-lateral portion, 2. infero-central portion, 3. para-sternal portion, 4. supero-medial portion.

저자의 경험상 초음파 검진을 통한 피부 및 피하지방층의 두께 측정에서 두께가 5 mm 이하인 경우 보형물 비침현상이 나타났다. 피하지방층 내 지방이식이나 무세포진피기질 (acellular dermal matrix)을 주입하여 교정한다. 무세포진피기질은 가슴확대술이나 가슴 재건술 시에 연조직의 부족을 메워주기도 하며 구형구축에 대한 치료의 일환으로 사용되기도 한다. 그러나 고가의 재료 비용과, 드물지만 장액종과 같은 합병증이 발생하는 것이 단점이다. 마른 사람이 아니더라도 박리가 너무 얇게 이루어진 경우, 재수술 시 피막 전 절제술, 부분 절제술 후 보형물을 재삽입할 때 보형물의 비침현상은 나타날 수 있다. 이처럼 보형물을 덮고 있는 연부조직의 부족으로 만져지거나 비치는 증상이 나타나기 때문에, 수술 시에는 보형물을 덮을 연조직을 최대한 두껍게 덮이도록 해야 한다. 재수술의 경우에는 피막 절제를 반드시 필요한 부분에만 제한적으로 하도록 하고 충분한 연조직에 의해 보형물이 피복될 수 있도록 해야 한다. 가슴에 대한 자가지방이식은 유방재건술 후에 발생한 함몰 부위에 대한 부분적인 교정을 할 수 있다. 해당 시술은 보형물을 이용한 유방확대술 후에 보형물의 비침이나 만져짐을 개선하기 위한 시술로, 유두의 재건 및 확대에도 믿을만한 방법으로 이용되고 있다. 미국을 제외한 국가들에서는 지방이식을 통한 가슴확대술이 오랜 기간 동안 행하여져 왔으며 안전성과 효율성에 대한 보고도 있었다. 자가지방이식을 이용한 가슴확대수술의 안전성에 대하여 미국 식품의약품안전청(FDA)은 유방암과의 감별에 있어 오류를 유발할 수 있다는 이유로 부정적인 입장을 보이기도 했었다. 그러나 최근에는 긍정적인 방향으로 움직임이 있으며, 지방이식 시술 후의 방사선학적 변화에 따른 유방암과의 감별 문제에 대해서도 서로 상반된 보고들이 있어왔다. 유방실질에 대한 지방이식에 대해서는 감염에 따른 문제 외에도 유방암 검진 시 방사선학적 오류의 소지가 있어 권장되지 않는다는 보고가 많다. 유선조직을 제외한 피하지방층이나 대흉근 내부나 주변부에 대한 선별적이고 조심스러운 이식에 있어서는 시술 후 유방 부피의 증대 효과가 있다고 보고하고 있다. 하지만 자가지방이식만으로 가슴확대를 하는 경우 환자가 원하는 정도의 풍만한 볼륨감을 얻지 못할 수 있다. 또한 이식 후 지방이 일부 흡수되는 등의 제한사항이 있어 결과를 예측하기 어려운 단점이 있으며, 필요한 만큼의 충분한 지방확보가 힘들 경우 시술이 어려울 수 있다. 이처럼 지방이식만으로 가슴확대를 할 경우에는 수술 전 환자가 원하는 부피 증대의 니즈를 정확하게 파악하여 수술 후의 결과에 대한 현실적인 기대를 토대로 수술을 진행하는 것이 좋겠다.

또한 보형물을 이용하여 확대수술을 하면서 동시에 흉곽에서 함몰된 부위나, 부분적인 부피의 비대칭이나, 모양의 교정이 필요한 부위를 지방이식을 통해 교정하는 하이브리드 가슴성형의 경우, 피하 지방층의 충분한 두께를 유지를 통해 수술 후에 보다 부드러운 촉감과 외관을 만들어 줄 수 있어 높은 환자만족도를 유도하는데 유리할 것으로 생각한다.

하이브리드 가슴확대수술은 얇은 피부와 연조직으로 인해 삽입된 보형물이 촉지되거나 비치는 경우, 흉곽 골격의 변형이나 비대칭적 굴곡이 있어 보형물 삽입만으로 미적 완성도를 높이기 어렵거나 눈에 띄는 비대칭의 해소가 힘든 경우 이를 개선할 수 있는 매우 효과적인 방법이 될 수 있다. 또한 하이브리드 가슴확대수술은 보형물 삽입술과 자가지방이식술의 동시 시술을 통해 환자의 만족도를 보다 높일 수 있다.

10. 이식 후 모니터링

유방으로의 지방이식 후에는 이식 직후부터 시술 후 1년까지 경과 관찰을 해주는 것이 좋다. 유방에 이식된 지방에 대한 초음파 검진을 통해 기름낭종이나 석회화 병변에 대해 살피고 지방의 생착 정도를 파악한다. 또한 지방을 추출한 부위에 대해 뭉침 현상이나 표면의 울퉁불퉁함 유무, 캐뉼러 주입부에 대한 반흔을 살피고 반흔에 대한 적절한 캐어 및 염증 후 과색소 침착에 대한 치료를 하여 준다.

✅ 참고문헌

1. ASPRS Ad-Hoc Committee on New Procedures: Report on autologous fat transplantation. Plast Surg Nurs September 30, 1987;7:140.

2. Bernard RW, Beran SJ: Autologous fat transplantation for nipple reconstruction. Plast Reconstr Surg 2003;112:964.

3. Carvajal J, Patiño JH. Mammographic findings after breast augmentation with autologous fat injection. Aesthet Surg J 2008;28:153.

4. Chun YS, Verma K, Rosen H, Lipsitz S, Morris D, Kenney P, Eriksson E: Implant-based breast reconstruction using acelluar dermal matrix and the risk of postoperative complications. Plast Reconstr Surg 2010;125:429.

5. Coleman SR, Saboeiro AP: Fat grafting to the breast revisited: safety and efficacy. Plast Reconstr Surg 2007;119: 775.

6. Hyakusoku H, Ogawa R, Ono S, Ishii N, Hirakawa K: Complica- tions after autologous fat injection to the breast. Plast Reconstr Surg 2009;123:360.

7. Illouz YG, Sterodimas A: Autologous fat transplantation to the breast: a personal technique with 25 years of experience. Aesthetic Plast Surg 2009;33:706.

8. Murillo WL: Buttock augmentation: case studies of fat injection monitored by magnetic resonance imaging. Plast Reconstr Surg 2004;114:1606.

9. Pereira LH, Sterodimas A: Free fat transplantation for the aesthetic correction of mild pectus excavatum. Aesthetic Plast Surg 2008;32:393.

10. Pereira LH, Sterodimas A: Macroscopic and microscopic proof of long-term survival of gluteal fat transplantation. Plast Reconstr Surg 2009;123:162.

11. Seongsoo Park, Jeonghoon Seok: Hybrid Augmentation Mammoplasty. Archives of Aesthetic Plastic Surgery Vol. 18, No. 2 2012;69-74.

12. Spear SL, Seruya M, Clemens MW. Teitelbaum S, Nahabedian MY: Acellular dermal matrix for the treatment and prevention of implant associated breast deformity. Plast Reconstr Surg 2011;127:1047.

13. Spear SL, Wilson HB, Lockwood MD: Fat injection to correct contour deformities in the reconstructed breast. Plast Reconstr Surg 2005;116:1300.

14. Spear SL, Pelletiere CV, Lee ES, Grotting JC, Anterior thoracic hypoplasia: a separate entity from Poland syndrome. Plast Re- constr Surg 2004;113:69.

15. Ueberreiter K, von Finckenstein JG, Cromme F, Herold C, Tanzella U, Vogt PM: BEAULITM - a new and easy method for large- volume fat grafts. Handchir Mikrochir Plast Chir 2010;42:379.

16. Wolf GA, Gallego S, Patrón AS, Ramírez F, de Delgado JA, Echeverri A, García MM: Magnetic resonance imaging assessment of gluteal fat grafts. Aesthetic Plast Surg 2006;30:460.

17. Yoshimura K, Sato K, Aoi N, Kurita M, Hirohi T, Harii K: Cell- assisted lipotransfer for cosmetic breast augmentation: sup- portive use of adipose-derived stem/stromal cells. Aesthetic Plast Surg 2008;32:48.

18. Zheng DN, Li QF, Lei H, Zheng SW, Xie YZ, Xu QH, Yun X, Pu LL: Autologous fat grafting to the breast for cosmetic enhance- ment: experience in 66 patients with long-term follow up. J Plast Reconstr Aesthet Surg 2008;61:792.

유방축소술 총론

Reduction Mammoplasty: General Consideration

BIO성형외과 **심형보**

1. 개요

현재 사용되고 있는 유방축소술 방법은 역T자법(wise pattern), 유륜절개법(periareolar), 수직절개법(vertical), 유두이식술(nipple free graft), 밑주름절개법(IMF reduction) 등이 있으며, 각 환자의 해부학적 특성에 적합한 수술법을 선택하여야 한다(그림 6-1-1). 현재 가장 널리 시행되는 수술법은 수직절개법이다. 유방축소술의 목표는 가슴 크기를 정상 범위로 축소하고 처짐을 교정함으로 신체 증상과 생활의 불편을 해소하고 미용적으로 개선시키려는 다목적 수술이다.

그림 6-1-1. Various incisions of reduction mammaplasty.

유방비대증(macromastia)은 통상 E컵 이상의 속옷을 착용하거나 축소량이 1 kg 이내일 경우에 해당하며, 1 kg 이상의 축소량이 필요한 경우를 거대유방증(gigantomastia)으로 분류한다. 유방비대증의 원인은 원발성, 내분비성, 처녀성, 비만성으로 나뉘며, 가슴 무게감에 의한 공통된 신체 증상을 동반할 수 있다. 주로 어깨, 목, 허리의 통증, 유방통, 가슴밑 습진, 손저림, 비만 등이며, 나이가 어릴수록 사회 심리학적 부적응에 이르기도 한다. 이런 증상들은 축소수술 후 대부분 해소될 수 있다.

2. 수술방법

1) 수직절개 유방축소술

유방축소술의 원리는 유방 조직을 절제하고 남은 조직을 모아 기초 기둥(pillars)을 조립하여 견고한 원추형 마운드를 형성한 후 여분의 피부를 제거하여 형태를 새롭게 만드는 것이다. 이때 수직절개법은 유방조직의 하방모듬(lower pole tightening)을 강하게 만들어 밑선을 상승시키고 하수를 저지하는 역할을 한다(그림 6-1-2). 이에 비하여 역T자법이나 유륜절개법은 주로 피부브라(skin brassiere)에 의존한다.

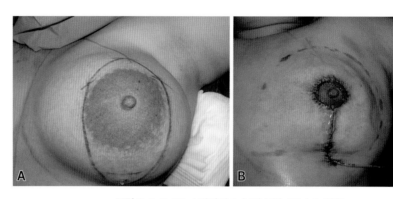

그림 6-1-2. **(A)** 수직절개 수술 전 도안, **(B)** 수술 직후.

수직절개법은 다시 상방진피경(superior pedicle)과 내측진피경(medial pedicle) 방법으로 분류된다. 상방진피경은 융기(projection)를 잘 유지하는 장점이 있으며, 내측진피경은 안전하게 대량 절제가 가능한 장점이 있다(그림 6-1-3).

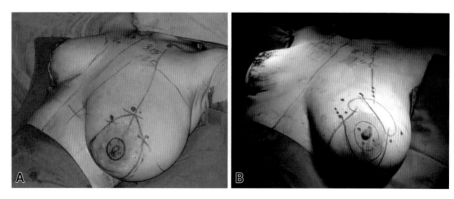

그림 6-1-3. **(A)** 상방진피경 수직절개법 도안, **(B)** 내측진피경 수직절개법 도안 비교.

(1) 디자인

　　수직절개식 가슴축소수술의 디자인은 상방진피경과 내측진피경 두가지가 있다. 고식적인 Lejour 수직절개 디자인과 모스크돔(Mosque dome)을 없앤 변형 수직절개 디자인을 사용할 수 있다. 심한 비대칭이 있거나 일측성 축소술 수술 후 유두 높이를 예측하기 어려울 경우, 모스크돔 없는 디자인이 유용하며, 술기에 익숙해질수록 Lejour 디자인이 편해진다 (그림 6-1-4). 원칙적으로 모든 도안의 좌표는 동일하다. 내측진피경은 디자인을 올려서 상내측진피경으로도 변형 사용 가능하며 가장 흔하게 사용된다(그림 6-1-5).

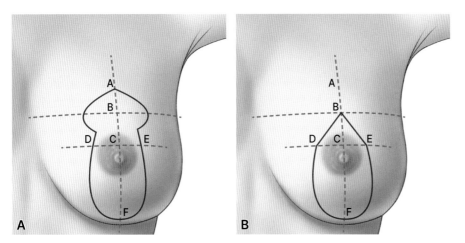

그림 6-1-4. **(A)** Lejour's classic design, **(B)** A modified vertical design without Mosque dome.

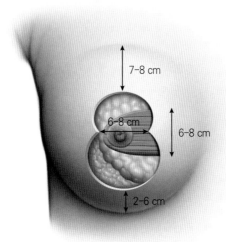

그림 6-1-5. **Design of a medial pedicled vertical technique.** The base of pedicle might be moved from medial to superior according to the goals.

똑바로 선 상태에서 쇄골 중앙부에서 유방 중심선, 유두까지 이어지는 세로축을 표시하고, 이 선을 유방밑주름 아래까지 연장한다. 절개할 측부 경계선은 유방을 내측과 외측으로 밀었을 때 세로축과 일치하는 선으로 한다. A 포인트는 상부 유방족적(upper breast border)에서 7-8 cm 위치에 표시하며 2 cm 아래 B 포인트가 최종 유두 위치가 된다. 절제하는 하연(F)과 유방밑주름과의 거리는 2-6 cm으로 절제하는 양에 따라 거리를 조정한다. 내외측의 절제선 간의 D-E 거리는 6-8 cm이며 절제량에 따라 조정한다(그림 6-1-4, 그림 6-1-5).

변형된 수직 디자인을 사용할 경우, 수술 전 디자인에의 의존도가 감소하며, 유두 유륜체의 위치를 미리 고정시키지 않아 자유롭게 유방실질 절제가 가능하다. 또한 봉합 시 유두 유륜체의 위치를 임의로 조절할 수 있어 안전한 대신 수술시간이 조금 길어진다는 단점이 있다.

(2) 수술법(그림 6-1-6, 그림 6-1-7)

리도카인, 에피네프린 혼합액을 주입하고, 유두유륜복합체를 제외하고 진피경을 포함하여 유륜에서 2 cm 지점까지 상피를 벗겨낸다. 상방 진피경이든 내측 진피경이든 도안대로, 피판경을 제외한 양측 경계부 및 하부 절개선을 따라 수직으로 대흉근막까지 절개한다. 이때 피부 박리는 하지 않는다. 피판경의 혈행에 주의하면서 최소 두께를 2 cm으로 유지시키고 조직절제를 시행한다. 최종 볼륨을 결정하고 남길 조직의 양을 감안하면서 경계선을 따라 유방조직을 한 덩어리로 절제하는데, 근막을 보존하여 근육이 노출되지 않도록 주의한다. 상부 융기가 부족할 경우, 상방으로 유선하 통로를 만들어 유방조직을 현수하거나 일부 유방조직을 대흉근 아래로 통과시켜 고정시키기도 한다(pectoral slip). 이 고정은 일시적으로 유방 상부에 부피를 더하여 주고, 아랫부분에 피부 봉합 부위가 치유되는 동안 장력이 생기지 않도록 하는 역할을 한다. 또한 유두유륜복합체가 상방으로 올라가는데 어느 정도의 역할도 한다. 조직 절제를 마친 후, 양쪽에 남은 유선조직기둥(pillars)을 모아 원추형의 견고한 유방조직을 만들어 준다. 원추 모양의 유방 모양이 만들어졌으면 스테이플러로 피부를 일시적으로 봉합하여 전체적인 모양과 대칭성을 확인한다. 필요하면 이때 유선조직의 봉합을 다시 하거나, 부분적으로 피부 절제를 더 하기도 한다. 유방 하부에 남는 유방조직이나 피하지방층은 절제술과 지방흡입술을 혼합하여 교정한다.

배액관 삽입 후에 피부를 봉합하고, 새로이 만들어진 유방밑주름으로부터 4-5 cm 되는 지점을 유륜의 아랫쪽 경계로 정하고, 유륜마커를 이용하여 새로운 유륜의 위치를 표시한다. 표시된 부분의 상피를 벗겨내고, 유두유륜복합체를 그 위치에 고정한다. 수술이 끝날 때에 정상적으로 유방의 윗부분은 불룩하고, 아래쪽은 납작한 모양이 되는 것이 좋다.

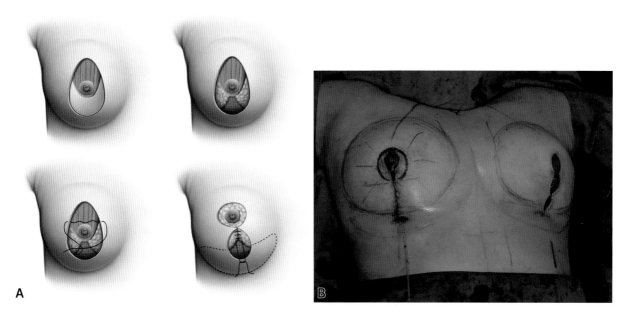

그림 6-1-6. Superior pedicled vertical reduction mammaplasty without Mosque dome.

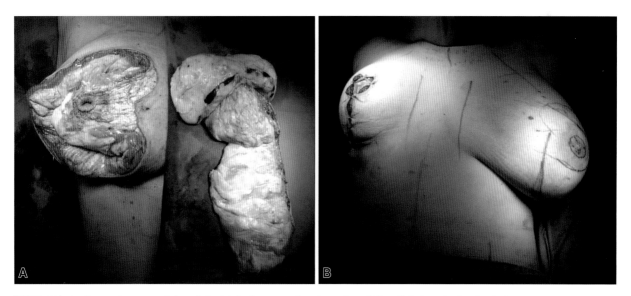

그림 6-1-7. **(A)** Resection at medial pedicle. **(B)** An introperative view of medial pedicled vertical reduction.

(3) 수술법의 최신 경향

- 유방조직 절제 시에 Ace Cutting System (Megadyne®)을 사용한다(그림 6-1-8).
  - Ace Blade는 열에 의한 조직손상이 적으며 유선조직 절개가 쉬워 수술시간이 단축된다.
- 지방흡입은 수술을 마칠 즈음에 측면과 하방에서 유방윤곽을 개선시키는 목적으로 시행한다.
- 상부융기가 부족할 경우, 유방조직을 현수하거나 일부 대흉근 밑으로 통과시킨다 (Pectoral slip).

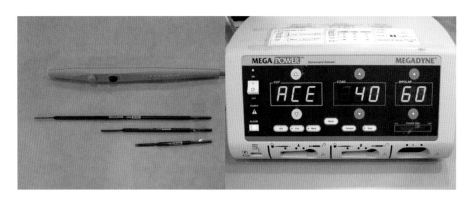

그림 6-1-8. Ace cutting system.

(4) 장단점과 특징

수직절개식 가슴축소술은 1 kg 이하 중증도 유방비대 축소에 적합한 수술법이며, 주로 유방조직의 측부와 하부에서 조직 절제가 이루어진다. 축소량이 많지 않고 하수교정이 주 목적일 경우에는 진피경의 위치를 상방으로 올려 상부 융기를 높게 유지하는 것이 좋다. 축소량이 많고 피판경의 길이가 길어질 경우에는 혈행 장애의 가능성이 있으므로 내측으로 진피경의 위치를 내려 도안하는 것이 안전하다(그림 6-1-9, 그림 6-1-10).

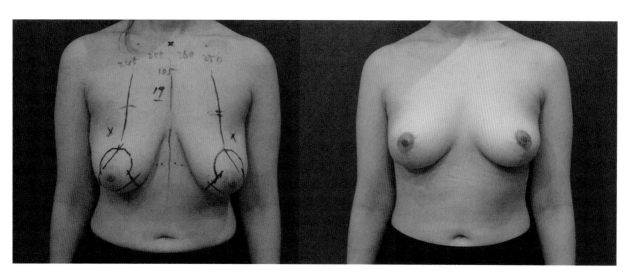

그림 6-1-9. Superomedial pedicled vertical reduction mammaplasty.

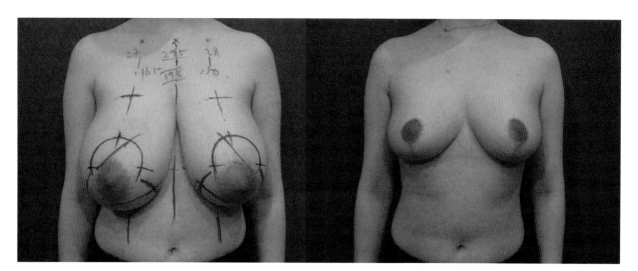

그림 6-1-10. Superomedial pedicled vertical reduction mammaplasty.

2) 역T자 유방축소술

수직절개 축소술의 형태가 더 아름답고 상처 후유증이 적으며 흉터가 덜 보기 싫다는 장점으로 인해 널리 보급되었으나, 여전히 wise pattern 유방축소술의 용도가 남아있다. 1 kg 이상 조직절제가 필요한 거대유방증(gigantomastia) 축소 시에 유용하며 때로 유두이식술과 동반하여 사용할 수 있다. 유두의 위치에 따라 하방진피경이나 상방진피경을 사용할 수 있으며 잉여 피부를 대폭 축소할 수 있는 장점을 가진다(그림 6-1-11, 그림 6-1-12). 단점으로는 T접합부 상처 치유 지연, 유두 혈행장애, 장기적으로 하수 재발과 밑빠짐 현상 등이 풀어야 할 숙제이다.

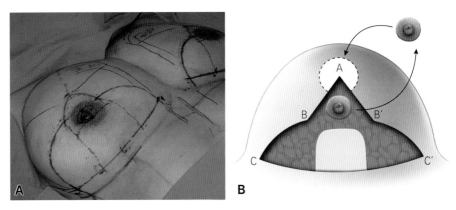

그림 6-1-11. **(A)** Inferior pyramidal pedicled inverted T reduction **(B)** Free nipple graft.

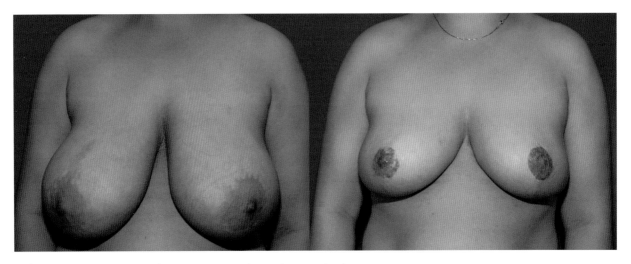

그림 6-1-12. Inverted T reduction mammoplasty (1050 g/980 g excised).

3. 밑주름절개 유방축소술

유방축소수술을 고려하는 환자들을 고민하게 만드는 수술 흉터가 눈에 덜 뜨이도록 고안된 수술법이다. 피부 절제 없이 가슴밑주름선을 6-8 cm 절개하여 유방조직을 적출하므로 소량 축소(200 g 내외)나 비대칭 교정에 유용하다(그림 6-1-13, 그림 6-1-14, 그림 6-1-15).

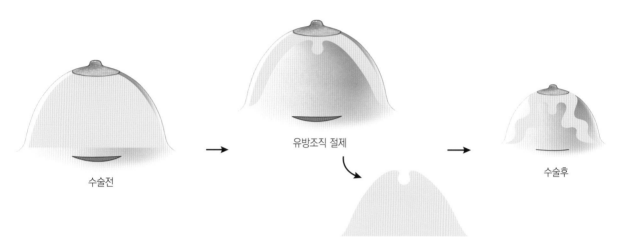

수술전 → 유방조직 절제 → 수술후

그림 6-1-13. **Breast reduction through inframammary crease.** After reduction of mammary tissue, internal cavity could be narrowed by purse-string technique.

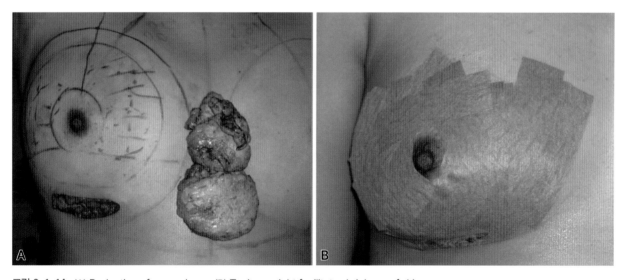

그림 6-1-14. **(A)** Reduction of parenchyma **(B)** Tapings might facilitate shrinkage of skin excess.

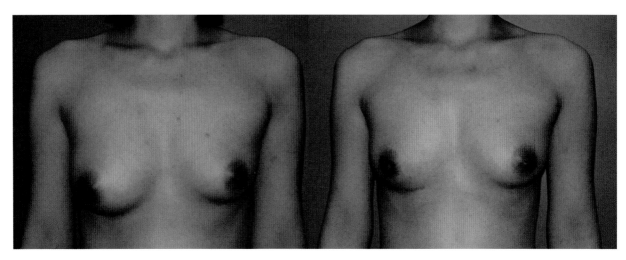

그림 6-1-15. **Unilatral breast reduction through inframammary crease.** (Excision 160 g Rt. Only)

☑ 참고문헌

1. Lassus C.: A 30-year experience with vertical mammaplasty Plast Recomstr Surg 1996;97:373.

2. Lejour M.: Vertical mammaplasty and liposuction of the breast Plast Reconstr Surg 1994;94:100.

3. Sim HB: Circumareolar Mastopexy and a Protocol for the Management of Breast Ptosis. J Korean Soc Aesthetic Plast Surg 1999;5(1):102-13.

4. Sim HB: Circumareolar Reduction Mammaplasty Utilizing the Inferior Segment Technique. J Korean Soc Aesthetic Plast Surg 1998;4(2):369-79.

5. Sim HB, Hong YG: Breast Reduction through an Inframammary Incision. J Korean Soc Plast Reconstr Surg 2010;37(2):169-74.

6. Sim HB, Nam SJ: A New Design of Vertical Reduction Mammaplasty. J Korean Soc Plast Reconstr Surg 2005;32(2):237-44.

7. Sim HB, Yoon SY, Nam SJ: Breast Reduction using Free Nipple Graft. J Korean soc Plast Reconstr Surg 2007;34(1):88-92.

수직절개 가슴축소술

Vertical reduction mammaplasty

더 성형외과 **김재우**

수직절개 가슴축소술은 오자절개 가슴축소술에서 가슴밑선부위에 만들어지는 수평절개흉터를 줄이고자 고안된 수술법이다. 1970년 Lassus가 수직절개 가슴축소술을 처음 소개한 이후에 Marchac, Lejour, Hall-Findlay, Hammond 등에 의해 다양한 방법들이 소개되었다.

수직절개 가슴축소술의 가장 큰 특징은 남겨지는 유방조직의 모양에 맞춰 가슴 모양을 만든다(parenchymal molding)는 점이다. 오자절개 가슴축소술에서는 피부절제 모양에 맞춰 가슴 모양을 만든다(skin brassier concept)는 점과 차이가 있다. 이런 이유에서 수직절개 가슴축소술은 익숙해지는데 조금 더 많은 시간이 걸릴 수 있다.

1. 신경혈관 해부학

초기의 수직절개 가슴축소술은 상측 피판을 이용한 방법이었지만, 이후에 상내측, 내측, 하측, 외측 피판을 이용한 수직절개 가슴축소술이 소개되었다. 각각 피판에서의 장단점을 이해하기 위해서는 유방에서의 신경과 혈관 주행에 대해 이해하여야 한다

유방조직의 주요한 혈액공급은 내유동맥(internal mammary artery)에서 이루어지며, 그 밖에 외측흉동맥(lateral thoracic artery)와 흉견봉동맥(thoracoacromial artery)의 분지들도 있다 (그림 6-2-1).

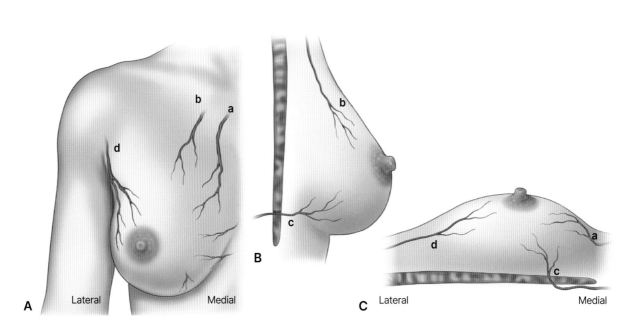

그림 6-2-1. 유방의 혈액공급을 담당하는 동맥들의 주행. a=branches from internal mammary (thoracic) artery. b=supraclavicular branches. c=perforator from intercostal system

상측피판은 2번 갈비 사이에서 나오는 내유동맥의 하강분지에서 혈액공급을 받으며, 이는 피하지방으로 주행한다. 내측피판은 3번 갈비사이에서 나오는 내유동맥의 분지에서 혈액공급을 받는다. 외측피판은 가슴 바깥쪽을 주행하는 외측흉동맥의 표층 분지에서 혈액공급을 받는다. 하측피판은 4번 갈비 사이에서 나오는 깊은 관통동맥과 5번 갈비사이에서 나와 표층으로 주행하는 혈관에서 혈액공급을 받는다.

유방의 정맥혈류는 주로 피부 아래로 보여지는 표층 정맥들이 담당하며, 이중 대부분은 상내측으로 흘러나간다.

유방의 피부와 유두의 감각은 주로 4번 늑간신경의 전외측 분지(anterolateral branch)에서 담당한다. 이 분지는 피하지방으로 주행하는 얕은 분지와 대흉근막위로 주행하는 깊은 분지로 나뉘어 주행한다. 깊은 분지는 대흉근막위로 주행하다가 가슴정중선(breast meridian)에서 유두쪽으로 방향을 바꾸어 주행한다. 이 분지를 보존하기 위해서는 내측 또는 하측피판 사용 시, 전층두께(full-thickness)의 피판을 만드는 것이 유리하다. 이 외에도 3번부터 5번까지의 늑간신경에서 나오는 전내측 분지(anteromedial branch)들이 가슴의 감각을 담당하며, 목신경얼기(cervical plexus)의 쇄골위분지(supraclavicular branch)가 가슴 윗부분의 감각을 담당한다(그림 6-2-2).

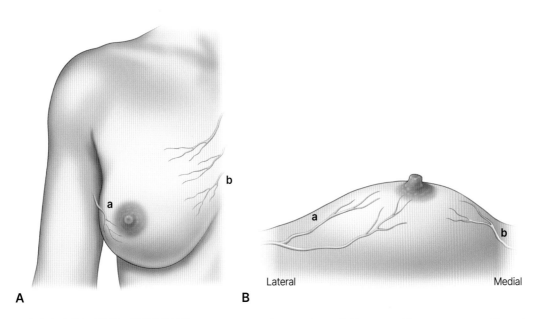

그림 6-2-2. 유방의 감각을 담당하는 신경들의 주행. a=4th intercostal nerve. b=medial intercostal (anterior cutaneous) branches

2. 수술 전 디자인

수직절개 가슴축소술은 술기에 따라 다양한 방법으로 수술하게 되는데, 여기에서는 상내측 피판을 이용한 수직절개 가슴축소술에 대해 설명하도록 하겠다.

먼저 가슴 정중선(breast meridian)을 표시한다. 가슴 정중선을 표시할 때는 환자의 유두 위치와는 상관없이 표시하게 된다. 정중선은 위쪽, 아래쪽의 기준점을 정한 뒤 서로 이어주면 된다. 위쪽 기준점은 목아래패임(suprasternal notch)와 어깨뼈봉우리(acromion)의 중간지점으로 정한다. 아래쪽 기준점은 복직근의 외연으로 정한다. 이 두 기준점을 이어주면 정중선이 된다.

새로운 유두의 위치는 환자의 가슴 밑넓이(breast footprint)를 고려하여 가장 이상적인 위치가 되도록 정한다. 새로운 유두 위치를 정할 때 환자의 가슴밑선 높이에 디자인하는 하는 경우가 많은데 이를 모든 환자에 적용하는 것은 오류가 있을 수 있다. 환자의 하수 정도가 심하고 가슴이 꽤 큰 경우라면 가슴밑선 높이에 새로운 유두 위치를 정해도 괜찮지만, 가슴하수가 심하지 않고 크기가 크지 않다면 가슴밑선 높이보다는 조금 높이는 것이 좋다. 그리고 수직절개 가슴축소술은 경우에 따라 가슴밑선의 높이가 1–3 cm 정도 올라갈 수 있기 때문에 이를 고려하여 새로운 유두 위치를 결정해야 한다. 새로운 유두위치를 정할 때 가슴윗선(upper breast border)을 기준으로 정하는 것도 도움이 된다. 가슴축소술 후에 가슴윗선의 위치는 변하지 않기 때문에 이를 기준으로 하면 비교적 예상 가능한 결과를 얻을 수 있다. 새로운 유두 위치는 가슴윗선에서부터 9~11 cm 아래에 위치시키는 것이 좋은데, 제거할 가슴조직의 양과 피부 탄력 등을 고려하여 결정한다.

유두의 위치를 결정할 때 기억해야 할 점은 새로운 유두 위치가 낮게 위치하는 것이 높게 위치하는 것보다 유리하다는 점이다. 유두위치의 비대칭이 있는 경우에는 가슴이 큰 쪽(가슴조직을 많이 제거할 쪽)의 새로운 유두위치를 반대편에 비해 조금 낮게 위치하도록 표시해야 된다. 가슴조직을 많이 제거할수록 유두 위치는 조금 더 올라가기 때문이다.

복직근의 외연을 따라 그려놓은 정중선을 기준으로 좌우의 피부 절개선 경계를 표시한다. 가슴을 바깥쪽, 위쪽으로 밀면서 안쪽 경계선을 표시하고, 안쪽, 위쪽으로 밀면서 바깥쪽 경계선을 표시한다. 또는 환자가 침대에 누운(supine) 상태에서 정중선과 연결되도록 안쪽 경계선을 표시하고, 옆으로 누운(decubitus) 자세에서 바깥쪽 경계선을 표시할 수도 있다.

이렇게 표시된 경계선 범위 내에서 피부 절개선을 디자인한다(그림 6-2-3). 유륜이 새로 위치할 경계는 미리 정해놓은 새로운 유두 위치보다 2 cm 상방에서 시작(B)하여 좌우 대칭이 되도록 디자인한다. 이때 유륜절개선의 길이(A-C)는 유륜 직경 4 cm 정도를 기준으로 14~16 cm 정도가 되도록 하는 것이 좋다. 유륜절개선의 길이가 너무 길어지게 되면 실제 유륜의 둘레길이와의 차이가 심해져 수술 후 유륜이 넓어지는 원인이 될 수 있다. 유륜절개선이 완성되면 이어서 안쪽과 바깥쪽의 수직절개선을 표시한다(A-H, C-H). 이 수직절개선은 미리 표시해 놓은 안쪽, 바깥쪽 경계선을 따라 표시하며, 가슴밑선 부위에서 서로 만나게 된다(H). 이 수직절개선이 만나는 모양은 V자 또는 U자 형태로 할 수 있는데, V자 모양은 길이가 조금 더 길어지는 대신 개귀변형(dog ear deformity)이 줄어들게 된다. 이후 좌우 수직절개선을 손으로 모아봐서 피부 절제량이 적절한지 확인하여, 너무 많은 양의 피부가 절제되지 않도록 주의하여야 한다. 디자인이 완성되면 좌우 가슴을 서로 모아서 수술 전 디자인 모양이 좌우 대칭인지 확인한다.

유륜절개선과 수직절개선의 디자인이 완성이 되면, 유륜절개선 양 끝단에서부터 안쪽과 바깥쪽 수직절개선에 기둥(pillar)이 될 부분(A-F, C-G)을 표시한다. 이때 기둥이 될 부분의 길이는 5~7 cm 정도가 되도록 하며, 이는 수술 후 만들어질 가슴 크기를 고려하여 결정한다.

마지막으로 상내측 피판을 디자인한다. 피판은 유륜절개선의 안쪽 끝단(A)부터 4 cm 하방에서 시작하여 유륜을 돌아 유륜절개선의 안쪽 90°부분(E)까지 오도록 디자인한다. 이때 디자인된 피판의 폭이 좁다고 판단되는 경우, 유륜절개선의 12시 방향 쪽으로 조금 더 이동하여 디자인을 수정하면 된다.

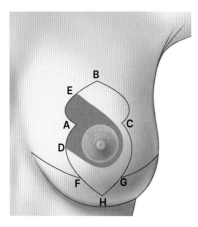

그림 6-2-3. 수술 전 디자인 도식

3. 수술방법

1) 준비

디자인된 수직절개선을 외과용 스테이플러로 모아 남겨질 피부의 양이 적절한지 체크한다(그림 6-2-4). 유륜의 최상단부(그림 6-2-3 B), 유륜절개선의 양 끝단(그림 6-2-3 A, C), 안쪽 바깥쪽 기둥의 경계선(그림 6-2-3 F, G) 등 주요 포인트들을 적절한 방법으로 표시한다.

절개 부위를 따라 1:100,000 에피네프린이 포함된 리도카인을 주사한다. 필요한 경우 박리할 부위를 따라 투메센트 용액을 주입하여 출혈을 예방할 수 있다.

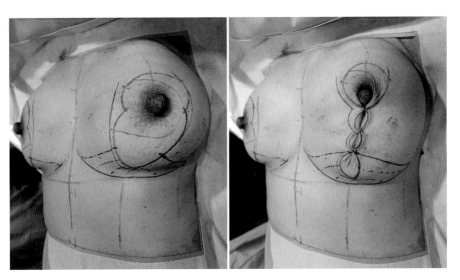

그림 6-2-4. 수술 전 디자인을 따라 중요부위를 표시하고, 피부절제양이 적절한지 확인한다.

2) 탈상피화

수술용 장갑이나 탭거즈 등을 이용하여 가슴을 압박 고정하면 탈상피화(deepithelization)를 손쉽게 할 수 있다(그림 6-2-5). 탈상피화를 할 때, 수술 보조자가 박리를 진행하는 반대방향으로 가볍게 밀어주는 힘을 가해주면 도움이 된다. 탈상피화가 완료된 후 디자인된 절개선을 따라 피부절개를 하는데, 이때 피판의 안쪽 절개선은 전층절개가 되지 않도록 주의하여야 한다.

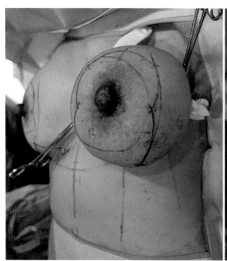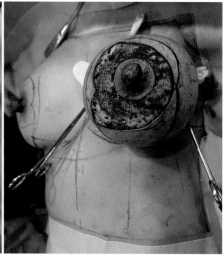

그림 6-2-5. 유방을 고정한 뒤 탈상피화를 진행한다.

3) 가슴 밑선 부위 박리

안쪽과 바깥쪽 기둥 하단부터 가슴 밑선부분까지 피부밑 박리를 시행한다. 이때 진피쪽에 피하지방을 너무 많이 남기게 되면 수술 후 가슴밑선 부위가 완전히 수축하지 못하고 볼록한 모양이 남을 수 있다(그림 6-2-6).

4) 안쪽과 바깥쪽 기둥 박리

안쪽 기둥 박리는 피부절개창에서 흉곽까지 수직으로 접근하는 방향으로 박리를 진행한다(그림 6-2-7 A). 바깥쪽 기둥 박리는 일정 정도의 조직 두께를 남기며 피부와 평행한 방향으로 박리한다(그림 6-2-7 B). 이때 남겨지는 조직의 양이 수술 후 가슴 크기를 좌우하게 되므로, 원하는 조직 두께가 남도록 신경 쓰며 진행한다. 바깥쪽 기둥 박리는 이 과정이 익숙해지기 전까지는 보존적으로 박리한 뒤 추가적으로 조직을 더 제거하는 것이 바람직하다. 바깥쪽 기둥 박리에서 가장 중요한 것은 수술보조자의 당기는 힘과 방향이다. 수술보조자가 당기는 힘과 방향에 따라 박리 정도가 바뀔 수 있기 때문에 술자는 항상 보조자의 당김 상태를 확인하면서 박리를 진행하여야 하며, 중간중간에 조직의 두께를 확인하면서 박리하는 것이 좋다.

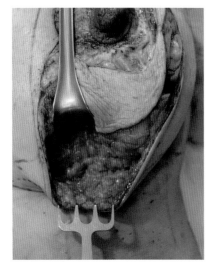

그림 6-2-6. 수직절개선부터 가슴밑선까지 피부밑 박리를 시행한다.

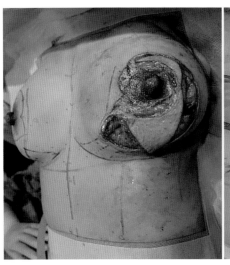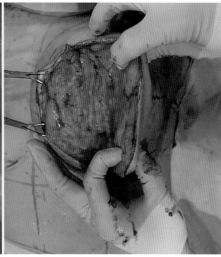

그림 6-2-7. 안쪽과 바깥쪽 기둥이 박리된 모습

5) 상내측 피판의 박리

상내측 피판의 피부경계면에서 시작하여 흉벽을 향해 박리를 진행한다. 박리 방향은 흉벽 쪽으로 수직 혹은 조금 기울어진(beveled) 방향으로 진행하며, 가능한 유방 격막(breast septum)을 보존하는 것이 좋다. 이렇게 피판이 전층으로 보존되면 유두로 향하는 4번째 늑간신경의 깊은 분지가 보존될 수 있어 수술 후 유두 감각 유지에 유리하다(그림 6-2-8). 하지만 피판이 길고, 가슴의 크기를 많이 줄이는 경우에는 피판의 깊은 부분에서 조직을 더 제거하여 피판을 두께를 얇게 만들 수 있는데, 이때 피판의 두께는 최소 3 cm가 되도록 해야 혈관 손상을 예방할 수 있다.

6) 깊은 층 박리

절제될 유방조직의 둘레를 따라 박리가 완성이 된 상태에서 깊은 층 박리를 진행하여 유방조직 절제를 마치게 된다. 깊은 층으로 박리할 때, 대흉근 근막 위에 약 0.5-1 cm 가량의 지방층이 덮여있는 상태가 되도록 해야 한다(그림 6-2-9). 대흉근 근막이 많이 노출되는 경우 이 위로 주행하는 혈관과 신경이 손상 받을 가능성이 높아지게 된다.

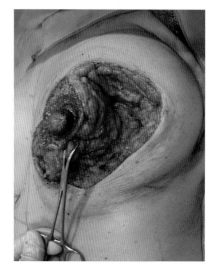

그림 6-2-8. 상내측 피판이 전층으로 남겨진 모습

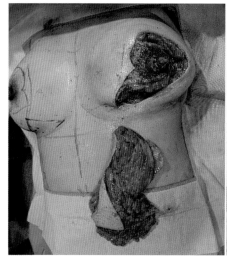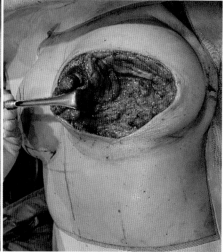

그림 6-2-9. 유방조직을 절제한 모양과 바닥의 모습

일차적인 유방 조직 제거가 완료되면, 무게를 측정하고, 좌우 가슴에서의 제거한 양을 비교한다. 그리고 절제 경계면을 따라 확인하여 부족하게 제거된 부분이 있는 경우 조직을 적절히 제거해준다.

7) 상내측 피판의 고정

상내측 피판은 회전하여 새로운 유륜 위치에 고정되게 되는데, 피판의 길이가 긴 경우에는 약 90° 정도 회전하게 되며, 길이가 짧은 경우에는 30-45° 정도 회전하여 고정한다. 피판을 고정하기 위해 먼저 유륜의 안쪽과 위·아래쪽에 일시적인 피부고정(tacking suture)을 하는 것이 좋다. 이렇게 한 뒤 윗가슴쪽에 남겨진 조직과 피판을 봉합하게 된다. 유방 조직을 서로 고정할 때에는 지방조직보다는 근막이나 유선조직끼리 봉합하여야 하며, 봉합사의 긴장이 너무 과도하지 않도록 주의해야 한다.

8) 안쪽, 바깥쪽 기둥 봉합

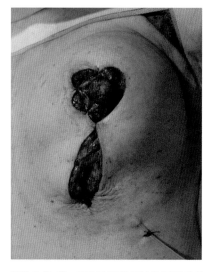

그림 6-2-10. 유방의 양쪽 기둥의 봉합이 완료된 모습

안쪽과 바깥쪽의 기둥을 봉합할 때에는 비슷한 위치의 근막 혹은 유선조직끼리 봉합한다(그림 6-2-10). 봉합한 이후에 유방조직이 당겨져 심한 함몰이 보이게 되는 경우 해당 봉합사를 제거하고 함몰이 되지 않도록 재봉합하여야 한다.

양쪽 기둥의 깊은 부분을 봉합한 뒤, 배액관을 넣고 적절한 위치에 놓이도록 한다. 수술 시 지혈이 잘 이루어지고, 사강(dead space)이 적은 경우에는 배액관을 넣지 않을 수 있다.

9) 피부 봉합

피부 봉합은 비연속성 봉합(interrupted suture)후 피부밑 연속성 봉합(sub-cuticular continuous suture)으로 마무리한다(그림 6-2-11).

최종적인 유륜의 직경은 3.5–4 cm 정도가 되도록 하는데, 원하는 직경보다 약 10% 정도 작게 고정한다. 유륜 주변의 피부는 상대적으로 피부가 얇기 때문에 봉합사 매듭이 피하조직쪽으로 잘 위치하도록 주의를 기울여야 한다.

곡선 형태의 수직절개창을 일직선으로 봉합하게 되면 그 길이가 길어지게 되는데, 이 길이는 피부밑 연속성 봉합 시 어느정도 줄여줄 수 있다(gathering suture). 하지만 이때 너무 무리하게 줄이면 수술 후 상처 회복 지연(delayed wound healing) 등의 문제가 생길 수 있다.

유륜과 수직절개창의 봉합 시 비흡수성 봉합사를 이용한 쌈지봉합법(purse-string suture)의 사용은 그 효과에 대해 논란이 있다. 쌈지봉합법은 초기에는 유륜이 넓어지는 것을 막아주는 효과가 뚜렷하지만, 시간이 경과함에 따라 봉합사 위로 피부가 미끄러지듯이 넓어지는 것을 볼 수 있다. 또한 굵은 봉합사의 매듭을 잘 처리하지 못하면 피부 쪽으로 튀어나와 상처 문제를 야기할 수 있다.

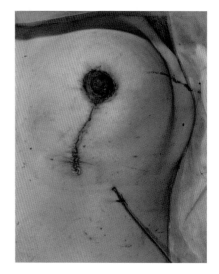

그림 6-2-11. 유방의 양쪽 기둥의 봉합이 완료된 모습

10) 드레싱

상처 부위는 스테리 스트립(steri strip)을 이용하여 고정시켜준다. 그리고 밑선 부위에 사강이 생기지 않고, 피부가 바닥의 지방층과 잘 맞닿을 수 있도록 거즈와 테이프를 이용하여 적절히 눌러 고정해준다(그림 6-2-12). 마지막으로 수술용 보정속옷을 입히고, 압박붕대로 부드럽게 감아준다.

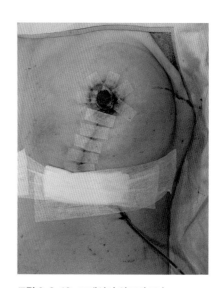

그림 6-2-12. 드레싱이 완료된 모습

4. 수술 후 치료

배액관은 하루에 20 cc 이하로 배액되면서 양상이 장액성으로 변하는 것이 확인되면 제거할 수 있는데, 일반적으로 수술 후 3–4일경에 대부분 제거할 수 있다.

5. 증례

1) 증례 1 (그림 6-2-13)

　　26세 여자환자로 수술전 쇄골-유두 거리가 오른쪽 34 cm, 왼쪽 33.5 cm였으며, 가슴밑 둘레는 101 cm였다. 새로 만들어질 유두의 위치는 쇄골에서 25 cm 거리에 위치하도록 디 자인하였고, 상내측 피판 수직절개 가슴축소수술을 시행하였다. 수술 시 오른쪽 가슴에서 880 g, 왼쪽 가슴에서 819 g을 제거하였다.

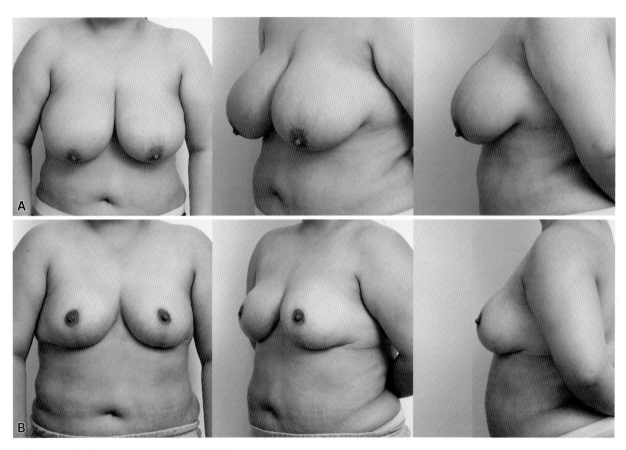

그림 6-2-13. 증례 1. (A) 수술전 (B) 수술후 6개월째 모습.

2) 증례 2 (그림 6-2-14)

40세 여자환자로 수술전 쇄골-유두 거리가 오른쪽 29.5 cm, 왼쪽 34 cm였으며, 3D 시뮬레이션상에서 오른쪽 가슴 볼륨은 1,064 cc, 왼쪽 가슴 볼륨은 1,256 cc로 비대칭 소견을 보였다. 새로 만들어질 유두의 위치는 쇄골에서 24 cm (오른쪽), 25 cm (왼쪽) 거리에 위치하도록 디자인하였고, 상내측 피판 수직절개 가슴축소수술을 시행하였다. 수술 시 오른쪽 가슴에서 440 g, 왼쪽 가슴에서 684 g을 제거하였다.

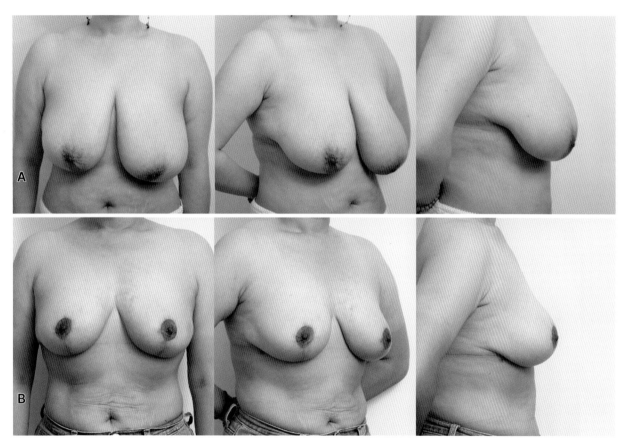

그림 6-2-14. 증례 2. (A) 수술전 (B) 수술후 9개월째 모습.

3) 증례 3 (그림 6-2-15)

22세 여자환자로 수술전 쇄골-유두 거리가 오른쪽 30 cm, 왼쪽 31 cm였으며, 가슴밑둘레는 65 cm 였다. 새로 만들어질 유두의 위치는 쇄골에서 23 cm 거리에 위치하도록 디자인하였고, 상내측 피판 수직절개 가슴축소수술을 시행하였다. 수술 시 오른쪽 가슴에서 574 g, 왼쪽 가슴에서 575 g을 제거하였다.

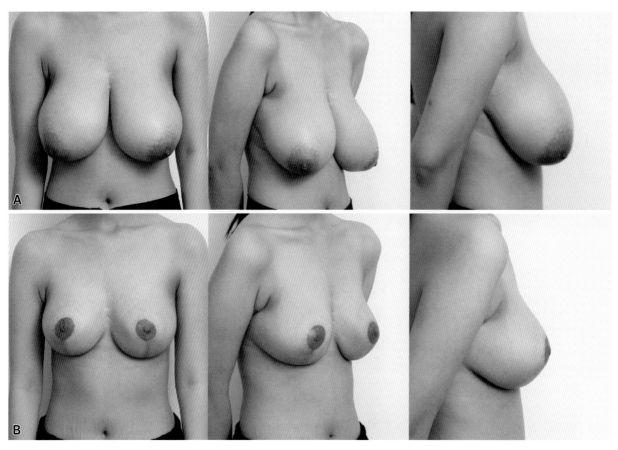

그림 6-2-15. 증례 3. (A) 수술전 (B) 수술후 8개월째 모습.

6. 합병증

1) 혈종

배액관은 혈종을 예방할 수 없기 때문에 수술 시 지혈에 신경을 기울여야 한다. 적은 양의 혈종은 추후에 주사기로 흡인하여 해결할 수 있다. 피판의 혈류에 영향을 미치거나 상처 치유과정에 나쁜 영향을 줄 정도로 많은 양의 혈종은 혈종제거술이 필요할 수 있다.

2) 장액종

환자가 비만이거나 가슴에 지방조직이 많은 경우에 수술 후 장액종이 생기기 쉽다. 장액종이 일정 정도 이상인 경우 가슴밑선부분이 볼록해지기 때문에 알아차리기 쉽다. 이런 경우 환자를 45도 정도 앉힌 상태에서 가슴밑선부분을 통해 주사기로 흡인하여 치료한다. 장액종의 양이 많은 경우 반복적으로 생길 수 있으므로 1–2주 간격으로 경과 관찰하면서 필요시 흡인을 시행한다.

3) 상처 벌어짐

상처에 작용하는 장력과 혈액 순환, 혈종, 장액종 등의 문제로 인해 상처 벌어짐의 문제가 발생할 수 있다. 수직절개창의 피부밑 연속봉합 시 반흔의 길이를 무리하게 줄이는 경우 상처 문제가 발생할 가능성이 높아진다. 상처가 벌어지는 경우 상처를 깨끗이 소독하고 재봉합하면 대부분 잘 치료된다. 수직절개창에 수평의 장력으로 인해 상처가 반복적으로 벌어지는 경우라면 수직방향의 상처를 수평방향으로 봉합하는 것도 도움이 된다.

4) 가슴밑선 부위 문제

가슴밑선 부위에 생길 수 있는 문제로는 기존 가슴밑선과 새로운 가슴밑선 사이가 볼록해지는 것과, 흉터의 개귀변형이 대표적이다. 새로운 가슴밑선 아래로 볼록한 모양이 보여지는 것은 해당 부위의 지방조직이 적절히 제거되지 못했기 때문이다. 심하지 않다면 지방흡입만으로도 적절히 교정할 수 있고, 심한 경우 피부 밑 박리 후 직접적인 지방조직 제거가 필요할 수 있다.

수직절개 흉터의 견이는 넓은 U자형으로 수직절개선을 처리하였거나 피하지방이 두껍게 남은 경우 생길 수 있다. 이 역시 상태에 따라 지방흡입이나 직접적은 지방절제 혹은 흉터 성형술을 통해 교정할 수 있다.

✅ 참고문헌

1. Blondeel PN, Hamdi M, Van de Sijpe KA, Van Landuyt KH, Thiessen FE, Monstrey SJ. The latero-central glandular pedicle technique for breast reduction. Br J Plast Surg 2003;56:348-59.

2. Cárdenas-Camarena L, Vergara R. Reduction mammoplasty with superior-lateral dermoglandular pedicle: Another alternative. Plast Reconstr Surg 2001;107:693-9.

3. Corduff N, Rozen WM, Taylor GI. The superfcial venous drainage of the breast: A clinical study and implications for breast reduction surgery. J Plast Reconstr Aesthet Surg 2010;63:809-13.

4. Davison SP, Mesbahi AN, Ducic I, Sarcia M, Dayan J, Spear S. The versatility of the superomedial pedicle and various skin reduction patterns. Plast Reconstr Surg 2007;120;1466-76.

5. Fahmy FS, Hemington-Gorse SJ. The sitting, oblique, and supine marking technique for reduction mammaplasty and mastopexy. Plast Reconstr Surg 2006;117(7):2145-51.

6. Finger RE, Vasquez B, Drew GS, Given KS. Superomedial pedicle technique of reduction mammaplasty. Plast Reconstr Surg 1989;83:471-80.

7. Hall-Findlay EJ. Aesthetic breast surgery: concepts & technique. In: Aesthetic breast surgery: concepts & technique. Leipzig: Thieme; 2010.

8. Hall-Findlay EJ. A simplifed vertical reduction mammaplasty: Shortening the learning curve. Plast Reconstr Surg 1999;104:748-59.

9. Hall-Findlay EJ, Shestak KC. Breast reduction. Plast Reconstr Surg 2015;136:531-44.

10. Hall-Findlay EJ. Pedicles in vertical breast reduction and mastopexy. Clin Plast Surg 2002;29:379-91.

11. Hall-Findlay EJ. Vertical breast reduction. Semin Plast Surg 2004;18:211-24.

12. Hall-Findlay EJ, Vertical reduction mammaplasty. Thorne CH, Beasley RW, Aston SJ, , editors. Grabb and Smith's plastic surgery. 6th ed. Philadelphia, PA: Lippincott Williams and Wilkins; 2007. p. 604-13.

13. Hamdi M, Hammond D.C, Nahai F: Vertical scar mammaplasty. Springer-Verlag Berlin Heidelberg, Springer; 2005.

14. Hammond DC. Short scar periareolar inferior pedicle reduction (SPAIR) mammaplasty. Plast Reconstr Surg 1999;103:890-1.

15. Lassus C. A technique for breast reduction. Int Surg 1970;53:69-72.

16. Lejour M, Abboud M, Declety A, Kertesz P. Reduction of mammaplasty scars: From a short inframammary scar to a vertical scar (in French). Ann Chir Plast Esthet 1990;35:369-79.

17. Marchac D, de Olarte G. Reduction mammaplasty and correction of ptosis with a short inframammary scar. Plast Reconstr Surg 1982;69:45-55.

18. Matthews JL, Oddone-Paolucci E, Lawson DM, et al Vertical scar breast reduction: Does gathering the incision matter? Ann Plast Surg 2016;77(1):25-31.

19. Michelle le Roux C, Kiil BJ, Pan WR et al. Preserving the neurovascular supply in the Hall-Findlay superomedial pedicle breast reduction: an anatomical study. J Plast Reconstr Aesthetic Surg 2010; 63:655-62.

역T자형 가슴축소수술

Inverted T reduction mammoplasty

이룸 성형외과 **최규진**

1. 서론

1) 거대유방증의 현실

(1) 거대유방증으로 인한 환자들의 불편함

큰 유방은 매우 많은 불편함을 초래한다. 우선 큰 유방으로 인해 입을 수 있는 옷에 제약이 생긴다. 실제로 예쁜 옷을 마음대로 못 입는다는 것이 환자들의 흔한 고충이다. 또한 큰 유방을 브래지어로 버티다 보니 어깨끈이 눌리고, 답답함을 느끼는 경우도 흔하다. 체중 조절을 위한 운동을 하기에도 무거운 가슴으로 인해 어려움이 생기므로 체중조절이 잘 안 되는 경우도 빈번하여, 많은 거대유방증 환자들의 경우 과체중이 동반되어 있다. 큰 무게를 지지하다 보니 신체적 증상으로 목, 어깨, 등, 허리에 근육통 및 관절 질환이 유발되기도 하고, 척추측만증이 동반되기도 한다. 가슴과 배의 피부가 접혀 짓눌려 습진이 있는 경우도 있다. 또한 큰 유방은 정신적인 스트레스도 많이 유발한다. 많은 환자들이 만성적인 성희롱에 노출되어 있고 이로 인해 우울증, 대인기피증이 있는 경우도 흔하다. 저자는 극심한 경우로 자살을 시도한 경험이 있는 환자도 상담을 한 적이 있다.

(2) 거대유방증 환자들의 정보 부족으로 인한 고충

우리나라의 거대유방증 환자들은 비교적 최근까지도 유방축소수술에 대한 정확한 정보를 알지 못하였다. 환자들을 상담해보면 유방축소수술은 매우 위험하며 수혈이 필요하고 극심한 통증에 시달리며 매우 흉한 흉터가 남게 되고 심지어 팔을 못쓰게 되는 수술이라고 알고 있는 경우가 아직도 많다. 하지만 그런 정보는 실체도 없고, 대부분 무지한 주변인들에게 들은 근거가 없는 정보이다. 안타까운 현실은 심지어 일부 의사들조차 위와 비슷한 상담을 하고 있다는 사실이다. 이로 인해 거대유방증 환자들은 많은 고충이 있어도 수술을 생각하지 못하고, 참고 지내는 경우가 매우 많다.

(3) 우리나라의 유방축소수술의 현실

수직절개나 오자절개법이 대부분 시행되고 있으며 간혹 유륜절개만으로 축소수술을 시도하기도 하나 유륜절개만으로 가슴을 축소하는 것은 그리 만족스럽지 않아 널리 사용되지는 않는다. 현재는 대부분 수직절개나 오자절개 중 택하여 시행된다. 하지만 각 수술 별 장단점이나 적응증에 맞춰 객관적으로 방법이 결정되기보다 의사가 익숙한 방법으로 수술 방법이 결정되는 경우가 더 많은 것이 현실이다. 최근에는 수술이 점점 더 많이 이루어지며 유방축소수술에 대한 정보가 많이 공개되고 있다. 또한 학회에서도 과거에 비해 더 많은 유방축소수술 발표가 많이 이루어지고 있어 앞으로 해당 수술이 더욱 활성화될 것으로 보여진다.

2. 가슴축소수술 각론

1) 가슴축소수술의 적응증

어떤 경우에 유방축소수술의 적응증이 되는지 명확한 기준을 말하기는 어렵다. 환자 본인이 큰 유방으로 인해 불편함을 느끼고, 수술을 통해 증상이 개선될 여지가 있다고 판단이 되면 수술을 시행하는 것이 현실이다. 객관적이고 명확한 근거로 이 수술이 필요하다고 인정되는 경우라는 기준을 만들어내기는 참 어렵다. 어떤 경우는 가슴이 그리 크지 않음에도 불구하고 이 수술을 원하는 환자도 있고, 실제로 수술을 하고 나면 그리 많은 양을 제거하지 않았음에도 환자는 매우 편해졌다고 만족하는 경우도 본다. 이는 신체적인 필요성보다는 정신적인 요구가 더 큰 경우로 보여진다.

2) 가슴축소수술후의 변화

① 목, 어깨, 등, 허리의 통증 완화: 무거운 가슴을 지탱하기 위해 유발된 근골격계의 여러가지 증상들이 개선되게 된다.

② 자세의 변화: 심리적, 물리적인 이유로 구부정했던 자세가 많이 교정될 수 있다.

③ 유방통의 완화: 생리전증후군의 일환으로 유방통을 극심하게 앓던 환자가 가슴축소수술후 유방통이 현저히 개선되는 경우를 많이 볼 수 있다.

④ 체중조절이 용이해짐: 가슴이 너무 커서 운동을 잘 할 수 없었던 환자들이 가슴축소수술 후 운동을 용이하게 할 수 있게 되면서 체중조절을 더 잘할 수 있게 되는 경우를 많이 보게 된다.

⑤ 정서의 변화: 자신감이 없고 우울증까지 앓고 있는 환자들이 가슴축소수술 후 매우 긍정적이 되고 자신감을 회복하는 경우를 많이 볼 수 있다.

⑥ 성희롱으로부터의 해방: 큰 가슴으로 인해 성희롱에 노출되어 있는 경우가 많은데 수술후 이로부터 해방되어 너무 좋다고 하는 환자를 많이 볼 수 있다.

⑦ 피부습진 등의 개선: 피부가 너무 접혀있어 유발된 많은 피부질환들이 개선되는 경우가 많다.

3) 오자절개의 장단점 정리

절개선이 가장 많은 수술인 만큼 조직을 절제할 수 있는 기회도 가장 많고 의사가 개입을 하여 변화를 줄 수 있는 기회도 가장 많은 방법이다. 유방 내부의 조직을 제거하는 것과 비례하여 외부의 피부도 같이 충분히 절제할 수 있기에, 유방에서 덜어내고 싶은 조직을 충분히 골고루 제거할 수 있다. 반면 수직절개는 내부조직을 제거하는 것에 비해 피부는 충분히 제거하지 못하므로 남은 피부를 잘 처리하기 위한 노력이 필요하다. 또한 수직절개시 피부처리에 제한이 오다 보니 줄이는 전체적인 양이 오자절개에 비해 제한적이게 된다. 그러나 오자절개방법은 내부조직과 외부조직을 더 자유롭게 제거할 수 있으므로 모양을 만드는데 더 적극적일 수 있고 만들고자 하는 방향대로 더 쉽게 진행할 수 있다.

단점은 밑주름을 따라 절개선이 추가되어 흉터가 길다는 점이다. 밑주름에 흉터가 전혀 없으면서 같은 결과를 만들어 낼 수 있다면 밑주름 절개가 추가되는 것이 단점이 되겠으나, 절개의 여부에 따라 결과의 차이가 있으므로 절개선을 추가하는 것이 단점이라 말하는 것이 맞는지 고민스럽다. 수직절개의 경우도 피부 늘어짐이 많은 환자에 적용하면 그 남는 피부를 처리하기 위해 연장절개가 필요하여 수직절개로만 끝나지 못하는 경우도 많다. 그렇기에 밑주름에 절개가 있는 법과 없는 법과 같이 이분법적으로 나누어 설명할 수 없고, 다만 오자 절개는 수직절개에 비하여 밑주름에 긴 절개가 들어가는 것이 특징이자 굳이 말하자면 단점이라고 표현할 수는 있겠다.

4) 오자 절개가 적합한 적응증

(1) 유두가 밑주름 레벨보다 많이 내려와 있는 경우(그림 6-3-1)

이런 경우는 유방의 하연이 길 수밖에 없고 이 긴 유방의 하연의 피부를 실제로 제거하여 없애야 가슴을 많이 줄일 수 있고 좋은 모양을 만들 수 있다.

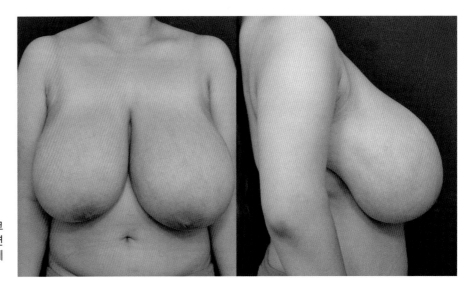

그림 6-3-1. 유방 볼륨이 매우 크고 피부의 양도 많으며 유방의 하연의 길이도 매우 길어 적극적인 절제가 필요한 환자

(2) 밑주름이 높이 위치해 있어 밑주름을 더 올리는 것이 부적합한 경우(그림 6-3-2)

밑주름이 더 올라갈 수밖에 없는 수직절개를 적용하면 안되는 경우이고 원래의 높은 밑주름이 더 올라가지 않으면서 가슴을 줄일 수 있는 오자 절개방법이 적합하다.

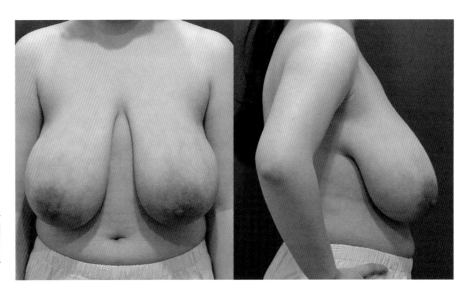

그림 6-3-2. 유방의 밑주름이 매우 높아 밑주름을 더 올리는 수직절개가 부적합하며 하연이 매우 길어 피부절제를 적극적으로 해야 할 필요가 있는 환자

(3) 유방의 하연이 긴 경우(그림 6-3-3)

긴 하연의 피부를 제거하지 않고 바닥에 눌러 붙이는 수직절개방법을 적용하면 주름이 유발되고 결국은 흉터가 많이 남게 된다. 이를 피하고자 하면 적극적으로 줄이지 못하게 되기도 한다. 이런 경우 오자 절개를 통해 피부를 충분히 제거해야 좋은 결과를 만들 수 있다.

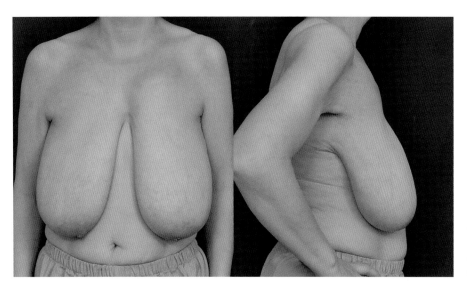

그림 6-3-3. 유방의 처짐이 매우 심하여 유두가 거의 배꼽까지 내려와 있어 피부 절제를 매우 적극적으로 해야 하는 환자

(4) 최대한 적극적으로 줄이길 원하는 경우

오자절개는 수직절개에 비하여 피부를 더 제거할 수 있기 때문에 더 많은 양을 제거하는데 적합하다.

5) 오자절개수술방법

(1) 수술준비

수술준비는 각 수술마다 다를 수밖에 없다. 가슴축소수술을 준비할 때는 어떤 것들을 신경 써야 하는지 말해보고자 한다. 우선 해당 수술은 전신마취로 이루어질 수밖에 없으므로, 전신마취를 할 수 있는 준비가 돼야 한다. 그리고 유방을 광범위하게 절개하여 열어둔 상태로 오랜 시간이 소요되기 때문에 수술실 공기를 깨끗하게 관리하는 것이 중요하다. 조직이 공기에 오랜 시간 노출되기 때문에 공기 정화 시설을 잘 갖추어야 한다. 저자는 주기적으로 수술실 공기의 질을 체크하기 위해 세균배양 배지를 수술실에 두어 공기 중에 있는 균의 여부를 확인하고 있다. 또한 환자는 오랜 시간 누워있어야 하기 때문에 발뒤꿈치나 팔꿈치 등이 눌려 피부 궤양이 생길 수 있다. 따라서 해당 부위가 수술실 베드에 짓눌리지 않도록 주의가 필요하다. 또 수술시간이 보통 4~5시간 이상이 소요되므로 소변줄을 넣고 소변량을 체크하는 것이 필요하다. 그리고 수술 중에 가슴모양을 확인해야 하기 때문에 침대의 머리를 올리는 상황이 많으므로, 이때 환자의 머리가 떨어지지 않도록 잘 고정해야 한다. 환자의 양팔은 벌린 채로 고정을 해야 한다. 팔을 완전히 90°로 벌린 자세를 취하면 그것만으로 가슴이 일부 거상 되어버리므로 팔은 조금 덜 벌린 자세로 고정을 하는 것이 필요하다. 그리고 제거한 조직의 무게를 측정해야 하기 때문에 정확한 저울이 있어야 한다. 수술시간이 긴 만큼 혈전예방을 위한 조치가 필요하며, 이는 하지압박 스타킹을 착용시키는 것이 도움이 된다.

(2) 디자인 방법

수술디자인은 수술의 설계도를 그리는 과정이다. 이 설계도를 그리는 과정이 수술 비중의 절반 정도를 차지한다고 생각한다. 설계도를 잘못 그리고 수술을 시작하면 수술 중에 많은 과정이 추가되고 수술시간이 계속 늘어나게 된다. 그래서 수술 디자인은 많은 노력이 필요하며 아주 꼼꼼하게 잘 계산해서 해야 한다.

① 유두, 유륜의 위치를 정하는 방법

기본 원칙은 유두의 위치를 겨드랑이와 팔꿈치의 중간 정도 레벨에 오도록 디자인하는 것이다. 하지만 환자에 따라 밑주름이 너무 아래에 있거나 또는 너무 위에 있는 경우도 있다. 이런 경우는 원칙만을 너무 고수하면 오히려 어색한 모양이 될 수도 있고 수술이 어려워지기도 한다. 그래서 환자의 유방의 조건을 고려해서 어느 정도의 변동이 필요하다. 또한 유방조직을 많이 제거하고 모을수록 유두의 위치는 점점 올라가게 된다. 그래서 줄이려는 양에 따라 밀려 올라갈 유두의 위치를 예측해서 디자인을 해야 한다. 즉, 많이 줄일 예정일수록 새로운 유두의 위치는 다소 낮게 디자인해야 한다.

② 유륜디자인

새로 만들 유륜은 원래의 유륜보다 작게 되는 경우가 대부분이다. 보통 3.8–4 cm 정도의 지름으로 새로운 유륜을 디자인하는 게 무난하다. 새로운 유륜이 들어가게 될 부위의 절개선 길이를 새로운 유륜의 원둘레 길이와 비슷하도록 디자인을 해야 수술 후에 유륜이 넓어지는 현상을 예방할 수 있다. 이 길이를 정확하게 맞추지 않고 대충 큰 절개를 하여 새로운 유륜의 둘레 길이에 쪼아서 봉합하는 방법으로 수술을 하면, 결국 바깥의 큰 절개선이 새로운 유륜을 당겨버려 계획보다 큰 유륜이 되어버리는 경우가 많다. 따라서 절개선과 새로운 유륜의 원둘레 길이를 가능한 맞추도록 노력해야 한다.

③ 수직선의 디자인

수직선의 길이는 유륜의 하연부터 밑주름 까지를 말하며 이 길이는 대략 6–8 cm 정도 중에서 결정한다. 피판의 길이와 길수록 피판을 담아내기 위한 수직선의 길이가 길어져야 하고 환자 고유의 밑주름의 위치도 고려해서 수직선의 길이를 결정한다. 수직선의 폭은 가슴을 좌우로 젖혀보면서 가슴의 정중앙을 가로지르는 정준선과 일치되도록 디자인하는 것을 기본 방법으로 하되, 환자가 원하는 가슴 볼륨에 따라 이를 조정을 하게 된다. 처음에 익숙하지 않거나 판단에 확신이 없을 땐 수직선의 길이를 조금 길게 디자인하고 수술 중에 교정해 나가는 것이 안전하다. 처음부터 너무 짧게 디자인해서 절개를 해버리면 수술 중에 회복을 할 수가 없어 난감할 수 있다.

④ 밑주름 절개의 디자인

환자 고유의 밑주름을 따라 디자인하고 가급적 밑주름으로 만나서 봉합을 해야 할 두 변의 길이가 비슷하도록 디자인한다.

(3) 유륜을 잘 만드는 방법

유륜은 가슴 모양을 평가하는데 매우 중요한 요소다. 가슴을 예쁘게 잘 줄여도 유륜의 위치나 크기 모양이 이상하면 만족감이 매우 떨어지게 된다. 유륜을 완전하게 원형으로 만들기는 매우 어렵다. 누워있을 때와 서 있을 때 모양이 달라지고, 시간이 지나면 가슴이 늘어지고 당겨지면서 또 변하게 된다. 그래도 일단 수술 중엔 최대한 동그랗게 만들도록 노력해야 한다. 12시, 6시, 3시, 9시 방향에서 먼저 봉합을 하고 그 사이사이 간격을 촘촘하게 봉합해서 골고루 장력이 가도록 봉합을 한다. 그 후에 continuous suture로 유륜 둘레를 봉합한다. 여러 차례 자세를 바꾸어 가며 유륜의 모양을 확인하고 trimming 해가면서 모양을 완성한다.

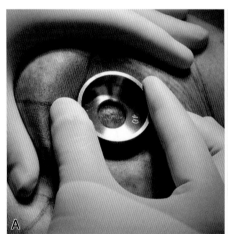 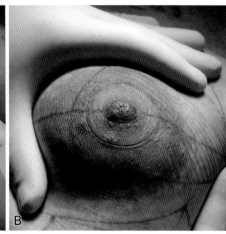

그림 6-3-4. **(A)** 희망하는 사이즈의 유륜 마커로 유륜을 흔적을 남기는 과정, **(B)** 유륜 마커로 만든 흔적을 따라 디자인 펜으로 다시 확실히 그려주는 과정.

(4) 유두의 위치를 잡는 기준

유두의 위치는 겨드랑이와 팔꿈치 사이의 중간 정도 위치가 적당하며, 유방의 정중선에 위치하도록 한다. 기존 밑주름이 너무 높거나 낮은 경우 이 원칙을 그대로 적용하기 어렵다. 환자의 다양성을 고려해서 약간의 변형이 필요할 수도 있다. 유륜이 너무 안쪽으로 치우쳐 있는 유방인 경우(그림 6-3-5, 그림 6-3-6) 피판의 rotation arc가 잘 나오지 않아 피판을 돌려 유륜을 새로운 위치에 세팅하기 어려울 때가 있다. 이 경우에는 유방의 정중선을 너무 정중앙에 잡지 말고 약간 바깥쪽으로 잡으면 rotaion arc가 나오는데 도움이 된다. 또한 새로운 유두의 위치를 조금 더 위로 디자인하는 것도 피판을 돌려 유륜을 세팅하는 데 도움이 된다.

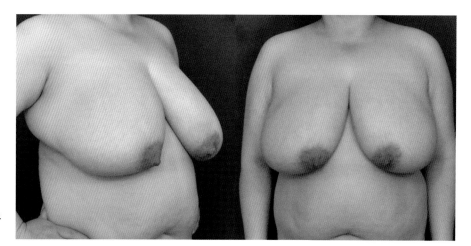

그림 6-3-5. 유륜이 안쪽으로 치우쳐 있는 환자

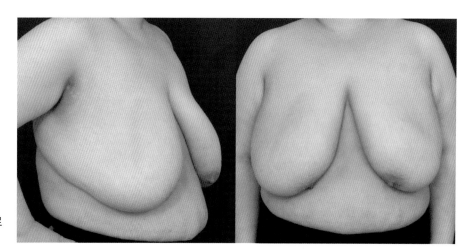

그림 6-3-6. 유륜이 더 안쪽으로 심하게 치우쳐 있는 환자

(5) 피판을 만드는 방법

피판을 만들 수 있는 혈류는 다양하다. 과거에는 inferior pedicle을 주로 많이 했으나 최근에는 superior나 superomedial pedicle을 이용하는 경향이 더 많아졌다. Superior나 superomedial pedicle을 대부분 사용하는데, 그 이유는 가슴의 upper pole의 볼륨을 만들기도 좋고 lower pole의 볼륨을 충분히 줄일 수 있어 수술 후 가슴이 다시 처지는 경향을 줄일 수 있기 때문이다. 또한 유두 유륜의 혈류가 가장 안정적이고 감각을 유지하는 면에서도 유리하다. 한편 피판의 폭은 대략 5-7 cm 정도가 적당하다. 이 폭을 크게 잡을수록 피판의 혈류가 안정적이겠지만, 피판의 볼륨이 커지므로 작은 가슴을 만드는 데는 반대로 작용하게 된다. 또한 rotation이 더욱 어려워질 수 있으므로 피판의 길이와 새로운 유륜의 위치 등을 고려해서 피판의 폭을 결정한다. 환자가 흡연자인 경우 혈류가 안정적이지 않을 것을 우려하여 피판의 폭을 더 넓게 하기도 한다. 피판의 두께로 3 cm 정도는 확보하는 것이 안전하다. 이보다 더 얇으면 피판 내부에서 행하는 혈관을 손상시킬 수 있어 유두 유륜 괴

사의 가능성이 높아진다. 윗가슴에 볼륨감을 주고 싶은 경우, 피판을 더 두껍게 남기면 도움이 된다. 이 피판의 볼륨이 새로운 가슴에서 보형물처럼 작용하여 가슴의 볼륨과 모양을 결정하는데 매우 중요하다.

그림 6-3-7. 피판의 두께는 3 cm 정도까지 얇게 만들 수 있고 피판의 길이는 이 경우처럼 10 cm 이상으로 매우 길게 만들 수 있다.

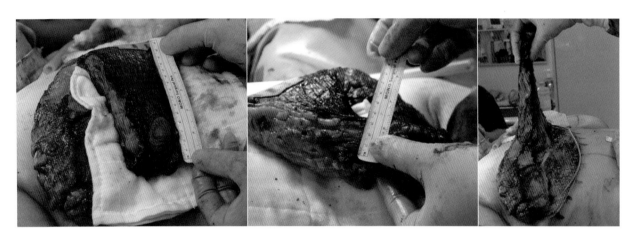

그림 6-3-8. 피판의 두께와 길이가 결국 가슴의 볼륨을 결정짓는 매우 중요한 요소가 된다.

(6) 밑주름 라인 위치

Wise pattern 유방축소수술은 환자의 기존 밑주름을 그대로 따라 절개하기 때문에 밑주름의 위치를 적극적으로 바꿀 수 없다. 하지만 실제로 수술을 해보면 약간은 위로 당겨 올라가 만들어지기도 한다. 완전히 고정된 주름이 아니므로 봉합을 하면서 약간의 위치가 바뀔 수 있다. 하지만 임의대로 새로 만들어낼 수는 없는 구조물이므로 환자에게 밑주름을 똑같이 맞추어 주겠다고 말할 수는 없다. 약간의 변화는 있을 수 있다는 정도로 설명하고 수술하는 것이 가장 적당하다.

(7) 수술의 순서

수술 순서는 정해진 정답은 없으며 집도의가 익숙한 방법과 순서대로 진행하면 되는데 일단 저자의 방법과 순서를 소개하면 다음과 같다.

디자인을 따라 10번 메스로 절개선을 긋는다. 디자인은 수술 중에 지워지므로 절개선을 처음부터 메스로 그어 두는 것이 좋다. 그 다음 피판에서 새로운 유륜으로 디자인해 둔 유륜의 피부는 제외하고 나머지 피판의 피부를 메젠바움 시저로 벗겨낸다. 이때 진피층이 바닥에 남도록 표피만 잘 벗기는 것이 중요하다. 피판 만드는 과정을 시작하는데 피판의 양 변을 수직으로 박리해서 내려간다. 피판의 바닥에서는 근육을 건드리지 않도록 한다. 근 육을 절개하면 많은 출혈이 유발되고 지혈이 어려울 뿐만 아니라 겨우 지혈이 되더라도 다 시 수술 후 출혈을 유발하는 원인이 될 수 있으므로 조심해야 한다. 피판을 다 박리하였다 면 그다음으로 피판 주변조직을 절제한다. 이 때도 역시 근육을 손상시키지 않도록 조심해 야 한다. 피판을 회전하여 새로운 유륜을 위한 key hole에 밀어 넣은 다음 lateral, medial pilar를 당겨 모아 스테이플러로 고정을 하여 모양을 가늠해 본다. 베드의 상부를 올려 환자 를 앉은 자세로 만든 다음 가슴의 모양을 확인한다. 더 절제가 필요한 부위를 마킹해두고 환자를 다시 눕혀 스테이플러를 제거한 다음 다시 필요한 부위를 절제해 낸다. 이때 필요한 경우에는 지방 흡입을 해서 줄이기도 한다. 그리고 다시 스테이플러로 모양을 만들어 확인 해보는 과정을 적절히 해나가면 된다. 모양과 크기가 적절하게 만들어졌다고 생각하면 봉합 을 시작한다. 봉합 전에 헤모백을 설치하고 항생제가 섞인 식염수로 가슴 내부를 세척하고 베타딘으로 또 세척을 한다. 그 후 봉합을 시작한다. 봉합은 유륜부터 시작하고, 유륜의 봉 합이 완료되면 그 다음 수직선의 가장 아랫부분을 봉하여 모아준다. 그 다음 수직선의 봉합 을 완성하고 수직선과 밑주름을 봉합한다. 그리고 밑주름의 봉합을 한다. PDS 3.0, 서지핏 4.0 등을 이용하여 내부 봉합을 하고 피부는 나일론 5.0을 사용한다. 그리고 최종적으로 더 마본드로 마무리한다.

(8) 드레싱 방법

더마본드로 마무리를 하면 드레싱을 할 필요가 없고 실을 제거하기만 하면 된다. 피부 봉합 마저도 하지 않고 더마본드로만 마무리하면 실을 제거할 필요도 없어 더 편하다. 하지 만 이렇게 긴 절개선을 진피봉합만하고 더마본드를 적용하기엔 완전하지 못하므로 진피봉 합이 약한 부위에는 피부 봉합을 하고 더마본드를 적용하는 것이 안전하며 이 실을 제거하 는 것이 필요하다. 저자는 12일째 나일론 실을 제거한다. 그 후 스테리스티립 테입으로 관리 를 시작하여 약 3개월 정도를 관리하도록 권장하고 있다.

(9) 피주머니에 대하여

광범위한 범위를 절제하므로 헤모백을 설치하는 것이 안전하다. 저자는 헤모백 하나 당 12시간 동안 모은 양이 15 cc 이하로 줄어들면 제거하는 것을 기준으로 삼고 있다. 절제한 양이 적고 내부에 빈 공간이 거의 없이 수술이 된 경우는 헤모백을 사용하지 않는 경우도 있지만 대부분의 오자절개 유방축소수술은 많은 양을 절제하는 경우에 사용하는 방법이 므로 대부분 헤모백을 사용한다. 헤모백은 대부분 수술 후 3-5일 사이에 제거하게 되며, 너무 많은 양을 제거하면서 지방흡입도 동시에 한 경우는 7일까지 유지해야 하는 경우도 있을 수 있다. 헤모백을 제거한 다음에도 내부 빈 공간들이 완전히 닫히고 붙지 않았기 때문에 유방이 심하게 흔들리지 않도록 조심하여 지내는 것이 필요하다.

3. 가슴을 많이 줄이기 어려운 조건

가슴을 많이 줄이기 어려운 경우를 미리 파악하는 것은 매우 중요하다. 환자는 많이 줄어들기를 기대하지만 의사의 노력만으로 이 기대에 충족할 수 없는 조건인 경우 환자에게 이를 미리 설명하고 납득시킬 수 있어야 한다. 첫번째 조건은 유두가 그리 많이 내려와 있지 않은 경우다(그림 6-3-9). 유두가 밑주름보다 많이 내려와 있는 경우는 보기엔 매우 심해 보이지만 오히려 더 많은 변화를 만들어내기 좋은 경우가 된다. 유두의 위치를 많이 바꿀 수 있다는 것은 조직을 많이 제거할 수 있는 기회가 있다는 것과 같은 말이다. 반대로 말하면 조직을 많이 제거할수록 유두도 그에 비례해서 많이 올라가게 된다는 것이다. 그런데 유두가 밑주름 근처에 있거나 아직도 위에 있으면서 돌출만 많이 된 즉, 처짐은 많지 않으면서 큰 유방의 경우는 많이 제거하고 많이 모으게 되면 유두가 너무 많이 올라가게 되어 정상적인 유방을 만들 수 없게 된다. 이런 경우 유두가 움직일 수 있는 이동 폭이 작기 때문에 제거할 수 있는 양도 제한이 되므로 많이 줄이기가 어렵다. 두번째 경우는 새가슴 흉곽을 가지고 있는 경우이다(그림 6-3-10, 그림 6-3-11). 새가슴 흉곽을 갖고 있어도 큰 유방으로 덮여 있는 경우는 알아채기 어려운 경우가 있다. 유방의 볼륨이 커 보이지만 실제 유방만의 볼륨이 아니라 밑에 뼈가 돌출되어 유방의 볼륨은 그다지 많지 않고 뼈가 많은 볼륨을 차지 하고 있는 경우가 있다. 이를 미리 진단으로 알아채지 못하는 경우에는 수술 중에 난감하게 된다. 절

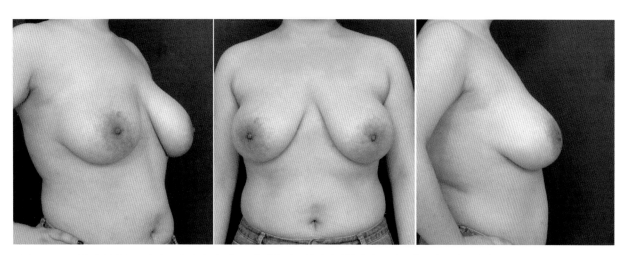

그림 6-3-9. 가슴의 볼륨은 크나 유두가 이미 밑주름 보다 위에 있고 처짐이 심하지 않은 경우에 조직을 너무 많이 줄이면 그에 비례하여 유두가 너무 많이 올라가 어색한 가슴모양이 되기 쉽다. 이런 경우도 가슴을 많이 줄이기 어려운 조건이므로 이를 상담 시 미리 설명할 수 있어야 한다.

그림 6-3-10. 수술 전 진찰에서 이미 튀어나온 흉곽을 확인할 수 있으며 이런 환자는 대부분 유방 바닥 부분의 갈비뼈가 많이 돌출되어 있다. 수술 중에 튀어나온 갈비뼈를 확인할 수 있으며 그 부분은 가슴이 더 돌출되어 보이게 된다. 수술 전에 갈비뼈 돌출로 인해 그런 부위가 튀어나와 보이거나 덜 줄어 보일 수 있음을 미리 설명하여 두는 것이 좋다.

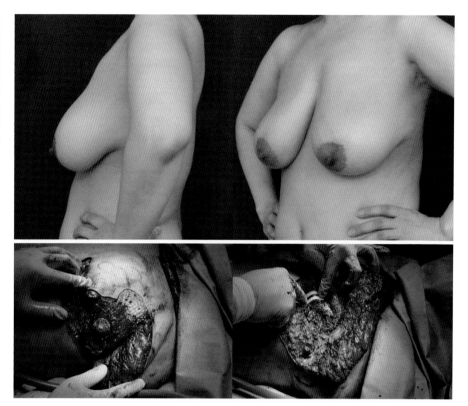

그림 6-3-11. 수술 전에 갈비뼈가 많이 돌출된 것이 확인되며 수술 중에도 역시 매우 많이 돌출된 갈비뼈가 확인된다. 그 부위를 더 적극적으로 절제하면 사진처럼 수술 중에 갈비뼈의 두드러짐이 완화된 부드럽고 자연스러운 가슴을 만들 수 있다.

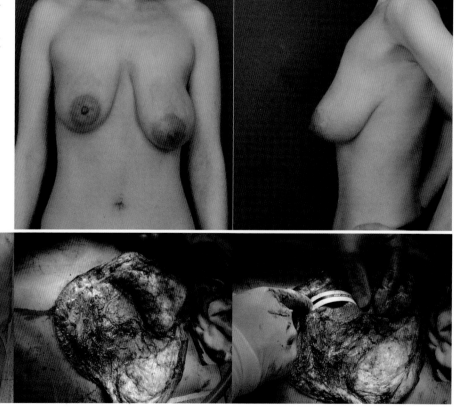

제를 시작하여 유방조직을 덜어내고 나면 갈비뼈의 윤곽이 드러나는데 의외로 갈비뼈가 돌출되어 가슴이 더 커보이는 경우가 많기 때문이다. 수술 전 진찰 시 흉곽의 모양과 갈비뼈를 촉진하여 이런 특성을 분석하고 환자에게 미리 설명할 수 있어야 한다. 세번째는 밑주름이 너무 높이 위치해 있는 경우다(그림 6-3-12). 이상적인 가슴 모양을 말할 때 유두가 밑주름보다 위에 있는 것을 기준으로 하는데, 이미 밑주름이 너무 높이 위치해 있는 환자들의 경우 이 조건을 맞추려다 보면 유두가 너무 위로 올라가야 하는 경우가 발생한다. 이런 경우는 새로운 유두 위치를 꼭 밑주름보다 위로 올리려는 기준으로 맞추지 말고 겨드랑이와 팔꿈치의 중간 정도 레벨에 오도록 한다는 기준을 더 지키려고 하는 것이 좋다. 그러다 보면 유두를 많이 못 올리게 되고 이로 인해 절제할 수 있는 양에도 제한이 오게 된다. 위와 같은 특별한 조건들을 미리 잘 파악하고 수술 전에 미리 설명할 수 있어야 환자도 의사도 당황하지 않게 된다.

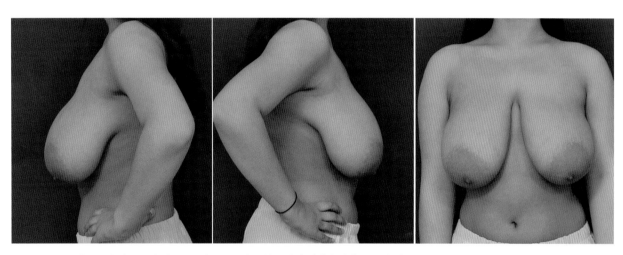

그림 6-3-12. 밑주름이 매우 높아 밑주름보다 유두를 충분히 올리기 어렵게 된다. 유두가 밑주름보다 올라가면 어색해질 가능성이 있어 환자에게 이런 조건에 대해 미리 충분히 설명할 수 있어야 한다. 이처럼 밑주름이 너무 높으면 가슴을 충분히 줄이는데 방해를 주는 조건이 된다.

4. 가슴축소수술 시 조심해야 할 점들

1) 근육을 건드리지 말기

가슴축소술을 하면서 근육을 건드려야 할 이유는 전혀 없다. 이 수술의 통증이 거의 없는 이유도 근육을 손상시키지 않아 근육통이 없기 때문이다. 유방조직을 절제하다 보면 근육 근처까지 도달하게 되는데, 이때 보비나 메스로 근육을 손상시키지 않아야 한다. 근육이 절단되면 출혈이 많고 지혈이 어렵다. 불가피하게 출혈이 유발된 경우 지혈을 매우 철저하게 해야 한다. 수술 후 출혈의 많은 경우가 근육에서 유발된 경우가 많다. 근육을 건드리지 않고 수술이 이루어지면 수술 후 통증도 거의 없다.

2) 유륜 혈류 확인하기

이 수술에서 무엇보다도 가장 조심스러운 것은 유륜의 혈류 유지다. 피판을 디자인하고 만들 때 여러 가지 방향의 피판이 가능하지만 저자는 superior pedicle이나 superomedial pedicle을 가장 선호하고 대부분 이 두 가지 방법으로만 수술을 한다. 이 혈류가 가장 안정적이고 특히 superomedial pedicle은 두 가지 혈류를 다 받기 때문에 가장 안정적이고 유두의 감각을 유지하는데도 유리하다. 수술 중 피판의 두께는 최소 3 cm를 유지하도록 해야 피판 내의 혈관을 손상시키지 않을 수 있다. 수술 중에 피판의 말단에서 피가 나는지를 꼭 확인해 보면서 피판을 만들어가야 한다.

3) 스테이플러 조심하기

이 수술에서는 스테이플러를 많이 사용하게 된다. 모양을 만들어보고 부족한 부분을 다시 절제하고 또 모양을 만들어보는 과정을 수차례 반복해야 하기 때문이다. 이 스테이플러는 매우 편리한 도구지만, 스테이플러 심이 가슴 내부에 들어가 남아있지 않도록 숫자를 잘 카운트하며 제거해야 한다. 스테이플러가 가슴 내부에 남아 있게 되면 제거가 매우 어려울 수 있기 때문에 사용한 개수와 제거한 개수를 정확히 확인하면서 수술해야 한다.

4) 피부 당겨봉합하지 말기

상처 벌어짐의 많은 경우는 조직을 너무 당겨 봉합하기 때문에 발생한다. 봉합은 정확하게 디자인하여 조직이 조금 여유로운 상태로 편하게 이루어져야 한다. 길이가 모자라서 억지로 봉합사의 힘으로 당겨 봉합하는 경우 혈류의 장애가 유발되기 쉽고 봉합한 말단의 괴사가 동반되면서 상처가 벌어지게 된다. 수술 후 가장 흔히 재수술을 하는 원인이 이것이므로 주의해야 한다.

5. 가슴축소수술의 부작용

1) 유륜괴사

유방축소수술의 부작용 중에 가장 대표적이고 조심해야 할 부분이다. 하지만 피판을 안정적으로 만들면서 수술하면 유륜괴사는 사실 그리 흔하게 접하는 문제는 아니다. 만약 실제로 일어나더라도 유륜 전체가 괴사되는 일보다 부분 괴사가 일어나는 경우가 더 흔하다. 피판을 안정적으로 잘 만들었다고 하더라도 이 피판을 회전시켜 새로운 유륜의 위치로 세팅하다 보면 혈류가 떨어질 수 있다. 그래서 피판이 무리없이 잘 회전될 수 있도록 수술 디자인을 잘 하고, 수술 중 세팅하는 과정에서도 피판이 너무 급격히 접히지 않도록 조절하는 것이 중요하다. 환자의 흡연력을 잘 확인하는 것도 중요하다. 수술전과 후에 반드시 금연을 해야 한다고 설명을 하고, 금연을 완전히 하지 못한 환자를 수술할 때는 피판을 더 보존적으로 더 넓고 두껍게 디자인한다. 유륜의 괴사 또는 부분괴사가 온 경우에는 괴사된 부위를 변연절제술을 하고 드레싱을 하면서 secondary healing이 되도록 기다리고 일단 상처가 다 아문 다음 최소 6개월 이상을 지켜보면서 상처 부위가 안정화된 다음 유륜 재건 수술을 도모하는 것이 안전하다.

2) 감염

수술시간이 길고 절개선도 긴 만큼 수술부위 감염을 주의해야 한다. 예방적 항생제를 사용하는 것이 수술후 감염을 줄이는데 유용하다. 수술전에 항새제를 투여하는 것이 중요하고 저자는 수술전과 수술직전에 퀴놀론계열이나 세파계열 항생제를 투여하고 있다. 수술로 인한 감염은 대부분 수술 후 7일째쯤 증상이 나타난다. Erythema와 열감이 있고 지저분해 보이는 discharge가 동반되며 상처가 벌어진다. 이런 상황에서는 반드시 균배양검사를 시행하고 상처부위를 다시 열어 내부 조직의 상태를 확인하고 pus pocket은 없는지 확인해야 한다. 항생제를 섞은 식염수로 상처부위를 세척하고, 베타딘을 희석하여 다시 세척한다. 변연절제술을 시행하고 깨끗한 조직끼리 다시 봉합을 한다. 그런데 변연절제술을 과감히 할수록 다시 봉합하기가 어려워지는데 억지로 봉합을 하는 것보다는 당분간 드레싱을 자주 하면서 secondary healing을 시키는 것이 더 나을 때도 있다. 균배양 검사 결과가 나올 때까지 균이 있다는 가정하에 경험적 항생제를 먼저 복용하도록 한다. 항생제가 적합하게 들어간 경우라면 보통 2-3일 정도면 상처부위가 개선되는 것으로 확인된다. 경험적 항생제를 써도 상처가 호전이 없다면 항생제의 종류를 바꿔보는 것도 필요하다. 최종적으로는 균배양 검사 결과에 보고된 적합한 항생제를 쓰는 것이 맞다. 간혹 상처가 erythema, 열감 등을 동반하지 않고 지저분한 discharge도 없으면서 상처부위가 계속 아물지 않고 벌어지는 즉, 일반적인 세균 감염의 양상과 다른 양상을 보인다면 비결핵 항산균 같은 드문 균의 감염 가능성도 생각해 보아야 한다. 비결핵 항산균 감염의 증상은 초기엔 환부가 그리 지저분해 보이지 않으면서 상처가 아물지 않는 양상인 경우가 많다. 이 경우 빨리 해당 균 감염을 의심하고 비결핵 항산균을 찾을 수 있는 배양검사를 의뢰하고, 비결핵 항산균에 적합한 항생제를 미리 쓰기 시작하는 것이 중요하다. 비결핵 항산균은 배양에 성공하여 실체를 확인하는 것이 매우 어려워 증명을 한 다음 약을 쓰면 늦는 경우가 많다. PCR 검사로도 정확히 찾아내기 어렵고 배양검사는 더 밝히기 어려워, 증상으로 먼저 의심하고 경험적 항생제 치료를 빨리 시작하는 것이 예후에 중요하다.

3) 장액종

장액종은 유방축소수술 후에 종종 경험하는 부작용이다. 조직을 잘라내어 빈 공간이 생기는 데, 이 공간이 다 채워지거나 주위조직과 붙어버리기 전에 장액종이 고이는 것이다. 소량의 경우는 체내로 흡수되어 증상이 없지만 흡수될 수 있는 양보다 장액종이 많이 발생하면, 유방이 붓고 봉합 부위 중 약한 부위로 새어나오면서 상처가 아물지 않게 된다. 그래서 초기에 피주머니(HEMO-VAC)를 사용하여 장액을 제거하는 것이 필요하다. 장액종 증상의 경우 환자는 가슴이 부었다고 느끼고 무겁다거나 뭔가가 불편한 느낌이 든다고 한다. 그리고 수술 초기에 봉합 부위가 벌어지면서 장액종이 스며 나오기도 한다. 초음파를 보면 장액종을 금방 확인할 수 있다. 장액종의 양이 그리 많지 않은 경우는 Needle aspiration을 하고 그 부위를 압박 드레싱을 하고 경과를 지켜보기도 한다. 하지만 장액종의 양이 많거나 수술 후 1개월 이상 지난 시점에서 발견된 경우 봉합선의 일부분을 다시 절개하여 장액종을 씻어내고 장액종이 고여있던 부위의 조직도 상태를 확인한 뒤 다시 HEMO-VAC을 넣고 나오는 방법이 필요하기도 하다. 장액종을 예방하기 위해선 수술 후 최소 1개월은 가슴이 심하게 흔들리지 않도록 주의시키고 보정브래지어를 잘 입도록 하는 것이 중요하다.

4) 혈종

수술 중에 철저하게 지혈을 하면 대부분 피할 수 있는 문제지만 아무리 철저히 지혈을 해도 수술 후 환자가 가슴이 많이 흔들리지 않도록 조심해야 하는 것도 필요하다. 수술 주에는 근육을 손상시키지 않도록 주의한다. 근육이 손상되면 출혈이 많이 유발되고 지혈하기도 어렵다. 출혈이 발생하면 이후 지혈이 된 듯해도 다시 출혈이 생길 수도 있기 때문에, 처음부터 근육으로부터 출혈이 생기는 일을 만들지 않아야 한다. 조직을 제거하면서 바로바로 지혈을 하고 봉합을 하기 전에는 식염수로 세척을 하면서 출혈 부위가 있는지 꼼꼼히 살피도록 한다. 환자가 수술 후 가슴이 부었다고 표현하는 경우는 초음파 검사를 해보는 것이 필요하며, 장액종이나 혈종이 보이면 크기가 아주 작지 않은 이상 적극적으로 해결하도록 하는 것이 좋다. 멍이 동반되면서 가슴이 부은 경우 장액종 보다는 혈종의 가능성이 많다. 혈종의 경우는 장액종보다 더 급격하게 가슴이 부풀어 오르는 경우가 많다.

5) 상처 벌어짐

유방축소수술 후에 가장 흔히 경험하는 문제일 것으로 생각한다. 환자가 비만인 경우 여러가지 합병증의 발생 확률이 올라가는데 그중에 상처벌어짐의 문제도 더 잘 발생하므로 주의해야 한다. 상처벌어짐을 예방하기 위해선 우선 수술 디자인을 정확하게 하여 피부가 편안하고 안정적으로 봉합하는 것이 중요하다. 길이가 모자란 상태로 강제로 봉합한 부위는 벌어지기가 쉽다. 우선 상처가 벌어지면 감염에 의한 건지, 장액종에 의한 건지, 혈행이 좋지 않아 피부괴사가 되면서 벌어진 건지 등 원인을 분석해야 한다. 원인을 파악해야 벌어진 곳을 다시 붙게 만들 수 있기 때문이다. 조직이 지저분해서 변연절제술을 하는 경우는 대부분 피부가 모자라게 되어 봉합을 하기가 어려워진다. 이런 경우는 절개를 더 연장하여 조직의 이동성을 확보하여 준 다음 당겨 봉합하면 도움이 된다. 이것도 어려운 경우 강제로 당겨 봉합하면 다시 상처가 나빠져 더 환부가 커지게 되므로 실의 힘으로 강제로 당겨 봉합하는 것을 가급적 하지 않도록 한다.

6) 흉터 문제

흉터는 부작용이라고 하기엔 부적절하나 흉터가 많이 남으면 환자는 부작용이라고 여기기도 한다. 수술부위의 흉터는 피할 수 없는 문제로 환자에게 이에 대해서 미리 잘 설명해주는 것이 중요하다. 절개부위는 착색, 탈색, 넓어짐, 튀어나옴 등등 여러 가지 양상으로 흉터가 남게 되는데, 이런 양상이 가급적 덜 일어나도록 관리를 잘하는 것이 중요하다. 봉합을 할 때 흉터를 덜 남기기 위한 주의사항은 봉합 피부의 길이가 잘 맞도록 디자인하고 절제하여 강제로 당기거나 모아서 봉합하는 부위가 없도록 하는 것이다. Tension이 많이 가해지거나 주름이 지도록 봉합을 하면 흉터의 경과가 대부분 좋지 않다. 피부가 편안하게 봉합이 되었다면 봉합사 제거 후에도 벌어지는 경우가 거의 없다. 다만 환자가 흡연자 이거나 비만인 경우는 상처 회복이 느릴 수 있어 상처 벌어짐에 대해 미리 설명해주는 것이 중요하다. 수술부위 관리는 steri-strip 테이프를 사용하는 것이 많은 도움이 된다.

☑ 참고문헌

1. Elfanagely O, Othman S, Rios-Diaz AJ, et al. A Matched Comparison of the Benefits of Breast Reduction on Health-Related Quality of Life. Plast Reconstr Surg 2021;148(4):729-35.

2. Garcia ES, Veiga DF, Veiga-Filho J, et al. Postoperative Antibiotic Prophylaxis in Reduction Mammaplasty: A Randomized Controlled Trial. Plast Reconstr Surg 2020;145(6):1022e-1028e.

3. Hall-Findlay EJ. Discussion: a matched cohort study of superomedial pedicle vertical scar breast reduction (100 breasts) and traditional inferior pedicle Wise-pattern reduction (100 breasts): an outcomes study over 3 years. Plast Reconstr Surg 2013;132(5):1077-9.

4. Iwuagwu OC, Platt AJ, Stanley PW, Hart NB, Drew PJ. Does reduction mammaplasty improve lung function test in women with macromastia? Results of a randomized controlled trial. Plast Reconstr Surg 2006;118(1):1-6.

5. Mundy LR, Homa K, Klassen AF, Pusic AL, Kerrigan CL. Understanding the Health Burden of Macromastia: Normative Data for the BREAST-Q Reduction Module. Plast Reconstr Surg. 2017;139(4):846e-853e.

6. Mundy LR, Homa K, Klassen AF, Pusic AL, Kerrigan CL. Understanding the Health Burden of Macromastia: Normative Data for the BREAST-Q Reduction Module. Plast Reconstr Surg 2017;139(4):846e-853e.

7. Nelson JA, Fischer JP, Chung CU, et al. Obesity and early complications following reduction mammaplasty: an analysis of 4545 patients from the 2005-2011 NSQIP datasets. J Plast Surg

Hand Surg 2014;48(5):334-9.

8. R Goulart Jr, D Detanico, RP Vasconcellos, GR Schütz, SG dos Santos. Reduction mammoplasty improves body posture and decreases the perception of pain. Car, J Plast Surg 2013;21(1):29-32.

9. Sherrell J, Robert W, et al. Grabb and Smith's Plastic Surgery. 5th ed. Philadelphia: Lippincott Williams & Wilkins; 1997. p. 725-52.

10. Wampler AT, Powelson IA, Homa K, Freed GL. BREAST-Q Outcomes before and after Bilateral Reduction Mammaplasty. Plast Reconstr Surg 2021;147(3):382e-390e.

CHAPTER 4

유방고정술

Mastopexy

BS더바디 성형외과 **장재훈**

Breast lift 또는 mastopexy라고 불리는 유방고정술은 국내에서도 그 수요가 점차 늘어나고 있다. 눈 성형, 코 성형 위주의 안면성형에서 이마거상술, 안면거상술 등의 항노화 성형이 최근 급속도로 증가하듯이, 유방성형에서도 확대술과 축소술 뿐만 아니라 유방고정술 및 유방확대고정술(augmentation mastopexy)을 원하는 환자들의 성형외과 방문이 많이 늘고 있다.

하지만 Hidalgo가 언급한 대로 유방성형술 건수가 많은 미국에서조차 유방고정술과 유방확대고정술(augmentation mastopexy)이 유방확대술이나 유방축소술보다 더 적게 시행되지만 의사 환자간 법적인 문제는 오히려 더 많이 일어난다는 사실은 유방고정술이 러닝 키브가 긴, 다시 말해 성형외과 의사에겐 꽤 도전적인 수술임을 보여 주는 것이다.

유방고정술의 목표는 유방축소술과 비슷하면서도 다소 차이가 있다. 유방고정술은 유방 부피를 원하는 만큼 유지시켜 주면서 처진 모양을 개선시키고 흉터를 가능한 최소화하며, 그 개선된 모습이 오래 유지되게 하고 유두의 감각을 최대한 보존하는 것이 포인트이다.

이 단원에서는 유방고정술에 대한 여러 가지 방법 중 유방하수 정도에 따라 최근 실제 수술장에서 많이 쓰이는 방법 위주로 설명하여 초심자로 하여금 숙련도를 좀 더 빨리 완성할 수 있도록 도움을 주고자 한다.

1. 유방하수(Breast ptosis)

유방이 처지게 되면 미용적으로 좋지 않으며, 탄력이 떨어져 접힌 부분에서 피부 트러블이 발생하고, 뛸 때나 숙일 때 등의 자세 변화 시 어깨나 허리 등에 전달되는 무게감이 실제 크기에 비해 심해 많은 불편함을 초래하게 된다. 또한 유방이 처지는 속도는 점점 가속화되어 결국 수술로 이어질 수 있다.

1) 유방하수의 원인

유방하수의 주된 원인은 아래와 같다.

① 과도한 체중 감소

② 피부이완증

③ 다산(multiple birth)

④ 젖샘조직에 영향을 주는 내분비계통의 변화

⑤ 선천적인 유선실질의 분포이상(congenital parenchymal maldistribution)

특히 최근 들어 다이어트에 대한 지나친 관심과 바디 프로필 찍기 등의 유행은 단기간에 급격한 체중 감량을 요하게 되는데, 이는 가슴 처짐을 가속화 시킬 수 있다.

2) 유방하수의 분류

1976년 발표된 르노(Regnault) 분류법은 가슴밑선 대비 유두의 처진 정도를 하수 단계로 표현한 방법으로 현재까지도 보편적으로 많이 사용되고 있다. 이 르노 분류법으로 설명되지 못하는 다른 종류의 가슴처짐은 Brink 분류법에 잘 언급되어 있다.

(1) 르노(Regnault) 분류법

표 6-4-1. Regnault classification

Type	Degree	Description
Grade I	Mild	Nipple position at the level of the IMF
Grade II	Moderate	Nipple position below the IMF but above the lower breast contour
Grade III	Severe	Nipple position below the IMF but at the lower breast contour
Pseudoptosis	–	Nipple position above the IMF but the breast is below the fold

(2) Brink 분류법

① 유선하수(Glandular ptosis)

유선, 유두, 가슴밑선이 함께 내려간 경우로 대개 유두는 정면을 바라보고 있는 경우다 (그림 6-4-1A).

② 실제 유방하수(True ptosis)

르노 분류법의 I, II, III 도에 해당되는 가슴 처짐이다(그림 6-4-1B).

③ 유방실질의 분포이상(Parenchymal maldistribution)

유방의 lower pole 발달이 덜 되어 유두와 밑주름선 간의 길이가 비정상적으로 짧은 경우이며, tuberous breast, constricted breast 등이 해당된다(그림 6-4-1C).

④ 거짓하수(Pseudoptosis)

유두의 위치는 비교적 정상이나 유방의 inferior pole이 늘어난 경우로 처진 정도에 비해 유두는 대개 정면 또는 윗방향을 바라보고 있다. 흉골 절흔에서 유두까지는 정상에 가깝다 (그림 6-4-1D).

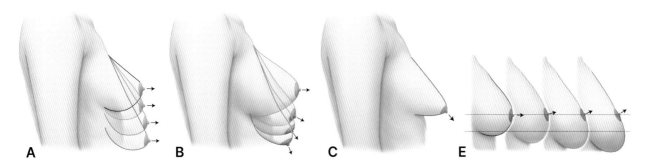

그림 6-4-1. Brink 분류법. (A) 유선하수(glandular ptosis), (B) 실제 유방하수(true ptosis), (C) 유방실질의 분포이상(parenchymal maldistribution), (D) 거짓하수(pseudoptosis).

가슴 처짐을 주소로 내원한 환자를 진료하다 보면 보형물 확대술(breast augmentation)만으로 교정이 가능한, 상대적으로 볼륨이 작은 pseudoptosis를 가진 환자 스스로 true ptosis인 줄 알고 오는 경우가 많다. 또한 유륜절개만으로는 교정하기 힘든 르노 분류 3도 유방하수를 볼륨이 작다는 이유로 경한 유방하수에 적용되는 유륜절개 유방고정술(periareolar mastopexy)만 적용하여 처짐이 많이 개선되지 않고 시간이 지남에 따라 측면에서 유륜 주위는 편평해지고 정면에서 waterfall deformity가 심해져 방문하는 경우도 있다. 심지어 쇄골에서 유두까지의 거리가 정상범위보다 길 때 true ptosis와 glandular ptosis의 감별 진단을 안 한 채 유두유륜복합체의 거상만 실시하여 유두가 밑선에 비해 상당히 올라간 high riding nipple이 된 경우도 실제로 심심찮게 볼 수 있다. 이런 경우들을 예방하기 위해 가슴 처짐의 종류나 하수 정도에 대한 정확한 이해와 진단이 중요하다.

저자의 경우 세밀한 감별진단을 통해 거짓하수의 경우 보형물확대술과 더불어 밑선고정의 위치를 수정하거나, 심하지 않은 유방 하수의 경우 간단한 periareolar augmentation mastopexy (그림 6-4-2) 또는 근막하 보형물 확대술을 단독(그림 6-4-3)으로 시행하여 교정하는 경우 등이 종종 있는 편이다.

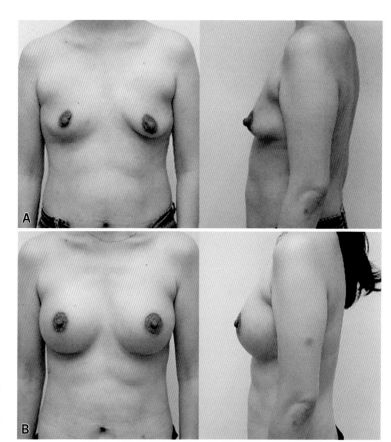

그림 6-4-2. 좌측의 constricted breast를 가진 환자에서 양측의 double incison peoriareolar augmentation mastopexy. (A) 술전, (B) 술후 6개월(모티바 demi 우측 380, 좌측 360 cc)

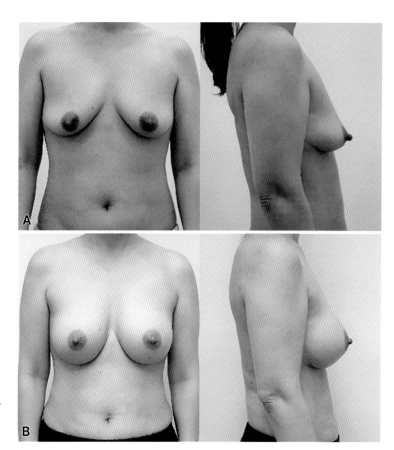

그림 6-4-3. 유방고정술을 원하지 않는 1도 유방하수에서 근막하 보형물 가슴확대술 시행. (A) 술전, (B) 술후 2년(모티바 full 우측 335, 좌측 315 cc)

2. 유방고정술의 역사

유방고정술은 유방축소술의 다양한 방법들로부터 발전하였으며, 피부 반흔을 최소화하고 피부와 유두유륜복합체(nipple areolar complex)의 혈류를 극대화할 수 있는 방법으로 시작되었다. 1924년 Dartigues가 탈상피화를 통한 유두유륜복합체의 위치교정으로 유방고정술의 기본 개념을 발표한 이후 Lótsch, Lassus의 방법으로 더 발전하였고, 1900년대 후반이되어 우리에게 익숙한 Lejour와 Hall-Findlay 등의 상방 또는 내측 피판경을 통한 수직절개유방고정술 등으로 발전하였다.

지난 세기 동안 피부 반흔을 최소화하려는 많은 변화와 발전에도 불구하고, 많은 성형외과 의사들이 여전히 더 길고 큰 흉터를 남기는 전통적인 방법을 많이 쓰고 있다는 점은 아이러니하다. 19세기 중반 이후로 쓰인 역T자형 절개술(inverted T method)이 좋은 예이다. Wise pattern이라고도 불리는 이 방법은 디자인과 수술이 비교적 용이하며 수술 직후에도 원하는 결과를 바로 얻을 수 있다. 또한 중증도에서부터 심한 유방하수까지 거의 대부분을 아우를 수 있는 장점 덕분에 지금까지도 널리 쓰이고 있다.

3. 환자 선택

유방 처짐을 주소로 내원하는 환자와 상담을 하다 보면 술후 완성되는 가슴 크기에 대한 목표치가 개인마다 차이가 있음을 알 수 있다. 처짐 개선과 동시에 더 큰 가슴을 원하는 경우, 그와 반대로 가슴 크기를 최대한 줄이고 싶어 하는 경우, 혹은 볼륨은 최대한 유지하면서 유방조직의 거상만 원하는 경우로 나누어 볼 수 있다.

앞 단원들에서 볼륨을 줄여야 하는 유방축소술과 볼륨을 증가시키면서 하수교정을 하는 유방확대고정술(augmentation mastopexy)에 대하여 충분한 설명이 되었을 것으로 본다. 따라서 이 장에서는 볼륨을 최대한 유지시키면서 가슴처짐을 개선하는 유방고정술(mastopexy)에 대해서 좀 더 집중하여 설명하고자 한다.

1) 유방고정술의 적응증

① True ptosis

② 가슴확대술만으로 해결하기 어려운 tuberous breast와 constricted breast

③ 보형물 제거 후 피부 및 연부조직의 처짐

저자의 경우, 중증도 이상의 유방하수는 대부분 수직절개나 역T자 모양 절개술로 교정을 시도한다. 또한 가슴 크기가 B컵 이하이면서 유방하수가 1–2단계 정도인 환자에게는 기대치와 한계점을 잘 고려하여 확대술과 동시에 유륜절개로 해결(periareolar augmentation mastopexy)하는 경우가 꽤 있다. 드물지만 큰 볼륨을 가진 유선하수의 경우 피부 및 연부조직의 quality가 괜찮다면 환자와의 충분한 상담하여 유두 유륜복합체의 거상 및 가슴윗선경계(upper breast border)의 상방 이동을 통한 가슴 윗볼륨의 개선을 위해 유방고정술을 시행하기도 한다. 단, 이때는 여러 사항을 고려하여 수술의 득과 실을 잘 판단해야 한다.

2) 금기증

① 3시간 이상의 수술에 의학적으로 부담되는 환자

② 미용적으로 과한 기대치가 있는 경우

③ 비후성 반흔 및 켈로이드 성향을 가진 환자

유방고정술의 방법에 따라 수술 시간의 차이는 있지만, 대개 2.5-4시간 정도는 소요되는 수술이다. 과체중 비만 환자의 비율도 가슴확대술보다는 높은 편이라, deep vein thrombosis 등과 같은 위험요인을 잘 파악하고 미리 잘 대비하여 수술할 것을 권장한다. 저자의 경우에는 BMI가 높은 환자의 하지에 intermittent pneumatic compressor를 사용하는데 축소술 및 유방고정술에 있어서 DVT의 위험을 확연하게 낮추어 주는지에 대한 통계 및 근거 자료는 아직 미미하다. 미용적으로 완벽한 가슴을 원하는 환자들에게 술후 반흔, 대칭 등의 한계점에 대해 충분히 설명하여 술 전 환자 기대치와 집도의가 예상하는 목표치를 잘 조율한 후 수술하는 것을 추천한다. 봉합 범위가 작지 않고 일종의 미용 수술이기에, 켈로이드 흉터를 가진 환자의 경우 유방고정술은 추천하지 않는다. 유방암의 고위험군 환자의 경우 술 중 절제된 유선 조직에 대해 반드시 조직 검사를 시행하고 수술 후에도 정기적인 검진을 잘 한다면, 해당 환자들의 수술은 영상진단 기술이 충분히 발전한 지금 시대에 더 이상 금기가 아닐 것이다. 한 가지 더 추가하자면 저자는 비후성 반흔과 켈로이드보다 술후 절개 부위의 색소침착(PIH)이 다소 오래가는 문제로 술후 경과 때 고민하게 되는 경우가 더 많다. 이는 저자의 경험상 유두 유륜복합체의 색이 어둡고 진할수록 PIH의 확률이 더 높은 경향이 있기에 술 전 상담 시에 충분히 환자에게 주지시킬 필요가 있다.

4. 수술

1) 수술방법 기준

수술방법은 크게 두가지 기준으로 분류해볼 수 있다.

(1) 보형물의 사용 유무

유방 크기가 작으면서 유방하수가 있는 경우, 유방에 탄력감을 더해 주고 싶은 경우, 그리고 윗가슴 충만감(upper pole fullness) 등을 원하는 환자에게 있어서는 유방고정술과 함께 보형물 확대술을 더하는 유방확대고정술을 시행한다. 그 이외의 경우에는 유방 고정술만으로 최대한 좋은 결과를 얻도록 노력한다. 유방확대고정술의 경우 술기의 발달로 단계(serial)로 나누어 수술하기 보다 대부분 동시 유방확대고정술(simultaneous augmentation mastopexy)로 시행하는 편이다.

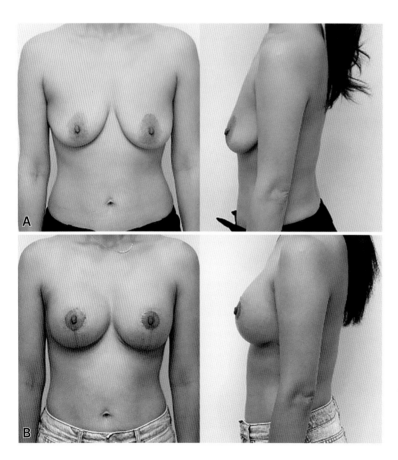

그림 6-4-4. 과거 타병원에서 crescent skin mastopexy 시행했던 환자로 수직절개 유방확대 고정술(Vertical augmentation mastopexy)로 재수술. 모티바 우측 full 295, 좌측 demi 245 (A) 술전, (B) 술후 2개월

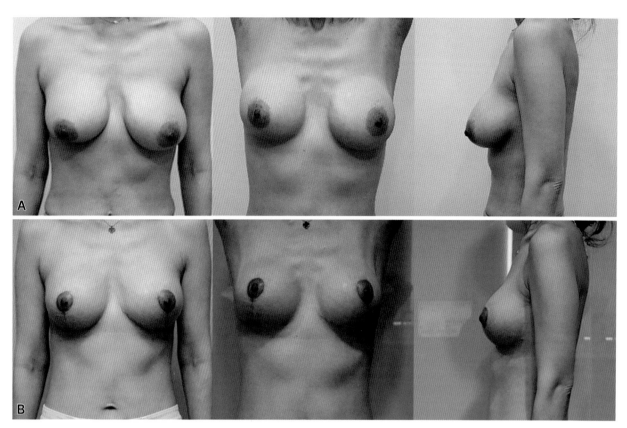

그림 6-4-5. 과거 타병원에서 물방울 보형물 가슴확대술 후 더 심해진 유방하수와 보형물의 변위 및 촉감 불만족으로 내원한 환자로 수직절개 유방확대고정 재수술 시행. **(A)** 술전 앨러간 MF 375, **(B)** 술후 5주 모티바 우측 demi 360 좌측 demi 340

(2) 절개 방법에 따른 분류

① 유륜주위절개법(Periareolar mastopexy)

과거 Benelli 등이 상방 피판경 등을 사용하여 내외측 유선 피판을 교차시키고 연부조직들 간의 고정을 통하여 원뿔 형태의 가슴 모양을 만드는 방법 등 유륜주위 절개법을 이용한 축소술이나 유방고정술이 많이 소개되었다. 하지만 절개 길이만 상대적으로 짧을 뿐 유륜 주위 반흔만 비교한다면 수직절개술이나 역 T 자형보다 눈에 많이 띌 수 있으며 유륜 주위 모양이 납작해지는 등의 단점으로 그 사용 빈도가 점점 줄어들고 있다. 저자도 유방확대고정술에는 유륜 주위 절개술을 꽤 사용하지만, mastopexy 단독의 경우 유륜주위 절개법의 사용 빈도는 미미하다.

가. 초승달 모양 절개 유방고정술(Crescent mastopexy)

경한 유방하수이면서 좌우의 피부밑 유선 조직의 줄임이 거의 필요 없고 수직 방향으로 약간의 거상만 필요한 경우, 초승달 모양으로 피부와 유선을 절제하고 조직간 층층이 잘 봉합하여 하수를 교정하는 방법이다. 유선의 절제 및 봉합 없이 피부만 절제하고 봉합한다면 장기적인 거상의 효과는 미미하며, 경우에 따라 절개선 위아래로 반흔의 폭이 넓어지는 좋지 않은 결과를 초래하기 십상이라 유선의 알맞은 절제를 추천한다.

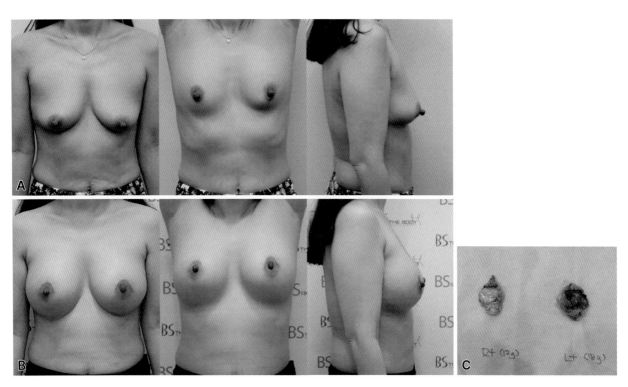

그림 6-4-6. 유륜이 크지 않고 피부의 탄력도가 좋은 경한 유방하수 환자로 초승달 모양 절개 유방고정술 시행. (A) 술전, (B) 술후 4개월(멘토 물방울 322 type, 295 cc 양측), (C) 전층으로 절제된 조직.

유방확대고정술 후 유두유륜복합체가 보형물의 최대 돌출점(maximum of projecting point)에 비해 어디에 위치하는 가가 중요하다. 상부에 위치하게 된다면 절제 및 이동량보다 더 큰 시너지 효과를 내며, 그렇지 못할 경우 그 효과는 미미하고 금방 재발할 수 있다 (그림 6-4-7).

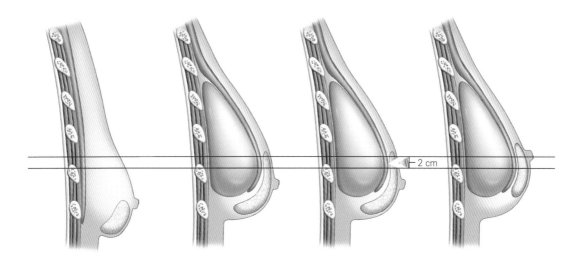

그림 6-4-7. 술 후 최종 유두 위치가 보형물의 MPP보다 상방에 위치하게 수술이 되어야 한다.

수직 방향의 처짐뿐만이 아니라 좌우의 피부 또는 연부조직의 늘어짐이 있다면 전체유륜절개(circumareolar)를 고려해야 한다. 팔을 최대한 들어 올렸을 때에도 유륜 주위의 피부 쪼글거림이나 연부조직의 늘어짐이 관찰된다면 전체유륜절개의 적응증이라 할 수 있다.

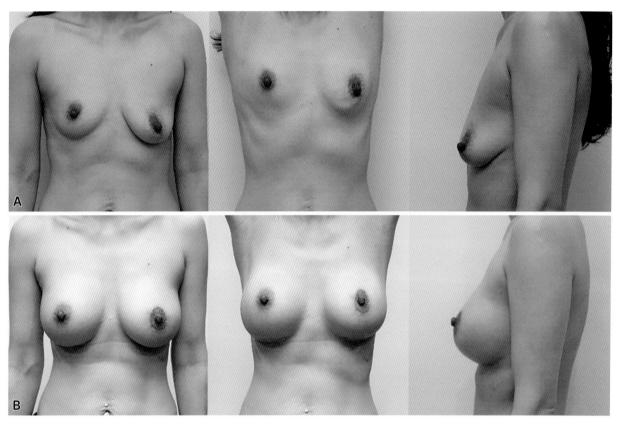

그림 6-4-8. 우측은 IMF로 확대술만 시행, 좌측은 전체유륜절개를 사용한 유방확대교정술 시행(멘토 CPG 323 type 345 cc 양쪽). (A) 술전, (B) 술후 2개월

다. Two incision approach (Double incision approach)

앞에서 말한 crescent mastopexy의 경우 유륜상부의 피부와 유선을 절제하게 되는데, 이는 상방 피판경의 손상을 의미한다. 초승달 유방고정술 이후 오랜 시간이 지나 하수의 재발을 가진 환자가 만약 다른 병원을 방문하여 재수술 하게 되는 상황에 처했을 때, 이전 수술에서 희생된 피판경의 종류를 몰라 재수술 방법 선택에 혼란을 주거나, 이를 확인했더라도 수술방법에 대한 선택의 폭이 좁혀질 수밖에 없다. 이런 이유 등으로 최근 저자는 밑선절개(IMF approach)로 확대 후 periarolar skin mastopexy를 동시에 하는 방법(two incisional approach)을 즐겨 사용하고 있다.

이 방법은 보형물 공간을 만들 때 수술 시야가 초승달 절개보다 더 넓고, 보형물 삽입 후 하수 교정의 양을 한 번 더 확인하고 수정할 수 있다. 또한 밑선 고정 위치를 조정함으로써

양측 유방의 비대칭 교정에 유리하다. 마지막으로 유두유륜의 피부 및 유선과 보형물의 접

촉이 전혀 없어 biofilm 등으로 인한 피막구축 등의 부작용을 예방할 수 있는 장점이 있다.

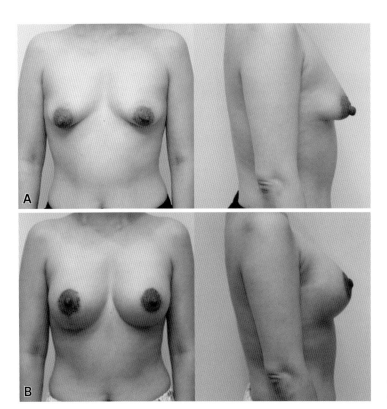

그림 6-4-9. Two incisional approach. 근막하 삽입, 모티바 demi 340 cc 양측 (A) 술전, (B) 술후 3달째.

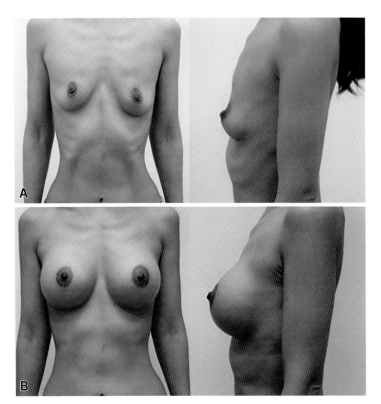

그림 6-4-10. Two incisional approach. 모티바 full 355, 335 cc (A) 술전, (B) 술후 2개월

② 수직절개 유방고정술(Vertical mastopexy)

이 단락에서 언급하게 될 수직절개라고 함은 대부분 유륜절개와 더불어 수직 절개선이 더해지는 방법(circumvertical vertical mastopexy)이다. 유방축소술과 같이 superomedial, medial, superior, inferior pedicle 등의 피판경을 사용하고, 유선 기둥 봉합(pillar suture)에 의한 유방하부의 지지력을 바탕으로 하수교정을 완성하는 방법이다.

③ Wise pattern mastopexy (Inverted T method)

역 T 자형 절개술 또는 '오' 자형 절개술이라고도 불린다. 수직절개 유방고정술의 절개선에 더해 수평절개선이 가해지는 방법으로, 유방축소술의 개념과 거의 비슷하다.

④ Short T scar vertical mastopexy 또는 limited T scar mastopexy

②와 ③에 속한 방법으로, 유방축소술에 비해 유방고정술에서는 유방 크기의 감소보단 볼륨의 재배치에 중점을 둔다. 수평절개선을 최대한 줄이는 역 T 자형 절개술을 limited T scar mastopexy라 부르며, vertical mastopexy 방법으로서 수직 절개의 아래 끝부분에 생기는 불룩한 이견(dog ear)과 접힘현상(pucker)을 최소화시키고자 수평으로 어느 정도 절개를 더 넣게 되는데 이를 대개 short T scar vertical mastopexy라 부른다.

저자의 경우, 흔히 사용하는 유방고정술은 절개선만 놓고 본다면 대부분 limited T scar mastopexy나 short T scar method 위주이다.

2) 수술방법의 선택

유방 처짐을 개선하기 위해 내원하는 환자들 중 확대술이나 축소술만을 원하는 환자들을 제외하고, 대개 C-E컵 정도의 비교적 큰 유방이면서 처진 가슴을 가지고 있는 경우 유방고정술을 사용한다. 유방고정술은 유방축소, 유방확대고정술과 같이 유방의 하부 조직 절제가 아닌 Dr. Findlay가 말한 것처럼 유방 하부 조직을 최대한 보존하면서, 필요에 따라 하부조직을 유두 또는 그 상방에 재배치시켜 주는 역할을 해야 한다.

유방고정술의 목표는 볼륨을 유지하며 처진 모양을 개선하고 감각 손상을 최소화하며 최대한 적은 반흔을 남기며 오랜 기간 좋은 모양이 유지하는 것이다. 이러한 방법을 찾기 위해 유방의 확대나 축소를 어느 정도 섭렵한 의사들도 여러 수술 방법들을 교과서나 저널 등을 통해 찾아본다. 이때 미주, 남미, 유럽 등에서 최근 이십여 년 동안 특히 수직절개 유방고정술이 많은 발전을 이루어 왔음을 알 수 있다. 수직절개술이 경험이 많은 술자들에게는 좋은 방법이지만, 유방고정술이나 축소술을 처음 시행하는 초심자에겐 역T자형에 비해 기대 이하의 결과를 가져올 수 있는 방법이기도 하다.

유방고정술 입문자에게는 수직절개술과 wise pattern의 차이가 단순히 절개선의 위치 및 길이 정도로 생각될 수도 있겠지만, 지식과 경험이 쌓일수록 그 차이를 더 자세히 알 수 있다. 수직절개술은 유선 기둥 봉합(pillar suture)에 기반한 하방 지지력에 의하여 가슴 윗볼륨이 채워지는 방법이며, 이와는 조금 다르게 늘어진 피부 피하지방 유선을 필요한 만큼 절제해 내고 새로 만들어진 피부 및 피하지방의 넓은 지지력으로 남아있는 유선 조직이 브래지어처럼 받쳐지게 하는 방법이 역T자형 절개술이라 하겠다.

(1) Ptosis 정도에 따른 방법의 선택

처진 정도가 심하다고 그에 비례하여 무조건 유방크기가 큰 건 아니기에 가슴 크기보다는 처진 정도에 따라 절개 방법을 선택해야 한다. Mild 또는 moderate ptosis에 있어서는 수직절개술을, moderate to severe ptosis에 있어서는 wise pattern이 보편적이고 술후 목표치에 가장 부합하는 결과를 내어 주기에 용이하다.

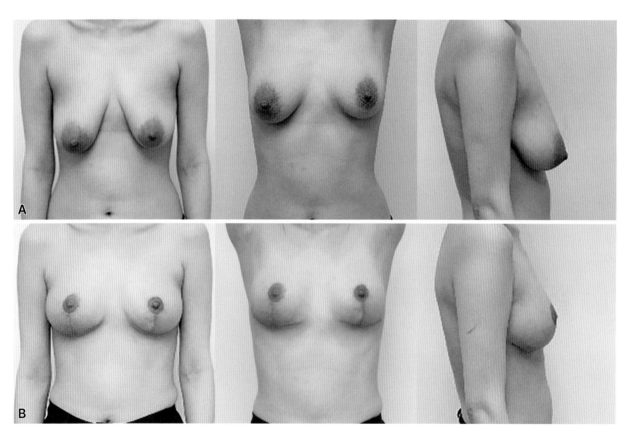

그림 6-4-11. 유방 크기는 C 컵 정도이지만 심한 유방하수이기에 wise pattern이 좋은 결과에 유리하다. 상내측 피판경 역T자형 절개 유방고정술 시행. (A) 술전, (B) 술후 2개월째.

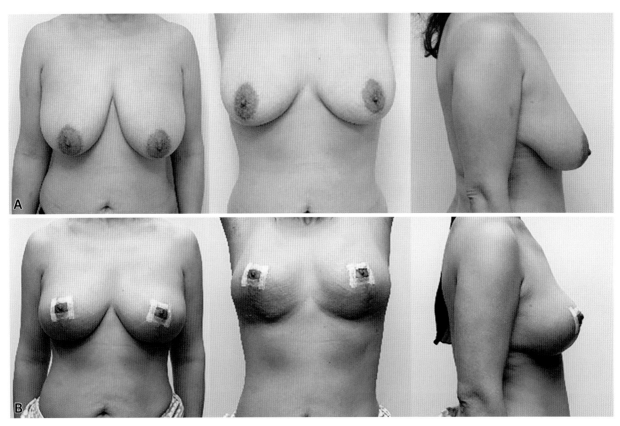

그림 6-4-12. F컵으로 큰 가슴이지만 볼륨은 최대한 유지한 채 하수교정만 원하는 경우, 수직절개로도 가능하다. 상방 피판경 수직절개 유방고
정술 시행. **(A)** 술전, **(B)** 술후 2달

(2) 숙련도에 따른 선택

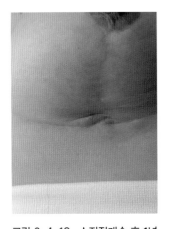

그림 6-4-13. 수직절개술 후 1년
째 팔을 든 사진으로 밑선 중앙 부
위에 약간의 주름을 남길 수 있다.

앞서 언급했지만 유방고정술에 관해 최근 10–20년 동안 서양 베이스의 저널 들을 찾아
보면 수직절개술이 다수를 차지한다. 하지만 이러한 분위기와는 달리 미국에서조차 유방축
소술 및 유방고정술에서 wise pattern를 사용하는 빈도는 여전히 높다. 초심자가 큰 유방의
true ptosis에서 술후 반흔을 최소화하고 싶더라도, limeted T scar로 시작해서 어느 정도 경
험이 쌓이면 수직절개술로 넘어가는 것이 처음부터 수직절개술을 심지어 수평연장선(back
cut)도 넣지 않은 채 수직선의 아래 끝부분의 남는 피부 및 연부조직을 쌈지(purse string su-
ture) 봉합으로만 처리하는 경우에는 미용적으로 원하는 결과를 얻지 못하는 경우가 많을
것이다.

저자가 주로 사용하고 있는 유방고정술을 세밀하게 분류해 본다면 circumvertical
mastopexy with short T scar와 limited T scar mastopexy일 것이다. Limited T scar와
short T scar vertical mastopexy가 반흔만 놓고 본다면 비슷해 보일 수 있겠다. 하지만 저
자가 말하는 short T의 경우 vertical mastopexy의 핵심이라 할 수 있는 pillar 봉합을 주력
으로 lower pole 모양을 만들고, 유두유륜복합체의 돌출 정도를 좋게 하는 조작을 완성하

며, 필요하다면 Ribeiro flap 등을 이용한 autoaugmentation 등도 해준다. 통상적인 vertical mastopexy는 scar와 절개선을 최소화하기 위해 기본적으로 수직 절개선을 통해(경우에 따라 backcut을 통해) short T, J, L 등 수평으로 절개를 확장해가며, 저교정된 부분은 피부의 리드래핑을 유도하고, new IMF와 original IMF 사이의 불룩한 피부(pucker)와 연부조직의 처진 조직은 지방흡입 등으로 술후 수주에서 수개월이 지나 원하는 하나의 이상적인 수평수직라인을 얻는 방법이다. 한편 국내 환자들의 경우 인터넷 커뮤니티 등으로 습득한 지식이 많고 주위 환자들과 비교를 하게 될 기회를 본의 아니게 많이 갖게 되며, 트렌드에 민감한 경향이 있어 수직절개를 통해 좋은 의사환자관계(rapport)로 끌고 가기가 어려운 점이 있다. 수직절개의 경우 lower pole 부분의 편평한 부분이 개선되기까지, 수직절개의 하단부인 이개 부분의 개선이 완성되기까지 수개월 정도는 소요되기 때문이다. 또한 서양 환자에 비해 피부 및 연부조직의 처진 양과 질적인 면에 있어서 안 좋은 경우가 많기 때문에, 켈로이드나 비후성 반흔 체질이 아니라면 절개를 최소화하는 것에 제일 중점을 두기보다는 새로 생길 가슴 밑주름 선 아래로의 늘어진 유선을 충분히 제거하면서 늘어진 피부 및 피하지방의 lower pole tightening을 술 직후 바로 확인시켜 줄 수 있는 limited T scar method나 vertical mastopexy with short T 정도의 절개로 가는 편이다. 수평절개의 연장이 없는 vertical mastopexy의 learning curve와 달리, wise pattern은 두세 번의 경험만으로도 만족스러운 lower pole contour를 수술 직후부터 얻을 수 있다. 또한 무엇보다 vertical 때와 같이 pillar 봉합 교정, 피판경 이외의 남는 조직으로 autoaugmentation을 하는 과정에 있어서도 보다 좋은 시야를 확보할 수 있으며 조작이 쉽고 피하조직 및 피부도 깔끔하게 층층이 봉합할 수 있다. 마지막으로 초심자라 할지라도 술전 디자인만 세밀하게 한다면 수술 중 몇 번씩 수술 베드를 세워 대칭성을 확인할 필요가 크게 없다. 이를 통해 얻은 시간은 커진 절개 길이로 발생하는 다소 긴 봉합시간을 상쇄시켜 줄 수 있다.

(3) 피판경의 선택

유방축소술에서 사용하는 모든 방향의 피판경이 사용 가능하다. 저자의 경우 축소술에서는 하방피판경과 상내측 피판경을 많이 사용하고, 유방고정술에서는 상내측 피판경이나 상방 피판경을 주로 사용하고 있다. 이는 축소술에 비해 유방고정술에서 가슴 윗볼륨을 더 많이 보존해야 하며, 특히 상방 피판경이 충분한 유선 기둥봉합(pillar suture)에 있어서 가장 유리하기 때문이다.

3) Inverted-T mastopexy (wise pattern mastopexy, '오자형 절개술')

앞 단원에서 설명한 유방축소술의 과정과 크게 다르지 않다. 볼륨이 많이 큰 경우라면 유선 조직의 박리 시 좌우로 비스듬히 깊게 들어가(bevelled dissection) 유선 조직을 사다리

꼴 모양으로 좀 더 절제해야 한다. 피부의 양과 질이 좋지 않아 wise pattern을 사용하지만 볼륨이 많이 보존되어야 할 경우라면, 유선 기둥 좌우 아래 조직의 박리를 역삼각형으로 절제량을 줄이는 방향으로 해야 할 것이다.

(1) 술전 디자인

먼저 환자가 차려 자세로 있을 때, 쇄골 중앙선과 유두를 지나는 가슴 중앙선을 쇄골에서 배꼽 레벨까지 길게 긋고 가슴 밑선은 점선으로 표시한다. 그 다음 환자가 머리 뒤로 손을 깍지 끼고 올린 상태에서 가슴 밑주름을 다시 실선으로 표시한다. 유방이 크고 처진 정도가 심할수록 새 가슴 밑선으로 점선이 아닌 실선을 선택한다. 새로운 유두 위치를 정하기 위해 대개 흉골 절흔(sternal notch)에서 18–21 cm 되는 지점을 가슴 중앙선상에 표시하고, 환자의 체형, 키, 유두 사이 거리를 고려하여 일부 조정한다. 참고로 저자는 21 cm보단 18–19 cm 정도로 표시한 경우가 훨씬 많다. 그러나 과교정보다는 저교정이 낫다는 말을 명심해야 한다. 적절한 유두 위치인가를 중복 체크하기 위해 환자와 1–2 m 떨어져 환자의 유두 높이에 서 유방을 바라보았을 때, 환자의 어깨와 팔꿈치의 중간 정도에 표시한 점과 새로운 유두 위치가 상하 1 cm 이내로 큰 차이 없으면 무리 없다고 판단하고 유두 위치를 거의 확정 짓는다. 다음으로 직경 3 cm 미만의 아주 작은 유륜이 아니라면 새로운 유두 위치로부터 2 cm 상방에 새로운 유륜의 상연을 표시한다. 저자는 보통 40 mm Key hole pattern을 가지고 먼저 정해 놓았던 새로운 유두 위치를 중심으로 유륜 테두리를 그린다. 그 다음 유방을 바깥쪽으로 민 상태에서 가슴중앙선의 맨 위와 맨 아래의 연장선상에 해당하는 것만큼 수직선을 그려 내측 유선 기둥 절개선을 표시한다. 이후 다시 내측으로 민 다음 가슴중앙선과 이어지는 유선 기둥 절개선의 외측 라인을 유방에 그린다. 이 내외측 선이 결국 봉합이 되면서 수직 절개선이 되는데 내외측 선의 위쪽 끝이 새로 그린 유륜의 내외측 끝부분과 둔각이 아닌 80–90° 정도 acute angle이 되게 만나게 한다. 이는 최종 봉합 후의 완성된 유륜의 하연이 길쭉해 보이는 것을 예방하기 위함이다. 그 다음 유두 위치만큼 중요한 유륜 하연과 밑선까지의 거리, 즉 수직 절개선의 길이를 정한다. 팔을 들어올린 상태에서 피부를 최대한 스트레칭 시켜 유륜 하연을 기준으로 술후 예상되는 컵이 B컵 정도이면 4.5–5.0 cm, C컵 정도이면 5.0–5.5 cm, D컵 정도이면 5.5–6.0 cm 정도를 경험적으로 잡는다. 컵에 따른 절개 길이의 변화는 의외로 크지 않다. 남아 있는 볼륨이 클수록 술후 시간이 지남에 따라 피부는 어느 정도 늘어나게 됨을 고려하기 때문이다. 마지막으로 수직 절개선의 길이가 결정된 내외측 수직절개선의 끝부분에서 각각 내외측으로 수평절개선을 그리게 된다. 이는 만세를 한 상태에서 그림자가 지는, 여분의 유선 및 피하지방층을 가능한 대부분 절제할 수 있을 만큼 내외측으로 수평절개선을 긋고 끝 부분은 이전에 표시한 실선 또는 점선과 자연스럽게 만나게 한다. 마지막으로 예정된 피판경을 디자인한 다음 확인 차원에서 손으로 양쪽 기둥(pillar) 부분을 엄지와 검지 중지로 모으면서 쥐어 상방으로 밀어 올려본다. 내외측 피판의 안쪽 바깥쪽으로 bulging된 부분이 있으면 그 영역을 표시하여 수술 시 특히 내외측 피판 아래에 불필요하게 남아 있을 수 있는 유선 제거를 한 번 더 신경 쓸 수 있게 도움을 주도록 한다. Wise pattern에서는 술 전 디자인의 중요성이 높기 때문에 디자인이 지워지지 않게 덧칠을 한 뒤 디자인을 마친다.

(2) 수술방법

유방고정술의 방법으로 많이 선호되는 방법 중의 하나이며 술후 최종적인 모양에 있어 상부조직의 돋음을 만들기 쉽고, 견고한 유선 기둥 봉합에도 유리하며, 모양 다듬기(tailor)에도 더 쉬운 '상방 및 상내측 피판경을 이용한 수술방법' 위주로 설명해 보고자 한다. 전신 마취 후 절개선을 따라 1:200,000 에피네프린이 섞인 0.5% 리도카인을 한쪽 당 약 40-50 cc씩 주사한다. 보조자가 유방 조직을 양손으로 최대한 모은 상태에서 38-40 mm 유두 마커를 사용하여 새로운 유륜을 표시한다. 유륜 진피절개를 가한 다음 바로 유륜 경계 안쪽으로 동서남북을 포함해 총 8방향으로 26 gauze 바늘로 G.V. tattoing하고, 보조자가 손을 놓은 상태에서 새로운 유륜의 바깥 방향으로 12시, 3시, 9시 방향과 유륜 하연이 수직절개선과 만나는 부분, 즉 유륜의 6시 방향이 될 부분에 tattoing 한다. 그 다음 바깥 부위 절개선인 키홀과 새로운 밑선 부위에 절개를 가하고 디자인된 피판경을 포함 유륜의 하연으로부터 아래쪽으로 2 cm 정도 보존될 조직의 피부를 10번 칼로 탈상피화 시킨다.

다음으로 피판경을 제외한 부분의 진피층과 피하지방층에 조심스럽게 보비를 사용하여 절개를 가한 다음, 본격적으로 수직 절개 내외측 방향의 유선 기둥 절개를 수직으로 대대흉근의 근막 레벨까지 가한다. 이때 볼륨의 제거가 많이 필요할 때는 사다리꼴 모양으로 내측 절개선의 내측, 또 외측 절개선의 외측으로 박리하면서 유선을 더 절제하도록 한다. 볼륨을 최대한 보존해야 할 경우라면 반대로 내측 외측 절개선으로부터 직하방으로 들어간다. 수직절개선이 유륜의 하연으로 이어지는 부분은 피판경의 보존을 위해 조심스럽게 박리를 진행하며, 봉합 시 양측 조직이 너무 강하지 않은 긴장도로 봉합될 정도만 박리하되 절대 과할 필요는 없다. 아래쪽에서 대흉근 근막이 보이면 깊은 층으로의 박리는 멈추고 이번에는 밑주름 절개선에서 수직으로 근막에 조직을 약간 남긴 층으로 머리방향으로(cephalic) 박리한다. 이때 하방피판을 사용하여 자가확대(autoaugmentation)할 경우라면 양 날개 부분만 삼각형 모양으로 각각 절제하고 하방피판의 중심 보직은 보존한다. 저자는 자가조직확대를 하는 경우가 많지 않기 때문에 wise 패턴으로 절제될 조직 모양을 생각하여 상부로 진행하고, 필러 기둥 안쪽의 절제되어야 할 조직인 유방 중심 하방으로 터널을 만들듯 역시 대흉근막 보다 약간 위층으로 머리방향을 향해 박리를 계속 진행한다. 이 박리가 유두유륜복합체 수준 보다 위로 진행되었을 때 한 손으로 하방피판을 손으로 잡고 유륜하연에서 1.5-2 cm 떨

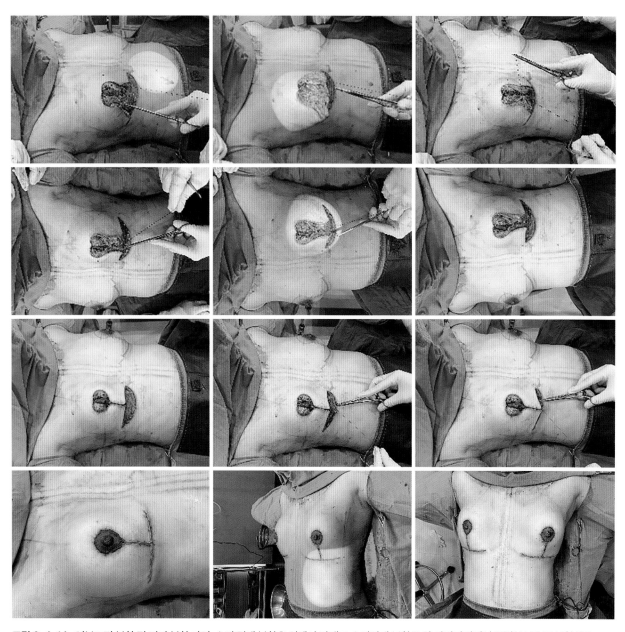

그림 6-4-14. 연부조직 봉합 및 진피 봉합 과정. 수직 절개 봉합은 위에서 아래로 수평절개 봉합은 양 가장자리에서 중앙부분으로 봉합한다.

동영상 6-4-1. 유선 기둥 봉합(Vertical Pillar Suture).

어진 부위에서 수평절개를 가해 wise 모양의 조직을 절제해 낸다. 유두유륜복합체 하방으로 대흉근막 위 레벨을 유지한 채 두세번째 갈비뼈 정도까지 손가락 네 개 정도는 충분히 들어갈 폭의 터널을 만드는데, 나중에 유두유륜복합체가 새위치에 고정되고 유선 기둥 봉합까지 완성되었을 때 피판경이 비틀어짐과 눌림 없이 편안하게 올라가 놓일 공간을 확보하기 위함이다. 과거에는 2~3번째 레벨의 대흉근에 2-0 vicryl 등으로 피판경의 유륜 하방 깊은 조직을 묶어 주는 고정 봉합을 시행하다가 근래에는 이 봉합의 효과가 미미하다고 판단되어 유선 고정봉합은 따로 시행하지 않고 있다. 그 다음 볼륨의 축소라기 보다 더 나은 모양을 위해 제단하는 의미로 내외측 피판이나 상측의 불필요한 유선을 피판의 두께가 유지되는 범위 내에서 추가 절제한다. 이때 수술 보조자가 내외측 피판을 견인할 때 절대 뒤집지 말고 수직으로만 당기게 한 뒤 술자가 피판의 두께를 확인하면서 유선 조직만 비스듬히 절제하여야 안전하다. 그 다음 철저한 지혈을 시행하고 식염수로 수술부위 세척을 시행한다. 특별한 경우가 아니라면 대개 배액관은 삽입하지 않는다. 그 뒤 12시와 유륜의 상연을 진피 봉합하고 3시, 9시 방향도 진피 봉합한다. 축소술의 개념만이라면 수직 절개선의 끝부분과 유륜의 하연이 만나는 부분의 진피 봉합만으로 6시 봉합을 완성해도 되지만, 유방고정술에서는 먼저 수직 절개선의 상단부터 하단 방향으로 4~6땀 정도 2-0 vicryl를 사용하여 유선의 기둥봉합을 시행한다. 유선 기둥 봉합 시에는 진피 층까지는 포함시키지 않는 것이 술후 수직 절개부가 약간 함몰되어 보이는 것을 방지하여 준다. 수직절개의 끝부분과 가슴 중앙선 상에 있는 IMF의 중앙을 진피 봉합하고 이때 내외측 피판 밖으로 조금이라도 돌출돼 나오는 유선이 없어야 하며 만약 존재한다면 추가적으로 절제를 더해 모양 다듬기를 완성한다. IMF의 수평 봉합을 실시하는데 2-0 vicryl을 사용하여 dog ear가 생기지 않도록 내측은 안쪽에서 중심으로, 외측은 바깥쪽에서 중심 방향으로, 상부 피판을 내측으로 견인하면서 봉합하여야 깔끔한 밑선이 연출된다. 이로써 초심자라 하더라도 술후 원하는 가슴 모양의 큰 윤곽이 완성된 것이 눈에 들어오게 된다(그림 6-4-14). 4-0 PDS를 사용하여 유륜의 진피 봉합, 그리고 수직 절개선과 IMF의 피하봉합을 진피층을 포함하여 완성하고, 마지막으로 IMF와 유륜 부분은 돌기실(cogged thread)인 3-0 V-loc (Covidien®)을 이용하여 연속진피봉합(continuous intradermal suture)을 시행한다. 수직절개 부분은 5-0 vicryl suture를 사용하여 연속진피봉합을 시행한다. 수직절개선의 진피 봉합 전에 수직절개선의 피부의 컨디션이 좋지 않아 보일 때가 있는데 이때는 좌우 각각 1-2 mm 폭의 피부를 절제하고 봉합하면 추후 생길 수 있는 색소침착(PIH) 예방에 도움된다. 피부봉합은 따로 시행하지 않고 Streri-strip을 사용하여 마감한다.

4) 수직절개법(Vertical mastopexy)

저자의 경우 수직절개 유방성형술에서 축소 개념이 주가 될 때는 내측이나 상내측 피판경을 더 자주 사용하는 반면, 유방고정술이나 유방확대고정술에서는 상방 및 상내측 피판경을 주로 사용하게 되는데 그 이유는 유선 기둥 봉합이 더 견고하여 술후 완성된 윗볼륨이 좀 더 오래 유지되는 경향이 있기 때문이다.

(1) 술 전 디자인

Wise pattern과 수직절개 유방고정술, 더 자세히 말해 유방고정술에서 저자가 주로 쓰는 limited T scar method와 short T scar vertical mastopexy 간의 디자인 방법의 차이는 크지 않다. 처음부터 유두의 위치 및 그에 맞는 새 밑선의 위치와 피부절개선을 거의 확정하고 들어가는 방법을 limited inverted T로 사용하고 있다. 볼륨 절제량이 상대적으로 적고 여러 가지 이유로 수평절개선을 아주 최소화하는 경우에는 수직절개술에 기초하여 가슴밑선 중앙의 상방 2–6 cm 정도에서 유선 기둥 디자인이 서로 만나는 모양으로 정하되, 최종 컵 사이즈에 맞게 유선 기둥(pillar) 봉합의 길이를 그린다. 이때 새로운 유륜하연에서 새로운 밑주름까지의 길이는 술자마다 차이가 있지만 저자의 경우 앞서 언급한 역T자형 모양의 그 것과 비슷하거나 약간 더 짧으며 내외측으로 절제될 폭은 wise pattern 때보다 수직절개일 경우 약간 더 좁게 디자인되는 편이다. 그 다음 유선 기둥의 하방 끝 부위에서 내외측으로 최소한의 수평 연장선(back-cut)을 그리게 된다. 이 수평연장선은 수술 중에 수정될 수 있으며 필러 봉합 후 유두의 위치도 수술 중에 한 번 더 확인하여 조정할 수 있는 것을 short T scar vertical mastopexy 개념으로 사용하고 있다. 특히 디자인 시에는 하수량, 유방의 늘어진 피부의 양과 질이 나쁘지 않으면 수직 절개 디자인으로 가되, 디자인 말미에나 수술 초기에 수평연장선이 꽤 많이 나갈 것으로 예상되면 수술 처음부터 limited T method로 전환하는 동시에 수평 절개는 필요한 만큼만 연장되도록 노력한다.

Short T scar 수직절개술로 디자인하는 경우 좌우 수직절개선이 새로운 밑선과 좁은 폭으로 만나야 하기에 최종 디자인 후 모습은 물고기를 세워 놓은 모양과 흡사하다.

지금까지의 설명은 피부의 디자인을 말한 것으로 수직절개술이라 하더라도 유선의 절제는 wise pattern의 그것과 흡사하게 절제되어야 한다. 그렇지 않으면 유방 아래 조직의 절제량이 너무 많아 하반구가 찝힌 모양, 반대로 유선 조직의 아랫부분은 절제가 충분하지 않은 상태에서 수직으로 방추형 모양만 절제되어 목표치보다 밑선이 내려오고 유두가 올라가 보이는 좋지 않은 모양의 결과를 낳게 된다(그림 6-4-15).

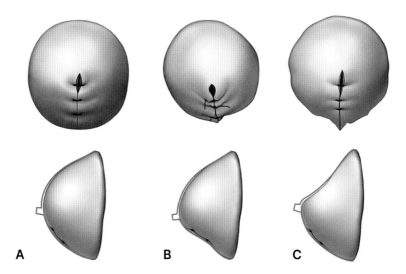

그림 6-4-15. 하반구의 유선절제 및 유선기둥 봉합. (A) 적당한 유선절제 후 pillar봉합이 잘 이뤄진 경우 (B) 과도한 유선절제로 유방 하반구의 찝힘(lower pole constriction)이 발생한 경우 (C) 유선의 절제나 디자인이 적절치 않고 방추형 절제만(elleptical excision)만 되어 하반구가 길어지고 유두가 올라가 보이는 좋지 않은 결과를 낸 경우.

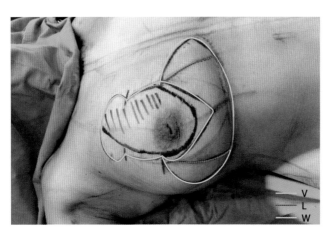

그림 6-4-16. 상내측 피판경에 vertical mastopexy, limited inverted T mastopexy, wise pattern 을 동시에 표시한 그림(— - vertical, — - limited inverted T, ⌣ - wise pattern).

앞 단원들에서 설명했을 수직절개 유방축소술의 디자인이랑 거의 동일하기 때문에 몇 가지 포인트만 더 강조하자면 앞에서 설명한 wise 패턴 유방고정술보다 새로운 유두의 위치 는 1–2 cm 가량 더 낮게 잡아야 한다. 초심자의 경우 수술 중 유선 기둥 봉합과 피하지방 봉합을 완성하고 환자를 세운 다음 38–40 mm 정도의 쿠키 마커를 활용하여 새로운 유두 위치를 만들어 주는 것이 수직절개의 단점인 과교정의 위험을 줄일 수 있다. 경험이 많아질 수록 수술 전 디자인 시에 새로운 유두 위치뿐 아니라 새로운 유륜의 경계도 돔 모양 또는 라운드 타입으로 미리 그리고 들어갈 수 있다. 저자는 이 때도 습관적으로 키홀 패턴으로 그 각을 조절하여 원하는 새로운 유륜 테두리를 그리고 수술장에 들어가기도 한다.

(2) 수술방법

저자가 주로 사용하는 상방 피판경 및 상내측 피판경 수직절개 유방고정술 위주로 설명 하고자 한다. 전신 마취 후 절개선을 따라 1:200,000 에피네프린이 섞인 0.5% 리도카인을 한 쪽 당 약 30–40 cc 씩 절개선을 따라 주사한다. 보조자가 유방 조직을 양손으로 최대한 모 은 상태에서 38–40 mm 유두 마커를 사용해서 새로운 유륜을 표시하고, 절개를 가한 뒤 바 로 유륜 경계 안쪽으로 동서남북을 포함해 총 8방향으로 26 gauze 바늘로 tattoing한다. 이 후 보조자가 손을 놓은 상태에서 새로운 유륜의 바깥 방향으로 12시, 3시, 9시 방향과 유륜 하연이 수직절개선과 만나는 부분, 즉 유륜의 6시 방향이 될 부분에 tattoing 한다. 그 다음 디자인된 피판경을 포함 유륜의 하연으로부터 아래쪽으로 2 cm 정도까지 보존될 조직의 피 부를 10번 칼로 탈상피화 시킨다.

다음으로 피판경을 제외한 부분에 양측 유선 기둥의 진피층과 피하지방층에 조심스럽 게 보비를 사용하여 절개를 가한 다음, 본격적으로 유선 기둥 절개를 수직으로 대흉근 레벨 까지 가하는데 수직절개선의 상부에서 하부방향으로 갈수록 비스듬하게 더 넓게 박리를 하 고 밑선 중앙의 하부 박리는 기존의 유방밑주름까지 한다. 대흉근 근막이 보이면 유선조직을 대흉근막을 경계로 상방으로 세 번째 갈비뼈 부위까지 박리를 하게 된다. Wise 패턴 때처럼 피판경이 편안하게 놓일 수 있도록 손가락 서너개 정도는 충분히 들어갈 공간을 확보한다. 유선의 하방쪽에서 절제양과 모양을 생각하면서 약간 wise 모양으로 유선조직에 절개를 가한 다음 한 손으로 박리된 하방 피판을 잡고 유륜 하연에서 2-3 cm 정도 떨어진 부위에 수평절개를 가해 최종 조직을 절제한다. 그 후 모양 다듬기(tailor)를 완성하기 위해 내외측과 상방의 불필요한 유선을 피판의 두께가 유지되는 범위 내에서 추가 절제한다.

　　그 후 식염수로 수술부위 세척을 시행한 다음 철저한 지혈 후 통상 배액관은 두지 않는다. 술 전 디자인 시 새로운 유륜의 상연을 정해 놓지 않았던 경우 양쪽의 유선 기둥을 2번 바이크릴(viryl 2-0)을 사용하여 상부에서 하부 순서로 봉합하고 원추 형태의 모양과 대칭성을 확인한다. 그 다음 C컵 기준 새로운 밑선으로부터 5.0~5.5 cm 정도 되는 지점을 유륜의 하연으로 정하고 쿠기 마커를 사용하여 새로운 유륜을 표시한 뒤 탈상피화하고 2-0 바이크릴과 4-0 PDS를 사용하여 진피봉합한다. 수술 전 디자인 시 새로운 유륜 위치를 확정하고 탈상피화까지 다 진행된 경우에는 유두유륜 복합체의 12시, 3시, 9시 부분을 진피봉합하고 유선 기둥 조직을 상부에서 하부로 봉합한다. 유선 기둥 봉합이 끝나면 유륜의 6시 방향 진피 봉합을 완성한다. 상방 피판경과 달리 상내측 피판경에서는 유두유륜복합체를 내상측으로 90° 회전하면서 고정하게 되면 피판경의 꼬임도 적으며 편평해지지 않고 좀 더 봉긋해지는 효과를 얻을 수 있다. Wise 패턴 때처럼 유선 기둥 봉합 시 진피 층까지는 포함시키지 않는 것이 술후 수직 반흔이 약간 함몰되어 보이는 것을 방지하여 준다. 수직절개의 끝부분과 가슴 중앙선 상에 있는 새로운 IMF의 중앙 부위에 남아있는 조직을 쌈지봉합(purse-string suture) 하기보다는, 디자인 시 수평절개선을 표시한 것을 참고로 좌우 수평으로 피부에 back-cut절개를 넣게 된다. 이때 절개가 새로 생길 밑주름에 일치하면 제일 좋겠지만 부득이한 경우 예상되는 새로운 밑선 위치보다 약간 상방으로 가는 것이 하방으로 가는 것보다 향후 결과에 있어 더 낫다. 수평 절개 부위의 피부 및 연부조직을 절제할 때 상부 피판 아래쪽으로 약간이라도 돌출되어 나오는 유선이 있다면 추가적으로 절제를 더해 모양 다듬기를 완성한다. 밑주름선을 기준으로 하방 피판이나 상방 피판의 가장자리에 여분의 피하지방으로 조금 불룩해 보일 때가 있는데 그로 인해 이중 주름 등이 발생할 가능성이 있어 보이는 경우, 또 피부 및 연부 조직 절제를 했더라도 최소의 수평절개를 계획했을 것이기에 pucker가 심해 보일 경우는 상하방 피판의 피하지방층에 3~5 cc 정도의 지방흡입(manual suction)을 가함으로써 꽤 좋은 효과를 얻을 수 있다. IMF의 수평 봉합을 실시하는데 2-0 vicryl을 사용하여 dog ear가 생기지 않도록 내측은 안쪽에서 중심으로, 외측은 바깥쪽에서 중심 방향으로 하방 피판을 내측으로 견인하면서 봉합한다. 4-0 PDS를 사용하여 유륜의 진피 봉합, 그리고 수직 절개선과 밑주름선의 피하 봉합을 진피층을 포함하여 완성한다. 마지막으로 IMF와 유륜 부분은 돌기실인 3-0 V-loc을 이용하여 연속진피봉합을 시행하고 수직절개

부분은 5-0 vicryl suture를 사용하여 연속진피봉합을 시행한다. 수직절개선의 진피 봉합시 수직절개선의 피부의 컨디션이 좋지 않아 보일 때는 좌우 각각 1-2 mm 폭의 피부를 세로로 추가 절제하고 봉합하면 추후 생길 수 있는 색소침착(PIH) 예방에 도움된다. Skin suture는 따로 시행하지 않고 streri-strip을 사용하여 마감한다.

5) 유방고정술의 효과를 극대화하기 위한 방법

유방고정술에 있어서 난이도는 조금 더 높지만 더 좋은 결과를 얻고 더 오래 유지할 수 있는 방법으로, Goes technique 등에서의 Mesh 사용, 그리고 Ribeiro, Graf 등이 제안한 inf. based flap의 조직을 절제하지 않고 2~3번 갈비뼈 위치의 대흉근에 고정하여 주는 방법, 여기에 더해 Dr. Graf와 Biggs 등이 제안한 대흉근의 수평 밴드 또는 근막 창을 만들어 그 아래에 하방조직의 피판을 상방으로 삽입하여 고정하는 자가조직확대(autoaugmentation) 방법 등이 소개되어 쓰이고 있다.

하지만 유선 조직을 근육 밑으로 넣어 상부 대흉근에 고정하여 주는 경우와 그냥 고정만 하여 주는 경우 장기적으로 효과적이었다는 연구 데이터가 아직은 부족하며, 유선조직이 근육 하로 삽입될 때 향후 방사선학적으로 유방암 진단의 혼란을 초래할 수 있다는 우려 등으로 아직 널리 사용되거나 필수적인 방법은 아니다.

(1) 하방 피판경을 이용한 autoaugmentation

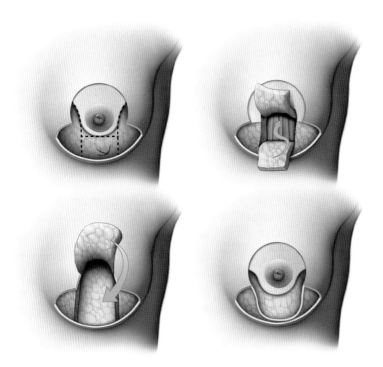

그림 6-4-17. Dr. Ribeiro 등이 사용한 inf based flap을 이용한 autoaugmentation.

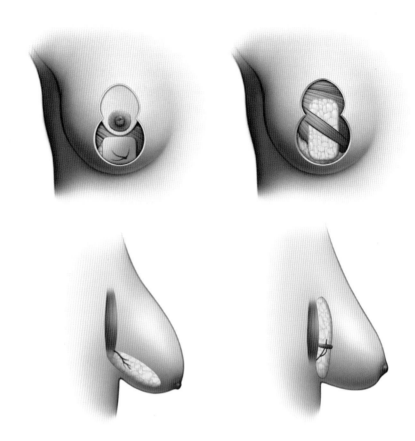

그림 6-4-18. Dr. Graf와 Dr. Findlay 등이 즐겨 사용하는 대흉근 또는 근막 창 밑으로 하방 피판을 삽입하여 자가조직확대를 완성하는 경우

Dr. Findlay, Dr. Graf 등이 즐겨 사용하는 방법으로, 상방 피판경을 사용한 유방고정술 등을 할 때, 유륜하연 하방에서 유선의 수평절개를 한 후 그 하방조직을 절제하지 않고 4-5번째 늑간동맥(intercostal artery)의 공급을 받는 흉벽 피판을 만들어 피판경의 하부로 tunneling 한 부분을 거쳐 2-3번째 늑간의 대흉근에 실을 사용하여 고정하여 준다. 이때 대흉근막 또는 대흉근의 수평 sling을 만들어 그 아래쪽을 지나가게 함으로써 더 견고한 지지를 유도할 수 있다.

(2) 상부피판경을 이용한 autoaugmentation

Dr. Hidalgo, Dr. Botti 등이 사용하는 방법으로 상방피판경을 사용하면서 하부 피판 조직을 절제하지 않고 뒤로 접어 대흉근에 고정하여 준다. 다만 실제 수술하다 보면 종종 접힌 피판의 끝부분까지 혈류 공급이 원활하지 않아 최종적인 상처 치유에 악영향을 끼칠 수 있는 등의 단점 등으로 앞서 소개한 하방피판경에 의한 autoaugmentation보다는 널리 사용되고 있지 못한게 사실이다.

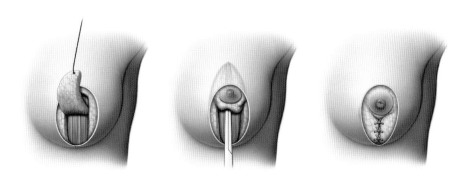

그림 6-4-19. 상방피판경을 사용한 autoaugmentation.

5. 수술결과

1) 증례 1

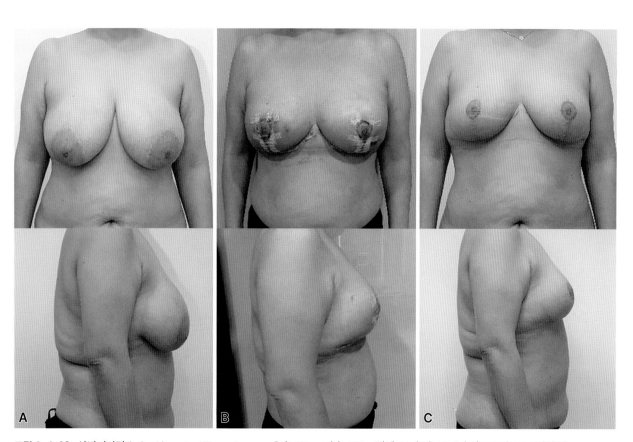

그림 6-4-20. 상방피판경 limited inverted T mastopexy. 우측 421 g, 좌측 481 g 절제 (A) 술전, (B) 수술 후 2주일, (C) 3개월 째.

타 병원에서 2번의 축소를 거친 분으로, 볼륨 절제가 부족했던 면도 있지만 유두유륜복합체 및 유선이 이상적인 위치로 환원되지 못했던 측면이 가장 큰 불만족의 원인이었다. 이전에 사용했던 피판경을 잘 유추하고 피판경의 두께 및 위치를 확실히 보존하여야 한다.

2) 증례 2

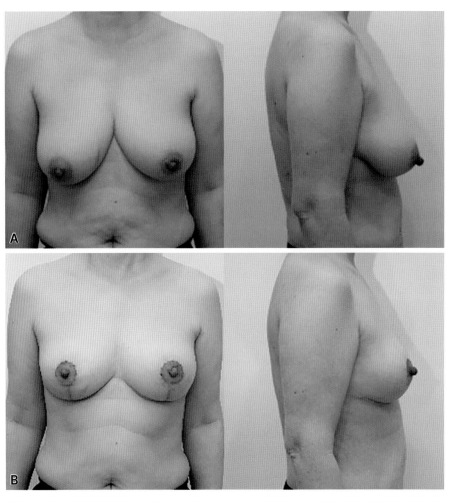

그림 6-4-21. 상방 피판경 limited inverted T mastopexy. 우측 140 g, 좌측 101 g 절제 (A) 술전, (B) 술후 10일째.

Vertical에 비해서 inverted T의 장점은 술 직후부터 자연스런 lower pole의 완성에 있다.

3) 증례 3

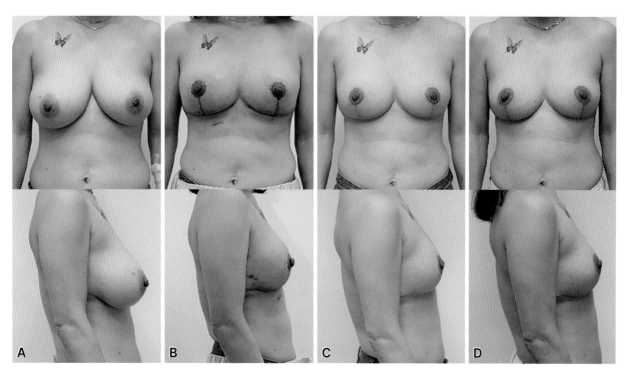

그림 6-4-22. 상내측 피판경 limited inverted T mastopexy. 우측 250 g, 좌측 169 g 절제 **(A)** 술전, **(B)** 2주, **(C)** 2달, **(D)** 5개월.

축소와 마찬가지로 최종적인 볼륨 못지 않게 중요한 점이 유두 밑선까지의 거리 등을 포함한 양측 대칭성이다.

4) 증례 4

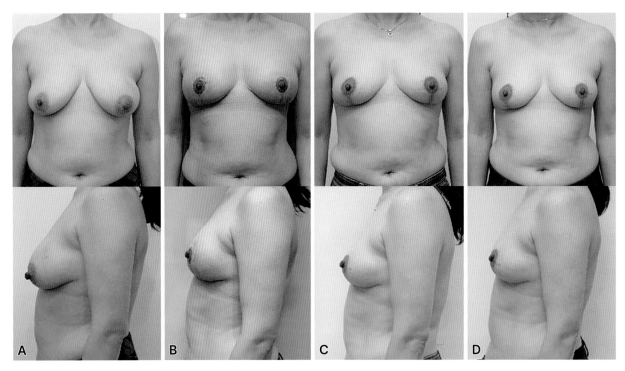

그림 6-4-23. 상내측피판경 Short T scar vertical mastopexy. 175 g, 193 g 절제 (A) 술전, (B) 한달, (C) 7개월, (D) 13개월.

Inverted T에 비해서 vertical에서 디자인 시 상대적으로 유두 밑선 간의 길이가 좀 더 짧아야 long-term에서 좀 더 좋은 결과를 가져다줄 수 있다.

5) 증례 5

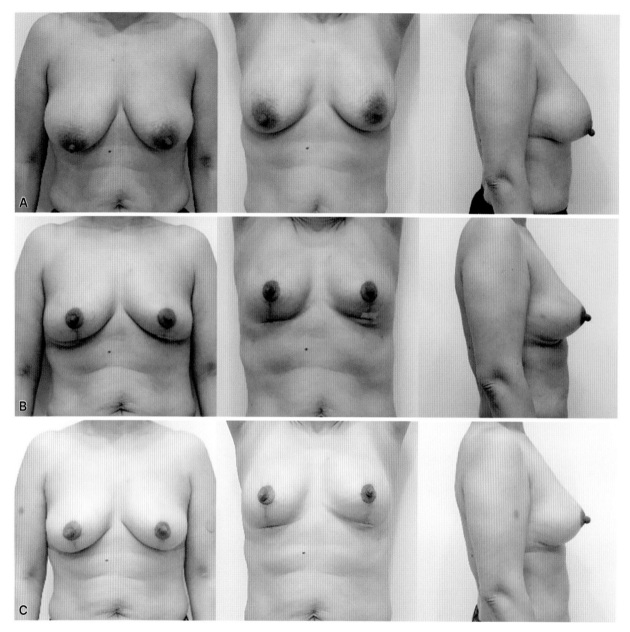

그림 6-4-24. Short T vertical mastopexy. 64 g, 54 g 절제 (A) 술전, (B) 술후 4개월, (C) 술후 11개월.

Vertical에서의 술후 초기 팔을 들어올린 상태에서의 약간의 dog ear나 pucker는 필연적으로 술후 3개월에서 1년 정도 사이 차차 좋아진다는 점, 드물지만 술후 일년이 지나 revision이 필요한 경우도 있을 수 있다는 사실을 환자에게 충분히 설명하고 수술하여야 한다.

6) 증례 6

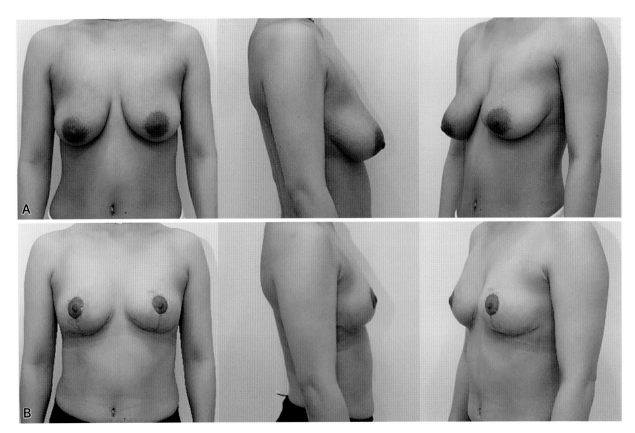

그림 6-4-25. Limited inverted T mastopexy. 우측 141g, 좌측 115 g 절제 **(A)** 술전, **(B)** 술후 6주째.

30세 이하의 비교적 젊은 나이의 환자이며 볼륨절제양이 적더라도 피부의 탄력이 좋지 않고 유선의 밀도가 높을 때는 득실을 고려해서 절개가 좀 더 길긴 하지만 모양다듬기와 오랜 시간 동안 좋은 결과의 유지를 위해 inverted T가 유리할 수 있다.

6. 유방고정술의 고려사항

1) 반흔(Scar)

술 전 상담 시 피부 묘기증, 피어싱 자국, 어깨 BCG 접종 흔적, 그리고 기존 다른 수술 부위 흉터 등을 꼼꼼히 훑어본다. 비후성 반흔 또는 켈로이드 발생 가능성이 의심되면 환자와의 충분한 상담을 통해 수술 가능여부를 잘 결정하고, 드물지만 만족하지 못할 정도의 반흔 발생 가능성에 대해 술 전 동의서에 꼭 포함시키도록 한다.

봉합 시 피부에 직접 전달되는 긴장을 최소화할수록 흉터의 질은 더 좋아진다. 간혹 술

후 stitch mark가 눈에 띄는 경우가 있다. 저자의 경우에 유륜을 포함한 모든 절개선에 피부 봉합은 따로 하지 않는다. 비후성 반흔이 발생했을 때는 triamcinolone을 1–4주 간격으로 수차례 반흔 부위에 주사한 다음, 어느 정도 상처가 누그러지면 반흔성형술을 시행할 수 있고 심한 켈로이드의 경우에는 트리암 주사와 더불어 반흔성형술 직후 방사선 치료도 고려해 볼 수 있다.

2) 이견 및 술후 잉여 피부(dog ear, pucker)

수직절개 유방고정술에서 흔하게 발생하는 문제로 경험이 쌓이다 보면 수직 절개 끝부위에서의 purse string 봉합보다는 수평절개를 더 가해 dog ear를 제거하는 방법을 추천한다. 경우에 따라서는 J, L incision 방법도 pucker의 확률을 낮추기 위해 사용된다. 초심자 입장에선 short T scar 수직 절개가 제일 무난할 것이다. 이마저도 경험이나 자신감이 떨어지는 초심자의 경우 앞서 설명했던 바와 같이 limited T scar 쪽으로 가는 것도 좋은 선택이다. 어느 정도 이상의 pucker가 남은 수직절개 유방고정술에 반해, 수평절개선이 다소 길지만 dog ear가 전혀 없고 수평 절개선이 새로운 가슴 밑선에 정확히 일치된 wise pattern의 술후 만족도가 훨씬 더 높을 수 있다. 1년 정도 지난 시점에서도 호전되지 않은 dog ear의 경우 수평 방향의 절개를 넣어 제거하여 준다. 또 수술 당시 새로운 가슴 밑주름 상하방 피판의 정교한 지방흡입으로도 상당 부분의 pucker는 예방이 가능하다.

3) Deep vein thrombosis (DVT)

조기 보행이 가능한 수술이라 수술 시간이 다소 좀 길더라도 큰 문제는 없지만 BMI 30 이상의 비만 환자, 경구피임약 복용 환자, 60대 이상의 환자에서는 수술 시간을 최소화하고 필요할 경우 intermittent pneumatic compressor 등을 사용할 수 있다.

4) 저교정 및 과교정

절제량, 유두의 위치, 새로운 유두와 밑선의 거리 등을 술전 디자인과 수술방 안에서 결정함에 있어 다소 과교정보다는 저교정이 더 바람직함을 항상 명심해야 한다. 특히 수직절개 유방고정술에서의 유륜하연에서 새로운 가슴밑선 까지의 거리가 역T자형 유방고정술에서의 그것보다 더 짧아야 한다.

5) 비대칭

직접 유두와 밑선을 둘 다 옮겨 줄 수 있는 수술이라, 확대술에 비해서 비대칭으로 불만족하는 경우는 훨씬 드물다. 수술 중 대칭성을 확인하는 작업도 물론 중요하지만 수술 전 정확한 디자인을 통해 대칭을 미리 잘 잡아 놓는 것이 제일 중요하다.

6) 감각 이상

불필요하게 과다한 조직 절제나 피판경 손상을 주지 않는 이상 어느 정도 이상의 유두 유륜복합체의 감각은 보존되는 편이다.

7) 혈종과 장액종(hematoma, seroma)

수술 중 철저한 지혈만 된다면 술후 심각한 혈종으로 재수술을 요하게 경우는 극히 드물다. 밑선부터 상방으로의 대흉근 상부층으로 박리 시, 바닥에 근막과 약간의 지방을 남긴다는 느낌으로 박리하게 되면 복부성형술의 박리때와 마찬가지로 혈종이나 술후 oozing의 가능성을 줄일 수 있다. 저자는 술전이나 술 중 특별한 출혈 성향을 보이지 않는 경우 배액관(drain)을 따로 두지 않고 있다. 재수술을 요할 정도의 혈종은 아니지만 확연히 양측 유방 크기 차이를 인지시킬 정도이거나 통증을 일으키며 수주 동안의 과도한 멍(bruising)을 일으킬 정도의 혈종이라면, 혈종 발생 2-3주 전후 액화(liquefaction)가 될 즈음 일회용 캐뉼라를 사용하여 배액시켜 준다. 만약 방치해 둔다면 유선의 비정상적인 단단함이나 피부의 함몰 등을 유발시킬 수 있다.

8) 감염(infection)

보형물 수술에 비해 감염 가능성은 극히 낮다. 상처가 좋지 않을 때 감염과 피판경 및 피부, 피하지방 피판의 허혈성 문제로 인한 wound dehiscence 등을 잘 감별해서 처치하여야 한다.

9) 유두 유륜복합체 부위 괴사

초심자가 제일 걱정하게 되는 부분으로 피판경의 두께 및 너비만 충분히 확보하여 수술한다면 그 발생빈도는 미미하다. 간혹 너비와 두께를 충분히 확보했더라도 고정과 봉합 시 피판경이 꺾이면서 허혈성 괴사를 만드는 경우도 있으니 피판경의 key suture 시 이를 잘 확인하여야 한다. 피판경의 동맥성 허혈성 괴사만큼 정맥성 울혈 문제로 인한 피판 괴사도 생길 수 있다는 부분을 잘 고려하여 수술하도록 한다.

10) 상처 치유 지연

앞서 언급했듯이 상처 치유지연이 피판의 문제인지 봉합의 문제인지 등 원인을 신속히 파악하고 debridement 또는 세척 및 재봉합 여부 등을 빨리 결정하여 시행한다. 단순 드레싱으로 이차 상처 치유(secondary intention)만 유도할 경우 술후 만족스럽지 못한 흉터로 인해 수술자, 환자 모두 낙담하기 쉽다. 호발하는 부위는 긴장도가 제일 큰 유륜의 상하연, 수직절개의 상하단, 역T자의 꼭짓점 부분 등이다.

✔ 참고문헌

1. 강진성. 강진성성형외과학 3rd edition Vol 6 서울: 군자출판사; 2004;2973.

2. Benelli L. A new periareolar mammaplasty: The "round block" technique. Asthetic Plast Surg 1990;14:93-100.

3. Botti G. Aesthetic mammaplasties. Practical Atlas of Plastic Surgery. See-Firenze. 2008;337.

4. Brink RR. The Management of true ptosis of the breast. Plast Reconstr Surg. 1993;91(4):657-62.

5. Bucky PB, Mottura AA, Codner MA. Aesthetic Breast Surgery. Techniques in aesthetic plastic surgery 2009;169.

6. Graf R, Biggs TM. In search of better shape in mastopexy and reduction mammoplasty. Plast Reconstr Surg. 2002;110:309-17;discussion 318-22.

7. Hall-Findlay EJ. A simplified vertical reduction mammaplasty: shortening the learning curve. Plast Reconstr Sur 1999;104:748-59.

8. Hall-Findlay EJ. Aesthetic Breast Surgery Concepts and Techniques 2011;515.

9. Hall-Findlay EJ. Pedicles in vertical breast reduction and mastopexy. Clin Plast Surg 2002;29:379-91.

10. Hamdi M, Hammond DC, Naha F. Vertical scar mammaplsty. Springer; 2005;25.

11. Hammond DC, Khuthaila DK, Kim J. The interlocking Gore-Tex suture for control of areolar diameter and shape. Plast Reconstr Surg 2007;119:804-9.

12. Hidalgo DA, Spector JA. Mastopexy. Plast Reconstr Surg 2013;132:642-56.

13. Lassus C. New refinement in vertical mammaplasty. Clin Plast 1981;6:81.

14. Lejour M. Vertical mammaplasty and liposuction of the breast. Plast Reonsr Surg 1994;94:373.

15. Regnault P: Breast ptosis. Definition and treatment. Clin Plast Surg 3: 193.1976.

16. Ribeiro L. A new technique for reduction mammaplasty. Plast Reconstr Surg. 1975;55:330-334.

17. Rohrich RJ, Thornton JF, Jakubietz RG, Jakubietz MG, Grünert JG. The limited scar mastopexy: Current concepts and approaches to correct breast ptosis. Plast Reconstr Surg. 2004;114:1622- 1630.

18. Neligan. Third edition. Volime 5. Breast, Mastopexy. 119-51.

19. Spear S. Augmentation/mastopexy: "Surgeon, beware". Plast Reconstr Surg. 2003;112:905-6.

20. Stevens WG, Stoker DA, Freeman ME, Quardt SM, Hirsch EM. Mastopexy revisited: A review of 150 consecutive cases for complication and revision rates. Aesthet Surg J 2007;27:150-4.

21. Swanson E. Prospective comparative clinical evaluation of 784 consecutive cases of breast augmentation and vertical mammaplasty, performed individually and in combination. Plast Reconstr Surg 2013;132:30-45.

CHAPTER
5

여성형유방증

Gynecomastia

실루엣 성형외과 **윤상엽**

남성의 유방이 마치 여성의 유방처럼 커진 경우를 여성형유방증이라 정의한다. 단순히 크기와 모양을 놓고 판단하기에 학문적으로 정확한 정의나 분류가 힘든 면이 있다. 그러나 점점 많은 남성들이 자신의 유방 모양에 대해 관심을 갖고 고민하는 경우가 늘고 있다. 여성형유방증을 다루는 의사는 유방암의 관점을 가지고 접근하면 수술 후 결과와 흉터 때문에 환자들에게 많은 당혹감을 안기게 된다. 성형외과적 관점을 가지고 접근해야만 한다.

여성형유방증에 대해 Paulus Aegineta (625-690 AD)가 최초로 수술방법과 관련된 기록을 남겼으며 이후 다양한 수술방법들이 소개되었다. 현재 널리 사용되고 있는 수술방법은 유륜 경계에 작은 절개선을 만들고 발달한 유선조직을 제거하면서 동시에 지방흡입을 같이 하는 방법이다. 큰 절개선을 사용하여 유방암 등을 수술하듯이 과도하게 유선조직과 지방 조직을 같이 제거하면 접시모양변형 등 부작용이 발생하기 쉬워 섬세한 성형외과적 접근이 절실히 요구된다.

여성형유방증에 대한 많은 분류 방법이 있으나 1973년 Simon 등이 발표한 4단계 분류 법을 사용하는 경우가 많다. 특히 국내에서는 2017년 이후 보건당국의 고시(보건복지부 고시 제2017-152)에 의해 초음파 검사나 조직검사상 유선조직 증식이 확인되고 Simon IIA 이상 의 중등도 여성형유방증은 건강보험 급여 대상이 되었다. 국내 분류체계로는 윤상엽 등이 2002년 지방형(가성 및 혼합형) 여성형유방증 위주로 5단계로 나누는 것을 제안한 바 있다.

1. 원인과 발병

대부분의 여성형유방증은 특발성이지만 약물이나 종양 등이 원인이 되어 발생하는 경우도 있으니 염두에 둬야 한다. 통상적인 경과는 초등학교 고학년이나 중학교 저학년 시절 유방이 아프거나 튀어나오거나 만져져서 고민을 시작한다. 비만 체형을 가진 청소년인 경우

쌓인 지방조직들이 커진 유선조직과 더불어 마치 여성의 유방처럼 보이게 되어 스트레스가 심해진다. 성인이 되면서 자연스럽게 크기가 줄거나 사라지기도 하므로 이 시기에는 우선적으로 규칙적인 식습관 유지와 운동을 통해 비만체형 관리를 권한다. 청소년기 약물치료 등은 여러 논란이 많다. 성인이 되어서도 지속되는 여성형유방증에 대해서는 수술 등을 고려하는데 청소년 시기에도 또래 집단에서 심한 놀림을 당하거나 학업생활 등에 지대한 악영향을 받는 경우에는 수술을 고려한다. 대부분의 경우 환자가 느끼는 스트레스와 콤플렉스 정도가 수술 여부의 기준이 된다. 유선조직이 주로 발달한 진성 여성형유방증과 지방이 많이 쌓여 생긴 가성 여성형유방증 그리고 이 둘의 혼합인 혼합형으로 나누고 있는데 실제 임상에서는 혼합형 여성형유방증이 대부분이다.

2. 초음파 검사

비교적 간단한 초음파 검사로 유선조직 증식을 확인할 수 있다. 국내에서는 건강보험 적용을 위한 기본 전제조건이기 때문에 초음파 검사가 중요해졌다. 수술 전 초음파 검사나 수술 후 조직검사를 통해 유선조직 증식을 증명하면 건강보험 적용(보건복지부 고시 제2017-152)이 가능하다.

수술을 끝낼 무렵 종료시점(ending point)을 결정하는 과정에서도 초음파 검사가 유용하다. 발달한 유선조직의 두께를 수술 전에 확인하고 유선조직을 피부 쪽 유류에 일부 붙여서 남긴다. 더 밑에(근육 쪽) 있는 유선조직을 주로 제거한다. 유선조직만 제거한다면 함몰이 생기기 쉽다. 따라서 제거한 유선조직 두께만큼의 지방을 흡입해서 평평한 흉부 윤곽을 만든다. 얼마나 많은 양을 제거하느냐보다는 적정량을 제거해서 정상적으로 보이는 흉부윤곽을 만드는 게 중요하다. 함몰이 생기지 않게 조절하면서 초음파 검사를 통해 남은 유선과 지방량을 확인하고 수술을 종료한다. 보건당국의 고시상 지방흡입에 대해서는 수술비를 청구하지 못하게 되었다. 유선조직절제술만 급여로 인정되고 있으며 지방흡입은 의사의 노력에도 불구하고 인정받지 못하고 있다. 그러나 흉부윤곽 전체를 고려하여 지방흡입술을 하는 등 최선을 다하는 것이 바람직하다.

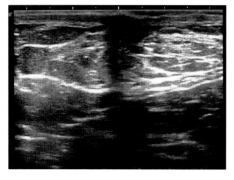

그림 6-5-1. 초음파 수술 전 사진. 가장 위층은 피부이고 가장 아래층은 근육이다. 유두 바로 밑에 지름 2 cm 이상 되는 딱딱한 유선조직이 있고, 그 두께는 겹쳐서 보이는 피부와 피하지방층의 두께보다 2-3배 두텁다. 유선조직보다 밑부분은 지방조직이 보인다.

3. 마취

수면마취로 불리는 정맥마취로 수술하는 경우가 일반적이나 국소마취 또는 전신마취 모두 가능하다. 환자가 수술 중 불편함을 느끼지 않고 수술 안전성의 확보가 중요하다. 국소 마취제로 충분한 튜메슨트(tumescent) 용액을 주입하여 마취 효과와 동시에 수술 중이나 수술 이후 출혈 가능성을 최소화시키는 것이 중요하다.

4. 수술 전 디자인

여성형유방증의 수술에서 유방부위에만 국한된 디자인과 겨드랑이 및 흉곽 옆 부위 등을 포함한 더 넓은 부위 디자인을 나눠서 생각할 수 있다. 유방을 포함한 흉곽 전체를 다듬는 수술이므로 미용성형적 안목이 중요하다. 단순한 유방절제술 개념으로만 접근하면 수술 후 자연스럽지 못하고 어색한 유방모양이 되기 쉽다. 비록 건강보험이 적용되는 치료목적 수술이라고 할지라도 성형외과 의사는 흉부전체에 대한 미적 인식과 관점을 가지고 수술에 임해야 한다. 대부분의 여성형유방증은 혼합형이므로 유선조직 절제 외에도 지방흡입 과정이 필수적이다. 비록 지방흡입에 대한 수술행위료를 제대로 평가받지 못하는 등 보험체계상의 문제가 있을지라도 최선의 결과를 만들기 위해서 지방흡입수술을 병행하는 것이 바람직하다.

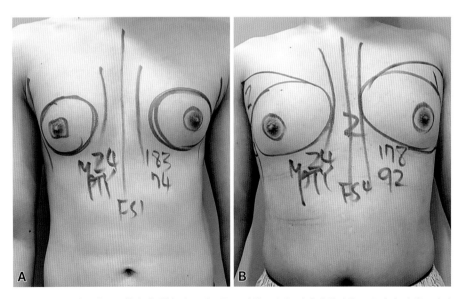

그림 6-5-2. 검은색으로 환자에 대한 기본 정보를 표시하고 수술 범위에 해당하는 유방의 경계는 파란색으로 표시했다. 유륜 주변에 만져지는 딱딱한 부위는 빨간색으로 표시했다. (B) 겨드랑이 부위와 흉곽 옆부분도 지방흡입이 필요해 검은색으로 추가 표시했다.

5. 수술과정

먼저 다양한 절개선이 소개되어 왔는데 저자는 유륜의 경계 부위 6시 방향에 작은 "칼집절개선(stab incision)"을 만들어 수술한다. 효과적인 유선절제와 충분한 지방흡입 그리고 최종적으로 남는 흉터를 고려해 절개선을 선택하고 있다.

유선조직이 주로 발달한 진성 여성형유방증의 경우 많은 양의 유선조직을 제거하면 위 절개선이 자연스럽게 커지게 되는데 통상 6-7 mm 정도가 된다. 그러나 10 mm를 넘는 경우는 잘 없다. 대부분의 여성형유방증은 혼합형이므로 유선조직 주변의 지방흡입을 우선적으로 한다. 남성 유방은 섬유화가 심하고 딱딱하기 때문에 지방흡입용 초음파 장비를 선호한다. 적절한 지방흡입을 통해서 흉부윤곽을 자연스러운 모양으로 만드는 성형수술의 개념이 꼭 필요하다. 단순한 종양절제의 개념만으로 접근하면 접시모양변형(함몰) 등의 부작용이 잘 생기고 피부 처짐을 더 악화시킬 수 있다. 다음 단계인 유선조직 제거 후에도 모양을 다듬기 위해 지방흡입을 추가적으로 더 하기도 한다.

수술의 다음 단계는 유선조직 제거이다. 두 번째 단계인 지방흡입을 적절히 하면 유선조직 절제 단계가 매우 쉬워진다. 의사의 수술 경험이 적을수록 지방흡입을 하지 않거나 조금만 한 뒤 유선 절제를 주로 한다. 즉 지방을 많이 흡입하지 않고 유선조직 절제와 더불어 지방을 과하게 절제해 버리면 신경과 혈관 손상이 빈번해지고 피부처짐도 악화된다. 대부분의 혼합형 여성형유방증은 유선조직의 크기가 유륜 크기를 살짝 넘는 정도가 많다. 적극적인 지방흡입으로 유륜 둘레보다 조금 넘는 정도로만 만져지는 크기로 절제부위를 남기는 것이 바람직하다. 이후 작은 절개선을 통해 수술용 가위 등을 이용해 유선조직을 안에서 작은 조각으로 만들어 조금씩 제거한다(pull-out method).

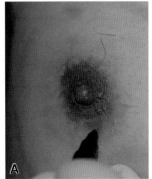
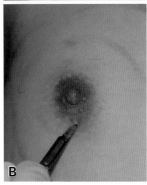

그림 6-5-3. 유륜 6시 방향. 절개선 위치. 유륜과 피부 경계부위 6시 방향에 칼집절개선(stab incision)을 만든다.

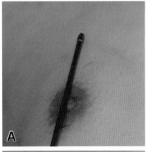
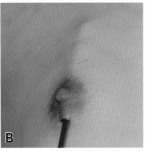

그림 6-5-4. 지방흡입 수술과정. 유륜절개선을 통해 초음파 캐뉼라를 넣어 흡입한다.

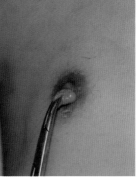

그림 6-5-5. 남은 유선 조직과 Pull-out 유선제거. 유륜 둘레 크기 정도만 절제 부위를 남길 정도로 적극적인 지방흡입을 한 뒤 남은 유선조직은 Pull-out법으로 꺼낸다.

유선조직만을 너무 적극적으로 제거하면 함몰 부작용이 생기기 쉽다. 또한 피하지방을 과도하게 제거하면 근육과 유착이 생긴다. 최근에는 유착방지제를 사용하고 있으며 도움이 된다.

수술의 종결시점을 결정하기 위해 수술 중 초음파검사를 병행하고 있다. 수술 전 초음파를 통해 확인한 유선조직의 두께를 염두에 두고 유두유륜복합체 밑에 적절한 두께를 남긴 다음 (일반적으로 0.5 cm 이상) 그 밑에 있는 유선조직과 지방조직을 적절히 제거한다. 제거된 양을 경험만으로 결정하지 않고 수술 중 초음파 검사를 통해 눈으로 확인하는 것도 좋은 방법 중의 하나이다.

6. 수술 결과 및 결론

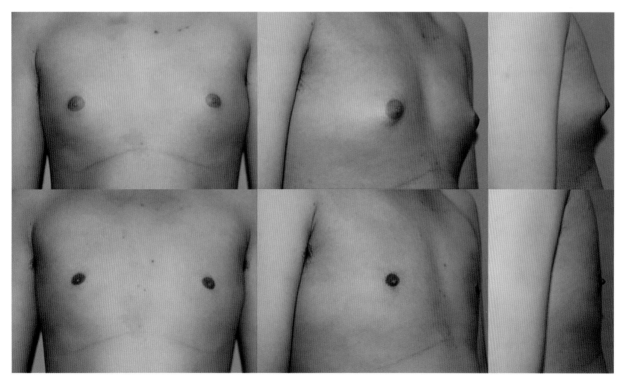

그림 6-5-6. 10대 후반 학생으로 수술 전과 7개월 후의 사진이다. 수술 전 뾰족한 유두유륜복합체 때문에 스트레스가 심했었다. 수술 과정으로 지방 200 cc 내외와 유선 30 g 내외를 각각 제거하였다. 수술 후 평평한 유방과 흉곽 모양에 대해 매우 만족해했다.

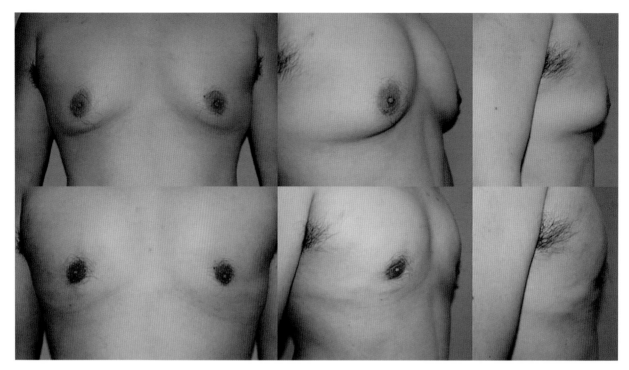

그림 6-5-7. 20대 후반 직장인으로 수술 전과 31개월 후의 사진이다. 20대 초반 이후 반복적인 다이어트와 요요현상으로 인해 유방이 처진 모양이었다. 지방을 각각 310 cc와 350 cc를 흡입하고 유선조직도 15 g과 17 g을 각각 제거하였다. 처진 모양이 남아 있으나 수술 결과에 전반적으로 만족하였다. 수술 전 계획단계에서 피부 처짐에 너무 집착하여 피부 절개선을 만드는 수술 방법을 선택하는 것보다 적절한 여성형유방증 수술과정을 통해 흉터를 최소화시키는 것이 중요하다.

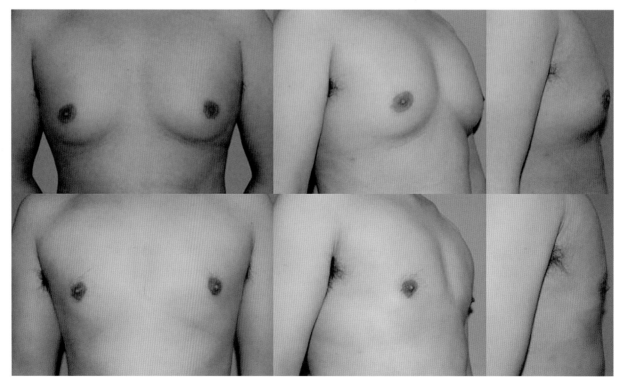

그림 6-5-8. 20대 중반으로 수술 전과 4달 후 결과 사진이다. 지방흡입 과정을 통해 약 500 cc에 달하는 지방을 제거하였는데 유선조직은 상대적으로 적은 양이었다. 겨드랑이 부위와 흉곽 옆부위에도 적극적인 지방흡입을 시행했고 수술 후 옆모습에서 피부의 처짐 없이 달라붙는 모습을 확인할 수 있다.

저자는 2004년 이후 1만 5천 건에 달하는 여성형유방증 수술을 해왔다. 겨드랑이 절개선, 유두밑(subnipple) 절개선도 사용하여 수술했으나, 최근에는 유륜 6시 방향에 작은 칼집절개선을 주로 사용하고 초음파 지방흡입과 유선조직 절제술을 표준방법으로 사용하고 있다. 6개월 이후 외래를 찾아와 경과관찰에 응한 환자들은 실제 30%도 되지 않아 환자들의 수술 후 만족도를 통계적으로 처리하는 것은 쉽지 않다. 전화조사를 시도하기도 하지만 응대의 결과가 일률적이지 않다. 하지만 약간의 주관적인 문제가 있어서 다시 병원을 찾아온 환자들의 대부분이 전반적인 결과에 만족하였다. 최소 1달 이상 경과 관찰이 가능했던 환자들 가운데 출혈 등의 부작용은 2% 이하였으며, 함몰 또는 모양이 마음에 들지 않아 재수술을 원하는 경우는 5% 이하였다.

☑ 참고문헌

1. 윤상엽. 여성형유방증(지방형유방증). 대한미용성형외과학회. 미용성형외과학 vol 3. 서울: 군자출판사; 2018;265-93.

2. Fruhstorfer BH, Malata CM. A systematic approach to the surgical treatment of gynaecomastia. Br J Plast Surg 2003;56(3):237-46.

3. Simon BE, Hoffman S, Kahn S. Classification and surgical correction of gynecomastia. Plast Reconstr Surg 1973;51(1):48-52.

4. Yoon SY, Kang MG. Correction of Lipomastia through a Stab Incision on the Nipple Areolar Junction 2014; 20(1), 31-5.

5. Yoon SY, Kang MG. Decrease of Areola Diameter after Gynecomastia Correction. J Korea Soc Aestehetic Plast Surg 2009;15(3):213-7.

6. Yoon SY, Kang MG. The new classification for Fatty-type Gynecomastia (lipomastia) and 1000 cases review. J Korea Soc Aestehetic Plast Surg 2009;36(6):773-8.

CHAPTER

6

Breast : Aesthetic Surgery >> SECTION 6. Reduction mammoplasty & mastopexy

함몰유두 성형술과 유두축소술

Inverted nipple and reduction nipple-plasty

바탕 성형외과 **한승범**

1. 함몰유두

함몰유두는 유두의 첨부가 체내 측으로 향하여 유방조직에 묻히거나, 편평하여 유륜과 유두의 높낮이의 차이가 없는 상태이다. 건강한 일반 여성의 약 3–10%에서 발견되며, 대부분은 양측성이다. 유두의 위생과 미용적인 문제를 유발하기도 하며, 심한 함몰유두는 모유수유에 영향을 미치기도 한다.

1) 유두의 해부학적 구조

유두와 유륜은 대부분 속가슴동맥(internal thoracic artery), 앞갈비사이동맥(anterior inter-costal artery)과 가측가슴동맥(lateral thoracic artery)에서 혈액을 공급받는다. 또한 4번째 갈비사이신경(4th Intercostal nerve)과 세번째와 다섯번째 가측피부신경(3rd, 5th lateral cutaneous nerve), 두번째에서 다섯번째 앞피부신경(2nd-5th anterior cutaneous nerve)에서 감각 신경의 공급을 받는다. 각 혈관과 신경은 유두와 유륜 내에서 복잡한 얼기를 형성하고 있어 함몰유두의 교정과 유두축소술 정도로 혈행과 감각의 손상이 크게 일어나지는 않는다.

2) 함몰유두의 원인

함몰유두를 유발하는 원인은 다양하다.

(1) 선천적인 유두의 발달 과정
① 유선조직과 유두를 잇는 유관(lactiferous duct)이 짧은 경우
② 유두에 연결된 주변조직이 유두를 내측으로 당기는 경우
③ 유두의 연부조직이 부족하여 돌출되지 못하고 편평한 경우

(2) 노화 과정으로 인해 유관의 단축

(3) 수술 등의 외적 요인에 의한 유관 및 유두 조직의 섬유화로 인한 단축

(4) 유관확장증(duct ectasia), 유선염(mastitis), 유방암 등 병적 요인

3) 함몰유두의 정도(Grade)

(1) Grade I

유두가 손으로 쉽게 노출되며 돌출이 한동안 잘 유지된다. 유두 조직이 비교적 잘 발달되어 있고, 섬유 조직이 심하지 않은 단계로, 간단한 주머니끈봉합(Purse-string suture)으로 교정이 가능하다.

(2) Grade II

함몰유두를 주소로 병원을 방문하는 가장 흔한 경우가 2단계이다. 유두가 노출은 되지만 그 돌출이 유지되기 어렵다. 섬유 조직의 당김이 중간 이상의 정도이며, 섬유 조직을 박리하여야 함몰의 교정이 가능하다.

(3) Grade III

유두 함몰의 정도가 심하여 돌출을 만들기 어렵다. 섬유화가 심하고 유두의 조직 자체가 부족한 경우가 많아 연부조직을 보강해야 한다. 유관도 짧아져 있는 경우 교정 과정에서 유관을 유지하기 어렵다.

4) 함몰유두의 치료

(1) 비수술적 치료

① Hoffman 테크닉

양손 엄지를 유륜의 3시, 9시 방향에 대고 누르고 바깥 방향으로 당긴다. 이 방법을 6시, 12시 방향으로 동일하게 적용하고 하루 수차례, 지속적으로 시행한다.

② 유두 돌출기구의 적용

(2) 수술적 치료

① 쌈지봉합법

함몰된 유두를 skin hook을 이용하여 당긴 상태로 수술을 진행한다. 유두-유륜 경계부위에 작은 절개창을 12시-4시-8시 방향으로 낸다. 각각의 절개창을 통해 유관 주변의 짧아

진 섬유조직을 수직으로 박리하여 유두의 함몰을 풀어준다. 충분히 박리가 진행되면 삼각
형의 절개창을 통해 4-0 Vicryl로 쌈지봉합하여 유두 내부의 사강(dead space)을 줄이고 유
두의 재함몰을 방지한다.

② 삼각 피판법

함몰유두의 정도가 심하고 재발이 흔한 경우, 유두 주변에서 삼각형 형태의 진피 피판
을 일으켜 함몰을 유발하는 부족한 연부조직을 채우고, 재함몰 되는 것을 막을 수 있다.
Grade III의 함몰유두에서는 향후 모유수유 여부를 따져, 유관을 절단하여 그 하부에 삼각
피판의 각 첨부가 봉합될 수 있도록 한다.

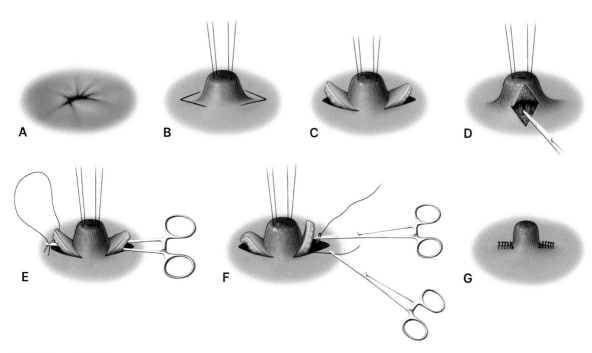

그림 6-6-1. 삼각피판법.

5) 수술 후의 유지 관리

함몰유두 수술 후에 과도한 박리 등으로 혈행에 지장이 초래되는
경우가 많으므로, 수술 후의 경과 관찰에 주의해야 한다. 혈행의 이상
이 발견되면 기존의 봉합을 풀고 보존적 치료에 유의해야 한다.

Grade II 이상의 함몰 유두에서는 수술 후에 재발하는 경우가 흔
하므로, 수술된 유두를 4-0 나일론으로 유두 돌출 유지장치에 고정
하여 2-5일 간 유지한다. 이때 유지장치는 의료용 계량컵 등을 활용할
수 있으며, 피부 접촉 부위의 압박 손상을 예방하기 위해 거즈 등으로
완충해 줘야 한다.

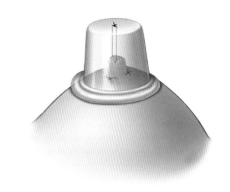

그림 6-6-2. Grade II 이상의 함몰 유두에서 수술 후에
재발방지를 위해 유두 돌출 유지장치에 고정한다.

2. 유두축소술

유두비대증(nipple hypertrophy)은 유두의 길이와 직경이 비정상적으로 커져있는 상태로, 비대한 유두는 미용적 불만족을 유발하고 얇은 옷을 입었을 때 도드라진 모양으로 인해 사회적, 심리적으로 위축되게 한다. 또한 비대한 유두는 운동이나 일상 생활에서 옷과 마찰이 발생하여 피부가 손상되기도 하고, 반복적인 자극을 유발하기도 한다. 대부분의 유두비대증은 2차 성징 혹은 출산과 모유수유 등 호르몬의 영향을 크게 받는다. 대체로 아시안 인종에서 자주 관찰된다. 비정상의 범주가 명확하지는 않으나, 일반적으로 유두의 직경과 길이가 1 cm가 넘는 경우 축소술을 고려해볼 수 있다.

1) 유두축소수술법

(1) Chullo-Hat 모양 절제술

젖샘관입구(lactiferous duct opening)를 포함하여 쐐기 모양으로 절개한다. 간단한 술기로 유두의 폭과 높이를 동시에 줄일 수 있으며, 절제하는 쐐기의 모양과 폭의 디자인에 따라 유두의 모양과 돌출 정도를 조절할 수 있다. 하지만 유관을 포함하여 절제되기 때문에 모유수유를 마쳤거나 모유 수유 계획이 없는 경우에 추천할 수 있다.

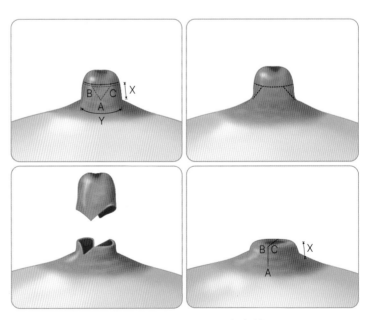

그림 6-6-3. Chullo-Hat 모양 절제술

(2) Regnault 절제술

유두의 옆면 피부를 둘레를 따라 절제하고 봉합한다. 젖샘관입구를 보존하기 때문에 모유 분기 기능을 보존해야 하는 경우 유용하다. 유두의 높이를 줄이는데 유용하지만 유두의 폭을 줄이기 어렵다. Regnault 절제술에 더하여 남아있는 상부 유두의 피부를 다양한 형태로 절제하여 유두의 폭을 줄일 수 있다.

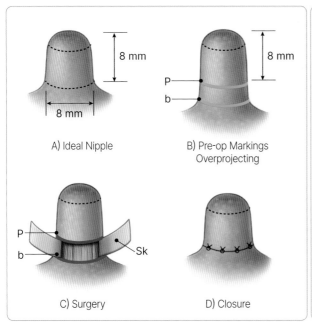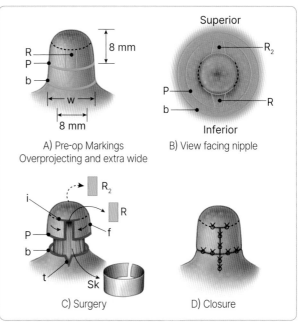

그림 6-6-4. Regnault 절제술

(3) 단순절제술과 Vecchione 축소법

원하는 높이에서 횡으로 절제술을 시행하고 봉합한다. 남자 유두의 경우는 단순절제술 후 지연회복(delayed healing)을 유도하기도 한다. 젖샘관입구를 보존할 수 없으며, 유두의 모양과 흉터 문제로 인하여 절제된 유두의 피부 절편을 취하여 피부이식을 할 수 있다.

☑ 참고문헌

1. Fanous N, Tawile C, Fanous A. Nipple reduction - An adjunct to augmentation mammaplasty. Can J Plast Surg 2009 Fall;17(3):81-8.

2. Han S, Hong YG. The inverted nipple: its grading and surgical correction. Plast Reconstr Surg 1999;104(2):389-97.

3. Kim DY, Jeong EC, Eo SR, Kim KS, Lee SY, Cho BH. Correction of inverted nipple: an alternative method using two triangular areolar dermal flaps. Ann Plast Surg 2003;51(6):636-40.

4. Moliver C, Kargel J, Sullivan M. Treatment of nipple hypertrophy by a simplified reduction technique. Aesthet Surg J 2013;33(1):77-83.

5. Park HS, Yoon CH, Kim HJ. The prevalence of congenital inverted nipple. Aesthetic Plast Surg 1999;23(2):144-6.

6. Regnault P. Nipple hypertrophy. A physiologic reduction by circumcision. Clin Plast Surg 1975;2(3):391-6.

7. Sim HB, Sun SH. Nipple Reduction With the Chullo-Hat Technique. Aesthet Surg J 2015;35(6):NP154-NP160.

8. Stevens WG, Fellows DR, Vath SD, Stoker DA. An integrated approach to the repair of inverted nipples. Aesthet Surg J 2004;24(3):211-5.

9. Vecchione TR. A method for recontouring the domed nipple. Plast Reconstr Surg 1976;57(1):30-2.

10. Lai YL, Wu WC. Nipple reduction with a modified circumcision technique. Br J Plast Surg 1996;49(5):307-9.

찾아보기